Das erste Jahr

Unser Baby Tag für Tag

Ausführliche Informationen und Ratschläge zu jedem Tag
im Leben Ihres Babys – zu Wachstum, Babypflege und
Entwicklung im ersten Lebensjahr

Das erste Jahr
Unser Baby Tag für Tag

Herausgeber: Dr. Ilona Bendefy

DK

Dorling Kindersley

Dorling Kindersley
London, New York, Melbourne, München und Delhi

DK London
Programmleitung Peggy Vance
Projektleitung Anna Davidson
Cheflektorat Penny Smith
Lektorat Victoria Heyworth-Dunne, Amanda Lebentz
Redaktionsassistenz Kathryn Meeker
Bildredaktion Marianne Markham
Gestaltung und Satz Nicola Rodway, Pamela Shiels
Art Director (Fotografie) Emma Forge
Fotos Vanessa Davies
Herstellung Clare McLean, Seyhan Esen

DK Delhi
Cheflektorat Glenda Fernandes
Lektorat Alicia Ingty
Redaktion Janashree Singha, Himanshi Sharma
Bildredaktion Navidita Thapa, Ira Sharma, Ridhi Khanna
DTP-Design Sunil Sharma Anurag Trivedi, Satish Chandra Gaur

Für die deutsche Ausgabe:
Programmleitung Monika Schlitzer
Projektbetreuung Manuela Stern
Herstellungsleitung Dorothee Whittaker
Herstellung Anna Ponton

Bibliografische Information der Deutschen Bibliothek
Die Deutsche Bibliothek verzeichnet diese Publikation in der Deutschen
Nationalbibliografie; detaillierte bibliografische Daten sind im Internet
über http://dnb.ddb.de abrufbar.

Titel der englischen Originalausgabe:
The Day-by-Day Baby Book

Übersetzung Karin Hofmann, Jeanette Stark-Städele
Lektorat Ute Rather
Satz Roman Bold & Black

ISBN 978-3-8310-2349-3

Printed and bound in China

Besuchen Sie uns im Internet
www.dorlingkindersley.de

Hinweis
Die Informationen und Ratschläge in diesem Buch sind von den Autoren
und vom Verlag sorgfältig erwogen und geprüft, dennoch kann eine
Garantie nicht übernommen werden. Eine Haftung der Autoren bzw. des
Verlags und seiner Beauftragten für Personen-, Sach- und Vermögens-
schäden ist ausgeschlossen.

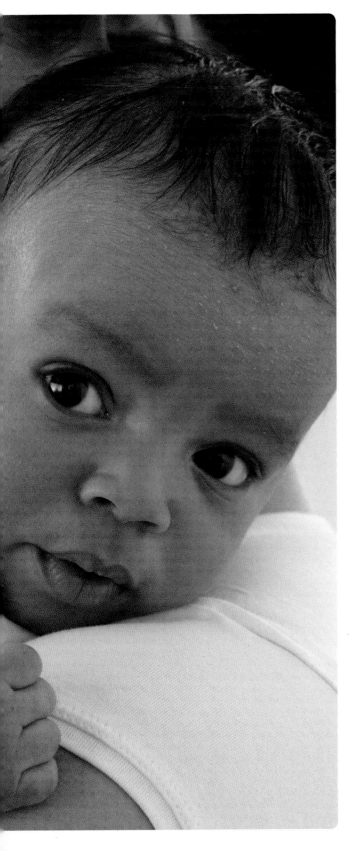

Über die Herausgeberin

Dr. Ilona Bendefy ist Ärztin für Allgemeinmedizin, Kinderärztin und Mutter von vier Kindern. Nach der Facharztausbildung am St. Thomas' Hospital in London arbeitete sie sieben Jahre als Kinderärztin im Krankenhaus. In einer Londoner Praxis bildete sie sich zur Allgemeinmedizinerin weiter. 1997 zog sie nach Derbyshire und arbeitete dort zunächst als Kinderärztin im Sheffield Kinderkrankenhaus. Heute ist sie niedergelassene Allgemeinmedizinerin.

Über die Autoren

Bella Dale ist Hebamme und Fachfrau für Säuglingsernährung; sie besitzt weitreichende Erfahrungen in der Stillberatung. Bella Dale hat drei Kinder.

Dr. Carol Cooper arbeitet als Ärztin und erfolgreiche Medizinautorin und TV-Ärztin in London; sie lehrt auch an der Imperial College Medical School. Nach ihrem Studium an der Cambridge Universität arbeitete sie neun Jahre im Krankenhaus, bevor sie sich als Allgemeinmedizinerin niederließ. Sie hat drei Söhne.

Dr. Claire Halsey ist beratende klinische Psychologin mit 30-jähriger Erfahrung und arbeitet hauptsächlich mit Kindern. Außerdem ist sie Journalistin und Autorin im Bereich Kinderpsychologie, Erziehung und Kindesentwicklung. Sie hat drei Kinder.

Fiona Wilcock ist Ernährungsberaterin und Fachautorin für Ernährungsthemen mit zahlreichen Veröffentlichungen zum Thema Ernährung in der Schwangerschaft und in den ersten Lebensjahren; zudem berät sie verschiedene Hersteller und Händler von Babykost. Sie leitet eine Baby- und Kleinkindgruppe und hat zwei Kinder.

Jenny Hall arbeitete als Kinderkrankenschwester, bevor sie vor zwölf Jahren Gesundheitsberaterin wurde. Sie hat zwei Töchter.

Judy Barratt ist erfahrene Autorin im Bereich Kinderpflege mit dem Schwerpunkt Kinderernährung und Entwicklung. Sie hat zwei Kinder.

Karen Sullivan hat Entwicklungs- und pädagogische Psychologie studiert und ist Autorin und Fachfrau für Kinderpflege. Sie hat drei Söhne.

Dr. Mary Steen arbeitete 24 Jahre als Hebamme und ist Mutter dreier Kinder. Sie hat verschiedene Auszeichnungen erhalten für Grundlagenforschung, klinische Innovationen und Verdienste um die Geburtshilfe. 2010 wurde sie Professorin für Geburtshilfe an der Universität von Chester.

Dr. Su Laurent ist beratende Kinderärztin am Barnet Hospital in London. Sie verantwortet dort die Pflege von Kindern jeden Alters, von extrem frühgeborenen Babys bis zu Teenagern. Sie ist Mitglied des The Child Bereavement Trust und hat drei Kinder.

Inhalt

Einleitung

Wir leben in einer Zeit modernster Technologie, in der fast alles technisch machbar scheint. Und doch gibt es nichts, was mit dem Wunder eines neugeborenen Babys zu vergleichen ist. Für frisch gebackene Eltern ist kaum fassbar, dieses kleine Wesen erschaffen zu haben; ein Baby ist von ihnen abhängig und braucht ihre Fürsorge – die Zukunft ihres Kindes liegt in ihren Händen. Dieses Gefühl von Leistung und Verantwortung verändert uns als Menschen.

Im Erwachsenenalter wissen wir in der Regel, wie wir Beruf, Haushalt und unser soziales Leben meistern. Doch wie man ein Baby versorgt, haben wir nicht gelernt! Früher wurde Erziehungswissen – besser oder schlechter – von Generation zu Generation weitergegeben. Heutzutage sind Familien oft über Länder und Kontinente verstreut oder aber die Großeltern berufstätig. Nur wenige Eltern können noch auf familiäre Unterstützung zurückgreifen. Gleichzeitig haben Forschung und medizinische Versorgung die Kindergesundheit dramatisch verbessert und wir wissen heute viel mehr über eine fördernde Kindererziehung. Und so wollen Eltern wissen, wie sich ihr Kind entwickelt, damit sie es angemessen unterstützen können.

Im ersten Lebensjahr wächst und entwickelt sich ein Baby rasant. Eltern erleben, wie sich ihr Baby beinahe von Tag zu Tag verändert. Sie sind erfüllt von diesem Wunder und ihrem Stolz, spüren aber zugleich, wie viel sie selbst noch lernen müssen. Und so brauchen sie verlässliche, ausgewogene und hilfreiche Informationen über alle Entwicklungsschritte und dazu, was sie selbst für ihr Baby tun können.

Das Buch bietet Eltern einen umfassenden Ratgeber zu jedem Schritt ihres Babys im ersten Lebensjahr. Sie erhalten fundiertes Wissen und Ratschläge zu Wachstum und Entwicklung, Stillen und Ernährung, Schlafen, Vorsorgeuntersuchungen und Impfungen. Häufige Probleme und Sorgen werden sensibel thematisiert. Ein detaillierter medizinischer Teil informiert verständlich über häufige Krankheiten und Erste Hilfe. Auch Themen wie Berufstätigkeit, Kinderbetreuung, familiäre Netzwerke und die Pflege der Partnerschaft werden besprochen.

Das Buch richtet sich an Mütter, Väter und alle Betreuungspersonen des Kindes. Es möchte dazu beitragen, dass das erste Jahr zu einem glücklichen und vertrauensvollen Start wird für das weitere gemeinsame Leben von Baby und Eltern.

Dr. Ilona Bendefy

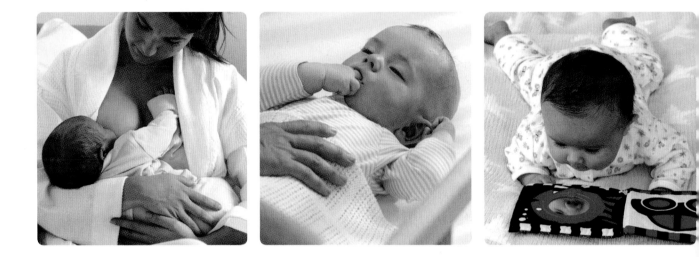

Schon bald nach der Geburt werden Sie feststellen, dass das Leben eine neue Dynamik entwickelt, wenn Sie mit all den neuen Erfahrungen kämpfen, die die Babypflege mit sich bringt. Viele erleben die ersten Tage und Wochen wie in Trance. In diesem Kapitel erhalten Sie daher die Hintergrundinformationen, die diese erste Zeit erleichtern. Themen wie Bindung und Erziehungsstile, Rechte und Vergünstigungen, Babyernährung, Windelsorten und Kauf der Ausstattung bereiten Sie aufs Elternsein vor.

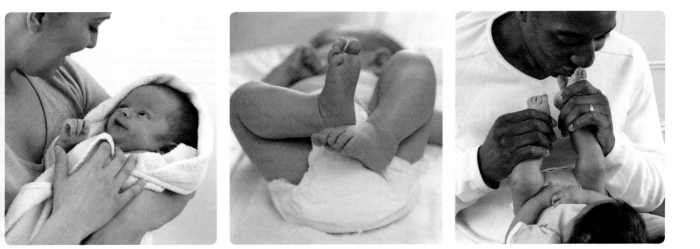

Unser Baby

Eltern sein

DAS IST EINE AUFGABE FÜRS LEBEN UND MANCHMAL ANSTRENGEND – DOCH ALLE MÜHE LOHNT SICH!

In den letzten neun Monaten, wenn nicht schon länger, haben Sie diesen Augenblick herbeigesehnt. Jetzt ist Ihr Baby da – ein neuer Mensch, den Sie lieben und versorgen und dem Sie ein sicheres Umfeld schaffen müssen. Babys Bedürfnisse stehen nun an erster Stelle.

Sich aufs Elternsein einstellen

Ihr Baby ist noch so winzig klein und doch ist es in der Lage, Ihre Welt komplett auf den Kopf zu stellen! Willkommen in der Welt der Eltern!

Niemand kann Sie auf diesen Wirbelwind – Ihr Baby – wirklich vorbereiten. Auch wenn Sie bereits praktische Vorbereitungen getroffen haben, also ein Babybett in Ihr Schlafzimmer gestellt, Windeln und Strampelanzüge eingeräumt haben, kann die Realität, mit einem Baby zu leben und die vollständige Verantwortung dafür zu tragen, wie ein Schock sein.

Neue Zeiten Die drastischste Änderung ist, dass Ihre Zeit nicht mehr länger allein Ihnen gehört – tags wie nachts. Besonders in den ersten Wochen fordert Ihr Baby beinahe konstant Ihre Aufmerksamkeit. Es wacht mit Hunger auf, wenn Sie schlafen wollen. Es braucht gerade dann eine frische Windel, wenn Sie sich zum Essen hinsetzen. Das ist körperlich anstrengend und emotional belastend. Doch dabei lernen Sie Ihr Baby kennen und üben sich in Babypflege. Und schließlich geht diese Phase auch bald vorüber!

Wenn Sie Ihr Baby besser kennen und allmählich Sicherheit in Ihrer Elternrolle gewinnen, wird das Leben wieder vorhersehbarere Strukturen annehmen. Das heißt allerdings nicht, dass Sie in Kürze nachts wieder acht Stunden schlafen können; doch nach drei Monaten wird Ihr Baby nachts länger und tagsüber weniger schlafen. Mit zwölf Monaten schlafen die meisten Babys nachts rund zehn bis zwölf Stunden sowie zweimal am Tag – eine gewisse Normalität kehrt mit der Zeit also sicher wieder ein.

Den Instinkten vertrauen Eltern zu werden, ist aufregend und tief befriedigend – bringt aber auch neue Ängste und Sorgen. Trinkt mein Baby zu viel oder zu wenig? Spiele ich genug mit ihm? Ist es krank? Entwickelt es sich normal? Es gibt kein Allheilmittel gegen die Ängste neuer Eltern, aber zwei wichtige Grundsätze: Vertrauen Sie Ihren Instinkten und

In der Pflicht Sie sind vielleicht überrascht, wie intensiv Sie Ihr Baby beschützen wollen – das ist der Mutterinstinkt, der sich einschaltet.

scheuen Sie sich niemals, Ihre Sorgen zu äußern und um Hilfe zu bitten. Sie selbst sind immer die beste Autorität, wenn es um Ihr Baby geht – egal, welche wohlmeinenden Ratschläge Sie erhalten. Die Natur sensibilisiert Eltern für die Bedürfnisse ihres Babys – und wenn Sie die Antwort nicht sofort wissen, werden Sie sie bald herausfinden. Gelingt das nicht, nehmen Sie besser Hilfe in Anspruch.

Sprechen Sie auch mit Ihrem Partner. Er hilft nicht nur praktisch, sondern teilt mit Ihnen auch die Verantwortung für Ihr Baby – und diese Gemeinsamkeit stärkt Sie bei der Bewältigung aller Anforderungen. Bleiben Sie immer offen für die Ansichten, Gefühle und Meinungen des Partners. Das Elternsein bringt Ihnen beiden viele neue Erfahrungen. Sprechen Sie gemeinsam über all Ihre Hoffnungen und Wünsche, aber auch Ängste und Sorgen.

ZWILLINGE

Delegieren lernen

Die Verantwortung für zwei (oder noch mehr) neue Leben zu tragen, ist enorm. Sie und Ihr Partner benötigen viel Unterstützung von Familie und Freunden. Konzentrieren Sie sich einzig auf Ihre Babys – und vergessen Sie wenigstens für die ersten drei Monate den Haushalt und alles andere. Lassen Sie Ihren Partner oder Ihre Familie kochen und aufräumen. Nutzen Sie diese erste kostbare Zeit, Ihre Zwillinge kennenzulernen und alles über ihre Bedürfnisse herauszufinden.

Im Doppelpack Jede Mutter braucht viel Unterstützung, doch bei Zwillingen ist sie unverzichtbar.

Eine Familie werden

Sobald Sie ein Baby haben, werden Sie zur Familie. Das verändert die Dynamik der Beziehung zum Partner und zu den Verwandten.

Eine kleine Familie Ein Baby verbindet Sie und Ihren Partner im gemeinsamen Bemühen um sein Wohlergehen.

Sie und Ihr Partner Bevor Sie ein Baby hatten, konnten Sie Ihre Freizeit miteinander verbringen. Jeder konnte auch seinen eigenen Hobbys nachgehen, ohne sich zu Hause gebunden zu fühlen. Doch sobald Sie ein Baby haben, besitzen gemeinsame Freizeitgestaltung und eigene Interessen keine Priorität mehr. Dafür steht nun Ihr Baby im Zentrum Ihres Lebens. Irgendwann jedoch wird der Moment kommen, in dem Ihnen bewusst wird, wie sehr sich Ihr Leben – speziell als Paar – verändert hat.

Erinnern Sie sich gegenseitig immer wieder daran, dass Sie zusammenstehen. Sie werden müde und gereizt sein, vielleicht sogar bissig oder weinerlich. Dann ist es umso wichtiger, dass Sie sich aktiv gegenseitig unterstützen. Sprechen Sie miteinander; versuchen

Sie Zeit füreinander zu finden – seien es nur 20 Minuten am Tag, in denen Sie gemeinsam essen. Die Müdigkeit der ersten Tage wird bald vorübergehen. Sie stehen am Beginn einer Reise, bei der jeder Schritt, den Sie gemeinsam unternehmen im Bemühen, das Beste für Ihr Baby zu tun (auch dann noch, wenn es bereits eigene Entscheidungen trifft), ein Schritt ist, der Sie einander näherbringt und Ihre Beziehung stärkt.

Spannungen entstehen in den ersten Monaten oft, wenn ein Partner wieder arbeiten geht und ein neues Gleichgewicht zwischen Beruf und Privatleben gefunden werden muss. Der Elternteil, der zu Hause bleibt, hat dann oft das Gefühl, seine Unabhängigkeit verloren zu haben und die gesamte Last der Verantwortung für das Wohlbefinden der Familie zu tragen, während sich das Leben des berufstätigen Elternteils kaum verändert hat. Der berufstätige Elternteil wiederum kann sich ausgeschlossen oder fremd fühlen und das Gefühl bekommen, nur für das Geldverdienen zuständig zu sein.

Doch Sie tragen beide eine entscheidend wichtige Rolle für das Wohlergehen der Familie. Respektieren Sie einander für Ihre jeweiligen Entscheidungen und tragen Sie sie bewusst mit. Lassen Sie sich als berufstätiger Elternteil am Wochenende voll auf das Familienleben ein und ermöglichen Sie der Hauptbetreuungsperson wenigstens ein paar Stunden Auszeit.

Der Versuch, Beruf und Babybetreuung zu vereinbaren, belastet eine Beziehung oft. Teilen Sie sich beide möglichst viele Haushaltpflichten und seien Sie bereit, einander um Hilfe zu bitten, wenn es nötig ist. Vermeiden Sie, Unter-

stellungen zu machen, was der eine mehr erledigt als der andere. Dies führt nur zu Groll und Streit. Erstellen Sie besser Listen, was getan werden muss, und teilen Sie die Pflichten gerecht auf.

Geschwister Die Ankunft eines Babys bedeutet auch einen Wendepunkt im Leben der Geschwisterkinder. Nur höchst selten entsteht in einer Familie keinerlei Geschwisterrivalität – stellen Sie sich besser darauf ein, dass es dazu kommt! Wenn alle in der Familie liebe- und respektvoll miteinander umgehen, ist es viel wahrscheinlicher, dass Geschwister einander auch mit Liebe und Respekt begegnen, selbst wenn sie irgendwann verunsichert sind, weil sie

Geschwisterrivalität Zeit und Zuwendung helfen Ihrem Kleinkind, den Neuankömmling zu akzeptieren und Eifersucht abzubauen.

Gehorchen lernen Im ersten Lebensjahr gibt es nur wenige Gründe, um »Nein« zu sagen. In diesem Alter hat ein Baby entwicklungsbedingt noch nicht gelernt, sein Verhalten zu steuern – der Teil des Gehirns, der soziales Wissen und Verhalten steuert, ist erst in ein oder zwei Jahren ausgebildet. »Gehorsam fordern« bedeutet in dieser Phase eine sanfte Korrektur oder Ablenkung, verbunden mit einem deutlichen »Nein«, immer dann, wenn Ihr Baby etwas tut, das es selbst oder andere gefährdet.

Egal, welche Grenzen Sie aber setzen, wichtig ist es, jedes Mal auf dieselbe Weise zu reagieren. Hilfreich ist die Methode, »das Gesagte wiederholen, das Baby wegbringen und ablenken«. Also: Wiederholen Sie das Verbot (z.B. »Berühre die Vase nicht, denn sie ist zerbrechlich«), stellen Sie die Vase dann weg oder bringen Sie das Baby aus der Gefahrenzone und lenken Sie es ab. Und beim nächsten Mal reagieren Sie ebenso: wiederholen, wegbringen, ablenken. Ihr Baby verbindet etwa ab dem Alter von neun Monaten allmählich bestimmte Verbote mit bestimmten Konsequenzen. Diese Lektion ist für die Kleinkindjahre lebenswichtig. Denn dann testen die Kinder ihre Grenzen aus, um herauszufinden, ob die Eltern auch meinen, was sie sagen.

Begründen Ihr Kind versteht Sie besser, wenn Sie erklären, warum man manche Dinge nicht tun darf – erwarten Sie aber nicht zu viel.

Begründen Formulieren Sie Verbote in einfachen Worten: »Fass den Herd nicht an – das ist heiß, aua« und imitieren Sie das Berühren eines heißen Gegenstandes. Ihr Baby versteht noch nicht alles, aber nimmt die Botschaft bereits auf. Mit dem Baby zu diskutieren, führt zu nichts. Wenn es reifer wird, wird es Ihnen bereitwilliger zuhören und gehorchen – sofern Sie ruhig bleiben. Gewinnen Sie seine Aufmerksamkeit, sprechen Sie deutlich und demonstrieren Sie, was Sie meinen.

FRAGEN SIE ... EINEN KINDERPSYCHOLOGEN

Fördern oder überfordern? Wir leben in einer Leistungsgesellschaft und es besteht ein zunehmender Trend, dass Eltern ihre Kinder – und sogar schon ihre Babys – mit Aktivitäten überhäufen, um ihre Entwicklung zu fördern. Doch Kinder lassen sich nicht »beschleunigen«. Das Kind zu Lernprozessen hinzuführen, bedeutet, ihm Zeit zu geben, die Welt selbst zu erkunden und es möglichst selbstbestimmt seine Umgebung und die Prinzipien von Ursache und Wirkung entdecken zu lassen (bei Handlungen, Sprache oder Geräuschen). Wichtig ist auch, es zu loben, wenn es etwas Neues entdeckt, sich gut benimmt oder etwas selbsttätig erlernt. Kinder lernen am besten durch das Spiel, wenn sie zufrieden und entspannt sind und nach ihrem eigenen Tempo »arbeiten« dürfen. Wenn Sie ihm viel Spielzeit gewähren, Geschichten vorlesen und gemeinsam singen, hat Ihr Baby alle Anregungen, die es benötigt, um sein geistiges Potenzial im eigenen Tempo und ohne Überforderung zu entwickeln.

Elternrechte und Hilfen

Nach der Geburt Ihres Babys müssen Sie Formulare ausfüllen, um es anzumelden und staatliche Hilfen zu erhalten.

In der Aufregung der ersten Tage sind die Formalitäten nur eine zusätzliche Last. Doch Ämter und Behörden haben bestimmte Fristen, die eingehalten werden sollten. Also packen Sie es an. Sollte Ihr Kind mit einer Behinderung zur Welt gekommen sein, stehen Ihnen eventuell spezielle Hilfen zu. Sprechen Sie darüber mit der Hebamme oder dem Kinderarzt.

Das Kind anmelden Innerhalb einer Woche nach der Geburt muss das Kind auf dem Standesamt (in der Schweiz beim Zivilstandsamt) des Geburtsortes eingetragen werden, damit Sie seine Geburtsurkunden erhalten. Hierbei wird auch der Vor- und Familienname des Kindes festgelegt. Bei einer Klinikgeburt wird das Kind in der Regel direkt im Krankenhaus angemeldet und die Eltern können später die Geburtsurkunden auf dem Standesamt abholen.

Zur Anmeldung des Kindes sind verschiedene Unterlagen erforderlich. Bei verheirateten Eltern sind dies die Geburtsbescheinigung der Klinik, die Personalausweise, Geburtsurkunden und Heiratsurkunde der Eltern oder eine beglaubigte Abschrift aus dem Familienbuch. Bei nicht verheirateten Müttern bzw. Paaren sind Personalausweis und Geburtsurkunde der Mutter sowie Vaterschaftsanerkennung, falls bereits vorhanden, erforderlich.

So früh wie möglich nach der Geburt sollten Sie Ihr Kind dann auch auf dem Einwohnermeldeamt (in Österreich auf der Meldebehörde oder direkt auf dem Standesamt, s. oben) des Wohnortes der Eltern anmelden. (Normalerweise leitet aber auch schon das Standesamt die Meldung weiter.) Hierzu sind der Personalausweis oder Pass der Eltern, die Geburtsurkunde des Kindes, evtl. die Urkunde über die Vaterschaftsanerkennung erforderlich. Wollen Sie einen Kinderreisepass (s. S. 97) bzw. in der Schweiz die Identitätskarte oder den Pass beantragen, wird außerdem ein Lichtbild des Kindes benötigt und bei nur einem Erziehungsberechtigten ein Sorgerechtsnachweis.

Anerkennung der Vaterschaft Sie erfolgt bei nicht verheirateten Paaren auf dem Standesamt oder Jugendamt und ist sowohl vor oder nach der Geburt möglich. Dazu ist die Zustimmung der Mutter nötig. Erforderlich sind die Ausweise sowie die Geburtsurkunden oder Abstammungsurkunden beider Eltern – sowie die Geburtsurkunde des Babys bei Anmeldung nach der Geburt.

Krankenversicherung Auch bei der Krankenversicherung muss das Baby so schnell wie möglich nach der Geburt angemeldet werden. Je nachdem, ob Sie gesetzlich oder privat krankenversichert sind, gibt es unterschiedliche Möglichkeiten, Ihr Kind zu versichern. Informieren Sie sich vorab bei Ihrer Krankenkasse. Als Nachweis benötigen Sie auch hier eine Geburtsurkunde. Ihr Kind erhält eine eigene Versichertenkarte.

Kindergeld und Elterngeld Das Elterngeld beantragen Sie in Deutschland bei der Elterngeldstelle. Die Liste aller Elterngeldstellen finden Sie auf der Website des Bundesministeriums für Familie (s. S. 417). Der Antrag muss innerhalb der ersten drei Monate nach der Geburt des Babys gestellt werden.

Welche Hilfe steht zur Verfügung? Ihnen stehen je nach Ihren Lebensumständen bestimmte Rechte und Hilfen zu: Finden Sie heraus, was Ihnen zusteht, damit Ihnen nichts entgeht.

Elternzeit und Elterngeld in Deutschland

Erwerbstätige Eltern, die ihr Kind selbst betreuen, haben bis zur Vollendung des dritten Lebensjahres des Kindes einen Rechtsanspruch auf Elternzeit. Mit Zustimmung der Arbeitgeberseite können sie bis zu zwölf Monate der Elternzeit auf die Zeit zwischen dem dritten und dem achten Geburtstag des Kindes übertragen.

Während der Elternzeit besteht Kündigungsschutz. Die Elternzeit müssen Sie spätestens sieben Wochen vor ihrem Beginn schriftlich beim Arbeitgeber beantragen und dabei die Zeiträume innerhalb von zwei Jahren verbindlich festlegen. Erwerbstätige Eltern können frei entscheiden, wer von ihnen Elternzeit nimmt. Sie können auch gleichzeitig Elternzeit nehmen.

Elterngeld wird an Väter und Mütter für maximal 14 Monate gezahlt; beide können den Zeitraum frei untereinander aufteilen. Ein Elternteil kann dabei mindestens zwei und höchstens zwölf Monate für sich in Anspruch nehmen, zwei weitere Monate gibt es, wenn sich der Partner an der Betreuung des Kindes beteiligt und den Eltern mindestens zwei Monate Erwerbseinkommen wegfällt. Alleinerziehende können die vollen 14 Monate Elterngeld in Anspruch nehmen. Das Elterngeld beträgt höchstens 1800 Euro und mindestens 300 Euro, abhängig vom Einkommen des betreuenden Elternteils im Jahr vor der Geburt.

Zupackende Väter Väter in Elternzeit beteiligen sich aktiv an der Babybetreuung – dann, wenn ihre Hilfe dringend benötigt wird.

Der Antrag auf Kindergeld wird bei der Familienkasse des örtlich zuständigen Arbeitsamts gestellt und zwar spätestens bis zum vierten Lebensjahr des Kindes (es wird auch rückwirkend ausbezahlt). Sie benötigen dazu den bei der Familienkasse erhältlichen Antragsvordruck und reichen ihn mit der Geburtsurkunde des Kindes im Original ein. In Österreich heißt diese Leistung Kinderbetreuungsgeld und wird meist beim Krankenversicherungsträger beantragt.

Ihre Rechte und Hilfen Wenn Sie angestellt beschäftigt waren, gilt in den acht Wochen nach der Geburt ein absolutes Beschäftigungsverbot (zwölf Wochen nach einer Zwillings- oder Mehrlingsgeburt). Wie bereits in der Schutzfrist vor der Geburt besteht in dieser Zeit Anspruch auf Mutterschaftsgeld, wenn Sie in der gesetzlichen Krankenkasse versichert sind. In Deutschland bezahlt die Krankenkasse ein Mutterschaftsgeld in Höhe von maximal 13 Euro pro Arbeitstag. Der Arbeitgeber stockt dieses Mutterschaftsgeld bis zur Höhe des Nettogehaltes auf. Die Höhe der Zuzahlung errechnet sich dabei aus dem durchschnittlichen Nettogehalt der letzten drei Monate vor Beginn des Mutterschutzes. Das Mutterschaftsgeld wird bei der Krankenkasse beantragt. Privat versicherte Frauen erhalten vom Arbeitgeber ihr Nettogehalt minus 13 Euro pro Arbeitstag. Das ist der Betrag, den die gesetzlichen Kassen als Mutterschaftsgeld bezahlen. Private Kassen zahlen jedoch kein Mutterschaftsgeld. Mitglieder einer privaten Krankenversicherung können aber ein einmaliges Mutterschaftsgeld in Höhe von bis zu 210 Euro beim Bundesversicherungsamt in Bonn beantragen.

Stillzeiten Wenn Sie in der Zeit, in der Sie noch stillen, wieder berufstätig sind, haben Sie während des Arbeitstages Anspruch auf Stillpausen. Diese Pausen können Sie sich selbst einteilen. Bei einem Acht-Stunden Tag können Sie sich zweimal täglich eine halbe Stunde oder einmal eine ganze Stunde Zeit fürs Baby nehmen – ohne Verdienstausfall.

DIE SOZIALARBEITERIN RÄT ...

Gibt es zusätzliche Hilfen für Alleinerziehende? Bei Alleinerziehenden ist das Geld oft besonders knapp, daher gibt es verschiedene Hilfen. Der Unterhaltsvorschuss soll Alleinstehenden in Deutschland helfen, wenn die Unterhaltszahlungen des anderen Elternteils ausbleiben. Der Vorschuss beträgt (ergänzend zum Kindergeld) seit 2010 für Kinder unter sechs Jahren 133 Euro monatlich. Der Antrag kann bei der zuständigen Unterhaltsvorschussstelle, in der Regel beim zuständigen Jugendamt, gestellt werden. Alleinerziehenden steht auch ein steuerlicher Entlastungsbetrag von 1308 Euro pro Jahr (109 Euro monatlich) zu. Zudem gibt es weitere Hilfen wie Wohngeld oder Kinderzuschlag, die allen einkommensschwachen Familien zustehen. Informieren Sie sich bei den Behörden vor Ort oder bei einer Beratungsstelle für Alleinerziehende.

Ihr Kind verstehen

MIT JEDEM MONAT WERDEN SIE BESSER VERSTEHEN, WIE IHR BABY »TICKT«.

Natürlich besitzt Ihr Baby eine einzigartige genetische Ausstattung, doch einige Merkmale hat es von Ihnen geerbt. Wenn es im ersten Lebensjahr wichtige Meilensteine der Entwicklung erreicht und seine eigene Persönlichkeit entwickelt, wird allmählich auch sein Charakter deutlich.

Das Erbgut Ihres Kindes

Wem ähnelt Ihr Baby? Mit der Zeit werden Sie bestimmte Züge erkennen, die es von Ihnen oder Ihrem Partner geerbt hat.

Ihr Baby besitzt Ihre Gene und die Ihres Partners. Sein Erbgut hat es von Ihnen beiden, denn die Chromosomen, aus denen es entstanden ist, trugen Ihre DNA. Diese Chromosomen teilen und vervielfältigen sich, bilden somit neue Chromosomen aus der DNA von Mutter und Vater. Daraus entstehen Zellen, die ganz individuell für Ihr Baby sind. Daher besitzt Ihr Baby vererbte Merkmale von Ihnen beiden, es wird aber kein exaktes Replikat eines Elternteils sein. Ihre eigene DNA wiederum besteht aus der DNA Ihrer Eltern; aus diesem Grunde zeigen manche Kinder eine verblüffende Ähnlichkeit mit einem Großelternteil.

Dominante und rezessive Gene

Verschiedene körperliche Merkmale werden vom Vorhandensein oder Fehlen eines dominanten oder rezessiven Gens bestimmt; das bedeutet, dass Sie bestimmte Merkmale im Äußeren Ihres Babys vorhersagen können. Wenn Sie und Ihr Partner blaue Augen haben, wird auch Ihr Baby blaue Augen haben, weil es von Ihnen beiden rezessive blaue Gene geerbt hat. Wenn Sie jedoch braune Augen haben und Ihr Partner blaue, müssen Sie auch Ihre Eltern einbeziehen, um eine Voraussage zu treffen. Wenn die Möglichkeit besteht, dass Sie ein braunes und ein blaues Gen tragen (wobei Sie selbst braune Augen haben, da braun dominant ist), besteht die Chance, dass Ihr Baby blauäugig wird. Wenn Sie jedoch zwei braune Gene besitzen, hat Ihr Baby braune Augen, selbst wenn Ihr Partner blaue Augen hat, weil es in jedem Fall ein dominantes Gen für braune Augen von Ihnen vererbt bekommt. Entsprechende Merkmale sind die Haarfarbe (dunkles Haar ist dominant, helles oder rotes rezessiv) und der Haartyp (kraus ist dominant, glatt rezessiv).

Polygene Merkmale Ein polygenes Merkmal ist eine Eigenschaft, die nicht nur von einem, sondern von einer Kombination von Genen bestimmt wird, wie z.B. die Größe. Daher kann man schwer voraussagen, wie groß ein Baby letztlich

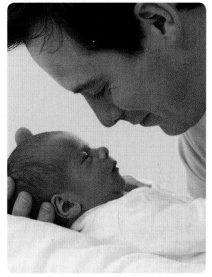

Familienähnlichkeit Babys sehen anfangs oft ihren Vätern ähnlicher; das verliert sich meist mit zunehmendem Alter.

werden wird. Als Richtlinie empfehlen Experten, vom Mittel der Größe beider Eltern bei Mädchen 5 cm abzuziehen und bei Jungen 5 cm zu addieren. Das ergibt eine gute Vorstellung davon, wie groß das Baby später wird. Doch die Gene selbst tragen wiederum dominante und rezessive Triggerfaktoren, die sogenannten Allele. Selbst wenn Sie und der Vater Ihres Babys klein sind, können Sie dennoch »große« (dominante) Allele in Ihren Genen haben. Sie besitzen einfach mehr kurze (rezessive) Allele, die insgesamt dominieren. Doch wenn die vererbten Gene überwiegend »große« Allele tragen und nur ein paar oder keines der »kurzen«, könnte das Kind groß werden. Polygene Merkmale werden häufig von Umweltfaktoren beeinflusst, wie gute oder schlechte Ernährung. Andere polygene Merkmale sind Intelligenz und Hautfarbe.

FRAGEN SIE ... EINEN KINDERARZT

Wird mein Baby musikalisch wie ich oder sportlich wie sein Vater?
Im Jahre 2001 veröffentlichten Genetiker am St. Thomas Hospital in London, das mit dem Institut für Hörstörungen in Maryland, USA, zusammenarbeitet, eine Zwillingsstudie. Sie stützt die Annahme, dass musikalische Begabung vererbt wird. So stammte auch Johann Sebastian Bach aus einer geachteten Musikerfamilie. Daher gilt generell, dass Ihr Baby wahrscheinlich musikalisch sein wird, besonders, wenn Sie dieses angeborene Talent durch Musikangebote fördern. Und wenn Sie ein Sport-Ass sind, ist es ebenfalls wahrscheinlich, dass Sie athletische Kinder bekommen mit guter Augen-Hand-Koordination, wobei auch hier die Förderung wichtig ist. Wenn Sie musikalisch sind, werden Sie automatisch Ihr Kind zur Musik hinführen. Wenn Sie Sport lieben, werden Sie es zum Sport anleiten, was wiederum sein Talent entwickelt.

Wie sich Ihr Kind entwickelt

Im ersten Lebensjahr wächst Ihr Baby enorm. Zu keiner anderen Zeit im Leben verläuft die Entwicklung so deutlich und so rasant.

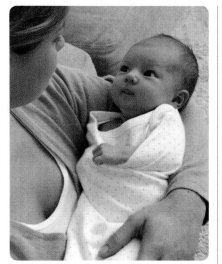

Im Fokus Anfangs muss Ihr Baby Ihrem Gesicht nahe sein, um es zu sehen; mit ca. acht Monaten erkennt es Menschen und Dinge im Zimmer.

DER KINDERPSYCHOLOGE RÄT ...

Kann ich mein Baby mit zu viel Liebe verwöhnen? Babys müssen sich sicher fühlen – und Sie und Ihr Partner sollten dies gewährleisten. Ein Baby wird nicht verwöhnt, wenn man ihm seine Liebe zeigt, indem man ihm Zuwendung schenkt und mit ihm spielt, auf seine Bedürfnisse achtet, in seiner Nähe ist und zärtlich zu ihm ist – Sie versichern ihm damit, dass es im Mittelpunkt Ihrer Welt steht. Mit diesem tiefen Gefühl der Sicherheit wird es Selbstvertrauen entwickeln und später selbstständig die Welt erforschen. Wenn Ihr Baby älter wird, bedeutet Liebe auch, ihm Grenzen zu setzen und ihm nicht immer seinen Willen zu lassen. Zeigen Sie ihm, wie es sich nicht in Gefahr bringt.

Körperliche Meilensteine Die deutlichste körperliche Veränderung im ersten Lebensjahr ist das Größenwachstum. Mit einem Jahr ist das Baby etwa 30 cm größer als bei der Geburt und dreimal so schwer. Während dieser Zeit entwickeln sich Muskeltonus und Körperkoordination, sodass es mit zwei Monaten seinen Kopf bereits einige Sekunden halten und sich mit drei Monaten drehen kann. Mit sechs bis sieben Monaten kann es frei sitzen und aus dem Sitzen heraus lernt es krabbeln (mit etwa sechs bis neun Monaten). Mit etwa einem Jahr kann es dann stehen und vielleicht schon ein paar Schritte gehen.

Die Feinmotorik entwickelt sich vom unkoordinierten Schlagen nach Gegenständen mit etwa drei Monaten zum Festhalten eines kleinen Gegenstandes im Pinzettengriff mit acht bis zehn Monaten. Mit etwa zehn Monaten hält es einem Henkelbecher und trinkt mit Hilfestellung. Mit zwölf Monaten kann es mit einem großen Stift oder Kreide kritzeln.

Daneben verändert sich sein Körper auf vielfältige Weise, auch wenn dies äußerlich nicht erkennbar ist: Das Sehvermögen verbessert sich im ersten Lebensjahr enorm; anfangs kann das Baby Gegenstände nur im Abstand von 20–25 cm fokussieren, mit einem Jahr unterscheidet es Tiefe und Entfernung. Es lernt, Geräusche wiederzuerkennen, und weiß mit nur wenigen Monaten, woher ein Geräusch kommt, und dreht dann den Kopf in diese Richtung.

Frühe Lernprozesse Das Gehirn des Babys besitzt »Plastizität«; das bedeutet, dass es seine neuronalen Pfade entsprechend der neuen Erfahrungen, die das Leben bringt, verändert und anpasst. Diese Plastizität ermöglicht das rapide intellektuelle Wachstum Ihres Babys. Schon wenige Tage nach der Geburt bevorzugt es Ihr Gesicht gegenüber jedem anderen und erkennt Ihren Geruch wieder. Dank dieser Erfahrungen fühlt es sich sicher.

Mit sechs Monaten ist das Sprachzentrum so weit entwickelt, dass das Baby

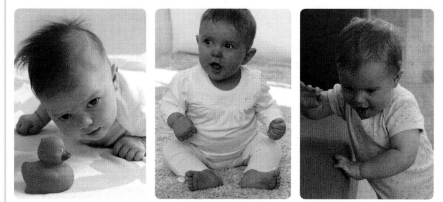

Kopfkontrolle Nach wenigen Monaten sind die Nackenmuskeln so stark, dass es den Kopf heben kann (links). **Bequem sitzen** Mit etwa sechs Monaten kann das Baby frei sitzen (Mitte). **Stehen** Am Ende des ersten Jahres können die meisten Babys mit ein wenig Hilfestellung stehen (rechts).

Plaudern Ihr Baby liebt die Kommunikation mit den Bezugspersonen durch Blicke, »Wörter« und Lächeln (links). **Nicht weggehen** Mit sechs bis acht Monaten »fremdelt« Ihr Baby; Trennungsangst lässt es am liebsten bei Mama und Papa sein; es hat Angst, wenn es zu anderen muss (rechts).

seinen eigenen Namen erkennt, mit neun Monaten versteht es, was »nein« bedeutet (auch wenn es nicht unbedingt gehorcht). Vielleicht reagiert es bereits mit Blicken, wenn Sie in einem Bilderbuch einen Gegenstand benennen.

Das Baby beginnt, erkennbare Laute zu bilden. Zuerst lallt und brabbelt es und bildet dann erste Silben. Mit etwa zehn Monaten wird daraus ein erkennbares »Mama« und »Dada« oder »Papa«, auch wenn es diese Laute wohl noch nicht bewusst für die entsprechenden Personen einsetzt. Mit einem Jahr jedoch hat es vielleicht sein erstes Wort mit Bedeutung gesagt – »Mama« oder »Papa« sind dann auch wirklich gemeint. Andere häufige erste Worte sind Auto oder Ball.

Meilensteine im Verhalten und der Persönlichkeit
Am Ende des ersten Lebensjahres ist aus einem geheimnisvollen Bündel ein Kleinkind geworden, das bereits deutliche Zeichen seiner sich herausbildenden Persönlichkeit zeigt.

Sein Schlafverhalten verbessert sich Monat für Monat, da sein Magen größer wird und genug aufnehmen kann, damit es nicht mehr vor Hunger aufwacht. Mit einem Jahr sollte es nachts durchschlafen, wobei es etwa um 19 Uhr zu Bett geht und etwa zwölf Stunden später aufwacht.

Von Anfang an zeigt es Vorlieben für bestimmte Personen – für Sie, seinen Vater, Geschwister und andere Betreuungspersonen – und mit etwa sechs Monaten beginnt die Angst vor Fremden. Ab sechs Monaten zeigt es deutliche Persönlichkeitsmerkmale, z.B. Vorlieben und Abneigungen. So wirft es vielleicht ein Spielzeug weg, wenn es damit nicht zurechtkommt, oder schreit.

Mit acht Monaten meint es, dass alles ihm gehört, und wehrt sich, wenn Sie ein Spielzeug wegnehmen. Es hat weiterhin Angst, wenn Sie weggehen, interessiert sich aber für andere Babys und »unterhält sich« mit Erwachsenen, die es kennt. Es möchte Ihnen Freude machen und gedeiht dank Ihrer Liebe.

DAS POTENZIAL ENTFALTEN

Jeder Mensch besitzt bei der Geburt einen genetischen Bauplan, der ihm Stärken und Schwächen verleiht und bestimmte Charakterzüge vorgibt. Die meisten Psychologen stimmen heute aber darin überein, dass trotz genetischer Veranlagung die Art der Erziehung sowie Umweltfaktoren (wie die Ernährung) die sich entwickelnden Fähigkeiten beeinflussen. Fördern Sie Ihr Baby, indem Sie mit ihm spielen, ihm vorlesen und es (ungefährdet) die Welt erkunden lassen. Bieten Sie ihm mit der Beikost wertvolle Nährstoffe und schaffen Sie vor allem eine liebevolle, sichere Umgebung, um ihm Selbstvertrauen zu vermitteln, damit es sein volles Potenzial entfalten kann. Auf diese Weise fördern Sie die Talente, die ihm die Natur in die Wiege gelegt hat.

Mädchen und Jungen Jedes Kind entwickelt sich in seinem eigenen Tempo, ungeachtet seines Geschlechts. Es gibt jedoch bei den frühen Lernprozessen einige geschlechtsspezifische Unterschiede zwischen Mädchen und Jungen. Studien zeigen z.B., dass Mädchen früher Sprache verstehen und sprechen und eine bessere Feinmotorik besitzen (Mädchen schreiben z.B. früher). Jungs sind dagegen körperbetonter und grobmotorisch den Mädchen oft voraus.

Eine Studie der Universität Cambridge zeigte, dass Jungen die Gesetze der Bewegung schneller verstehen als Mädchen – sie erkennen z.B. Geschwindigkeit und Richtung eines rollenden Balls früher als Mädchen. Mädchen sind tendenziell ängstlicher, Jungen mutiger. Man muss aber wohl nicht betonen, dass sich solche Unterschiede ausgleichen, und die Frage, ob Anlage oder Erziehung zu solchen Verhaltensstereotypen bei Mädchen und Jungen führen, wird nach wie vor sehr heftig diskutiert.

Baby-Basics

WER DIE GRUNDLAGEN DER BABYPFLEGE KENNT, IST AUF DIE ERSTEN WOCHEN GUT VORBEREITET.

Direkt nach der Geburt Ihres Babys gibt es enorm viel zu bedenken und zu tun. Je genauer Sie sich daher schon zuvor über die Babyernährung, das Schlafenlegen, Wickeln und Saubermachen informieren, desto sicherer werden Sie sich später in der Praxis fühlen.

Die Ernährung des Babys

Muttermilch oder Milchnahrung versorgt Ihr Baby in den ersten Monaten mit allen wichtigen Nährstoffen.

Grundkenntnisse der Babyernährung und der Füttertechniken verhelfen Ihnen zu einem problemlosen Start, egal ob Sie Ihr Baby stillen oder ihm die Flasche geben wollen. Eine gewisse Nervosität oder Besorgnis bei diesem Thema ist völlig normal und durchaus verständlich. Sie wollen das Beste für Ihr Baby, um ihm den optimalen Start ins Leben zu geben. Dieser Prozess verläuft einfacher, entspannter und erfolgreicher, wenn Sie wissen, was auf Sie zukommt.

Warum stillen? Stillen bietet die beste Möglichkeit, sicherzustellen, dass das Baby alle Nährstoffe bekommt, die es braucht. Die Zusammensetzung der Muttermilch verändert sich mit den Bedürfnissen des heranwachsenden Babys. Sie enthält gesunde Fette (einschließlich essenzieller Fettsäuren), die für ein gesundes Wachstum und eine optimale Entwicklung (insbesondere des Gehirns) notwendig sind, und das in ihr enthaltene Kalzium wird besser verwertet als das in Milchnahrung.

Muttermilch enthält bestimmte Hormone und Wachstumsfaktoren, die eine gesunde Gewichtszunahme und Entwicklung fördern. Sie verringert das Risiko für das Baby, später an Diabetes zu erkranken wie auch Übergewicht in der Kindheit und im Erwachsenenalter zu entwickeln. Zudem bietet sie einen Schutz vor Allergien, Asthma und Neurodermitis. Vermutlich verringert Stillen auch das Risiko des plötzlichen Kindstods (s. S. 31) und fördert den Bindungsprozess. Neue Forschungen zeigen einen positiven Einfluss auf die Entwicklung der Kieferknochen, der Zähne und letztlich auch der Sprachentwicklung.

Man bezeichnet das Stillen auch als das »vierte Trimester« der Schwangerschaft in Bezug auf das Gehirnwachstum und die Entwicklung des Babys. Über die Muttermilch gehen zudem die mütterlichen Antikörper auf das Baby über und schützen es, bis sein Immunsystem ausreift.

Vorteile für die Mutter Stillen kommt nicht nur dem Baby zugute, sondern auch der Mutter. Es senkt das Risiko für Brust- und Eierstockkrebs sowie Osteoporose und vermutlich auch für Herzinfarkt, Herzkrankheiten und Schlaganfall. Stillen verbraucht bis zu etwa 500 Kalorien am Tag und unterstützt so die Gewichtsabnahme nach der Geburt. Zudem verzögert es das Einsetzen der Menstruation. Nicht zuletzt ist Stillen sehr bequem – es müssen keine Flaschen gespült und sterilisiert, keine Nahrung zubereitet und kein Zubehör bereitgestellt werden.

FAKTEN UND HINTERGRÜNDE

Forschungen haben gezeigt, dass gestillte Babys seltener an Erbrechen und Durchfall leiden und einen Schutz vor Magen-Darm-Entzündungen, Ohrentzündungen, Atemwegserkrankungen, Lungenentzündung, Bronchitis, Niereninfektionen und Sepsis (Blutvergiftung) sowie weiterer Magen-Darm-Probleme besitzen.

Muttermilch enthält Substanzen, die bestimmte Bakterien zerstören, z.B. E-Coli und Salmonellen. Muttermilch bietet noch viele weitere gesundheitliche Vorteile für Ihr Baby, wie einen Schutz vor Herzkrankheiten, Übergewicht und Eisenmangel-Anämie. Damit ist Stillen, sofern nicht gravierende Hemmnisse vorliegen (s. S. 28), die bei Weitem beste Ernährungsform für Ihr Baby.

DAS ERSTE JAHR IHRES BABYS

In der Regel wird das Baby in den ersten sechs Monaten ausschließlich mit Milch ernährt. Egal ob Muttermilch oder Milchnahrung – es benötigt in den kommenden Monaten immer mehr Milch und die Milch bildet somit die Grundlage seiner Ernährung im gesamten ersten Jahr (s. S. 199).

Die Einführung von Beikost beginnt mit etwa sechs Monaten (s. S. 190f.) mit sehr dünnflüssiger Breinahrung – zuerst Gemüsebrei und Obstmus. Werden diese Nahrungsmittel vertragen, werden weitere Lebensmittel eingeführt – vor allem eisen- und eiweißhaltige wie Fleisch

und Eier. Mit der Zeit verändert sich die Konsistenz – statt püriert, werden die Speisen zerdrückt und immer grober angeboten. Am Ende des ersten Lebensjahres isst Ihr Baby weitgehend bei den Familienmahlzeiten mit.

In diesem Buch führen wir Sie durch die unterschiedlichen Phasen der Beikost, damit Sie zur richtigen Zeit die richtigen Entscheidungen treffen können. Sie wollen vielleicht die »babygeführte« Form der Beikostgabe verfolgen, bei der das Baby in seinem eigenen Tempo direkt an feste Nahrungsmittel, nicht an Brei, herangeführt wird (s. S. 235).

Wie das Stillen funktioniert

Stillen ist ein natürlicher Vorgang, der auf Angebot und Nachfrage basiert – das Saugen regt Ihre Brüste an, mehr Milch zu bilden.

CHECKLISTE

Stillen

■ Stillen ist viel erfolgreicher, wenn Sie entspannt sind. Setzen Sie sich daher in einen bequemen Sessel und legen Sie die Füße hoch.

■ Achten Sie auf mühelosen Zugang zu den Brüsten; daher ist lockere Kleidung, die sich leicht öffnen lässt, wichtig. Sie benötigen auch Still-büstenhalter, die Sie mit einer Hand öffnen und schließen können.

■ Ihr Baby trinkt, bis es satt ist. Wenn es nach kurzer Zeit eindöst, wecken Sie es sanft auf, indem Sie es hochnehmen oder seine Wange streicheln.

■ Der gesamte Warzenhof muss in seinem Mund liegen; die Milch wird freigesetzt, indem es auf die Milch-gänge drückt (s. rechts). Wenn das Baby nur ein bisschen zieht, haben Sie bald verstopfte Milchgänge (s. S. 59), entzündete Brustwarzen und ein hungriges Baby!

■ Machen Sie sich keine Sorgen, ob es genügend trinkt. Die Gewichtszu-nahme Ihres Babys wird regelmä-ßig aufgezeichnet; und solange es zunimmt, häufig nasse Windeln hat (s. S. 47) und in den Wachphasen munter wirkt, ist alles in Ordnung.

■ Geben Sie nicht auf! Es kann einige Zeit dauern, bis sich das Stillen einge-spielt hat; doch es wird mit jedem Tag einfacher. Denken Sie daran, dass Sie das Beste für Ihr Baby tun.

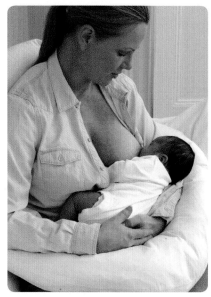

Milch auf Nachfrage Das Saugen des Babys löst die Ausschüttung des Hormons Prolaktin aus, das die Bildung von mehr Milch anregt.

Während der Schwangerschaft bereitet sich der Körper bereits auf das Stillen vor. Der Warzenhof wird dunkler und die win-zigen Knötchen rund um den Warzenhof werden größer und treten deutlicher hervor. Diese sogenannten Montgomery-Drüsen sondern ein Öl ab, das die Brust-warzen geschmeidig hält, damit sie nicht austrocken, rissig werden und sich infizieren. Auch die Plazenta stimuliert die Ausschüttung von Hormonen, die die Milchbildung ermöglichen.

Jede Frau besitzt von Geburt an Milchgänge (eine Art »Kanalsystem«, das die Milch durch die Brüste leitet); während der Schwangerschaft beginnen sich diese aufs Stillen vorzubereiten. Die Milchdrüsen vergrößern sich in dieser Zeit so dramatisch, dass am Ende der Schwangerschaft jede Brust bis zu 600 g schwerer sein kann!

Das Milchbildungssystem in den Brüs-ten ähnelt einem kleinen Baum mit traubenartigen Milchdrüsen, die weit oben in der Brust die Milch bilden. Die Milch gelangt dann durch die Milch-gänge zu den »Milchseen« unterhalb des Warzenhofs. Diese entleeren sich in etwa 20 kleine Öffnungen in den Brust-warzen, aus denen die Milch austritt, wenn sie durch das Saugen des Babys freigesetzt wird.

Durch dieses Saugen wird die Hirnan-hangsdrüse veranlasst, Oxytocin freizu-setzen; dieses Hormon wirkt beruhigend und fördert Gefühle der Liebe. Zugleich veranlasst es die milchbildenden Zellen, die Milch in die Milchgänge freizuset-zen. Diesen Vorgang bezeichnet man als »Milchspendereflex«; er kann auch ausge-löst werden, wenn Sie Ihr Baby schreien hören (manchmal auch andere Babys!) oder auch nur an Ihr Baby denken.

Sobald die Milch freigesetzt ist, drückt der Gaumen des Babys die Milchseen und die Milch kann herausfließen. Wenn es nur an der Brustwarze nuckelt, wird nur wenig Milch herausgesaugt und Sie empfinden eventuell etwas Unbehagen. Aus diesem Grunde ist es so wichtig, dass das Baby von Anfang an richtig angelegt wird (s. Kasten rechts).

Durch das Saugen werden auch Ner-ven in den Brustwarzen stimuliert; sie senden Signale an die Hirnanhangsdrüse, die daraufhin das Hormon Prolaktin ausschüttet. Dieses Hormon ist dafür verantwortlich, dass kontinuierlich Milch entsprechend den Bedürfnissen des Babys gebildet wird. Je mehr Milch den Brüsten entnommen wird, desto mehr Milch bildet der Körper. Das Abpumpen von Milch hat dieselbe Wirkung und kann die Milchbildung aufrechterhalten.

Kolostrum Etwa ab der 15.–16. Schwangerschaftswoche bilden die Brüste Kolostrum, die erste Milch des Babys. Kolostrum ist eine sehr nährstoffreiche, dunkelgelbe Flüssigkeit, die viel Eiweiß, Kohlenhydrate, gesundes Fett und Antikörper enthält. Es ist sehr leicht verdaulich: wenige Teelöffel voll liefern eine hochkonzentrierte Nahrung für Ihr Baby in der Zeit, bevor die Milch »einschießt«. Kolostrum hat eine abführende Wirkung und hilft dem Baby, seinen ersten Stuhl (Mekonium) auszuscheiden. Das ist sehr wichtig für die Abgabe von Bilirubin, das andernfalls Gelbsucht verursachen kann (s. S. 404).

Konsistenz der Muttermilch Wenn die Muttermilch zwei bis drei Tage nach der Geburt des Babys einschießt (nach einem Kaiserschnitt manchmal auch etwas später), sind die Brüste sehr prall und können auch leicht schmerzen. Bei jeder Mahlzeit erhält das Baby zwei Arten von Milch. Zunächst erhält es die »Vormilch«, die dünner und bläulichweiß ist. Sie stillt den Durst und versorgt das Baby mit Flüssigkeit. Danach bekommt es die »Hintermilch«, die dicker, nährstoffreicher und kalorienreicher ist und alles liefert, was Ihr Baby für Wachstum, Entwicklung und Energiebedarf benötigt. Es ist wichtig,

SO GEHT'S

So legen Sie Ihr Baby richtig an

Saftes Streicheln der Wange oder des Mundwinkels regt den Suchreflex an und Ihr Baby öffnet von selbst den Mund, um nach Nahrung zu suchen. Als nächsten Schritt kontrollieren Sie, ob es auch richtig an der Brust angelegt ist, denn dann ist das Stillen viel angenehmer und effektiver.

Wenn Ihr Baby den Mund weit öffnet, nehmen Sie es an die Brust – nicht andersherum! Seine Zunge sollte vorne im unteren Mundbereich liegen; richten Sie die Brustwarze gegen das Gaumensegel, wenn Sie es an Ihre Brust nehmen. Wenn es richtig angelegt ist, befinden sich die Brustwarze und etwas Brustgewebe in Babys Mund. Ihr Baby liegt richtig, wenn sein Bauch an Ihrem Bauch liegt. Seine Unterlippe ist nach außen gestülpt und sein Kinn liegt an Ihrer Brust. Sein Unterarm kann unter Ihnen liegen und sein Oberarm an Ihrer Brust. Seine Nase sollte dabei nicht in Ihrer Brust vergraben sein, damit es gut atmen kann.

Wenn Ihr Baby korrekt angelegt ist, sollte Sie nur ein tiefes Schlucken hören – kein Gluckern oder Schmatzen – und sehen, wie sich der Kiefer bewegt. Ihre Brüste können anfangs empfindlich sein; suchen Sie sich eine etwas veränderte, bequemere Position (s. S. 58).

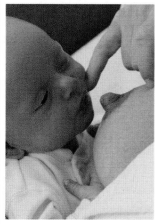

Suchreflex Streicheln Sie in Brustnähe über seine Wange, damit es die Brustwarze sucht. Es schürzt die Lippen, bereit zum Saugen.

Richtig vorbereiten Babys Zunge muss vorne unten liegen und Ihre Brustwarze ist gegen sein Gaumensegel gerichtet.

Anlegen Achten Sie darauf, dass Ihr Baby die Brustwarze und einen Teil des Warzenhofs mit dem Mund umfasst.

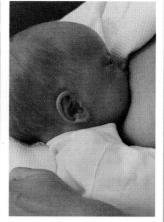

Beste Position Kopf und Körper bilden eine gerade Linie, damit es gut schlucken kann; sein Kinn berührt Ihre Brust.

die Brust bei jedem Stillen vollständig leertrinken zu lassen, damit das Baby beide Sorten Milch erhält. Wenn es nur ein wenig Vormilch trinkt, hat es bald wieder Hunger und muss wieder gestillt werden.

Stillen nach Bedarf Wenn Sie Ihr Baby immer trinken lassen, wenn es Hunger hat, regt dies die Brüste an, so viel Milch zu bilden, wie es braucht. Man mag versucht sein, das Baby nach festem Zeitplan zu stillen, doch das entspricht nicht seinen Bedürfnissen; es wird unzufrieden und verwirrt sein und die Milchbildung wird nicht genügend angeregt (s. S. 58). Eine Mahlzeit dauert etwa 20 bis 30 Minuten; ein kleines Baby will vermutlich alle zwei bis drei Stunden trinken, sodass Sie den Eindruck haben können, rund um die Uhr zu stillen. Wenn es an der Brust einschläft oder abgelenkt ist, hat es vielleicht keinen Hunger, und es ist besser, wenn Sie es später nochmals versuchen.

Unterstützung Stillen ist anfangs nicht immer einfach; hilfreich ist dann die Unterstützung durch die Hebamme oder eine Stillberaterin.

Auch Ihr Partner muss Sie unterstützen. Sie werden viele Stunden mit dem Stillen zubringen und sofern Sie nicht Milch abpumpen, die Ihr Baby aus dem Fläschchen bekommt (s. Kasten unten), ist Ihr Partner kaum daran beteiligt. Er muss verstehen, dass Sie Ihr Baby stillen, um ihm den besten Start ins Leben zu ermöglichen. Studien haben gezeigt, dass Familie und Freunde eine wichtige Rolle bei der Entscheidung einer Frau für oder gegen das Stillen spielen. Frauen, die unterstützt werden, sind zuversichtlicher und stillen tendenziell länger.

MUTTERMILCH ABPUMPEN

Sobald die Milchbildung eingespielt ist – etwa vier bis sechs Wochen nach der Geburt –, können Sie beginnen, Milch abzupumpen. Das verschafft Ihnen etwas Freiraum, da der Vater oder ein anderer Betreuer das Baby gelegentlich füttern kann, und Sie können einen Vorrat an tiefgefrorener Milch anlegen, z. B. falls Sie bald wieder arbeiten gehen wollen.

Vielleicht müssen Sie verschiedene Pumpen ausprobieren (manuelle, batteriebetriebene oder elektrische) oder per Hand Milch ausdrücken (s. S. 85), bis die Milchabnahme klappt. Wenn Sie achtmal am Tag stillen, sind für eine Mahlzeit etwa 90 ml angebracht – also keine Angst, wenn Sie anfangs nicht viel Milch abpumpen können. Das Abpumpen klappt oft besser im Beisein des Babys; falls Ihr Baby bei einer Stillzeit regelmäßig nur an einer Brust trinkt, können Sie gleichzeitig an der anderen abpumpen.

Frühgeborene können anfangs oft nicht an der Brust trinken. In diesem Fall wird man Ihnen helfen, Milch abzupumpen, damit die Milchbildung funktioniert, wenn Ihr Baby reif genug ist, um selber zu trinken.

Manuelle Pumpe Handbetriebene Pumpen sind preisgünstig, leicht, geräuscharm und einfach zu bedienen – Sie müssen nur den Hebel drücken (links). **Elektrische Pumpe** Sie funktioniert automatisch und schneller; sehr praktisch, wenn Sie häufiger Milch abpumpen wollen (rechts).

DIE STILLBERATERIN RÄT …

Gibt es Gründe dafür, nicht stillen zu können? Fast alle Frauen können stillen und bilden genügend Milch für die Bedürfnisse ihres Babys. Selbst Frauen mit kleiner Brust oder Hohlwarzen können erfolgreich stillen. Frauen gehen allerdings oft im Voraus davon aus, es könne zu schwierig sein. Doch mit der Unterstützung durch Ihren Partner und die Hebamme wird es Ihnen gelingen, wenn Sie sich darauf einlassen.

In manchen Fällen kann Stillen aber nicht möglich sein, so bei manchen Formen der Medikation, die für das Baby gefährlich wären, oder bei einer Brustinfektion oder Krankheit wie Krebs. Sehr, sehr selten bildet eine Frau nicht ausreichend Milch für ihr Baby – allerdings ist dies bei den heutigen Hilfen wenig wahrscheinlich. Nach einer Brustverkleinerung kann das Stillen schwierig sein (es muss aber nicht unmöglich sein). Probleme kann es geben, wenn das Baby zu früh geboren wurde, nicht richtig saugen kann, z. B. infolge eines verkürzten Zungenbändchens oder einer Fehlbildung des Mundes, wie Gaumenspalte, oder bei Verdauungsproblemen. In diesen Fällen können Sie Milch abpumpen (s. Kasten links).

Flaschenernährung

Wenn Sie nicht stillen können oder wollen oder es nur für kurze Zeit planen, müssen Sie die Kunst der Flaschenernährung beherrschen.

Trost und Nahrung Blickkontakt beim Füttern fördert den Bindungsprozess und schenkt dem Baby Geborgenheit.

Mütter, die nicht stillen können oder wollen, brauchen keine Schuldgefühle zu haben. Es gibt eine sehr gute Auswahl an Milchnahrungen, die gesundes Wachstum und Entwicklung unterstützen, und es ist absolut möglich, das Füttern warmherzig, fürsorglich und positiv zu gestalten (s. S. 59).

Ausstattung Sie benötigen sechs bis acht Flaschen, Sauger und Verschlusskappen, eine Flaschenbürste zum Reinigen, eine Sterilisiermethode, Messbecher, Milchnahrung und einen Wasserkocher. Flaschen und Sauger gibt es in zahlreichen Modellen – von Anti-Kolik-Flaschen und Weithalsflaschen über Sauger, die der Mutterbrust nachgebildet sind, und Saugern mit langsamer und schneller Fließgeschwindigkeit. Für kleine Babys gibt es auch flachere Sauger.

Finden Sie heraus, was Ihrem Baby am besten zusagt.

Bei Neugeborenen sollte die Milch langsam aus dem Sauger fließen, mit zunehmendem Alter erhöht sich die Fließgeschwindigkeit. Silikonsauger sind haltbarer, doch ähneln Latexsauger eher dem Empfinden einer Brustwarze.

Milchpulver auswählen Das Milchpulver richtet sich zunächst nach dem Alter des Babys. Die meisten Sorten enthalten weitgehend dieselben Inhaltsstoffe; manche enthalten probiotische Bakterien, die die Darmgesundheit fördern, sowie Omegaöle, die die Gehirnentwicklung unterstützen. Sprechen Sie aber mit dem Kinderarzt, bevor Sie ein solches Milchpulver verwenden. Statt Milchpulver gibt es auch trinkfertige Babymilch. Muttermilch enthält zwei Arten an Eiweiß: Molke und Kasein. Das Verhältnis in Muttermilch beträgt 60:40 (60 Prozent Molke, 40 Prozent Kasein). Empfehlenswert ist daher Milchpulver mit demselben Verhältnis an Eiweißen, denn Milchpulver mit einem größeren Anteil an Kasein ist schwerer verdaulich.

Milchpulver soll das Baby mit den richtigen Mengen an essenziellen Nährstoffen versorgen. Es ist so zusammengestellt, dass es leicht verdaulich ist und den Bedarf des Babys an Flüssigkeit und Nahrung stillt. Äußerst wichtig ist aber, dass Sie die Angaben des Herstellers zur Zubereitung auf der Packung genau befolgen.

Die erste Flaschenmahlzeit Im Krankenhaus wird Ihr Baby mit Milchnahrung versorgt. Wenn Sie jedoch wollen, dass es eine bestimmte Sorte bekommt, nehmen Sie entsprechende Packungen Fertigmilch mit (das Anrühren von Milchpulver ist in der Regel aus hygienischen Gründen nicht möglich). Sie benötigen dann aber auch Fläschchen.

Halten Sie Ihr Baby eng an den Körper, am besten mit Hautkontakt, um die Situation beim Stillen zu imitieren. Die Hebamme wird Ihnen die besten Positionen zum Flaschegeben zeigen (s. S. 59). Anfangs wird es wenig und oft trinken; zwingen Sie es nicht, die Flasche leer zu trinken. Geben Sie ihm so viel, wie es will, und zwar dann, wenn es will.

FRAGEN SIE … EINE HEBAMME

Warum muss ich das gesamte Flaschenequipment sterilisieren?
Das sorgfältige Spülen der Flaschen ist wichtig, weil die Milchrückstände entfernt werden müssen. Allerdings reicht das nicht aus, um Keime, die das Baby krank machen können, abzutöten. Die Flaschen und das zur Zubereitung verwendete Zubehör müssen sachgemäß sterilisiert werden – am besten mit Hitze, wie Dampf, oder chemischen Kaltwasserbehandlungen zur Abtötung der Keime. Es gibt eine große Auswahl an Sterilisiergeräten, auch für die Mikrowelle. Das Spülen in der Geschirrspülmaschine ist ausreichend, sofern sie eine Temperatur von mindestens 80 °C erreicht; nur dann werden gefährliche Bakterien oder Viren wirklich abgetötet. So wird Ihr Baby vor krank machenden Keimen geschützt.

Die ideale Schlafumgebung

In den kommenden Monaten schläft Ihr Baby noch sehr viel – und Sie sorgen für einen gemütlichen und sicheren Schlafplatz.

FRAGEN SIE ... EINEN KINDERARZT

Mein Baby soll in unserem Bett schlafen. Ist das ungefährlich?

Es wird viel darüber diskutiert, ob ein Familienbett, das sogenannte Co-Sleeping, sicher ist oder nicht. Sie müssen selbst alle Argumente abwägen und dann Ihre individuelle Entscheidung treffen. Befürworter sagen, dass man das Baby dabei problemlos – sozusagen im Halbschlaf – stillen kann. Erfahrungsgemäß finden Babys auch besser zur Ruhe, wenn die Mutter mit ihrem vertrauten Geruch und Herzschlag bei ihnen ist. Zudem gibt es Hinweise dafür, dass diese Babys später selbstständiger und selbstsicherer sind. Andere Studien zeigen ein geringeres Risiko für den plötzlichen Kindstod, vielleicht weil sich die Babys früher an den Atemrhythmus der Erwachsenen anpassen.

Andere Experten raten aber von Co-Sleeping mit Babys unter vier Monaten ab (s. Kasten gegenüber). Und auch bei älteren Babys sollte jede Vorsichtsmaßnahme getroffen werden, damit das Baby nicht erdrückt wird oder ersticken kann. Wer getrunken hat, Medikamente nimmt oder sehr tief schläft oder raucht, sollte besser auf Co-Sleeping verzichten. Zum Schutz Ihres Babys könnten Sie ein Babynest oder ein Beistellbett anschaffen. Manche Mütter warnen auch davor, dass Babys, die es gewohnt sind, bei den Eltern zu schlafen, später nicht mehr allein schlafen wollen. Und natürlich gibt es auch Konsequenzen für die Partnerbeziehung.

Es gibt vielfältige Möglichkeiten, wenn es um die Auswahl von Babys erster Schlafstätte geht. Sie können viel Geld für Dinge ausgeben, die man im Grunde wirklich nicht braucht. Eine Wiege z. B. mag praktisch erscheinen, um das Baby nachts in den Schlaf zu wiegen; doch das Baby kann sich daran gewöhnen und will später nicht im Bett schlafen. Unabhängig vom Budget sind Sicherheit und Komfort die wichtigsten Kriterien bei der Einrichtung des Schlafplatzes.

Erste Betten Nachdem Ihr Baby einige Monate lang eng zusammengekauert in Ihrem Bauch lag, findet es in einer geborgenen Umgebung wahrscheinlich besser zur Ruhe. Aus diesem Grund sollte sein »erstes« Bett so klein sein, dass es sich gemütlich einkuscheln kann. Experten empfehlen heute, dass Babys im ersten Lebensjahr im gleichen Zimmer schlafen wie die Eltern. Aus diesem Grund ist ein »mobiles« Bett, wie ein Stubenwagen oder eine Babytragetasche, eine praktische Lösung. (Stellen Sie die Tragetasche aber nicht direkt auf einen Boden mit Fußbodenheizung; es besteht das Risiko der Überwärmung.)

Wiegen (außer mit Rollen) und Betten sind wenig beweglich. Das kann in den ersten Tagen von Nachteil sein, doch viele Eltern bevorzugen etwas Stabileres. In einem Babybett liegt Ihr Baby aber nur wenige Monate, also geben Sie nicht zu viel Geld dafür aus! Bei einem Secondhand-Bett kaufen Sie bitte eine neue Matratze, um das Risiko des

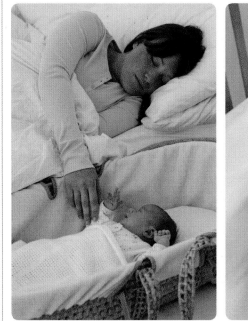
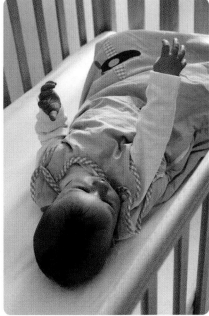

Baby-Tragetasche Eine leichte Tragetasche ist ideal für ein kleines Baby, denn Sie können es mit sich nehmen, wenn es schläft (links). **Schlafsack** Empfehlenswert sind Schlafsäcke, da das Baby sich nicht freistrampeln und unter die Decke rutschen und ersticken kann.

plötzlichen Kindstods (s. Kasten rechts) zu verringern.

Beim Kauf eines Kinderbetts achten Sie bitte auf Sicherheit und Qualität (s. S. 113). Matratzen bestehen aus Schaumstoff, Latex oder Rosshaar. Sie müssen genau in das Bett passen – ohne Spalten, in die das Baby rutschen könnte. Der Matratzenüberzug sollte waschbar sein. Solange Ihr Baby klein ist, können Sie auch den Kinderwagenaufsatz oder die Tragetasche in das Bett stellen; das erleichtert später den »Umzug« in dieses »große« Bett.

Bettwaren Sie benötigen zwei oder drei Matratzenschoner, drei passende Laken, drei flache Kopfkissen und drei Decken. Decken aus Flanell oder Fleece sind besonders praktisch, da sie je nach Temperatur übereinandergelegt werden und so sicherstellen, dass es Ihrem Baby nicht zu kalt oder zu warm wird. Daneben gibt es eine große Auswahl an Baby-Steppbetten. Federbetten und -kissen sind für Babys unter einem Jahr nicht geeignet. Auch auf ein Kopfkissen sollte verzichtet werden. Grundsätzlich wird heute empfohlen, dass Babys nicht mit einer Decke schlafen, da sie beim nächtlichen Strampeln unter die Decke geraten und ersticken können. Anstelle einer Decke ist es empfehlenswert, Babys in einem Babyschlafsack schlafen zu lassen.

Welche Temperatur? Sehr wichtig ist es, den Schlafraum des Babys kühl zu halten. Es schläft so nicht nur besser, sondern auch das Risiko einer Überwärmung ist geringer – Überwärmung ist einer der Risikofaktoren für den plötzlichen Kindstod. Eine Zimmertemperatur von 16–20 °C ist ideal.

Frühe Gewohnheiten Viele Babys mögen es, wenn sie den Tagschlaf immer am selben Ort machen und ebenso nachts am gleichen Platz schlafen gelegt werden. In einer vertrauten Umgebung, die Ihr Baby mit Schlafen

---

---

verbindet, findet es auch leichter zur Ruhe – und schläft länger. Richten Sie in Ihrem Zimmer eine Schlafecke ein oder stellen Sie sein Bett so, dass Sie es während des Schlafs im Auge haben.

Manche Mütter legen ihr Baby nachts in das Babybett und lassen es tagsüber im Kinderwagen schlafen. Das hat den Vorteil, dass das Baby lernt, zwischen Tagschlaf (kürzer) und

Nachtschlaf (hoffentlich länger) zu differenzieren.

Diese Lösung verschafft Ihnen zudem etwas mehr Flexibilität, weil das Baby überall schlafen kann, auch beim Einkaufen oder im Garten. Auf diese Weise müssen Sie bei der Planung Ihres Tagesablaufs nicht immer auf die Schlafzeiten Ihres Babys Rücksicht nehmen.

Alles über Windeln

Ihr Baby wird mindestens zwei Jahre lang Windeln tragen. Wählen Sie daher eine Windelsorte, die Ihrem Lebensstil am besten entspricht.

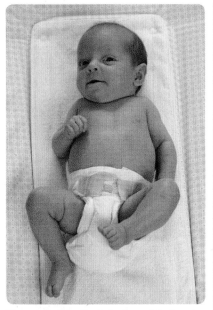

Einmalwindeln Sie sind sehr praktisch und saugkräftig, können aber kostspielig sein.

Es gibt im Wesentlichen zwei Arten von Windeln: Einmalwindeln und Stoffwindeln. Beide haben Vorteile, aber auch Nachteile. Viele Eltern kombinieren beides – Einmalwindeln, wenn sie unterwegs sind und im Urlaub, manchmal auch nachts, weil sie saugkräftiger sind, und verwenden sonst Stoffwindeln. Finden Sie selbst heraus, wie es für Sie am praktischsten ist. Es macht sicher wenig Sinn, sich damit Stress zu machen, ein gutes Umweltgewissen zu haben, aber letztlich einen wenig umweltfreundlichen Trockner zu nutzen, um dann die Wäscheberge zu bewältigen.

Bei einer Anfälligkeit für Windelausschlag sind Einmalwindeln aber oft hautfreundlicher. Bei einem knappem Budget und gutem Organisationsvermögen können Stoffwindeln das Richtige sein. Es gibt aber nicht den einzig richtigen Weg. Sie müssen Pro und Kontra gemäß Ihrer persönlichen Lebensumstände abwägen.

Einmalwindeln Sie sind zweifellos bequemer und verursachen vermutlich seltener Windelausschlag; sie halten besser dicht und daher muss seltener gewickelt werden. Allerdings sind sie teurer, produzieren viel Abfall und müssen sachgerecht entsorgt werden. Die meisten Produkte enthalten auch Chemikalien.

Ein Baby braucht, bis es sauber ist, annähernd 5000 Windeln – mit dramatischen Auswirkungen auf die Umwelt. Kaufen Sie daher ungebleichte Einmalwindeln. Bleichstoffe belasten während Herstellung und Kompostierung der Windeln die Umwelt besonders stark.

Haut- und umweltfreundlicher sind Windeln, die keine Gels, Parfumstoffe, Farbstoffe und/oder Latex enthalten. Öko-Windeln, die zu mindestens 50 Prozent kompostierbar sind, begrenzen das wachsende Problem der Deponien.

Bedenken Sie, das Sie durchschnittlich acht bis zehn Windeln am Tag benötigen und halten Sie genügend auf Vorrat bereit! Wenn Ihr Baby voraussichtlich bei der Geburt schon recht groß sein wird, kaufen Sie nur ein, zwei Packungen für Neugeborene – vielleicht braucht es dann schon bald die nächste Größe. Die Neugeborenenwindeln sind speziell geschnitten und auf den dünnflüssigen Milchstuhl abgestimmt. Zur Entsorgung der Windeln gibt es spezielle Windeltüten. (Siehe auch »Mit Einmalwindeln wickeln«, S. 44.)

Stoffwindeln Stoffwindeln produzieren weniger Abfall und verbrauchen auch

WICKELPLATZ

Sie können Ihren Wickelplatz gut im Badezimmer einrichten, sofern er dort seinen festen Platz hat und nicht ständig weggeräumt werden muss. Andernfalls können Sie auch im Kinderzimmer oder im Schlafzimmer einen Wickelplatz einrichten. Ideal ist eine Wickelkommode mit Schubladen, um dort frische Wechselwäsche und Windeln parat zu halten. Haben Sie keine Schubladen, legen Sie die Wäsche vorher bereit. Damit Ihr Baby nicht friert, sorgen Sie mit einer Wärmelampe über der Wickelkommode für angenehme Temperaturen. Gegen Langeweile helfen Spielzeuge, die Ihr Baby geschickt ablenken. Mit diesen Tipps wird das Wickeln ganz einfach.

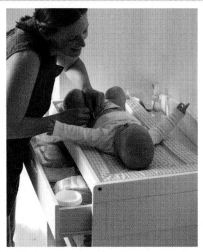

Wickelplatz Ein richtiger Wickelplatz ist im Kinderzimmer ideal, wo normalerweise vor und nach dem Schlafen gewickelt wird.

Mit Stoffwindeln wickeln

Vorbei sind die Tage, an denen es nur Dreieckswindeln aus Mull oder Frottee gab, die gefaltet und zusammengesteckt werden mussten – keine einfache Aufgabe bei einem kleinen, zappeligen Baby. Moderne Stoffwindeln gibt es in verschiedenen Formen und Farben und mit Klettverschluss zum leichten, schnellen Verschließen.

Richten Sie zum Wickeln Ihres Babys einen sauberen, trockenen Bereich in einem warmen Raum ein – ideal ist eine Wickelkommode – und stellen Sie dort alles Notwendige bereit: eine saubere Windel, Watte und Wasser oder Feuchttücher, einen Windeleimer für die schmutzigen Windeln und Wundschutzcreme, wenn Ihr Baby zu Wundsein neigt.

Verschmutzte Vlieseinlagen entsorgen Sie nach dem Wechseln der Windel in die Toilette; bei wiederverwendbaren Einlagen schütteln Sie den Stuhlgang gründlich ab und geben sie dann zum Waschen in den Windeleimer.

Achten Sie beim Anlegen darauf, dass die saubere Windel genau sitzt, nicht zu eng anliegt oder die Haut reizt.

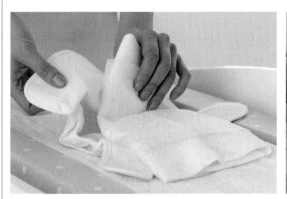

Die Windel vorbereiten Legen Sie die Windel mit der Einlage auf dem Wickelplatz parat. Schieben Sie sie zur Seite, während Sie Ihrem Baby die schmutzige Windel abnehmen.

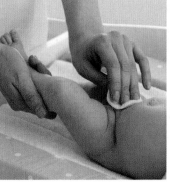

Das Baby waschen Säubern Sie den Windelbereich gründlich mit Watte und Wasser oder einem Feuchttuch.

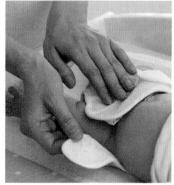

Bequemer Sitz Falten Sie die Seiten der Windel übereinander und befestigen Klettverschluss oder Druckknöpfe.

weniger Rohstoffe bei der Herstellung. Ihr Baby trägt dabei weiche, natürliche Fasern auf der Haut. Das Waschen verbraucht jedoch viel Wasser und Waschmittel und ist sehr zeitintensiv, wenn Sie sich keinen Windeldienst leisten können. Ihr Baby muss öfter gewickelt werden, da Stoffwindeln weniger saugfähig als Einmalwindeln sind. Allerdings lassen moderne Modelle nicht so leicht etwas durch, wie früher die Mullwindeln. Zudem sitzen und halten sie auch viel besser als frühere Modelle, da sie mit Klettband oder Druckknöpfen geschlossen werden. Sie werden aus leichten, flauschigen Materialien hergestellt und lassen sich sehr einfach waschen und trocknen.

Bei den Stoffwindeln unterscheidet man im Wesentlichen zwischen drei Typen. Zweiteilige Windeln bestehen aus einer saugenden Windel und einer Überhose. Die Windel selbst kann eine klassische Mullwindel, eine Körperwindel oder eine vorgefaltete Windel sein. Darüber kommt die Überhose; sie wird entweder hochgezogen oder mit Klettverschluss geschlossen und ist wasserdicht. Bei All-in-one-Windeln sind die Saugeinlage und die wasserdichte Überhose bereits kombiniert. Sie erinnern am ehesten an Wegwerfwindeln und werden meist mit Klettband verschlossen. Allerdings berichten manche Mütter, dass sie sich relativ schwer waschen und trocknen lassen. Die Pocketwindel entspricht der All-in-one-Windel, allerdings wird hier die Saugeinlage durch eine Öffnung in eine Tasche eingeschoben. Durch die Trennung von Windel und Saugeinlage trocknet sie viel schneller.

Zusätzlich brauchen Sie Windelvlies, das dann in die Windel eingelegt wird. Stuhlgang wird zusammen mit dieser Vlieseinlage in der Toilette entsorgt – es gibt allerdings auch waschbare Windeleinlagen. Saugeinlagen erhöhen die Saugkraft für die Nacht. Windelklammern aus Kunststoff sind die moderne Alternative zu Sicherheitsnadeln. Die schmutzigen Windeln werden in einem großen Eimer mit Deckel (evtl. mit einer Einweichlösung) gesammelt. Für unterwegs ist ein kleiner Eimer praktisch.

Stoffwindeln gibt es in verschiedenen Größen. Für den Anfang benötigen Sie rund 20 Windeln.

Stoffwindeln sind günstiger als Wegwerfwindeln – es gibt Berechnungen, dass man über die gesamte Wickelperiode gerechnet mehrere hundert bis zu tausend Euro spart.

Grundausstattung

Auch wenn ein Besuch der Fachgeschäfte anderes vermuten lässt: Sie benötigen nicht Unmengen neuer Ausstattung – nur einige Basisteile.

Ernährung

Zum Stillen benötigen Sie zunächst kein weiteres Zubehör. Es gibt jedoch einige Dinge, die praktisch sind, und andere, die Sie zum Abpumpen von Milch brauchen (s. S. 28). Für die Flaschenernährung genügt eine Grundausstattung.

Stillen

■ 3–4 Still-BHs von guter Qualität, die mit einer Hand zu öffnen sind.
■ Stilleinlagen für auslaufende Milch.
■ Einige Brustschalen zum Auffangen dieser Milch.
■ Brustwarzensalbe bei entzündeten oder rissigen Brustwarzen; eine lanolinhaltige Salbe kann beim Stillen auf der Brust verbleiben.
■ Ggf. eine Milchpumpe und 2–3 Flaschen (mit Schraubverschlüssen und Saugern) zum Aufbewahren der Milch sowie ein Sterilisiergerät. Weitere Flaschen sind nötig, wenn Sie einen größeren Vorrat anlegen wollen.

■ Ein u-förmiges Stillkissen ist bei langen Stillzeiten bequem.

Flaschenernährung

■ 6–8 Flaschen; kleinere Flaschen sind für Neugeborene und Babys mit wenig Appetit geeigneter. Sie benötigen auch Verschlüsse und Sauger.
■ Sterilisierzubehör und Flaschenbürste.
■ Wasserkocher, denn Sie benötigen regelmäßig schnell frisches, abgekochtes Wasser für die Fläschchen.
■ Messbecher, Löffel und Messer.

Kinder- oder Schlafzimmer

■ Tragetasche, Stubenwagen, Babybett oder Wiege, in der Ihr Baby in den ersten Tagen sicher liegt. Es wächst bald heraus, kaufen Sie daher bei knappem Budget gleich ein Kinderbett.
■ Ein Kinderbett – hat das Baby anfangs einen anderen Schlafplatz, kann diese Ausgabe noch einige Monate warten.
■ Bettwaren (s. S. 31).

■ Wickelplatz: Geeignet ist jede feste Fläche auf Hüfthöhe, auch eine Kommode. Hat sie einen Rand, kann das Baby nicht herunterrollen.
■ Eine Wickelunterlage – abwaschbar und weich; eine faltbare spart Platz bei mobilen Mini-Wickelplätzen.
■ Babyfon; am besten zweikanalig, dann können Sie sich gegenseitig hören!
■ Windeln und anderes Zubehör zum Wickeln (s. S. 32).
■ Eine Wippe, die von einem Zimmer ins andere mitgenommen werden kann.
■ Ein Nachtlicht oder eine Dimmlampe erleichtert die Nachtmahlzeiten. So kann Ihr Baby Sie sehen, bleibt aber schläfrig.
■ Kommoden oder Körbe für die Aufbewahrung.
■ Ein Windeleimer für Stoffwindeln oder ein Abfalleimer für Einmalwindeln – am besten mit Deckel!
■ Wenn Sie Co-Sleeping praktizieren wollen, wollen Sie vielleicht ein Babynest oder ein Beistellbett kaufen (s. S. 30).

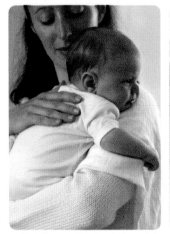

Mulltücher Mulltücher haben sich vielfach bewährt; sie schützen die Kleidung und sind ideal zum Aufwischen von Kleckereien.

Bett Das Bett Ihres Babys ist ein wichtiger Kauf; bitte informieren Sie sich umfassend, um die richtige Wahl zu treffen.

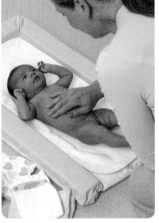

Wickelunterlage Praktisch sind mehrere Wickelunterlagen an strategisch günstigen Orten sowie eine faltbare für die Wickeltasche.

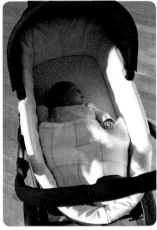

Flach liegen Ein Kinderwagen ist bei Ausflügen ein praktischer Schlafplatz für Ihr Baby. Schnell gewöhnt es sich daran.

Unterwegs

■ Ein Baby-Autositz, der mit dem Sicherheitsgurt entgegen der Fahrtrichtung angebracht wird, ist für Babys bis etwa neun Monate geeignet. Er sollte aus Sicherheitsgründen nicht secondhand gekauft werden. Bei den genannten Travelsystemen lassen sich Babyschale und Kinderwagengestell kombinieren.

■ Ein Babytragesitz oder Tragetuch ist ideal zum Transportieren oder Beruhigen des Babys, wenn Sie Ihre Hände frei haben wollen. Breite Schultergurte entlasten Ihren Rücken. Wenn auch Ihr Partner den Sitz benutzen will, probieren Sie ihn vor dem Kauf beide an.

■ Kinderwagen. Neugeborene müssen flach liegen; in einem traditionellen Kinderwagen mit flacher Liegefläche liegt Ihr Baby sicher und bequem. Auch Kombiwagen mit abnehmbarer Tragetasche sind bereits ab der Geburt geeignet. Es gibt viele verschiedene Modelle; wählen Sie einen Wagen mit einem Fünf-Punkt-Gurt und einem doppelt gesicherten Klappmechanismus, der sich mühelos zusammenklappen und aufstellen lässt. Der Wagen sollte Ihrer Größe und Ihrer Lebensweise entsprechen. Wenn Sie mehr shoppen als joggen, kann Stauraum für Einkäufe wichtiger sein als eine verstärkte Aufhängung. Im ersten Sportwagen sollte Ihr Baby mit dem Gesicht zu Ihnen sitzen.

■ Eine Wickeltasche ist ideal zum Transportieren aller Babyutensilien; manche haben eine integrierte Wickelunterlage. Besitzt sie viele Fächer, können Sie Flaschen, Windeln, saubere Kleidung usw. getrennt aufbewahren.

Hygieneartikel

■ Feuchttücher – am besten sind Tücher auf Wasserbasis ohne Duftstoffe und andere Chemikalien, kompostierbar.

■ Kleine, dünne Waschtücher für winzige Hautfalten oder Wattepads (Watte kann hautreizende Flusen hinterlassen).

■ Baby-Waschprodukt für Körper und Haare. Da kleine Mengen genügen, leisten Sie sich besser ein gutes Naturprodukt.

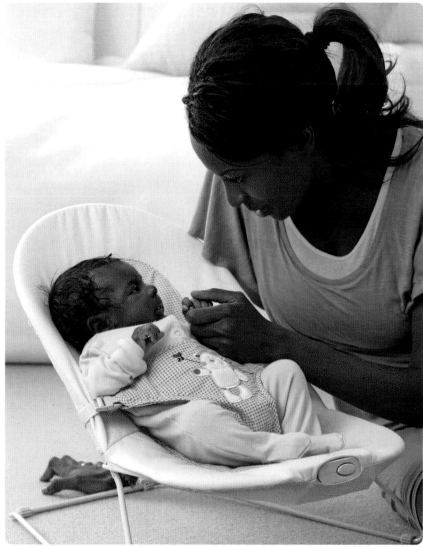

Wippe In der Wippe kann das Baby beobachten, was um es herum geschieht, und das sanfte Schaukeln wirkt beruhigend.

■ Mulltücher zum Aufwischen von Erbrochenem, auslaufender Milch und Speichel und zum Schutz der Kleidung beim Füttern.

■ Waschbare Ärmellätzchen, die sich im Rücken binden lassen. Sie schützen Babys Kleidung beim Trinken.

■ Eine Babybadewanne – sie ist aber durchaus verzichtbar. Sie können Ihr Baby auch in der normalen Wanne oder in einem großen Waschbecken waschen. Für die Badewanne kaufen Sie aber bitte eine Anti-Rutsch-Einlage; das Waschbecken legen Sie mit einem alten Hand-

tuch aus, damit es angenehm gepolstert ist. Beim Kauf einer Babywanne achten Sie auf Stabilität und leichtes Einfüllen und Ausschütten.

■ Ein Thermometer, wenn Sie nicht sicher sind, die Wassertemperatur richtig einschätzen zu können.

■ 2–4 Handtücher, am besten mit Kapuze. So bleibt Babys Kopf warm und trocken, während Sie den Körper abtrocknen. Zum Baden benötigen Sie vermutlich. zwei Stück (s. S. 57) und die anderen sind bestimmt gerade in der Wäsche!

■ Eine Schüssel für die kleine Wäsche.

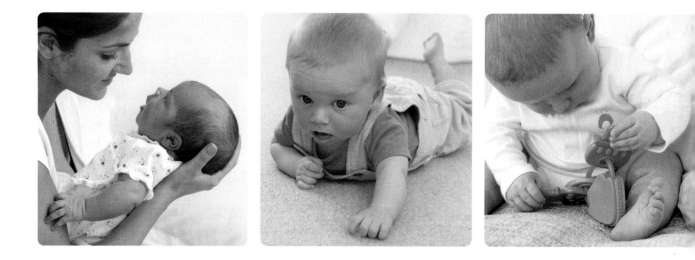

Das erste Jahr Ihres Babys vergeht wie im Flug und doch ist jeder einzelne Tag ein neues Abenteuer für Sie und Ihr Kind, geprägt von Triumphen und Tränen, erstaunlichen Entwicklungsschritten und kleinen Rückschlägen. Sie selbst haben dabei unglaublich viel zu lernen – und so soll Ihnen dieses Kapitel ein Begleiter sein an jedem einzelnen Tag mit seinen Höhepunkten und Fallstricken. Vom Füttern und Schlafen bis zum Krabbeln und Kommunizieren bietet es einen einzigartigen und aufschlussreichen Einblick in unvergessliche zwölf Monate.

Unser Baby –
Tag für Tag

Unser Baby mit 1 bis 3 Monaten

Kopf abstützen Ein kleines Baby besitzt nahezu keine Muskelkontrolle und kann seinen Kopf nicht halten. Stützen Sie in den ersten Monaten Hals und Kopf Ihres Babys.

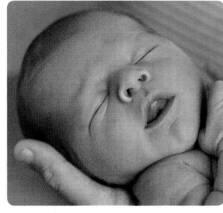

Hilflos Völlig abhängig, aber mit funktionierenden Sinnen erkennt das Baby Ihren Geruch und Ihre Stimme.

Häufige Mahlzeiten Kleine Babys trinken oft – das Stillen nach Bedarf regt die Milchbildung an.

Körperkontakt Tragen und Berühren vermitteln Sicherheit; beides fördert die emotionale Entwicklung.

Schon gewusst? Ende des ersten Monats ist Ihr Baby jeden Tag etwa zwei bis drei Stunden munter.

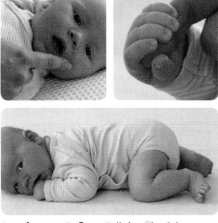

Verschwommener Blick Das Sehvermögen ist verschwommen, doch Ihr Baby erkennt Ihr Gesicht in einem Abstand bis zu 30 cm. Mit sechs Wochen sieht es 60 cm weit.

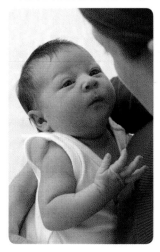

Angeborene Reflexe Teil der Überlebensausstattung Ihres Babys sind angeborene Reflexe. Dazu gehören der Suchreflex und Krabbelreflex (wie hier gezeigt); es gibt aber noch viele andere. Einige verlieren sich in den ersten drei Monaten wieder.

Schläfriges Baby Anfangs schläft Ihr Baby bis zu 18 Stunden am Tag; dies reduziert sich auf etwa 15 Stunden mit drei Monaten. Allerdings wird es kaum nachts durchschlafen.

Die spannende Entwicklung Ihres Babys von einem hilflosen Neugeborenen zu einem Baby mit eigenem Willen.

Erstes Lächeln Zwischen sechs und acht Wochen, wenn sich die Gesichtsmuskulatur entwickelt hat, lächeln Babys zum ersten Mal.

Kopf anheben Mit etwa acht Wochen kann Ihr Baby in Bauchlage vermutlich kurz den Kopf anheben – und ihn drehen.

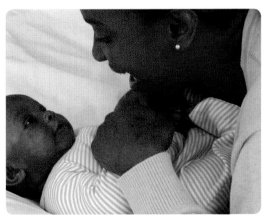

Turteltäubchen In der Lallphase bildet Ihr Baby erste weiche Vokale. Es kann sogar Konsonanten hinzufügen zu Lauten wie »ah-gu«.

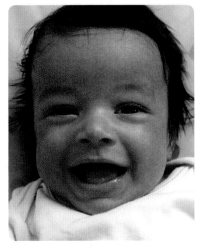

Hände entdecken Mit etwa zwei Monaten entdeckt es seine Hände, weiß aber noch nicht, dass sie ihm gehören.

Hände ausstrecken Als Nächstes beginnt Ihr Baby, schon nach Gegenständen in seiner Reichweite zu greifen.

> **Schon gewusst?** Viele – wenn auch nicht alle – drei Monate alten Babys können ihren Kopf in Bauchlage um 90° anheben.

Mimik Ihr zwei bis drei Monate altes Baby teilt Ihnen durch seine Mimik mit, wie es sich fühlt oder ob es müde oder hungrig ist.

Greifen Mit drei Monaten besitzt Ihr Baby bereits eine bessere Handkontrolle. Es kann vielleicht schon eine Rassel greifen und sie etwas schütteln.

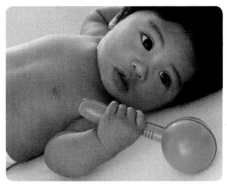

Die ersten sieben Tage

MANCHE BABYS HABEN BEI DER GEBURT DEN KOPF VOLLER HAARE, ANDERE SIND NAHEZU KAHL.

Hautkontakt direkt nach der Geburt sowie in den kommenden Wochen und Monaten unterstützt das Entstehen einer engen Beziehung zu Ihrem Baby. Dieser Kontakt stabilisiert auch Herzschlag und Atmung des Babys und hilft bei der Aufrechterhaltung der Körpertemperatur.

Nach der Geburt Ihres Babys

Während Sie voller Ehrfurcht Ihr Baby bestaunen, kontrollieren Arzt oder Hebamme, ob alles in Ordnung ist. Dann können Sie Hallo sagen.

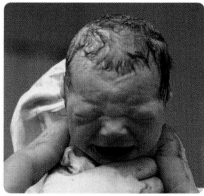

Erste Eindrücke Neugeborene sehen oft ziemlich mitgenommen und runzelig aus; das legt sich in ein bis zwei Tagen.

Nach neun langen Monaten der Schwangerschaft halten Sie heute endlich Ihr Baby zum ersten Mal in den Armen. Vielleicht werden Sie von Gefühlen überwältigt – Tränen, Stolz, tiefe Liebe und Erschöpfung oder Euphorie. Vielleicht ist Ihnen auch ein wenig mulmig zumute bei der Aussicht, für solch ein winziges, zerbrechliches Wesen sorgen zu müssen. Wehen und Geburt fordern einen enormen körperlichen und emotionalen Tribut und Sie brauchen Zeit, um sich nach der Geburt auszuruhen und zu erholen.

Das Aussehen Ihres Babys Seien Sie nicht überrascht, wenn Ihr Neugeborenes keineswegs so aussieht, wie Sie es sich vorgestellt haben. Vielleicht ist es mit einer weißen, wächsernen Substanz, bedeckt, der Frucht- oder Käseschmiere; sie hat seine Haut vor dem Fruchtwasser geschützt. Auch Blutspuren aus dem Geburtskanal können an ihm kleben. Hatte es während der Wehen Stuhlgang, können Haut, Haare und Nägel mit einer schwärzlichen, teerartigen Substanz, dem Mekonium, befleckt sein; es ist der erste Stuhlgang. Frühgeborene können auch noch einen Haarflaum haben, das sogenannte Lanugo.

Oft sind die Genitalien vergrößert und der Kopf wirkt nach dem Durchtritt durch den Geburtskanal gequetscht oder länglich verformt. Die Nase kann eingedrückt sein und die Augen verquollen oder sogar fest verschlossen. Hat es die Augen geöffnet, sind sie vermutlich blau oder grau. Die Iris entwickelt die endgültige Farbe zwischen sechs Monaten und drei Jahren nach der Geburt.

Viele Neugeborene haben Geburtsmale, wie Storchenbisse auf den Augenlidern oder im Nacken; sie verblassen aber mit der Zeit.

DER APGAR-TEST

Nach der Geburt werden Atmung, Herzfrequenz, Muskeltonus, Hautfarbe und Reflexresonanz gemessen. Diese sogenannten Apgar-Werte werden nach einer, fünf und zehn Minuten nach der Geburt erhoben. Für jeden Einzeltest bekommt das Neugeborene 0 bis 2 Punkte. Die Punkte werden zusammengezählt: Acht bis zehn Punkte bedeuten, dass es dem Kind gut geht, bei weniger als sieben Punkten hat es Schwierigkeiten, sich an die neuen Bedingungen anzupassen und braucht medizinische Versorgung. Viele Babys sind nach der Geburt erschöpft und brauchen ein wenig medizinische Unterstützung.

SO GEHT'S

Erstes Stillen

Selbst wenn Sie nicht länger stillen wollen, sollten Sie Ihrem Baby das wertvolle Kolostrum geben. Dazu legen Sie es in der ersten Stunde nach der Geburt an die Brust. Diese erste Milch enthält hohe Mengen an Nährstoffen und Antikörpern und bietet weitere wichtige gesundheitliche Vorteile (s. S. 27). Auch wird dadurch das Risiko schwerer Nachblutungen reduziert, da leichte Nachwehen angeregt werden, die die Rückbildung des Uterus fördern.

Die Hebamme hilft Ihnen, die richtige Position einzunehmen. Ihr Baby sucht vielleicht sogar nach der Brust und beginnt zu nuckeln. Legen Sie es neben sich unter Ihren Arm, damit es mühelos trinken kann. Es sollte den Mund weit öffnen und den gesamten Warzenhof umschließen (s. S. 27).

Sofort an die Brust Das sofortige Anlegen des Babys hat erwiesenermaßen gesundheitliche Vorteile für Mutter und Kind.

Mutter und Kind

Während sich Ihr Baby an seine neue Umgebung anpasst, prüfen Arzt oder Hebamme, ob Sie sich gut von den Strapazen erholen.

Die ersten Stunden Jetzt haben Sie Zeit, Ihr gerade geborenes Baby in Ihren Armen zu halten, es kennenzulernen, eine erste Bindung einzugehen – und vor allem, es gebührend zu bewundern.

Nach den Strapazen der Geburt fühlen Sie sich sicherlich klebrig, verschwitzt und wollen unter die Dusche. Vielleicht müssen Sie auch zur Toilette. Das erste Wasserlassen brennt meist, vor allem, wenn Sie genäht worden sind. Nehmen Sie einen Becher mit zur Toilette, füllen ihn mit warmem Wasser und gießen ihn während des Wasserlassens über den Scheidenbereich. Das hilft ein wenig.

Ihr Körper nach der Geburt Füllen Sie nun Ihre leeren Energiespeicher wieder auf – eine Tasse Tee, ein belegtes Brot oder ein Snack schmecken herrlich.

Die Hebamme prüft, ob sich Puls und Blutdruck normalisieren. Die Gebärmutter wird vorsichtig abgetastet, um zu klären, ob sie sich auch zurückbildet; es wird kontrolliert, ob die Nachblutung nicht zu stark ist. Auch die Körpertempe-

ratur wird gemessen. Eine leicht erhöhte Temperatur ist nach der Geburt normal; bleibt sie jedoch erhöht oder steigt, kann dies auf eine Infektion hinweisen. Der Urin wird untersucht, um die normale Nierenfunktion sicherzustellen. Dann fragt man Sie, ob Sie Wasser gelassen

haben. Die Blutung nach der Geburt, der sogenannte Wochenfluss oder die Lochien, ist völlig normal. Sie ist gewöhnlich stärker als während einer Periode; in den ersten Tagen können auch kleine Blutklumpen abgehen. Verwenden Sie dicke Einlagen – keine Tampons, sie können eine Infektion verursachen.

Ihr Baby nach der Geburt Neben dem Apgar-Test werden nach der Geburt noch weitere Untersuchungen vorgenommen, die zusammen als die erste Vorsorgeuntersuchung, die sogenannte U1, in das Vorsorgeheft des Babys eingetragen werden. Aus der durchtrennten Nabelschnur wird etwas Blut gewonnen, um den pH-Wert zu bestimmen. Dieser Wert gibt einen Hinweis auf die Versorgung des Kindes mit Sauerstoff und möglichen Stress unter der Geburt. Verschlucktes Fruchtwasser wird abgesaugt, wobei der Arzt gleichzeitig prüft, ob Nase und Speiseröhre frei durchgängig sind. Schließlich wird das Neugeborene noch gewogen, seine Körperlänge und sein Kopfumfang werden gemessen. Der Arzt untersucht außerdem, ob

---

NACH EINEM KAISERSCHNITT

Ein Kaiserschnitt ist ein großer Eingriff; der Körper braucht Zeit, um sich davon zu erholen. Es ist normal, sich wackelig, müde, weinerlich, benommen zu fühlen. Auch Übelkeit kann auftreten. Sie bekommen Medikamente gegen die Schmerzen. Bei einem nicht geplanten Kaiserschnitt haben Sie vielleicht das Bedürfnis, mit dem Arzt genau zu besprechen, warum er erforderlich

wurde. Besondere Umsicht erfordert die Bauchnaht. Die Hebamme wird Ihnen zeigen, wie Sie stillen, aufstehen, auf die Toilette gehen und das Baby hochnehmen können, ohne die Naht zu verletzen. Das Klinikpersonal wird Sie zu Bewegung anleiten, damit sich keine Blutgerinnsel in den Beinen bilden. Ruhen Sie sich aber gleichwohl möglichst viel aus.

Missbildungen vorliegen oder ob sich das Baby bei der Geburt verletzt hat. Bei der U1 erhält das Neugeborene Vitamin-K-Tropfen, um eine Unterversorgung auszugleichen; denn diese könnte eine Blutgerinnungsstörung verursachen.

Der Zauber der ersten Stunde Die erste Stunde unmittelbar nach der Geburt ist eine besonders bedeutsame Phase für den Bindungsprozess zwischen Mutter und Baby. Bei einer frisch entbundenen Mutter ist die Gehirnchemie sozusagen auf das Bedürfnis nach »Brutpflege« programmiert. Sie ist nach der Geburt besonders offen und aufnahmefähig für das Baby. Es hat sich gezeigt, dass direkter Hautkontakt mit dem nackten Babys diese Bindung fördert,

das Baby beruhigt, seine Widerstandskraft gegen Infektionen stärkt und dem Stillen zu einem guten Start verhilft. Aber keine Sorge, wenn Sie diese erste Stunde verpassen, weil Ihr Baby z.B. direkt nach der Geburt medizinisch versorgt werden muss. Sie können solche versäumten Momente später durch die »Känguru-Pflege« (s. S. 54) wettmachen.

Auf der Wöchnerinnenstation
Verlief die Geburt komplikationslos, können Sie nach einer ambulanten Geburt nach wenigen Stunden nach Hause gehen Der normale Klinikaufenthalt liegt jedoch bei zwei bis vier Tagen. Nutzen Sie diese Gelegenheit, um sich auszuruhen; bitten Sie um Hilfe beim Füttern und der Babypflege.

Beste Zeit In der Stunde nach der Geburt tut Ihnen beiden Hautkontakt gut.

DIE NEUGEBORENEN-BASISUNTERSUCHUNG

Die U2, die sogenannte Neugeborenen-Basisuntersuchung, findet zwischen dem dritten und zehnten Lebenstag statt. Bei dieser besonders gründlichen Untersuchung werden Organe, Geschlechtsteile, Haut und Knochen untersucht sowie die Verdauungstätigkeit und Reflexe des Nervensystems überprüft. Zudem wird die Funktionstüchtigkeit des Hüftgelenks getestet. In vielen Kliniken werden Ultraschalluntersuchungen durchgeführt, um Entwicklungsstörungen im Hüftgelenk vorzeitig zu erkennen. Bei der U2 erhält das Kind erneut Vitamin-K-Tropfen.

Außerdem wird zwischen der 36. und 72. Lebensstunde aus der Handrückenvene oder Ferse Blut abgenommen, um es auf die verschiedenen Stoffwechselerkrankungen und Hormonstörungen hin zu untersuchen. Krankheiten wie eine Schilddrüsenunterfunktion (Hypothyreose), die Eiweiß-Stoffwechsel-Erkrankung Phenylketonurie, bestimmte Fettstoffwechselstörungen oder die Zucker-Stoffwechselerkrankung Galaktosämie werden so frühzeitig festgestellt (s. S. 50).

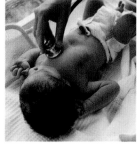

Herz und Lungen Mit dem Stethoskop hört der Arzt den Herzschlag ab und kontrolliert, ob die Lungen gesund und frei sind.

Kopfform Ganz vorsichtig werden Kopf und Fontanelle (die weiche Stelle zwischen den Schädelknochen) mit den Händen untersucht.

Füße und Hände Handflächen und Fußsohlen werden kontrolliert, Finger und Zehen gezählt und die Reflexe getestet.

Mund und Gaumen Es wird untersucht, ob das Gaumensegel normal ausgebildet ist und sich die Zunge frei bewegen kann.

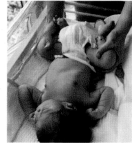

Hüfte Die Hüfte wird bewegt, um Gelenke und die Beweglichkeit zu prüfen und eine mögliche Hüftdysplasie zu erkennen.

Wirbelsäule Das Baby wird nach vorne gebeugt, um zu untersuchen, ob die Wirbelsäule gerade ist und keine Fehlbildung vorliegt.

Erste Babypflege

Ihre ersten Versuche, Ihr Baby zu füttern und zu wickeln, sind vielleicht noch etwas ungeschickt – bald werden Sie das aber beherrschen.

Stillen und Füttern Keine Sorge, wenn die ersten Stillversuche nicht perfekt verlaufen sind. In den nächsten ein, zwei Tagen ist Ihr Baby noch ziemlich unberechenbar, was das Trinken anbelangt. Es muss sich erst einmal von der Geburt erholen. Lassen Sie es einfach trinken, wann es will. Erwarten Sie noch keinerlei Rhythmus. In den kommenden zwei bis drei Tagen bilden Ihre Brüste vor allem Kolostrum. Diese hoch konzentrierte gelbe Flüssigkeit ist reich an Antikörpern, Immunstärkern und Eiweißen. Sie ernähren Ihr Baby und schützen es vor Krankheiten. Ihre Brüste fühlen sich vermutlich noch nicht sehr verändert an, weil die Menge an Kolostrum, die Ihr Baby benötigt, sehr gering ist – sein Magen kann nur wenige Teelöffel voll aufnehmen.

Lassen Sie Ihr Baby dennoch nuckeln, wann immer es will; dieses Saugen regt die Bildung von reifer Muttermilch in den nächsten ein, zwei Tagen an und beugt beim Milcheinschuss übervollen Brüsten vor. Halten Sie weiterhin viel Körperkontakt und achten Sie darauf, dass Ihr Baby richtig angelegt ist. Das erleichtert Ihnen beiden das Stillen.

Auch aus der Flasche trinkt das Baby anfangs nur wenig, aber oft; bieten Sie die Flasche daher alle zwei bis drei Stunden an. Lassen Sie es so lange trinken, wie es will – wenn es genug hat, drängen Sie es nicht, mehr zu trinken.

Die Windeln Ihres Babys Ihr Neugeborenes kann in 24 Stunden acht- bis zehnmal Stuhlgang haben, daher müssen Sie es auch etwa acht- bis zehnmal wickeln, damit es keinen Windelausschlag bekommt und sich wohlfühlt. Stuhlgang hat das Baby oft direkt nach einer Mahl-

---

SO GEHT'S

Mit Einmalwindeln wickeln

Es ist sehr wichtig, das Baby regelmäßig zu wickeln, denn Urin kann in Verbindung mit den Bakterien im Stuhl zu heftigen Entzündungen im Windelbereich führen. Wickeln erfordert aber etwas Übung, wenn man es noch nie gemacht hat. Doch bald werden Sie ordentlich und sicher (besonders nach ein paar ausgelaufenen Windeln) wickeln können. Stellen Sie zuvor alle Utensilien bereit, damit Sie schnell und mühelos wickeln können. Wenn Ihr Baby nicht gerne gewickelt wird und sich einer kalten Plastik-Wickelunterlage widersetzt, legen Sie ein Handtuch darauf. Dann liegt es bequemer.

Säubern Sie den Po bei Mädchen immer von vorne nach hinten, also von der Scheide weg. So können keine Infektionen entstehen. Beim Wickeln eines Jungen bedecken Sie den Penis besser mit einem sauberen Tuch oder einer Windel, damit Sie nicht unerwartet nass werden!

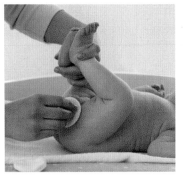
Den Po sauber machen Umfassen Sie die Füßchen und heben den Po an. Vorsichtig mit feuchter Watte abtupfen.

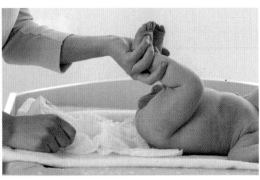
Die Windel bereitlegen Heben Sie Ihr Baby an den Knöcheln hoch und schieben die ausgebreitete Windel unter seinen Po; das Rückenteil der Windel liegt auf Hüfthöhe.

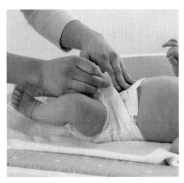
Verschließen Befestigen Sie die Seiten über dem Vorderteil. Der Nabel sollte bei geschlossener Windel frei liegen.

Kleine Wäsche

Die kleine Wäsche mit Waschlappen oder Wäschepad ist eine gute Alternative zum Baden des kleinen Babys oder auch für das Saubermachen des älteren Babys zwischen den Badetagen geeignet. Waschen Sie Ihr Baby jeden Tag, denn wenn sich Schmutz, Fuseln oder Milch ansammeln, wird die sensible Haut des Babys gereizt und entzündet sich. Das Waschen beugt auch Hautinfektionen vor.

Stellen Sie vor Beginn alles Notwendige bereit: eine Schüssel mit warmem Wasser, Waschlappen oder Wattepads, ein Handtuch, saubere Windel, ggf. Wundschutzcreme und saubere Kleidung. Lassen Sie zunächst das Hemdchen an und waschen Sie vorsichtig Gesicht, Kinn, Hals, Hände, Füße und Windelbereich. Ziehen Sie zum Schluss das Hemdchen aus und waschen den Bauch; achten Sie dabei auf den Nabel (s. S. 51). Auch unter den Armen setzt sich gern Schmutz fest.

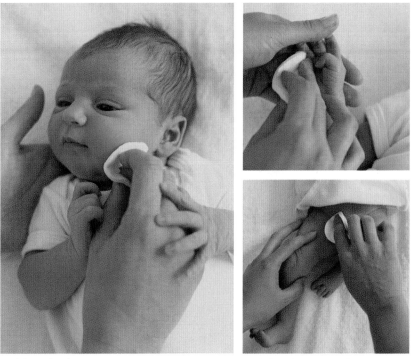

Gesicht und Hals Waschen Sie Gesicht und Hals; verwenden Sie für jedes Auge ein frisches Wattepad. Wischen Sie dann über und hinter jedes Ohr – aber nicht hinein (links). **Hände und Füße** Putzen Sie sorgfältig zwischen allen Fingern und Zehen (oben rechts). **Windelbereich** Waschen Sie nun Po und die Oberschenkelfalten; nehmen Sie immer wieder frische Wattepads (unten rechts).

zeit; allerdings ist in der Regel auch alles in Ordnung, wenn es nur einmal am Tag Stuhlgang hat. In den ersten Tagen nach der Geburt scheidet das Baby Mekonium – das Kindspech – aus, eine schwarze, teerartige Substanz, die seine Därme in der Gebärmutter gefüllt hat. Ob die Windel nass ist, können Sie meist nicht sehen, aber an ihrem Gewicht erkennen. Wenn die Windel beim Wickeln schwerer ist als eine saubere, bedeutet dies, dass Ihr Baby genügend Flüssigkeit erhält.

Sauberkeit Sie müssen noch nicht einmal daran denken, Ihr Baby zu baden. Manche Fachleute empfehlen, das Baby erst dann zu baden, wenn die weiße wächserne Käseschmiere, die den Körper bei der Geburt bedeckt hat, getrocknet und abgeschuppt ist; das kann etwa eine Woche dauern. Bis dahin ist eine kleine

Wäsche (s. Kasten oben) viel einfacher. Sie waschen dabei zunächst den Oberkörper und dann den Windelbereich, der bei jedem Wickeln gesäubert werden sollte.

Hautkontakt Gab es bisher noch nicht viel Gelegenheit zu intensivem Hautkontakt, verwöhnen Sie sich und Ihr Baby nun, nachdem Sie sich ein wenig von der Geburt erholt haben. Dieser Hautkontakt verbessert auch die Art, wie es an der Brust trinkt, was wiederum Ihre Milchbildung anregt.

Optimal ist Hautkontakt vor allem während der Mahlzeiten. Beim Stillen öffnen Sie den Strampelanzug Ihres Babys oder heben sein Hemdchen hoch und nehmen seinen Körper an Ihren Körper. Wenn es nicht zu kühl ist, kann es auch nur eine Windel tragen. Schützen Sie es vor Zugluft, indem Sie ihm eine

leichte Decke überlegen. Viele Frauen, die anfangs mit dem Stillen Schwierigkeiten haben, stellen fest, dass es mit Hautkontakt besser klappt.

Wenn Sie Ihrem Baby die Flasche geben, schieben Sie Ihr eigenes Oberteil dabei hoch oder öffnen es, um Hautkontakt zu ermöglichen. Dieser Kontakt fördert die Bindung und schenkt Ihrem Baby Sicherheit.

Auch Väter können ihrem Baby mit bloßem Oberkörper die Flasche geben, denn darüber können sie ihre eigene liebevolle Beziehung aufbauen.

Mit Ihrem älteren Baby können Sie oder Ihr Partner diesen Hautkontakt beim gemeinsamen Baden pflegen. Das ist besonders von Vorteil, wenn es Angst vor dem Baden hat. Hautkontakt wirkt auch oft wahre Wunder, wenn ein Baby schwer zu beruhigen ist.

Finden Sie Ihren Weg!

Anfangs ist das Leben mit Baby kompliziert und Sie sind sicher noch in vielem unsicher – entspannen Sie sich und nehmen Sie es locker.

Nach einer ambulanten Geburt oder Hausgeburt haben Sie sich zu Hause vielleicht bereits gut eingerichtet und heißen Ihr Baby in seiner neuen Umgebung willkommen. Es wird Ihnen vermutlich am wohlsten sein, wenn Sie es die meiste Zeit in Ihrer unmittelbaren Nähe haben. Tatsächlich empfehlen Experten auch, dass das Baby im ersten Lebensjahr im Elternschlafzimmer schläft. Obwohl man versucht ist, das Baby ständig zu tragen, sollten Sie sich zwischendrin vor allem auch ausruhen. Selbst die einfachste Geburt ist körperlich und emotional anstrengend. Es erfordert Zeit, bis Sie wieder Sie selbst sind. Ihr Baby lässt Sie wissen, wann es Sie braucht; bald werden Sie seine verschiedenen Schreie unterscheiden können. In den ersten Tagen schläft es viel und wacht auf, wenn es Hunger hat – oder getragen werden will.

Heimkommen Die meisten Frauen bleiben nach einer Krankenhausgeburt etwa drei Tage in der Klinik; doch vielleicht können Sie auch schon früher nach Hause gehen. Nach einer ambulanten Geburt verlassen Mutter und Kind die Klinik schon nach wenigen Stunden. Nach einer Kaiserschnittgeburt beträgt der Krankenhausaufenthalt durchschnittlich eine Woche. Für die Heimfahrt vom Krankenhaus benötigen Sie für Ihr Baby eine Babyschale für das Auto. Am besten befestigen Sie sie auf dem Rücksitz (immer entgegen der Fahrtrichtung) und setzen sich selbst daneben.

Nach der Geburt haben Sie Anspruch auf die sogenannte Wochenbettbetreuung. In den ersten sechs Wochen nach der Entbindung – und bei Bedarf auch während der gesamten Stillzeit – besteht ein Anspruch auf Hebammenhilfe. Die Krankenkasse bezahlt in den ersten zehn Tagen nach der Geburt einen täglichen Besuch, danach 16 weitere. Bei Stillproblemen können Sie Ihre Hebamme noch viermal zusätzlich um Hilfe bitten.

Stillen und Füttern Sie bilden weiterhin Kolostrum, die ideale erste Nahrung für Ihr Baby. Jedes Baby hat seinen ganz individuellen Nahrungsbedarf, doch im Durchschnitt nimmt ein zwei Tage altes Baby beim Stillen etwas weniger als drei Teelöffel (14 ml) zu sich. Eine Stillzeit kann dabei 40 Minuten oder länger dauern. Wenn Ihre Brustwarzen sich entzünden oder das Stillen insgesamt schmerzhaft ist, ist Ihr Baby wahrscheinlich nicht richtig angelegt. Stellen Sie sicher, dass es den gesamten Warzenhof im Mund hat, und legen Sie es so an, dass sein Bauch an Ihrem liegt (s. S. 27). Bei Beschwerden wenden Sie sich an Ihre Hebamme oder eine Stillberaterin. Brust-

---

Der Umgang mit dem Neugeborenen

Bestimmt sind Sie etwas angespannt bei der Aussicht, dieses winzige Baby tragen, wickeln und anziehen zu müssen. Doch Sie werden instinktiv alles richtig machen. Ihr Baby ist nicht so zerbrechlich, wie Sie meinen – doch gehen Sie vorsichtig mit ihm um, damit es sich sicher fühlt. Halten Sie es immer fest, denn infolge des Schreckreflexes (s. Kasten gegenüber) wirft es die Arme nach außen, wenn Nacken und Kopf nicht abgestützt werden.

Die Halsmuskulatur Ihres Babys ist schwach und »baumelnde« Gliedmaßen sind sehr unangenehm; umfassen Sie daher immer seinen ganzen Körper.

Hochnehmen Schieben Sie eine Hand unter den Nacken, um den Kopf abzustützen; die andere legen Sie unter den Po. Vorsichtig hochnehmen (links). **Kopf abstützen** Nehmen Sie Babys Kopf in Ihre Handfläche und halten ihn etwas höher als den Körper (Mitte). **Gesicht nach unten** Halten Sie Ihr Baby auf einem Arm, den Kopf im Bereich der Ellenbeuge; schieben Sie den anderen Arm zwischen die Beine, sodass beide Hände seinen Bauch halten (rechts).

Ihr Baby besitzt bei der Geburt über 70 Reflexe; auf diese Weise schützt es die Natur vor Schaden und unterstützt sein Überleben. Die meisten verschwinden innerhalb von sechs Monaten. Die wichtigsten Reflexe sind:

■ **Moro- oder Schreck-Reflex** Werden Nacken oder Kopf nicht abgestützt, wirft das Baby seine Arme nach außen.
■ **Palmarer Greifreflex oder Handgreifreflex** Wenn Sie Ihren Finger in Babys Handfläche legen, umklammern ihn seine Finger instinktiv und greifen fest zu.
■ **Saugreflex** Ihr Baby saugt, wenn ihm etwas in den Mund gelegt wird. Dies sichert seine Nahrungsversorgung.
■ **Suchreflex** Wenn Sie seine Wange streicheln, wendet es sich Ihnen zu und sucht nach Nahrung.
■ **Schreitreflex** Wenn Sie das Baby auf einer flachen, harten Unterfläche aufrecht halten, »läuft« es, indem es einen Fuß vor den anderen stellt.

Moro-Reflex Als Reaktion auf ein plötzlich auftretendes Geräusch wirft das Baby seine Arme nach außen (oben links). **Schreitreflex** Neugeborene machen Schreitbewegungen (außen rechts). **Greifreflex** Vermutlich evolutionäres Erbe der Primaten, die sich an ihre Mutter festklammern müssen (rechts).

salbe kann die Beschwerden lindern. Tupfen Sie die Brustwarzen trocken, bevor Sie eine erbsengroße Menge auf jede Brustwarze auftragen.

Wenn Sie die Flasche geben, benötigt Ihr Baby etwas mehr Nahrung, aber vermutlich nicht mehr als wenige Teelöffel (30 ml) pro Mahlzeit. Das Füttern mit dem Fläschchen geht meist schneller und dauert etwa 20 bis 40 Minuten.

Gewichtsabnahme In der ersten Woche nach der Geburt verlieren Neugeborene etwas an Gewicht. Stillbabys verlieren etwa sieben bis zehn Prozent ihres Geburtsgewichts; Flaschenbabys etwa fünf Prozent. Vermutlich verlieren sie damit das »Übergewicht«, das ihr Überleben nach der Geburt gewährleisten sollte. Die meisten Babys erlangen mit 10–14 Tagen ihr Geburtsgewicht wieder. Wenn Ihr Baby gut trinkt, nasse Windeln und Stuhlgang hat und gesund wirkt, ist alles in Ordnung.

Windelinhalt Ihr Baby scheidet weiterhin Mekonium aus, das klebrig und schwer abzuwaschen ist! Warmes Wasser und ein Tropfen Babybad beseitigen das Gröbste; verwenden Sie für die Genitalien aber möglichst nur reines Wasser. Der Urin sollte blass oder strohfarben sein; wird er dunkel oder riecht, sprechen Sie mit der Hebamme.

Mein Baby klingt beim Schlafen sehr verschnupft; es schnarcht ständig und hat Schluckauf. Ist das normal? Babys sind oft sehr geräuschvolle Schläfer; Grunzen, Stöhnen, kleine miauende Geräusche, kurze Schreie und sogar Schnarchen und Schluckauf sind zu hören. Die Atmung kann sogar bis zu 15 Sekunden aussetzen; man spricht von Schlafapnoe; sie kann bis zum sechsten Monat auftreten. In den Atemwegen und der Nase kann sich noch Schleim befinden; dann schnieft, hustet und schnarcht es, um die Nase freizubekommen. Dies geht normalerweise mit vier bis sechs Wochen vorbei. Wenn die Nase verstopft wirkt und das Baby Mühe hat zu trinken, sprechen Sie mit dem Kinderarzt; vielleicht hat es eine Erkältung oder eine andere Infektion; dann helfen Nasentropfen aus Kochsalzlösung (s. S. 408).

Wie pflege ich den Genitalbereich meines Babys? Die Genitalien des Babys können durch die in seinem Körper noch vorhandenen Schwangerschaftshormone einige Wochen lang geschwollen sein. Die Genitalien sind sehr empfindlich und müssen in den ersten Wochen sorgfältig mit warmem Wasser gewaschen werden; danach können Sie für die gründliche Hygienereinigung etwas pH-neutrales Babybad verwenden. Wischen Sie bei Mädchen immer von vorne nach hinten; bei einem Jungen heben Sie Penis und Hodensack an und säubern rundherum. Schieben Sie keinesfalls die Vorhaut zurück. Wurde Ihr Sohn beschnitten, werden Sie vom Arzt über die richtige Pflege informiert. Ein wenig Ausfluss ist in den ersten Tagen normal; ist er jedoch gelblich oder riecht, berichten Sie dem Arzt davon.

Ihre neue Rolle lernen

Nun sind Sie bald 72 – überwiegend schlaflose – Stunden Mutter. Ruhen Sie sich unbedingt aus, damit Sie die Situation meistern.

Ihr Baby wirkt so unglaublich winzig und zerbrechlich und wird doch von Tag zu Tag kräftiger und ist länger munter. Seine Bedürfnisse sind in dieser Phase ziemlich eindeutig: Regelmäßiges Füttern, Wickeln und viel Zuwendung schenken ihm dabei Sicherheit und Zufriedenheit.

Dennoch weinen Neugeborene in den ersten Tagen häufig. Teilweise ist dies eine Reaktion auf die schockierende Konfrontation mit dieser völlig neuen Umwelt, außerdem ist Schreien ihr einziges Kommunikationsmittel. Für frisch gebackene Eltern ist dies häufig sehr verstörend,

besonders, wenn unklar bleibt, was dem Baby missfällt. Am besten gehen Sie die Liste der möglichen Gründe für das Schreien mit den entsprechenden Maßnahmen durch (s. S. 68f.). Diese Phase geht aber bald vorüber. Sobald Sie Ihr Baby besser kennen, verstehen Sie sein Schreien und erahnen seine Bedürfnisse.

Ein Neugeborenes kann man nicht verwöhnen; mit jeder Reaktion auf sein Schreien festigen Sie die Beziehung zu ihm, fördern sein Vertrauen und vermitteln ihm, dass seine neue Welt ein sicherer Ort zum Leben ist. Gewiss

schreien manche Babys mehr als andere; sie teilen den Eltern mit, dass etwas nicht stimmt. Wenn Ihr Baby weder auf Tragen, Aufstoßen-Lassen, Füttern oder Wickeln reagiert, verringern Sie die Reize in seinem Umfeld. Auch das wirkt beruhigend.

Legen Sie das Baby in einem verdunkelten, ruhigen Raum in Seitenlage schlafen. Tätscheln Sie es rhythmisch, bis es in den Schaf findet. Legen Sie es dann auf den Rücken. Man zweifelt rasch an seiner Elternkompetenz, wenn es einem nicht gelingt, das Baby zu beruhigen; doch denken Sie daran, dass Babys nun mal schreien und dieses Schreien keineswegs Ihre mangelnden elterlichen Fähigkeiten widerspiegelt.

Unterstützung finden Viele Eltern haben in der ersten Zeit das Gefühl, nicht einmal mehr unter die Dusche oder zu einer Tasse Tee zu kommen. Babys haben ein Gespür dafür, dann aufzuwachen und Zuwendung von Ihnen einzufordern, wenn Sie meinen, Sie hätten endlich einmal Ruhe. In den ersten Wochen sind daher zusätzliche helfende Hände, die das Baby einmal tragen oder sogar beruhigen können, sehr willkommen; sie ermöglichen Ihnen ein wenig Zeit zum Entspannen, Waschen und Essen.

Wenn Ihr Baby schreit, sobald Sie es hinlegen, tragen Sie es an Ihrer Brust in einem Tragetuch oder Tragesitz; dann haben Sie die Hände frei und es beruhigt sich sicher. Planen Sie Duschzeiten, Mahlzeiten und Nickerchen dann ein, wenn Sie Unterstützung haben; Sie müssen keineswegs die »Gastgeberin« spielen. Ihre Helfer widmen sich gern Ihrem Baby, damit Sie sich von der

---

SO GEHT'S

Milchpulver anrühren

Befolgen Sie bitte unbedingt die Angaben des Herstellers. Zu viel Milchpulver oder Flüssigkeit führt zu Verstopfung oder Durst; bei zu wenig Milchpulver erhält das Baby nicht genügend Nahrung. Kochen Sie zunächst das Wasser ab (um Keime abzutöten) und lassen es abkühlen. Wenn Sie die Flasche zubereitet haben, erwärmen

Sie sie in einem Flaschenwärmer oder einem Krug mit warmem Wasser. In der Mikrowelle können »heiße Stellen« entstehen und das Baby kann sich den Mund verbrennen. Am besten bereiten Sie die Flasche bei Bedarf jeweils frisch zu. Ist das nicht möglich, bewahren Sie sie im Kühlschrank unter 4 °C nicht länger als 24 Stunden auf.

Richtig abmessen Streichen Sie das Pulver im Messlöffel glatt (links). **Pulver zugeben** Geben Sie das Milchpulver in das abgekochte, abgekühlte Wasser im Fläschchen (Mitte). **Mischen** Schütteln Sie die Flasche, sodass eine geschmeidige Milchnahrung ohne Klumpen entsteht (rechts).

Das Baby aufstoßen lassen

Die meisten Babys verschlucken beim Trinken eine kleine Menge Luft. Diese verursacht in Magen und Darm Schmerzen und Völlegefühl und kann dazu führen, dass das Baby nicht genug trinkt. Lassen Sie das Baby daher aufstoßen, damit die verschluckte Luft wieder freigesetzt wird und kein Unwohlsein aufkommt. Sie können Ihr Baby in der Mitte einer Mahlzeit sowie am Ende aufstoßen lassen. Wenn Ihr Baby innerhalb von fünf bis zehn Minuten nicht aufstößt, lassen Sie es gut sein. Vielleicht ist es gar nicht nötig oder die Luft steigt später auf.

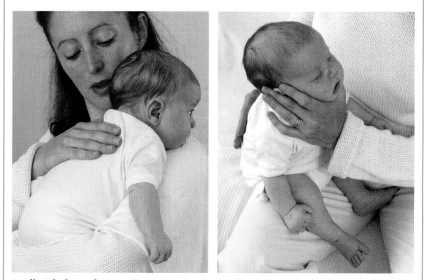

An die Schulter nehmen Reiben Sie sanft seinen Rücken, bis es aufstößt. Ein Mulltuch schützt Ihre Schulter, falls es spuckt (links). **Auf den Schoß nehmen** Beugen Sie es leicht nach vorne, stützen Sie seinen Kopf und tätscheln Sie sanft seinen Rücken, bis es aufstößt (rechts).

Geburt erholen können. Hängen Sie eine Liste mit »Aufgaben« an den Kühlschrank, damit Besucher genau wissen, wie sie im Haushalt helfen können.

Die Milch für Ihr Baby Es besteht eine gute Chance, dass Ihre Milch heute »einschießt«; damit produzieren Ihre Brüste nun Übergangsmilch, eine Mischung aus Kolostrum und reifer Muttermilch; sie ist gelblich und cremig. Die Brüste werden härter und prall; dann hat das Baby Mühe, die Brustwarze zu fassen. Schieben Sie ihm den gesamten Warzenhof in den Mund (s. S. 27) und massieren Sie Ihre Brust von oben nach unten, um etwas Milch freizusetzen und es ihm zu erleichtern, die Brustwarze zu fassen.

In den nächsten zehn Tagen wird dann immer weniger Kolostrum gebildet. Wenn das Baby zwei Wochen alt ist, wird die Muttermilch als »reif« bezeichnet. Ihr Körper bildet genau die richtige Menge für die Bedürfnisse Ihres Babys; stillen Sie es so oft, wie es will; dann stellen Sie sicher, dass Ihr Angebot seiner Nachfrage entspricht. Je mehr Sie stillen, umso mehr Milch wird gebildet. Vielleicht stillen Sie jeweils 30 bis 60 Minuten (und manchmal länger); vielleicht schläft Ihr Baby dabei auch ein. Wecken Sie es vorsichtig auf, indem Sie seine Wange streicheln. Wenn Sie es von der Brust nehmen, lassen Sie es aufstoßen, bevor Sie es wieder schlafen legen. Die meisten Stillbabys trinken in 24 Stunden zwischen acht- und zwölfmal. Nach einem Kaiserschnitt kann es ein wenig länger dauern, bis die Milch einschießt. Lassen Sie das Baby weiterhin an der Brust saugen und teilen Sie mögliche Probleme der Hebamme mit.

In dieser Phase mag das Leben für Mütter, die die Flasche geben, etwas leichter sein; sie können genau sehen, wie viel Milch ihr Baby trinkt. Füttern Sie weiterhin alle zwei bis drei Stunden; dabei trinkt Ihr Baby vermutlich in den ersten Wochen, bis es etwa 4,5 kg wiegt, jeweils 30–60 ml.

Ich sollte überglücklich sein, jetzt, wo mein Baby da ist – aber warum heule ich ständig und bin unausgeglichen? 60 bis 80 Prozent der Mütter berichten von Weinerlichkeit, einem Gefühl seltsamer Erschöpfung und Ängsten in den Tagen nach der Geburt. Dieser »Babyblues« ist vermutlich eine Folge des Abfalls der Schwangerschaftshormone in Kombination mit dem Anstieg der Hormone, die für die Milchbildung produziert werden.

Sie heulen, sind gereizt, frustriert und angespannt und fragen sich, wie Sie das alles bewältigen sollen. Der Babyblues dauert bei manchen Frauen nur ein paar Stunden, bei anderen bis zu fünf Tage. Es muss Ihnen überhaupt nicht peinlich sein, wenn Sie weinen oder Ängste haben. Erklären Sie Ihrem Partner, wie Sie sich fühlen; nehmen Sie in dieser Phase alle Hilfsangebote an. Wenn Sie sich nach einer Woche noch nicht besser fühlen, sprechen Sie mit dem Arzt oder der Hebamme. Falls sich eine Wochenbettdepression entwickelt, muss diese behandelt werden.

Erste Untersuchungen

In der Woche nach der Geburt wird die Hebamme Sie und Ihr Baby genau im Auge behalten. Wichtig ist, dass Sie sich beide gut erholen.

Besuch der Hebamme Die Hebamme besucht die junge Familie zu Hause; sie berät und untersucht Mutter und Kind.

Eine Hebamme besucht Mutter und Kind in den ersten zehn Tagen nach der Geburt einmal täglich und bis zur achten Woche weitere Male bei Bedarf (s. S. 46). Für diese sogenannte Hebammenhilfe suchen Sie sich am besten schon in der Schwangerschaft eine freiberufliche Hebamme. Bei den Besuchen haben Sie die Möglichkeit, alle Fragen zu stellen, die Ihnen am Herzen liegen. Die Hebamme unterstützt Sie auch beim Stillen und kontrolliert, ob es dem Baby gut geht und ob es zunimmt. Sie zeigt Ihnen, wie Sie Ihr Baby baden und versorgen. Thematisieren Sie alle Sorgen und Ängste, die Sie möglicherweise haben, egal wie unbedeutend sie Ihnen erscheinen mögen. Die Verantwortung für so ein kleines Wesen ist anfangs auch eine große Belastung – und oft gibt es eine einfache Lösung für scheinbar große Probleme.

Untersuchungen der Mutter Bei ihren Besuchen untersucht die Hebamme auch die Mutter – die Wöchnerin – genau. Sie beobachtet dabei die Rückbildung der Gebärmutter, das Abheilen einer eventuellen Dammnaht, die Farbe und Menge des Wochenflusses, Brustveränderungen und den Milchfluss. Die Hebamme kann auch den Blutdruck messen, um zu prüfen, ob er im Normalbereich liegt.

Berichten Sie unbedingt von möglichen Schmerzen oder Problemen beim Stillen. Es ist sehr beruhigend, wenn man von einer Fachfrau beraten und angeleitet wird. Eine wichtige Aufgabe der Hebamme ist es auch, auf Ihre seelische Gesundheit zu achten. Also seien Sie nicht überrascht, wenn sie auch persönliche Fragen zu Ihren Gefühlen und Ihren Bewältigungsstrategien stellt. Diese Fragen dürfen Ihnen nicht peinlich sein – beantworten Sie sie ehrlich. Viele frisch gebackene Mütter haben in den ersten Tagen Mühe, mit all den Anforderungen zurechtzukommen. Es ist sicher besser, Hilfe und Unterstützung zu erhalten, bevor die Dinge außer Kontrolle geraten.

Untersuchungen des Babys Beim Neugeborenen dokumentiert die Hebamme das Gedeih- und Trinkverhalten sowie die Gewichtszunahme. Reflexe und Verhalten des Kindes, Hautveränderungen und erste Anzeichen einer Neugeborenengelbsucht werden überwacht. Die Hebamme stellt Ihnen Fragen zum Trink- und Schlafverhalten Ihres Babys, zum Stuhlgang, nassen Windeln und seinem allgemeinen Befinden. Sie wiegt es regelmäßig und zeichnet sein Gewicht auf.

Die Gewichtszunahme verläuft bei Stillbabys oft langsam, also keine Sorge, wenn es nicht so schnell zunimmt, wie Sie gehofft hatten. Ihre Hebamme weiß, wann Anlass zur Sorge besteht, und wird im Zweifelsfall umgehend handeln. Die Hebamme beobachtet auch Ihre Stilltechnik und kann dabei wertvolle Hilfen geben. Oft gelingt es, das Anlegen des Babys zu verbessern, sodass es länger und erfolgreicher trinkt und damit die Milchbildung anregt. Und das wiederum stellt sicher, dass es genügend Milch erhält, um kontinuierlich zuzunehmen.

FAKTEN UND HINTERGRÜNDE

PKU-Neugeborenenscreening (Guthrie-Test)

Der Guthrietest, der in der Regel bei der U2 (s. S. 43) vorgenommen wird, ist eine Untersuchung auf bestimmte Stoffwechselerkrankungen wie Krankheiten des Aminosäurestoffwechsels (Phenylketonurie, Leuzinose, Tyrosinämie) und Zuckerstoffwechselstörungen (Galaktosämie). Aber auch eine Unterfunktion der Schilddrüse oder eine Mukoviszidose wird festgestellt. Dazu werden dem Baby ein paar Tropfen Blut aus der Ferse abgenommen.

Falls Ihr Baby Antibiotika bekommt, sollte der Test verschoben werden, da dadurch das Ergebnis leicht verfälscht werden kann.

Zum Wiegen wird Ihr Baby vermutlich ausgezogen und dabei achtet die Hebamme auf mögliche Ausschläge. Eine fleckige Haut ist in den ersten Tagen normal. Haben Sie irgendwelche Bedenken, sprechen Sie diese nun an.

Ist die Betreuung und Untersuchung von Mutter und Baby abgeschlossen, informiert die Hebamme noch über weiterführende Angebote zum Austausch und Kontakt, wie z.B. Kurse für Babymassage und Babyschwimmen, Stillgruppen, Beikosteinführung für das Baby, Rückbildungskurse u.a.

Sollten Sie irgendwelche Schwierigkeiten im Umgang mit dem Baby haben oder negative Gefühle empfinden, reden Sie bitte unbedingt darüber. Es gibt Möglichkeiten der Unterstützung für junge Eltern, über die Sie die Hebamme informieren kann. Bitte haben Sie keinerlei Scheu oder Scham, über Erschöpfung oder negative Gefühle – auch dem Baby gegenüber, wenn es ständig schreit und untröstlich scheint – zu sprechen.

Natürlich müssen Sie die Hebamme keinesfalls in einem »aufgeräumten« Haushalt empfangen. Also setzen Sie sich deswegen nicht zusätzlich unter Druck! Die Hebamme ist täglich mit der Situation konfrontiert, in der Sie sich gerade befinden – und weiß nur zu gut, dass ein gepflegter Haushalt bei einem Neugeborenen ein Ding der Unmöglichkeit ist.

Die Nabelpflege

Halten Sie den Nabel des Babys unbedingt trocken und sauber. Wenn er über längere Zeit schmiert und Wundsekret austritt, kann es schnell zu Entzündungen kommen. Alkohol und antiseptische Salben werden heute nicht mehr empfohlen; verwenden Sie zum Säubern besser nur warmes Wasser und etwas Babywaschsyndet.

Damit der Nabel nicht durch Urin, z.B. durch eine randvolle Windel, verunreinigt wird, schlagen Sie den Rand der Windel vorne um; so kommt mehr Luft an den Nabel und es kann kein Urin drankommen.

Ist der Nabel verunreinigt, entzündet oder eitert sogar, wenden Sie sich unverzüglich an den Kinderarzt.

Fünf bis zehn Tage nach der Geburt trocknet der Nabelstumpf aus und fällt dann ab. Die kleine zurückbleibende Wunde heilt in den nächsten Tagen aus.

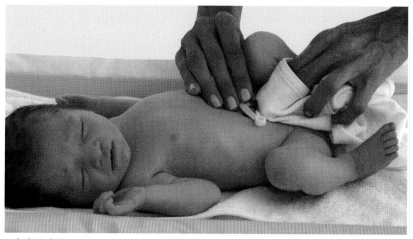

Nabel säubern Um Infektionen vorzubeugen, wischen Sie mit einem nassen, weichen Waschlappen um den Nabel und trocknen den Bereich dann vorsichtig ab.

Leidet mein Baby an Gelbsucht?

Über die Hälfte aller termingerecht geborenen Babys bekommen in den ersten Tagen nach der Geburt eine Gelbsucht (s.S. 404). Ursache ist ein Überschuss an dem Pigment Bilirubin im Blut des Babys. Als natürliches Nebenprodukt der roten Blutkörperchen wird Bilirubin über die Leber abgebaut und ausgeschieden. Damit ist die Leber anfangs oft noch überfordert. In den meisten Fällen klingt die Gelbsucht etwa zehn Tage nach der Geburt ab. Bis dahin kann Ihr Baby eine leicht gelbliche Hautfarbe haben. Viel Sonnenlicht und häufiges Stillen unterstützen die Ausscheidung von Bilirubin.

Ich habe Zwillinge. Bildet mein Körper genug Milch für beide?

Viele Zwillingsmütter stellen sich diese Frage und befürchten, nicht genügend Milch zu haben. Doch das Stillen funktioniert nach dem Prinzip von Angebot und Nachfrage; also wird Ihr Körper genauso viel Milch bilden, wie Ihre beiden Babys benötigen. Das gilt selbst in Phasen eines Wachstumsschubs, wenn sie mehr Hunger haben.

Sollte ich mein Baby zum Füttern aufwecken? Den meisten Eltern widerstrebt es, ein schlafendes Baby aufzuwecken, da dies die einzige Gelegenheit bietet, selbst ein wenig zu schlafen oder den Haushalt zu erledigen. Doch Ihr Baby muss oft trinken (mindestens alle zwei bis drei Stunden), um genügend Milch für Wachstum und Entwicklung zu erhalten; wenn es also länger schläft, sollten Sie es besser doch zum Füttern aufwecken. Legen Sie es auch häufig an die Brust (idealerweise acht- bis zwölfmal in 24 Stunden), um die Milchbildung anzuregen.

Der Bindungsprozess

Der Bindungsprozess beginnt in der Schwangerschaft und hält das ganze Leben an – eine enge, intensive Beziehung ist das Ziel.

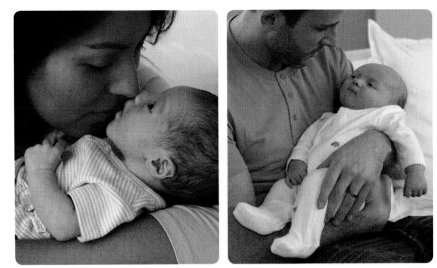

Sanfte Berührung Berührungen fördern die Gewichtszunahme und reduzieren Ängste und Anspannung bei Mutter und Kind (links). **Mit Papa schmusen** Auch Ihr Partner sollte sich intensiv an der Babypflege beteiligen und viel mit dem Baby schmusen, um eine enge Beziehung aufzubauen (rechts).

Unter dem Bindungsprozess (auch als Bonding bezeichnet) versteht man das Entstehen einer intensiven Verbundenheit zwischen Eltern und Baby. Diese Bindung fördert unsere Liebe zum Baby, lässt uns tiefe Zuneigung empfinden und es beschützen und ernähren. Dank dieser Bindung stehen wir mitten in der Nacht auf, um es zu füttern! Dem Baby vermittelt sie ein Gefühl der Sicherheit und positiver Selbstachtung. Hautkontakt (s. S. 45) begünstigt diesen Prozess. Auch der Vater sollte eine solche Bindung zu seinem Baby aufbauen.

Babys sind taktile, sensorische Wesen. Wird das Baby liebkost, schüttet sein Körper das Hormon Oxytozin aus. Ein hoher Oxytozinspiegel begünstigt Empfindungen wie Glück, Entspannung und Sicherheit. Nicht immer wird der Bindungsprozess als einfach wahrgenommen, besonders nach einer schweren Geburt. Haben Sie Geduld, schauen Sie Ihrem Baby in die Augen, halten es am Körper, singen und sprechen Sie mit ihm. Es wird auf Ihren Geruch, Ihre Berührung und auf Ihre Stimme, die ihm aus der Gebärmutter vertraut ist, reagieren.

Bindung zum Vater Ihr Partner hat vielleicht seit der ersten Ultraschallaufnahme eine Beziehung zu Ihrem Baby aufgebaut – oder als er die ersten Tritte spürte. Geben Sie Ihrem Partner nach der Geburt oft Gelegenheit, Vertrauen im Umgang mit diesem kleinen Wesen zu gewinnen. Überlassen Sie ihm möglichst oft das Baby und halten Sie sich im Hintergrund; so kann er seinen eigenen Stil finden. Helfen Sie, wenn er darum bittet, und stellen Sie sicher, dass er alles griffbereit hat, was er zum Wickeln und Waschen des Babys braucht. Er soll es auch möglichst oft schlafen legen – so lernt er es genauso gut kennen wie Sie und entwickelt die so wichtige Bindung zu ihm.

Bindung zu Zwillingen Für die Eltern von Zwillingen oder Mehrlingen bedeutet der Bindungsprozess oft eine besondere Herausforderung, weil angesichts der anstrengenden Pflege, die alle körperliche Energie aufzehrt, wenig emotionale Energie für den Bindungsprozess bleibt. Geben Sie sich hier bewusst viel Zeit.

Machen Sie es sich bewusst, wenn Sie zu einem Zwilling eine stärkere Bindung entwickeln als zum anderen. Bemühen Sie sich, mit dem anderen Baby auch mehr entspannte Zeit im Spiel zu verbringen. So entsteht Nähe zu beiden.

Vielleicht stellen Sie auch fest, dass Sie eine stärkere Beziehung zum einen Baby entwickeln und Ihr Partner zum anderen. Das kann durchaus hilfreich sein, um sicherzustellen, dass beide Babys die Geborgenheit empfinden, die sie für ihr emotionales Wohlergehen benötigen.

BITTE BEACHTEN

Das Baby anmelden

Eine Geburtsanzeige beim Standesamt des Geburtsortes muss innerhalb von einer Woche nach der Geburt erfolgen (s. S. 18). In der Regel leitet in Deutschland das Standesamt des Geburtsortes die entsprechenden Kindsdaten direkt an das zuständige Einwohnermeldeamt weiter, sodass Sie selbst hier keinen Behördengang vornehmen müssen.

Schlafende Babys

Was für eine Woche! Ihr Baby hat die meiste Zeit geschlafen – und dazwischen getrunken – auch wenn Sie das anders empfinden.

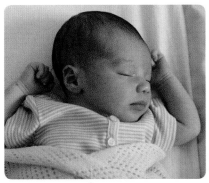

Schlafrhythmus Sehr wenige Neugeborene schlafen die Nacht durch; die längste Schlafphase dauert vermutlich fünf Stunden.

Die meisten Neugeborenen wachen alle zwei bis vier Stunden auf und wollen gefüttert werden. Sie haben einen winzigen Magen und die Milch wird sehr schnell verdaut. Ihr Baby wacht auf, wenn es Hunger hat, und schläft, wenn es müde ist. Sie können nichts anderes erzwingen! Am besten haben Sie realistische Erwartungen an diese Zeit.

Bei Stillbabys fördern Sie guten Schlaf, indem Sie sicherstellen, dass das Baby seinen Magen gut füllt. Lassen Sie es bei jeder Stillzeit an beiden Brüsten trinken. Jetzt, da die Milch eingeschossen ist, wird es vermutlich zwischen fünf und 30 Minuten an jeder Brust trinken. Lassen Sie es eine Brust leer trinken, bevor Sie es an die andere legen, damit es auch die fettreiche Hintermilch, die am Ende einer Mahlzeit fließt, bekommt.

Flaschenbabys schlafen tendenziell ein wenig länger, weil Milchnahrung schwerer verdaulich ist als Muttermilch.

Tag und Nacht Viele Babys sind in den frühen Morgenstunden länger wach und schlafen dann den ganzen Tag. Am Anfang stellen Sie sich am besten auf Ihr Baby ein und schlafen dann, wenn es schläft. Unterscheiden Sie Nacht und Tag, indem Sie zur Schlafenszeit besonders ruhig und zurückhaltend mit ihm umgehen. Legen Sie es hin, solange es noch wach ist. Wenn es an der Brust einschläft, kann verschluckte Luft Beschwerden verursachen. Lassen Sie es trinken, bis es schläfrig ist; dann lassen Sie es aufstoßen und legen Sie es ins Bett, bevor es richtig eingeschlafen ist.

Ziehen Sie Ihr Baby nicht zu warm an (s. S. 73). Wenn es nachts aufwacht, stillen und wickeln Sie es, ohne viel zu reden.

Ganz wichtig Schlafmangel führt zu Anspannung und Ärger. Dies übertragen Sie dann auf Ihr Baby, wodurch es reizbar wird; und diese Anspannung erschwert auch Ihnen einen guten, erholsamen Schlaf. Denken Sie aber daran – diese Phase geht vorüber und es wird wieder ruhige Nächte geben.

SO GEHT'S

Pucken – eine uralte Wickelmethode

Das Pucken kann dazu beitragen, dass ein überreiztes Baby zur Ruhe findet. Arme und Beine können dann nicht unkontrolliert bewegt werden, dadurch werden ungewollte Zuckungen und Fuchteleien mit den Armen, die z. B. durch den Moro-Reflex (s. S. 47) entstehen, verhindert. Verwenden Sie eine weiche Baumwolldecke, denn schwere Decken führen leicht zu Überwärmung. Die Absicht ist, Ihrem Baby das Gefühl von Sicherheit und Geborgenheit zu geben – nicht, es zu wärmen.

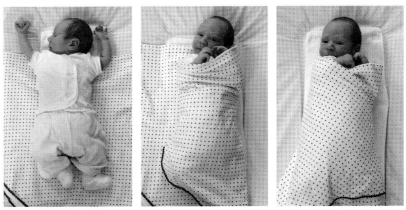

Das Baby hinlegen Breiten Sie eine Decke aus und falten sie einmal, damit eine lange gerade Kante entsteht. Legen Sie Ihr Baby oben in die Mitte (links). **Erstes Einschlagen** Schlagen Sie eine Seite über und schieben sie – nicht zu fest – unter die gegenüberliegende Seite (Mitte). **Zweites Einschlagen** Entsprechend mit der anderen Seite verfahren (rechts).

IM BLICKPUNKT
Babys in Intensivpflege

Wenn Ihr Baby zu früh oder krank geboren wurde, kam es wahrscheinlich auf die Neugeborenen-Intensivstation, um die bestmögliche medizinische Versorgung und Betreuung von Fachärzten und Fachpflegerinnen zu erhalten..

Wenn das Baby in Intensivpflege ist, ist Hautkontakt oder ein sofortiges erstes Stillen nach der Geburt oft nicht möglich. Für die Eltern ist diese Situation sehr belastend und sie machen sich große Sorgen um ihr Kind, zumal wenn es in einem Brutkasten (Inkubator) liegt. Doch erschrecken Sie nicht wegen all der Kabel und Monitore – der Inkubator schützt Ihr Baby vor Infektionen, versorgt es gegebenenfalls mit Sauerstoff und zeichnet Körpertemperatur, Sauerstoffversorgung, Herzschlag und Lungentätigkeit auf.

Das Baby ernähren Wenn Ihr Baby zu schwach ist, um an der Brust oder aus der Flasche zu trinken, wird es über eine Sonde, die über Mund, Nase oder sogar direkt in den Magen gelegt wird, ernährt. Soll Ihr Baby Muttermilch bekommen, müssen Sie sobald wie möglich nach der Geburt Milch abpumpen (s. S. 28). Muttermilch ist zweifellos die beste Option für ein kleines oder krankes Baby. Sie enthält Antikörper, die vor Infektionen schützen, sowie alle Nährstoffe, die es für ein starkes Immunsystem und optimales Wachstum und Entwicklung benötigt.

Das Klinikpersonal wird Ihnen zeigen, wie man Muttermilch abpumpt. Sie werden dies alle paar Stunden tun müssen, um die Milchbildung aufzubauen. Selbst wenn Sie in den ersten Tagen nur sehr kleine Mengen erhalten, leisten Sie Ihrem Baby einen wertvollen gesundheitlichen Dienst. Ihre Milch wird Ihrem Baby durch die Sonde oder auch per Tropfpinzette, Flasche oder Becher gegeben, bis es an Ihrer Brust trinken kann.

Wenn Sie Ihr Baby an Ihre Brust legen, trinkt es vielleicht nicht, sondern genießt einfach Ihre Nähe. Wenn Sie ein wenig ausgedrückte Milch auf die Brustwarze geben, riecht und schmeckt Ihr Baby sie. Oder geben Sie ihm ein paar Tropfen in den Mund. Frühgeborene oder kranke Babys ermüden

KÄNGURU-PFLEGE

Eng am Körper Forschungen haben gezeigt, dass Babys sehr von engem Hautkontakt profitieren.

Eine der besten Methoden, die gesunde Entwicklung eines Neugeborenen zu fördern (ob zu früh oder fristgerecht geboren) ist die Känguru-Pflege oder das Känguruhen. Dabei wird das Baby – nur mit einer Windel und evtl. einer Mütze bekleidet – zwischen den Brüsten an die nackte Haut gelegt. Der Kopf soll so liegen, dass Babys Ohr an Mutters Herz liegt. Nehmen Sie Ihr Baby eng an sich, damit es Ihre Wärme und Liebe spürt. Känguru-Pflege imitiert die Enge und Wärme in der Gebärmutter und hilft dem Baby so, sich an die rauere Umgebung unserer Welt anzupassen.

Die Känguru-Pflege bietet vielfältige Vorteile. Forschungen zeigen (selbst bei kurzen Känguru-Phasen) folgende Vorteile im Vergleich zu Babys in Intensivpflege ohne Känguru-Pflege auf:
■ stabilerer Herzschlag
■ regelmäßigere Atmung (und ein

um 75 Prozent reduziertes Risiko einer Schlafapnoe, bei der während des Schlafs zeitweise die Atmung aussetzt)
■ verbesserte Sauerstoffversorgung des Blutes
■ stabilere Körpertemperatur
■ schnellere Gewichtszunahme und Gehirnentwicklung
■ weniger Schreien
■ längere Wachphasen
■ erfolgreicheres Stillen
■ früherer Bindungsprozess

Ein Baby in Känguru-Pflege wächst schneller, vor allem deswegen, weil es bei der Mutter in einen tiefen, erholsamen Schlaf findet. Dadurch kann es seine Energie für Wachstum und Entwicklung nutzen. Auch Väter können diese Pflege vornehmen und den Bindungsprozess beginnen.

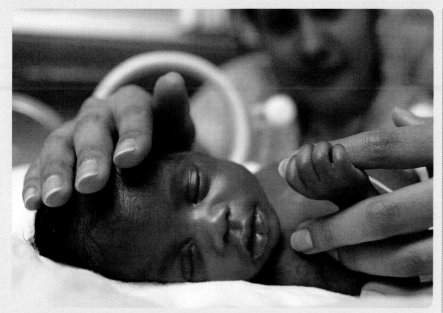

Heilsame Berührung Kann man das Baby nicht tragen, sollte man es berühren und streicheln. Verbringen Sie möglichst viel Zeit mit Reden und Singen, damit es sich entspannt.

schnell und müssen erst lernen, wie man richtig saugt. Wenn Ihr Baby echtes Interesse zeigt, bitten Sie um Hilfe, um es richtig anzulegen (s. S. 27).

Ihr Baby braucht Sie Auch wenn es unglaublich zerbrechlich wirkt und all die Apparate Sie einschüchtern, sollten Sie Ihrem Baby unbedingt Körperkontakt ermöglichen. Es erkennt Ihre Stimme und Ihren Geruch und findet Trost durch Ihren Herzschlag und Ihre vertraute Wärme. Tragen Sie es so oft wie möglich; wenn das nicht möglich ist, streicheln Sie seinen Körper sanft im Brutkasten – auch dies fördert seinen Gesundheitszustand und sein Wohlbefinden enorm. Ihre regelmäßige Berührung unterstützt die Gewichtszunahme und den Heilungsprozess und verbessert seinen Schlaf. Singen Sie Ihrem Baby vor, sprechen Sie ruhig mit ihm und trösten Sie es; Ihre Stimme beruhigt es und regt es positiv an. Forschungen zeigen, dass das Sprechen mit dem Baby die Bildung von Synapsen im Gehirn anregt und auch zu seiner Entspannung beiträgt.

Sich einbringen Vielleicht überlassen Sie gern das Wickeln, Baden und Füttern Ihres Babys dem geschulten Personal; doch es tut Ihrem Baby gut, wenn Sie in seine Pflege einbezogen sind. Es gibt ihm nicht nur Sicherheit und fördert die Bindung zwischen Ihnen, sondern es erleichtert Ihnen auch die spätere Umstellung auf das Leben zu Hause. Bitten Sie, dass man Ihnen zeigt, wie man mit ihm umgeht, und achten Sie peinlichst genau auf die Hygiene.

Achten Sie auf sich selbst Ruhen Sie sich aus und nehmen Sie regelmäßige, nährstoffreiche Mahlzeiten zu sich, um Energie zu haben. Haushalten Sie mit Ihren Kräften. Versuchen Sie, sich Ausgleiche zu schaffen, z.B. durch Spaziergänge. Nehmen Sie die Unterstützung von Familie und Freunden an – und haben Sie keine Schuldgefühle, weil Sie nicht 24 Stunden am Tag bei Ihrem Baby sein können.

Halten Sie Ihre Gefühle in einem Tagebuch fest und dokumentieren Sie die Fortschritte Ihres Babys, so gering sie auch erscheinen mögen. Notieren Sie sich Fragen, die Sie den Ärzten und Pflegern stellen wollen, und schreiben Sie die Antworten auf. Wir sind oft nicht in der Lage, in einer solch schwierigen Situation in einem Gespräch alle Informationen sofort aufzunehmen und zu verarbeiten. Durch das Aufschreiben haben Sie die Möglichkeit, diese später, wenn Sie entspannt und in Ruhe darüber nachgedacht haben, zu verarbeiten.

Möglicherweise gibt es Elternzimmer, sodass Sie Tag und Nacht bei Ihrem Baby bleiben können. Und vor allem: Erkennen Sie, dass es normal ist, Schuld, Kummer, Ängste und viele andere Emotionen zu erleben. Sprechen Sie mit Ihrem Partner und dem Klinikpersonal. Sie sind da, um Sie ebenso zu unterstützen wie Ihr Baby.

ENTWICKLUNG FÖRDERN

Wie zu Hause

Treten Sie mit Ihrem Baby so in Kontakt, wie Sie es auch zu Hause täten. Schmücken Sie den Brutkasten mit Fotos von der Familie. So wird es mit Ihren Gesichtern vertraut und findet Sicherheit, wenn Sie nicht da sind. Beruhigende Musik oder Aufnahmen von Ihrer Stimme können ihm in Ihrer Abwesenheit vorgespielt werden. Das tröstet Ihr Baby und baut seine Bindung zu Ihnen auf.

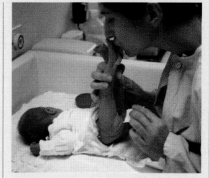

Vertraute Berührung Versuchen Sie die Klinikumgebung zu vergessen und auszublenden.

1 Woche

WÄHREND DER ERSTEN PAAR WOCHEN SIND BABYS NUR ZEHN PROZENT DER ZEIT WACH.

Das Sehvermögen Ihres Babys ist noch verschwommen, auch wenn es Sie schon kurz nach der Geburt erkennen kann. Wenn Ihr Baby wach ist, zeigt es großes Interesse an seiner neuen Welt – und an Ihnen. Es ist fasziniert von Ihren Augen und Ihrer Stimme.

Ihr Baby kennt Sie

Ihre Stimme und Ihr Geruch sind Ihrem Baby seit der Geburt vertraut, jetzt erkennt es auch Ihr Gesicht und fühlt sich bei Ihnen geborgen.

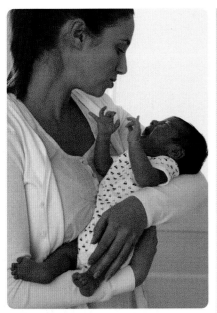

Kommunikation Nur durch Schreien kann sich Ihr Baby mitteilen, wenn ihm etwas fehlt.

Zwar ist Ihr Baby noch zu klein, um Ihr Gesicht deutlich zu fokussieren, doch es kann Sie bereits erkennen. Und nichts mag es lieber, als in Ihre Augen zu schauen. Forschungen zeigen, dass Babys vertraute Gesichter besonders lange und bewusst betrachten; Sie können also bestimmt feststellen, dass Ihr Baby Sie bewusst beobachtet. Wenn es aufmerksam und interessiert ist, hört es auf, sich zu bewegen, und betrachtet Sie genau. Geben Sie seiner Leidenschaft nach und schauen Sie ihm in die Augen. Blickkontakt ist nicht nur grundlegend für den Bindungsprozess, sondern bildet auch eine frühe Form der Kommunikation. Bringen Sie Ihr Gesicht in etwa 30 cm Entfernung zu seinem – auf diese Distanz kann es am besten fokussieren. Ihre Augen und Ihr Haaransatz bieten

dabei den stärksten Kontrast. Es wird nicht lange dauern, bis es nach Ihrem Gesicht greifen will.

Verbundenheit aufbauen In den ersten Tagen und Wochen nach der Geburt sind Mütter und Babys besonders auf gegenseitige Nähe »programmiert«. Hautkontakt vermittelt Ihrem Baby weiterhin Sicherheit. Es kennt Ihren Herzschlag bereits aus der Gebärmutter – und Ihr Geruch bietet Trost und regt es zum Trinken an. Mehr noch, es wird vertraut mit Ihrer Berührung und verspürt Zutrauen zu Ihrer Art, mit ihm umzugehen. All das schenkt ihm Geborgenheit.

FRAGEN SIE ... EINE HEBAMME

Warum schreit mein Baby jedes Mal, wenn ich es zum Schlafen hinlege? Die meisten Babys mögen am liebsten getragen werden, vor allem in den ersten ein, zwei Wochen, wenn sie sich auf diese neue Welt einstellen. Das Pucken (s. S. 53) bietet ihnen Geborgenheit. Oder legen Sie es wach hin und streicheln es, bis es ruhig wird. Die meisten Babys schreien ein bis drei Stunden am Tag – es kann sein, dass Ihr Baby müde ist und sich durch Schreien abreagieren muss.

SO GEHT'S

Das Baby baden

Sollte das bisher noch nicht geschehen sein, wollen Sie Ihr Baby nun sicher das erste Mal baden. Viele Säuglinge mögen Wasser und die Badezeit wird zu einem schönen Teil der Tagesroutine. Achten Sie darauf, dass der Raum warm genug ist, und legen Sie Handtuch, Windel und Kleidung griffbereit. Füllen Sie die Babywanne zur Hälfte mit lauwarmem Wasser (37 °C). Danach trocknen Sie Ihr Baby schnell ab, damit es nicht auskühlt.

Haare waschen Wickeln Sie es in ein Handtuch; umfassen Sie Kopf und Schultern und befeuchten den Kopf.

In die Wanne Senken Sie Ihr Baby in die Wanne und halten dabei sorgfältig Kopf, Schultern und Po.

Rundum sauber Stützen Sie den Kopf des Babys und machen es vorsichtig nass. Ein Schwamm kann helfen.

Erfolgreich stillen und füttern

Stillen oder füttern kostet viel Zeit, schenkt aber auch viel Befriedigung, wenn Sie sehen, wie das Baby wächst – allein mit Milch.

Stillen

Zweifellos ist Stillen eine Kunst, die ein wenig Übung erfordert – bei Mutter und Kind. Richtiges Anlegen ist entscheidend dafür, ob Ihr Baby die Milch bekommt, die es benötigt. Sobald Sie das Anlegen beherrschen, trinkt das Baby effizienter und regt die Brüste wirksam an, es mit der richtigen Menge Milch zu versorgen.

Und wahrscheinlich empfinden Sie dabei auch kein Unbehagen.

Falsches Anlegen kann wunde, rissige Brustwarzen verursachen. In den ersten zehn Sekunden des Anlegens ist ein Schmerz häufig; andauernde Schmerzen sollten aber abgeklärt werden. Sprechen Sie bei Problemen unbedingt mit der Hebamme, dem Arzt oder einer Still-

beraterin. Es dauert mehrere Tage, bis die Milchbildung dem Bedarf des Babys entspricht, manchmal auch etwas länger. Manche Mutter, die anfangs beinahe aufgeben wollte, ist froh, durchgehalten zu haben, wenn nach zwei bis drei Wochen alles reibungslos klappt.

Wie lange dauert eine Mahlzeit? Bitte versuchen Sie nicht, die Stillzeiten festzulegen. Ihr Baby wird so lange trinken, bis es die für seinen Bedarf erforderliche Menge Milch aufgenommen hat. Manchmal trinkt es Ihre Brust in zehn Minuten leer. Dann wieder ist es schläfrig und nuckelt an jeder Brust 20 Minuten oder länger. Drängen Sie es nicht. Manchmal will es auch nur zur Beruhigung nuckeln. Auf diese Weise sorgt die Natur dafür, dass sich die Milchbildung erhöht.

Die meisten Neugeborenen trinken zwischen acht- und zwölfmal am Tag. In den ersten Wochen kann es alle 90 Minuten an Ihrer Brust sein, nach einer ausgiebigen Mahlzeit aber auch einmal bis zu drei Stunden zufrieden sein.

Jede Brust leer trinken Am besten wird jede Brust vollständig geleert, bevor man das Baby an die andere legt. Dies stellt sicher, dass es sowohl die durststillende Vormilch als auch die nährstoffreiche Hintermilch erhält. Ebenso beugt das auch Problemen wie verstopften Milchgängen (s. Kasten gegenüber) vor. Wenn das Baby bei einer Stillzeit nicht beide Brüste »schafft«, lassen Sie es das nächste Mal zuerst an der noch vollen Brust trinken, damit beide Brüste nach und nach leer getrunken werden. Merken Sie sich, an welcher Brust es dabei angelegt werden soll.

SO GEHT'S

Die richtige Stillposition finden

Damit Ihr Baby die Brust auch richtig fassen kann, müssen Sie beide eine gute Position einnehmen. Sie sollten bequem sitzen, mit gut abgestütztem Rücken: Kissen sind hilfreich. Probieren Sie verschiedene Positionen aus. Sie können das Baby z.B. in Brusthöhe mit seinem Bauch an Ihrem in den Arm nehmen. Der Rückhaltegriff mit dem Baby unter dem Arm ist meist

angenehm, wenn die Brüste entzündet sind, da das Baby dabei nicht an der Brust zieht. Zum nächtlichen Stillen oder nach einem Kaiserschnitt finden Sie es vielleicht angenehm, das Baby seitlich liegend zu stillen. Achten Sie darauf, dass sein Kopf beim Trinken leicht nach hinten gebeugt ist. Sein Kinn sollte Ihre Brust berühren und es sollte mühelos atmen können.

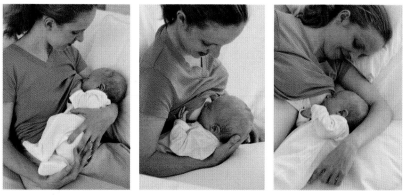

Wiegengriff Ihr Baby liegt auf Ihrem Schoß, sein Bauch an Ihrem. Sein Kopf soll sich in Ihre Armbeuge schmiegen. Mit dem Unterarm umfassen Sie es und nehmen seine Knie in Ihren anderen Arm (links). **Rückhaltegriff** Schieben Sie Babys Körper unter Ihren Arm, als würden Sie einen Fußball halten, und stützen Sie seinen Nacken mit Ihrem Unterarm (Mitte). **Im Liegen** Das Baby liegt Ihnen zugewandt; ziehen Sie es nah an Ihre Brust und kuscheln es an Ihren Arm (rechts).

Zwillinge stillen

Bis Sie das Stillen gewohnt sind, wollen Sie Ihre Babys vielleicht nacheinander stillen. Dabei kann in der jeweils anderen Brust der Milchspendereflex ausgelöst werden. Stellen Sie ein steriles Behältnis in die Nähe, um auslaufende Milch aufzufangen – Sie können sie für den späteren Gebrauch einfrieren.

Beim simultanen Stillen beachten Sie bitte, dass in den meisten Fällen ein Baby stärker saugt als das andere. Legen Sie dieses Baby zuerst an die Brust; das gibt Ihnen mehr Zeit, die Position des anderen Babys anzupassen. Der zweite Zwilling profitiert vom gleichzeitigen Milchspendereflex, ohne sich dafür anstrengen zu müssen. Kleine Babys können Sie vielleicht

Zwillinge anlegen Diese Mutter kombiniert den Wiegen- mit dem Rückhaltegriff. Mit der Zeit werden Sie herausfinden, was bei Ihnen am besten funktioniert.

gemeinsam in Ihren Schoß kuscheln. Ist das zu kompliziert, versuchen Sie den Rückhaltegriff (s. Kasten gegenüber); dabei liegen ihre Köpfe an Ihren Brüsten und die Körper links und rechts an Ihrer Seite.

Die Flasche geben

Eine bequeme Position ist beim Flaschegeben ebenfalls wichtig; setzen Sie sich in einen bequemen Sessel mit gut abgestütztem Rücken und zwar so, dass Sie Ihrem Baby in die Augen sehen können. Wie beim Stillen ist diese Zeit wichtig für den Bindungsprozess – und

dieser wird unterstützt, wenn Sie eine Stillposition imitieren. Halten Sie Ihr Baby beim Füttern eng an Ihre Brust, damit es Ihren Herzschlag hört, Ihren Geruch riecht und sich geborgen fühlt. Tauschen Sie regelmäßig die Arme, damit es für beide bequem ist.

Das Baby halten Streicheln Sie sanft über seine Wange, um den Suchreflex anzuregen; in Vorausahnung auf das Füttern öffnet es dann den Mund. Geben Sie Ihrem Baby die Flasche aber nicht im Liegen – Milchnahrung kann in die Nebenhöhlen oder ins Mittelohr fließen und eine Infektion verursachen. Halten Sie es stattdessen aufrecht und leicht geneigt. Damit es keine Luft schluckt, sollten Sauger und Hals der Flasche mit Milch gefüllt sein.

Ihr Neugeborenes trinkt in den ersten Wochen vermutlich 60–120 ml pro Mahlzeit und hat alle drei bis vier Stunden Hunger. Überlassen Sie ihm die Führung: Babys trinken nicht zu viel; wenn es mehr Milch will als sonst, ist es einfach besonders hungrig.

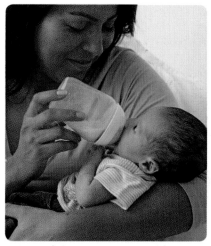

Bequem füttern Halten Sie das Baby halbaufrecht in den Arm und stützen Sie seinen Kopf.

Häufige Probleme

Meistens ist falsches Anlegen die Ursache von Beschwerden beim Stillen. Eine verbesserte Stillposition kann quälende Probleme lösen. Andere Schwierigkeiten sind:

Entzündete oder rissige Brustwarzen Reiben Sie nach dem Stillen etwas Muttermilch in die Brustwarzen und legen Sie einen kalten Waschlappen oder ein Kühlpad in den BH. Brustsalbe wirkt lindernd. Lassen Sie Ihre Brüste nach dem Stillen an der Luft; wechseln Sie häufig die Stilleinlagen.

Auslaufen Wenn Sie das Baby an der einen Brust stillen, kann an der anderen Milch auslaufen. Auch das Schreien des Babys kann bereits den Milchspendereflex auslösen. Tragen Sie Stilleinlagen und stillen Sie Ihr Baby häufig. In sechs bis acht Wochen wird es besser.

Verstopfte Milchgänge Wenn sich Milch in den Brüsten staut, kann das die Folge falschen Anlegens und/oder nicht vollständigen Leertrinkens sein. Bei Rötungen oder Schmerzen im Brustgewebe stillen Sie Ihr Baby öfter, damit die Milch in Fluss bleibt. Wird es nicht besser, wenden Sie sich an die Hebamme oder den Arzt.

Brustentzündung Zeichen dafür sind rote, entzündete Bereiche und grippeähnliche Symptome wie hohes Fieber. Die betroffene Brust fühlt sich voll an und ist empfindlich. Stillen Sie Ihr Baby häufig und wenden Sie sich an den Arzt.

Soor Diese Pilzinfektion kann die Brustwarzen befallen und verursacht starke, stechende Schmerzen beim Stillen. Der Arzt verordnet ein Gel und untersucht auch das Baby.

1 Woche

Das Gewicht Ihres Babys

In diesem Alter machen ein paar Gramm mehr oder weniger eine Menge aus – besonders, weil Ihr Baby kontinuierlich zunehmen soll.

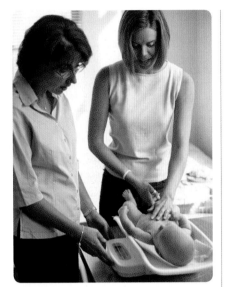

Wiegen Bei jeder Vorsorgeuntersuchung wird Ihr Baby gewogen und das Gewicht in das gelbe Vorsorgeheft eingetragen. Solange das Gewicht im erlaubten Spektrum liegt, ist alles gut.

Wenn Sie stillen, ist das Gewicht Ihres Babys jetzt vermutlich das vorrangige Thema. Sie können nicht sehen, wie viel es trinkt, und machen sich Sorgen, ob es genügend Nahrung bekommt. Das gilt insbesondere, wenn das Baby in der letzten Woche abgenommen hat (was normal ist) und nun langsam wieder zunimmt. Wenn die Hebamme sagt, dass Ihr Baby nur minimal zugenommen hat oder gar nicht, kann das bereits Ängste auslösen.

Gewöhnlich besteht kein Grund zur Sorge: Manche Babys nehmen einfach langsamer zu als andere. Als Richtlinie gilt: Sobald Ihre Milch (etwa ab dem dritten Tag) einschießt, nimmt das Baby rund 25 g am Tag zu. Die meisten Babys erlangen ihr Geburtsgewicht mit zwei Wochen wieder, manche brauchen etwas länger. In diesem Alter ist das Gewicht weniger ausschlaggebend; das allgemeine Aussehen und sein Befinden sind wichtigere Indikatoren, wie es ihm geht. Wenn es insgesamt munter ist, zu den Mahlzeiten aufwacht, eine gesunde Hautfarbe, guten Muskeltonus und mindestens sechs bis acht nasse Windeln am Tag hat, dürfte es gesund sein.

Wenn Ihr Baby lethargisch wirkt, lustlos und blass ist, seltener als einmal am Tag Stuhlgang hat oder nach dem fünften Tag wenig und dazu dunklen Stuhlgang, seine Haut weiterhin gelblich oder runzelig bleibt, wenden Sie sich an den Kinderarzt. Er wird das Baby untersuchen, um sicherzustellen, dass es richtig trinkt. Stillen Sie es weiterhin nach Bedarf, dann sollte es bald stetig zunehmen.

Bei der Flaschenernährung nimmt das Baby nun auch etwa 25 g am Tag zu; das bleibt so bis etwa zum Alter von drei Monaten. Sie müssen Ihrem Baby sechs- bis achtmal am Tag etwa 60–80 ml Milchnahrung geben: Babys haben einen winzigen Magen und können noch nicht mehr auf einmal aufnehmen. Am Ende einer Mahlzeit sollte immer etwas Milch im Fläschchen übrig bleiben, damit Sie ganz sicher sein können, dass es satt geworden ist.

SO GEHT'S

Die Fingernägel schneiden

Babys Fingernägel wachsen schnell; daher müssen sie geschnitten werden, damit es sich nicht kratzt. Die Zehennägel wachsen langsamer, aber auch sie können kratzen oder gelegentlich nach innen wachsen. Keine Angst: Wenn Sie eine spezielle Babyschere bzw. einen Babyklipser verwenden, werden Sie Ihr Baby nicht verletzen. Schneiden Sie die Nägel, wenn es schläft oder trinkt, dann ist es ruhiger. Schneiden Sie sie aber nicht zu kurz – das Nagelweiß sollte sichtbar bleiben. Die Zehennägel werden gerade geschnitten, die Fingernägel können leicht gerundet sein.

Schere Verwenden Sie eine Baby-Nagelschere mit gerundeter Spitze für die Fingernägel (links).
Nagelklipser Der Baby-Nagelklipser ist ideal zum Trimmen winziger Zehennägel (rechts).

Unser Baby Tag für Tag ■ 1.–3. Monat

Ausgehen

Wenn Sie sich bislang noch nicht hinausgewagt haben, fällt Ihnen jetzt sicher die Decke auf den Kopf. Ein Ausflug tut Ihnen gut.

Baby-Tragesitz Im Tragesitz liegt Ihr Baby geborgen an Ihrem Körper (links). Sie können ihn von Geburt an verwenden, sofern Ihr Baby das erforderliche Mindestgewicht hat. **Kinderwagen** Das Schieben des Kinderwagens ist entspannend und die Bewegung beruhigt Ihr Baby (rechts).

Sich abzuschotten und mit dem Baby zu Hause zu bleiben, ist sicher verlockend – doch frische Luft und ein Tapetenwechsel verschaffen Ihnen eine Auszeit vom häuslichen Trott und heben Ihre Stimmung. Sonnenschein verstärkt die Produktion von Vitamin D, das Sie und Ihr Baby für gesunde Zähne, Knochen und erholsamen Schlaf benötigen. Er beugt auch Depressionen vor und lindert den Babyblues.

Auch wenn Ihnen nicht nach einem langen Spaziergang zumute ist – schon ein kurzer Gang zum nächsten Geschäft oder in den Park bietet eine Brücke zur Außenwelt.

Unternehmen Sie Ihren ersten Ausflug nach einer Mahlzeit, wenn Ihr Baby ganz entspannt ist. Ziehen Sie es entsprechend der Witterung an. Grundsätzlich gilt, dass ein Baby ebenso viel Kleidung trägt wie ein Erwachsener plus eine

Extra-Schicht gegen den Wind. Wenn es kalt ist, halten ein Strampler, ein warmer Overall, Mütze und eine Decke das Baby schön warm. Sein Kopf sollte warm, aber nicht heiß sein, Hände und Füße ein wenig kühler. Vergessen Sie nicht Ihre Schlüssel, Handy und Geldbörse (Müdigkeit macht vergesslich). Und vor allem: Genießen Sie Ihren ersten Ausflug.

Zusätzliche Ausstattung Wenn Sie länger als etwa eine halbe Stunde wegbleiben wollen, verlassen Sie Ihre Wohnung nicht ohne folgende Dinge:

■ **Mulltücher** Sie sind ideal zum Aufwischen – und Sie können sich eines über die Schulter legen, wenn Sie lieber diskret stillen wollen.

■ **Wickeltasche** Packen Sie saubere Windeln, Feuchttücher, Plastiktüten für nasse oder schmutzige Kleidung oder

Windeln, Kleidung zum Wechseln für das Baby, Wundschutzcreme und eine Wickelunterlage ein.

■ **Milchnahrung und Fläschchen** Wenn Sie die Flasche geben, nehmen Sie Fertigmilch und sterilisierte Fläschchen mit.

■ **Wasser und Snacks** Nehmen Sie eine Flasche Wasser und etwas zu essen mit, falls Sie Hunger bekommen.

BLUTSCHWÄMMCHEN

Auch als Erdbeerfleck oder Hämangiom bezeichnet, sind diese Flecken ziemlich häufig und nicht besorgniserregend. Oft befinden sie sich am Kopf oder Nacken, sie können aber auch überall am Körper auftreten. Ihre Herkunft ist unbekannt. Sie können von Geburt an vorhanden sein oder entstehen in den ersten Wochen. Aus kleinen, hellroten Stellen entwickeln sie sich zu erhabenen, erdbeerartigen Knubbeln. Sie wachsen etwa ein bis vier Jahre und bilden sich dann zurück, meist bis zum Schulalter. Eine Behandlung ist nicht notwendig. Behindern sie allerdings das Sehen oder sind anderweitig störend, können sie gut behandelt werden.

Knubbel Hämangiome entstehen durch das übermäßige Wachstum winziger Blutgefäße.

1 Woche

61

Achten Sie auf Ihre Gesundheit

Ihr Baby steht im Mittelpunkt all Ihrer Sorge – aber achten Sie auch auf Ihre Gesundheit. Bleiben Sie fit, um alles gut zu meistern.

Gesund essen Schnelle, nährstoffreiche Mahlzeiten, z. B. Salate, liefern wichtige Vitamine und fördern ein gesundes Gewicht.

Natürlich finden Sie kaum Zeit, um nährstoffreiche Mahlzeiten zuzubereiten, und doch sollte die Ernährung für Sie Priorität besitzen. Ein süßer Riegel mag zwischen den Mahlzeiten schnelle Energie liefern, trägt aber kaum dazu bei, dass Sie dauerhaft leistungsfähig und gesund bleiben.

Füllen Sie Kühl- und Vorratsschrank mit gesunden Nahrungsmitteln, die Sie auf die Schnelle verzehren können: Samenkerne, Nüsse, frisches Obst und Gemüse, Hummus, Joghurt, Smoothies, Käse, Eier, Vollkorntoast und viel Wasser sorgen für einen stabilen Blutzuckerspiegel und gute Nerven.

Sehr wichtig ist es, den Körper mit viel Wasser zu versorgen. Stillende Mütter benötigen etwa 2,7 Liter Flüssigkeit pro Tag. Dabei stammen 70–80 Prozent aus Getränken, die anderen 20–30 Prozent aus Nahrungsmitteln. Koffein geht in die Muttermilch über, verzichten Sie in der Stillzeit am besten auf koffeinhaltige Getränke wie Kaffee und Cola.

Auch wenn nur wenig Zeit zur Verfügung steht, kann man sehr wohl gut essen. Eine nahrhafter Teller Suppe mit einem Vollkornbrötchen ist ebenso in wenigen Minuten zubereitet wie Rührei auf Toast oder ein Teller Pasta mit Gemüsesauce. Essen Sie möglichst mindestens fünf oder sechs Portionen Obst und Gemüse am Tag; es versorgt Ihren Körper mit Vitamin C, das er zur Verwertung von Eisen benötigt. Eisenreiche Nahrungsmittel sind rotes Fleisch, Trockenobst, angereicherte Frühstücksflocken und Hülsenfrüchte.

Nehmen Sie es dankbar an, wenn Freunde oder Angehörige für Sie kochen wollen. Das ist völlig in Ordnung, denn so können Sie sich auf das Baby und Ihre Genesung konzentrieren.

Bewegung Ein wenig frische Luft und sanfte Bewegung tun Ihnen bereits in den ersten Tagen gut. Müdigkeit infolge von Schlafmangel wird durch Bewegungsmangel noch verstärkt. Die körperliche Betätigung fördert auch einen erholsamen Nachtschlaf. Bauen Sie einen flotten Spaziergang im Park in Ihren Tagesablauf ein oder gehen Sie zu Fuß statt mit dem Auto einkaufen.

Auch nach einem Kaiserschnitt unterstützt ein kleiner, täglicher Spaziergang (selbst im Garten) die Genesung. Gehen Sie aber nur spazieren, wenn Sie sich fit genug fühlen.

FRAGEN SIE ... EINE STILLBERATERIN

Gibt es Nahrungsmittel, die ich in der Stillzeit nicht essen sollte?

Sie können völlig normal essen; doch wenn Ihr Baby unruhig wird oder Blähungen hat, sollten Sie auf bestimmte Nahrungsmittel vielleicht besser verzichten. Dazu gehören blähende Nahrungsmittel wie Zwiebeln, Knoblauch, Brokkoli und Kohl, intensive Gewürze (wie Curry und Chili) sowie Zitrusfrüchte und -säfte.

Kann ich Brusthütchen verwenden?

Wenn die Brustwarzen sehr flach sind, werden sie manchmal verwendet. Man muss jedoch wisen, dass sie die Milchmenge, die Ihr Baby bekommt, reduzieren können und damit auch die Milchbildung beeinträchtigen.

Was sollte ich nicht trinken?

Verzichten Sie in der Stillzeit auf Alkohol, da er den Milchspendereflex beeinträchtigt und in kleinen Mengen in die Muttermilch übergeht. Beschränken Sie Ihre Koffeinaufnahme auf eine Tasse Kaffee am Tag, da Koffein Babys reizbarer macht. Trinken Sie auch nicht zu viel Kräutertees. Pfefferminztee z. B. soll gegen Blähungen und Koliken beim Baby wirken, doch er kann auch die Milchbildung schwächen.

Kann ich in der Stillzeit rauchen?

Nikotin enthält gesundheitsschädigende Substanzen. Rauch in Babys Umgebung erhöht das Risiko des plötzlichen Kindstods, von Asthma und Ohrentzündungen.

Sie kennen Ihr Baby

Das Elternsein bringt viele Unsicherheiten mit sich und Sie fragen sich, ob Sie alles richtig machen. Vertrauen Sie auf Ihren Instinkt.

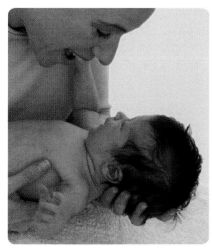

Tägliches Spiel Intensive Zuwendung, lachen und reden mit dem Baby fördern die Bindung

Wenn Babys mit einer Gebrauchsanweisung auf die Welt kämen, wären die letzten anderthalb Wochen einfacher gewesen. Für die meisten Mütter sind die anfänglichen Lernprozesse schwierig und sie sorgen sich ständig, ob sie »das Richtige« für ihr Baby tun. Doch der natürliche Instinkt wird Ihre Reaktionen lenken. Deuten Sie Babys Signale und Sie werden es zur richtigen Zeit streicheln, es füttern, wickeln und wiegen.

Es gibt keine »richtige« Art, sich um ein Baby zu kümmern. Jedes Baby ist ein Individuum und braucht eine individuelle Umgehensweise. Vergleichen Sie Ihre elterlichen Fähigkeiten nicht mit der von anderen Müttern; wenn Sie Ihr Baby besser kennen, werden Sie automatisch das Beste für das kleine Wesen tun – egal, ob der Babyratgeber oder Freunde etwas anderes sagen.

Es ist nicht schlimm, wenn Sie im Moment noch wenig Freude an der Babypflege haben. Es kommt häufiger

vor, dass frisch gebackene Mütter – und Väter – das Gefühl haben, alles einfach mechanisch zu tun. Bei einigen wenigen Eltern können sich allerdings deutlich negative Gefühle entwickeln, weil das Baby all ihre Zeit und Energie beansprucht. In diesem Fall sollten Sie unbedingt Unterstützung von Familie und Freunden suchen und mit dem Arzt sprechen. Wenn Sie erschöpft sind, bitten Sie Ihren Partner oder eine Freundin, sich um das Baby zu kümmern, um selbst auszuruhen.

Setzen Sie sich nicht selbst unter Druck. Es läuft nicht immer alles wie geplant. In einem Haushalt mit einem kleinen Baby ist jeder Tag anders. Seien Sie flexibel und schrauben Sie Ihre Erwartungen an sich selbst herunter.

ZWILLINGE – GEMEINSAMES SCHLAFEN

Ihre Zwillinge können durchaus in einem Bettchen schlafen. Keine Sorge, dass sie überwärmen oder sich gegenseitig erdrücken. Studien zeigen, dass die Risiken nicht größer sind, wie wenn sie getrennt schlafen würden.

Befolgen Sie dieselben Richtlinien wie bei einem Baby. Stellen Sie z.B. sicher, dass jedes Baby mit den Füßchen am Bettende liegt. Das bedeutet, dass Sie die beiden entweder in Rückenlage Kopf an Kopf legen – mit den Füßen in die entgegengesetzte Richtung – oder Seite an Seite – mit den Füßen an demselben Bettende.

Es bedeutet kein größeres Risiko, wenn die beiden Seite an Seite schlafen, selbst wenn dann ein Baby einen Arm über das andere streckt. Die Babys

können sich auf diese Weise sogar gegenseitig trösten. Das gemeinsame Schlafen in einem Bett ist praktischer, weil Sie sie dann bei sich im Zimmer haben können, was das Risiko des plötzlichen Kindstods reduziert (s.S. 31).

Zusammen Es ist völlig unbedenklich, Zwillinge in einem Bett schlafen zu lassen; entweder Kopf an Kopf oder Seite an Seite.

FRAGEN SIE... EINE HEBAMME

Kann ich stillen, wenn ich krank bin? Ja, stillen Sie weiter, um die Milchbildung aufrechtzuerhalten. Sie übertragen dem Baby dabei Ihre Infektion nicht, sondern versorgen es mit den Antikörpern, die Sie gegen Ihre Krankheit entwickeln. So ist es weniger wahrscheinlich, dass es auch krank wird. Die meisten rezeptfreien Schmerzmittel sind beim Stillen unbedenklich, aber informieren Sie sich immer vor der Einnahme. Bestimmte Antibiotika und Schleimlöser z.B. sollten Sie vermeiden. Sprechen Sie mit Ihrem Arzt über Medikamente, die Sie regelmäßig nehmen.

Die Geburt reflektieren

Viele Eltern wollen über die Geburtserfahrung sprechen und sie bewusst verarbeiten. Das ist gut, vor allem, wenn nicht alles nach Plan verlief.

Ob Sie eine unerwartet schnelle und leichte Geburt hatten oder sich medizinischen Eingriffen unterziehen mussten, obwohl doch eine natürliche Geburt geplant war – Sie werden sicherlich über die Geburt sprechen wollen – in allen Einzelheiten. Ein Baby zu bekommen ist ein Ereignis, das das Leben verändert, und es ist eine tief emotionale Erfahrung. Es ist normal, nach der Geburt stolz zu sein, aber auch aufgewühlt. Womöglich wächst in Ihnen das Gefühl, die Ereignisse verstehen zu wollen.

Manche Frauen und ihre Partner sind nicht zufrieden mit dem Geburtsverlauf, einige wenige sogar traumatisiert. Für die Frau verlief die Geburt vielleicht länger und schmerzhafter als erwartet oder es gab Komplikationen. Für Männer

Erfahrungen austauschen Es tut gut, mit anderen Müttern, die sich auch gerne austauschen, über die Geburt zu sprechen.

ist die Erfahrung, keine Kontrolle zu haben und das Leiden der Partnerin mit ansehen zu müssen, schwer zu verkraften. Sie wünschen sich vielleicht, dass manches anders verlaufen wäre, und fragen sich, ob bestimmte Maßnahmen wirklich notwendig waren. Vielleicht haben Sie aber auch eine wunderbare Geburt erlebt und Sie wollen allen von diesem glücklichen Erlebnis berichten. In jedem Fall sollten Sie Ihr Geburtserlebnis verarbeiten und dazu gehört es, darüber zu sprechen – mit dem Partner, mit der Familie, den Bekannten aus dem Geburtsvorbereitungskurs und den Hebammen oder Ärzten, die für Sie verantwortlich waren.

Zögern Sie nicht, mit den Ärzten, Hebammen und Pflegern zu sprechen, wenn Sie Fragen zu Ihrer Geburt haben. Die Geburtshelfer sind da, um Sie zu unterstützen. Sie wissen, dass das Fragen-Stellen zur Verarbeitung des Geburtserlebnisses gehört. Die Geburt eines Babys ist etwas Unglaubliches; Sie werden feststellen, dass die meisten Menschen gerne hören, wie Ihr Baby auf die Welt gekommen ist.

Aufs Positive konzentrieren Versuchen Sie sich in jedem Fall auf die positiven Geschehnisse zu konzentrieren und die Tatsache, dass Sie erfolgreich ein neues Leben zur Welt gebracht haben. Enttäuschung oder gar Schuldgefühle sind normal, wenn nicht alles wie geplant verlief – besonders wenn man meint, alle anderen erlebten eine problemlose, »natürliche« Geburt – doch Sie halten ein gesundes Baby in Ihren Armen und allein das ist es, was zählt und wofür Sie dankbar sein können.

FRAGEN SIE ... EINEN KINDERARZT

Die Augen meines Babys sind verklebt. Ist das normal? Sehr häufig leiden Neugeborene an einer leichten Augenentzündung. Sie entsteht durch Blut oder Flüssigkeit, die während der Geburt in die Augen gelangten. Die Lider können nach dem Schlafen verkrustet oder verklebt sein und im inneren Augenwinkel kann Ausfluss auftreten. Halten Sie die Augen gut sauber, indem Sie Ausfluss vorsichtig abwischen. Meist bessert sich eine Entzündung innerhalb von drei Tagen von selbst; wenn nicht, wenden Sie sich an den Arzt.

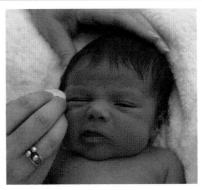

Verklebte Augen Befeuchten Sie ein Wattepad mit abgekühltem abgekochten Wasser oder Muttermilch (sie enthält Antikörper). Wischen Sie von innen nach außen.

Körperliche Genesung

Wundsein und Unbehagen sind selbst nach einer einfachen Geburt normal. Wenn Sie genäht wurden oder einen Kaiserschnitt hatten, werden Sie sich ziemlich kaputt fühlen. Doch Sie können den Heilungsprozess mit leichten Mitteln fördern.

Der Beckenboden Das Gewicht des Babys, der Plazenta und des Fruchtwassers übt einen starken Druck auf den Beckenboden aus. Während der Wehen und Geburt wird der Beckenbereich stark gedehnt, damit der Kopf des Babys geboren werden kann.

Wenn Ihr Baby groß ist, der Damm gerissen ist oder Sie eine assistierte Geburt hatten, kann der Beckenboden überdehnt und geschwächt sein: Dann kann beim Schnäuzen, Husten oder bei Bewegung Urin austreten. Diese Inkontinenz betrifft beinahe die Hälfte aller frisch entbundenen Mütter – bessert sich aber gewöhnlich. Ein schwacher Beckenboden verursacht oft auch Beschwerden in der Scheide.

Doch Sie können etwas dagegen tun: Führen Sie die Beckenbodenübungen (Kegel-Übungen) durch, sobald Sie sich bereit dazu fühlen (je früher, umso besser). Machen Sie die Übungen zunächst in Rücken- oder Seitenlage oder in der Badewanne. So geht's:

■ Atmen Sie ein und ziehen Sie beim Ausatmen vorsichtig die Beckenbodenmuskeln hoch und nach innen, als ob Sie den Urinfluss unterbrechen wollten.

■ Halten Sie die Spannung zwei bis drei Sekunden lang an und atmen dabei normal ein und aus. Entspannen Sie sich.

■ Wiederholen Sie dies fünfmal (bei Beschwerden bitte aufhören) etwa fünf- oder sechsmal am Tag. Versuchen Sie dabei, die Spannung fünf Sekunden und länger zu halten.

Auch wenn die Wirkung nicht sofort eintritt (es braucht Zeit, bis sich die Muskeln kräftigen und überdehnte Nerven reagieren), verbessert dies doch die Durchblutung, fördert den Heilungsprozess und stellt den Muskeltonus wieder her. Beckenbodenübungen helfen auch gegen Hämorrhoiden.

Nach einem Kaiserschnitt sind diese Kegel-Übungen einfacher durchzuführen, weil der Damm weniger wund ist. Dennoch ist es wichtig, die Übungen regelmäßig zu machen, weil durch die Schwangerschaft die Beckenbodenmuskeln auf jeden Fall geschwächt wurden.

Der Unterbauch Der untere Bauchmuskel stützt zusammen mit den Beckenbodenmuskeln Rücken und Becken. Das Trainieren dieser Muskeln trägt dazu bei, die frühere Figur wiederzuerlangen, und sorgt für einen flachen Bauch. Starke Bauchmuskeln lindern auch Rückenschmerzen. Sanfte Beckenübungen (s. Kasten) sind dafür ideal.

Schnelle Linderung Bei einer schmerzenden Damm- oder Kaiserschnittnaht legen Sie eine kalte Kompresse, ein Kühlpad oder in ein feuchtes Küchenhandtuch eingewickelte Eiswürfel auf. Das hemmt die Entzündung und lindert Schmerzen. Warme Bäder und Duschen fördern Kreislauf und Heilungsprozess.

Den Beckenboden kräftigen

Legen Sie sich auf den Rücken, die Knie angewinkelt und die Füße flach auf dem Boden. Atmen Sie entspannt durch die Nase ein und durch den Mund aus. Beim Ausatmen sollte die Beckenbodenmuskulatur kräftig angespannt werden. Ziehen Sie sie nach innen hoch, als wollten Sie den Urinfluss zurückhalten. Bauch- und Pomuskeln sollten dabei locker bleiben. Legen Sie die Hände auf den Bauch, um dies zu überprüfen. Wichtig ist, dass Sie nicht pressen. Die Anspannung der Beckenbodenmuskulatur sollte etwa fünf Sekunden gehalten werden, dann folgen zehn Sekunden Entspannung.

Regelmäßige Wiederholung Die beschriebene Abfolge der Beckenbodenübung sollte bis zu 15-mal wiederholt werden – und das drei- bis viermal täglich. Viel Erfolg!

2 Wochen

DIE MEISTEN STILLBABYS TRINKEN ACHT- BIS ZWÖLFMAL AM TAG.

Dank der langen, regelmäßigen Mahlzeiten sieht Ihr Baby nun pummeliger aus und sollte das in der letzten Woche verlorene Gewicht wieder aufgeholt haben. Es wirkt nun ein wenig kräftiger und weniger verletzlich – und Sie sind sicher schon viel entspannter im Umgang mit ihm.

Das Familienleben genießen

Jeder in der Familie braucht Zeit, um sich auf das neue Baby einzustellen – doch von einem starken Familienzusammenhalt profitieren alle.

Zeit für jeden Wenn Sie den Geschwistern Zeit widmen, akzeptieren sie den Neuling besser.

Es ist wunderbar, eine Familie zu werden. Sie entwickeln vielleicht eine engere Beziehung zu Ihren eigenen Eltern, die nun in die Rolle der Großeltern finden, und verbringen mehr Zeit mit Ihren Verwandten. Vielleicht haben Sie ältere Kinder oder Kinder aus früheren Beziehungen, die Zeit brauchen, sich an die Vorstellung eines neuen Geschwisterchens und an eine andere Familienform zu gewöhnen. In der Beziehung haben sich die Rollen verändert – vom bloßen »Partner« zum »Partner und Elternteil«. Das verändert Ihr Verhältnis zueinander und Ihre Interaktion. Ein Baby bietet Ihnen die Gelegenheit, eine besondere Beziehung aufzubauen.

Wenn bereits Kinder da sind, wechselt man sich gern in der Versorgung des Babys ab, während sich der jeweils andere um die älteren Kinder kümmert; doch wenn Sie Zeiten schaffen, in denen alle zusammen sind, zahlt sich das später aus. Ob Sie gemeinsam einen Film anschauen, in den Park gehen, ein Spiel machen oder einfach im Garten sind – Sie schaffen mit dieser Gemeinsamkeit die Basis eines glücklichen Familienlebens.

Gemeinsame Zeit schenkt jedem Familienmitglied Wertschätzung und Geborgenheit. Selbst gemeinsam kochen oder abwaschen entlastet Sie, stiftet Gemeinschaft und gibt jedem das Gefühl, wichtig zu sein. Zuwendung, Spiel, Kommunikation und Entspannung in der Familie stärken das Selbstwertgefühl und die Familiendynamik und schaffen schöne Erinnerungen.

GELBSUCHT

Gelbsucht verursacht eine Gelbfärbung von Haut, Schleimhäuten und der Bindehaut (s. S. 404) und ist bei Neugeborenen weitverbreitet, besonders wenn sie gestillt werden. Gewöhnlich heilt sie innerhalb von zwei Wochen aus, dauert jedoch bei etwa zehn Prozent der Babys an. Es handelt sich dabei meist um eine »Muttermilchgelbsucht«; sie kann aber auch Folge einer Erkrankung, z. B. der Leber, sein, besonders bei kreideweißem Stuhl des Babys. Sprechen Sie mit dem Kinderarzt. Er kann einen Bluttest durchführen.

DIE BEDEUTUNG DER GROSSELTERN

Großeltern sind etwas sehr Wertvolles für Kinder und sie können die Eltern entlasten. Lassen Sie sie wissen, was Sie brauchen und wie sie Ihnen am besten helfen können. Wenn Sie in der Nähe wohnen, könnten Ihre Schwiegereltern das Kochen übernehmen, während Ihre Eltern den Haushalt erledigen. Wahrscheinlich ist es aber völlig ausreichend, jeweils ein Großelternpaar vor Ort zu haben, da zu viel »Hilfe« auch wieder anstrengend sein kann!

Großeltern geben oft nur allzu gerne Ratschläge. Es gibt sicher wertvolle Weisheiten und Erfahrungen, die Ihre Eltern weitergeben können; hören Sie zu, aber vertrauen Sie Ihrer eigenen Elternkompetenz und Ihren Instinkten. Es ist okay, eigene Entscheidungen zu treffen.

In sicheren Händen Großeltern überschütten ihre neugeborenen Enkel gern mit Liebe und Zuwendung. Von Anfang an kann sich so eine starke Bindung aufbauen.

IM BLICKPUNKT
Schreien

Babys schreien, um sich mitzuteilen; anfangs ist es oft schwierig, herauszufinden, was das Baby sagen will. Doch bald werden Sie lernen, zwischen den Schreiarten zu unterscheiden, und wissen besser, wie es sich beruhigen lässt.

Selbst zufriedene Babys schreien im Schnitt ein bis drei Stunden am Tag; und manche scheinen ständig zu brüllen. Sie als Eltern leiden sicher sehr unter diesem Schreien, gegen das Sie kaum etwas tun können. Am besten ist es, ganz ruhig und logisch zu überlegen. Die meisten Babys schreien aus den gleichen Gründen. Herauszufinden, was nicht stimmt, ist der erste Schritt zu einer Lösung. Anspannung überträgt sich auf das Baby und das macht die Situation nur noch schlimmer.

FRAGEN SIE … EINEN KINDERARZT

Wie kann ich wissen, ob Babys Schreien durch Kolik oder Reflux verursacht wird? Etwa ein Viertel der kleinen Babys leidet an Koliken. Die Ursache ist unklar, doch man vermutet einen Zusammenhang mit Blähungen; charakteristisch ist das unkontrollierbare Schreien (oft zur selben Tages- oder Nachtzeit) und das Anziehen der Beine an den Bauch. Meist gehen die Koliken mit etwa drei Monaten vorüber (Tipps s. S. 77). Von Reflux spricht man, wenn Magensäure in die Speiseröhre aufsteigt und dabei Brennen und Beschwerden verursacht. Das kann ein Baby sehr irritieren. Es schreit während oder direkt nach einer Mahlzeit, während sich Koliken abends verschlimmern. Bei Reflux kann es auch zu häufigem Erbrechen kommen. Bei Verdacht auf Reflux wenden Sie sich an Ihren Kinderarzt.

Warum schreit mein Baby?

Ein schreiendes Baby ist nicht unbedingt unglücklich; es kann einfach seine Bedürfnisse gut mitteilen. Wenn Sie nun schon 50-mal durchs Wohnzimmer marschiert sind, um Ihr Baby damit zu beruhigen, sehen Sie es positiv: Sie ziehen einen guten Gesprächspartner heran! Finden wir also heraus, aus welchen Gründen ein Baby schreit.

Probieren Sie beim Beruhigen des Babys mehrere Möglichkeiten aus. Was am einen Tag funktioniert, muss am nächsten nicht klappen; vielleicht finden Sie ja auch eine Methode, die immer funktioniert. Eltern besitzen großes Einfühlungsvermögen und so werden Sie mit der Zeit die Schreiarten Ihres Babys erkennen – Sie werden wissen, ob es Hunger hat oder sich einsam fühlt oder einfach müde ist. Sie werden erkennen, wann es eine Streicheleinheit braucht oder allein sein will.

Hunger Babys schreien, wenn sie Hunger oder Durst haben. Sie hören auf, wenn beides gestillt ist. Wenn die Brüste während Wachstumsschüben mit der Milchbildung kaum nachkommen, kann das Baby hungriger sein als sonst und mehr schreien. Lassen Sie es an Ihrer Brust nuckeln; das beruhigt das Baby und regt gleichzeitig die Milchbildung an.

Zu heiß oder zu kalt Kleine Babys können ihre Körpertemperatur noch nicht regulieren. Kontrollieren Sie, ob es zu warm angezogen ist. Ein kleines oder schlankes Baby braucht mehr Kleidung, um die Körpertemperatur aufrechtzu-

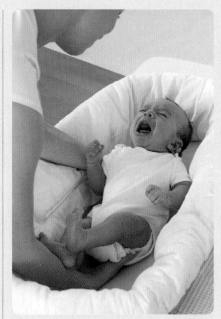

Wunsch nach Aufmerksamkeit Kleine Babys schreien nicht ohne Grund; gewöhnlich haben Sie dann ein echtes Bedürfnis.

erhalten. Pummelige Babys fühlen sich weniger eingepackt oft wohler.

Nass oder unbehaglich Eine nasse oder schmutzige Windel ist unangenehm. Manche Babys sind besonders empfindlich; bei ihnen muss die Haut durch Wundschutzcreme geschützt werden. Ist die Haut im Windelbereich gerötet, schrumpelig oder wund, hat es vermutlich einen Windelausschlag (s. S. 73). Lassen Sie es kurze Phasen ohne Windel an der frischen Luft; das fördert die Heilung.

Einsamkeit Babys sind soziale Wesen und lieben engen Körperkontakt. Ihre Anwesenheit unterhält Ihr Baby und regt es geistig an. Es fühlt sich auch viel sicherer, wenn es weiß, dass Sie da sind. Zögern Sie nicht, es hochzunehmen, wenn es schreit. Es teilt damit ein wirkliches Bedürfnis mit und es ist wichtig, dieses zu befriedigen.

Zu wenige Anregungen Babys können Langeweile haben! Wenn es stundenlang in seinem Bettchen oder im Autositz gelegen ist, braucht es Interaktion oder einen Ortswechsel. Spielen oder plaudern Sie mit ihm, bringen Sie es an einen anderen Ort oder hängen Sie ein Mobile über sein Bettchen. So hat es Unterhaltung und ist zufrieden.

Überreizung Anregungen fördern die Entwicklung, aber Babys brauchen auch ruhige Phasen, in denen ihre erworbenen Fähigkeiten und Informationen gefestigt werden. Sie müssen sich entspannen, um gut zu schlafen und sich an ihre neue Umwelt anzupassen. Spielen ist eine wunderbare Lernerfahrung, doch vermeiden Sie lange Phasen der Stimulation. Wenn Ihr Baby quengelig wird, ist es Zeit, dass es abschaltet und schläft. Babymassage (s. S. 125) oder ausgiebiges Stillen fördern dies.

Müdigkeit Müde Babys sind reizbar und unruhig. Überreizung und fehlende Möglichkeiten zum Abschalten und Entspannen vor dem Einschlafen können einem Baby sehr zusetzen. Wenn es aus scheinbar unerklärlichem Grunde schreit, die Augen reibt und gähnt, wiegen Sie es sanft, bis es sich beruhigt, pucken es und legen es schlafen. Legen Sie es nicht hin, solange es erregt ist; es wehrt sich gegen den Schlaf, was das Problem verstärkt.

Trost suchen Manchmal wissen Babys nicht, was sie wollen. Sie wollen einfach nur Trost finden in Mamas oder Papas Armen oder eine Form des Körperkontakts. Schmusen oder eine sanfte Massage wirken beruhigend – oder es möchte an Ihrer Brust oder an einem Schnuller nuckeln. Auch wenn Sie dieses »Nuckeln« nicht unterstützen wollen, funktioniert manchmal doch nichts anderes.

Unwohlsein Wenn Ihr Baby krank ist, schreit es, weil es Beschwerden hat; oder es schreit gar nicht, was wiederum Grund zur Sorge ist. Messen Sie die Temperatur (s. S. 395): Hat es Fieber, sollten Sie zum Arzt gehen und es untersuchen lassen. Es ist für Eltern beinahe unmöglich, bei einem kleinen Baby eine Krankheit zu diagnostizieren; daher sollten Sie, wenn es krank wirkt, zum Arzt gehen.

CHECKLISTE

Tipps zum Beruhigen eines quengeligen Babys

■ Babys sprechen gut auf Tragen und Wiegen an. Holen Sie den Kinderwagen herein; setzen Sie sich bequem so hin, dass Sie ihn gut mit einer Hand oder einem Fuß schaukeln können.

■ Wenn Ihr Baby ständigen Trost sucht, tragen Sie es in einem Tragesitz an Ihrer Brust, damit es Ihren Herzschlag hören kann.

■ Rhythmische Geräusche wie leise Musik oder sogar das Geräusch des Staubsaugers beruhigen manche Babys.

■ Viele Babys mögen das Pucken (s. S. 53). Wickeln Sie es ein, bevor Sie es hinlegen.

■ Manche Babys müssen nuckeln, um einschlafen zu können; aus diesem Grund trinken sie beinahe ständig, wenn sie überreizt sind. Wenn es keinen Hunger hat, spendet ein Schnuller Trost.

■ Beruhigen Sie Ihr Baby durch sanfte Massage (s. S. 125).

■ Schreit das Baby verstärkt nach der Umstellung von Muttermilch auf Milchnahrung oder einem Wechsel des Milchpulvers, sprechen Sie mit dem Kinderarzt. Vielleicht verträgt es das Milchpulver nicht.

■ Atmen Sie tief durch und entspannen Sie sich. Wenn nötig, legen Sie das Baby kurz hin und verlassen das Zimmer. Schreiende Babys zehren an den Nerven und Sie sind vielleicht mit Ihrer Weisheit am Ende. Es schadet ihm nicht, wenn es ein paar Minuten an einem sicheren Ort liegt und Sie eine kurze Auszeit nehmen.

Blickkontakt Schauen Sie dem Baby in die Augen und sprechen Sie mit ihm; das lenkt es ab.

Wiegen Einfaches und sanftes Hin- und Herwiegen tröstet und beruhigt das Baby.

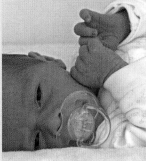

Schnuller Nuckeln spendet Trost; ein Schnuller kann ein ruheloses oder aufgeregtes Baby beruhigen.

Babytragesitz Ihr Baby sitzt gern im Tragesitz; sein Nacken muss dabei aber gut abgestützt sein.

Nachahmen

Ihr Baby imitiert Ihren Gesichtsausdruck, öffnet seine Augen und den Mund, wenn Sie das tun, und ahmt beim Lallen Ihre Stimmlage nach.

Grimassieren Wenn Sie mit übertriebener Mimik mit Ihrem Baby sprechen, fällt es ihm leichter, Ihren Ausdruck zu imitieren.

Eine Studie zeigte das ganz erstaunliche Ergebnis, dass ein Neugeborenes seine Eltern nachahmt, wenn diese die Zunge herausstrecken und sie von einer Seite zu anderen bewegen. Forscher folgerten daraus, dass das Nachahmen die wirksamste instinktive Lernmethode des Babys ist. Alles, was es eines Tages tun wird, wird es durch Beobachten und Imitieren der Menschen in seiner Umgebung erlernt haben. Es »übt« seine neuen Fähigkeiten, bis es sie beherrscht.

Wenn Sie beim Spielen regelmäßig dieselben Grimassen schneiden, registriert es diese als bekannt und reagiert immer schneller darauf. Das zeigt, dass Ihr Baby Informationen bereits in einer sehr ausgeklügelten Art verarbeitet: Es muss dabei nicht nur herausfinden, was Sie tun, sondern auch verschiedene Teile seines Körpers kontrollieren, um Sie zu imitieren. Dieser Prozess beginnt Stunden nach der Geburt und setzt sich in den ersten Lebenswochen und -monaten fort. Auch der Tonfall, in dem Ihr Baby schreit, imitiert Ihre Prosodie (Melodie), die es bereits aus der Gebärmutter kennt. Forscher haben herausgefunden, dass Babys in der Art ihres Schreiens die Muttersprache imitieren (französische Neugeborene schreien z. B. mit steigender Betonung, deutsche Babys in abfallender Tonlage). So wollen sie vermutlich eine frühe Beziehung zu ihren Müttern herstellen.

Babylaute

Ihr Baby lernt bereits sprechen. Seine »Oohs« und »Aahs« entwickeln sich bald zu einem Brabbeln – die Basis des frühen Spracherwerbs.

BITTE BEACHTEN

Krankenversicherung

Sind Sie alleinerziehend, werden bei der gesetzlichen Krankenversicherung die eigenen Kinder grundsätzlich beitragsfrei über die Familienversicherung mitversichert. Eine private Krankenversicherung können Alleinerziehende nur dann für ihr Kind abschließen, wenn sie selbst auch Privatpatient sind.

Während das Schreien zweifellos das erste und vermutlich wirksamste Kommunikationsmittel Ihres Babys ist, beginnt es bald – wenn es munter ist – auch kleine Laute zu äußern. Vielleicht antwortet es mit seinen Babylauten auch, wenn Sie mit ihm sprechen oder spielen, wenn es erschrickt oder etwas wiedererkennt wie Mutters oder Vaters Gesicht.

Die ersten Laute sind Vokale, gewöhnlich »aahh« oder auch kleine »Schnarchlaute« wie »chrchr«. Man spricht von der ersten Lallphase. Außerdem vernehmen Sie sicher auch häufig Schluckauf und kleine Schnieflaute! Ermuntern Sie Ihr Baby zum Brabbeln – beugen Sie sich dazu nah zu ihm, damit es Ihr Gesicht sehen kann, und sprechen Sie mit ihm. Wenn es mit eigenen Worten reagiert, warten Sie einen Moment ab und antworten mit seinen Lauten. Es erlernt so die Grundlagen der Kommunikation und wird auf diese Interaktion reagieren. Plaudern Sie ständig mit ihm; begleiten Sie Ihr Handeln mit Worten, z. B. beim Wickeln. Es hört Ihnen zu und wird vertraut mit den Worten, die Sie verwenden. So sammelt es seine ersten Wörter.

Das Baby tragen

Alle Babys werden gern getragen. Das Tragen an der Brust beruhigt das Baby, schenkt ihm Sicherheit und fördert die Bindung.

Im Mutterleib war Ihr Baby viele lange Monate eng zusammengekauert; daher braucht es solche taktilen Erfahrungen, um sich sicher zu fühlen. Nach der Geburt bleiben diese taktilen Erfahrungen ebenso wichtig und beruhigend. Forschungen zeigten, dass Berührungen das Baby beruhigen und ihm helfen, sich an seine neue Umgebung anzupassen. Sie fördern Bindung, gesundes Wachstum, Entwicklung und sogar das Immunsystem. Neugeborene brauchen regelmäßig die tröstliche Berührung, um gesunde, glückliche Kinder zu werden.

Hände frei Das Tragen des Babys im Tragesitz ist ideal, weil man es ganz nah bei sich hat und trotzdem Dinge im Haushalt erledigen kann.

Studien in Waisenhäusern ergaben, dass Babys, die keine körperliche Zuwendung erfahren, nicht richtig gedeihen, langsam wachsen und später Probleme im Sozialverhalten entwickeln.

Zwar gibt es nichts Schöneres, als das Baby stundenlang zu tragen – doch gibt es auch noch anderes zu erledigen. Ein Babytragesitz oder ein Babytragetuch bietet eine gute Möglichkeit, das Baby bei sich zu haben und dennoch Dinge erledigen zu können. Ihr Baby schläft vermutlich länger am Stück, wenn es bei Ihnen ist oder sanft in den Schlaf gewiegt wird, wobei es Ihren vertrauten Herzschlag hört. Sein Atemrhythmus passt sich Ihrem an und es fühlt sich sicher, weil es Sie spürt.

BABYS DURCH KÖRPERKONTAKT BERUHIGEN

Ihr Baby wird sehr positiv auf Ihre Berührung reagieren und lässt sich dadurch beruhigen. Halten Sie es beim Flaschegeben oder Stillen eng am Körper, ideal ist bloßer Hautkontakt (s. S. 45). Schenken Sie ihm immer wieder Zärtlichkeiten – streicheln Sie sein kleines Gesicht, reiben Sie vorsichtig seinen Rücken, tätscheln Sie seine Händchen und erforschen Sie seinen Körper mit Ihren Händen. Wiegen oder tragen Sie es am Körper, wenn es schreit. Wenn man ein Neugeborenes schreien lässt, lernt es, dass die Eltern nicht für es da sind – und fühlt sich unsicher. Die Säuglingsphase ist nicht die richtige Zeit für ein »Schlaftraining«. Schmusen Sie mit Ihrem Baby nach dem Baden – es ist dann entspannt und wird danach gut schlafen.

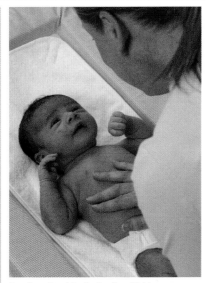

Sanftes Streicheln Sanftes Liebkosen seines Körpers mit begleitendem Sprechen beim Wickeln vermittelt ihm Geborgenheit.

DIE STILLBERATERIN RÄT …

Kann ich schon abpumpen? Sie können nach der Geburt zwar Milch abpumpen, doch besser ist es abzuwarten, bis das Baby vier bis sechs Wochen alt ist. So lange dauert es, bis Ihre Brüste die richtige Menge Milch für Ihr Baby bilden und es gelernt hat, effizient an der Brust zu trinken. (Wenn Sie zu früh die Flasche geben, kann das zudem zu »Saugverwirrung« führen, s. S. 89). Zu diesem Zeitpunkt wird Ihr Baby in 24 Stunden auch acht- bis zwölfmal trinken; so bleibt wenig Gelegenheit, Milch abzupumpen, ohne seine Versorgung zu beeinträchtigen. Doch wenn Sie bereits viel Milch haben und jeden Tag abpumpen wollen, um einen Vorrat an tiefgefrorener Milch anzulegen, können Sie es bereits versuchen.

UNSER BABY IST 2 WOCHEN UND 4 TAGE

Fühlen Sie sich einsam?

Wenn Ihr Partner wieder arbeitet und Ihre Mutter abgereist ist, sind Sie nun vielleicht zum ersten Mal mit dem Baby allein.

Sie müssen nun nicht nur Ihr Baby allein versorgen – ohne hilfreiche Hände, die das Baby tragen oder den Haushalt erledigen –, sondern stellen vielleicht auch fest, dass die langen Stunden des Fütterns und der Babypflege ohne Gespräche unter Erwachsenen ein wenig langweilig sein können. Vielleicht vermissen Sie auch die sozialen Kontakte und den Austausch mit berufstätigen Freunden und Kollegen.

Informieren Sie sich über Mutter-Kind-Gruppen in Ihrer Gegend; dort lernen Sie andere Eltern kennen und finden Unterstützung und Gesellschaft. Treffen Sie sich mit den Bekannten aus dem Geburtsvorbereitungskurs; Sie können sich gegenseitig besuchen. Leben die Großeltern in der Nähe, vereinbaren Sie regelmäßige Besuche. Dann haben Sie feste Termine, auf die Sie sich freuen können. Teilen Sie Ihrem Partner Ihre Gefühle mit; er kann Sie vielleicht tagsüber mal anrufen oder gelegentlich früher nach Hause kommen. Nutzen Sie diese Zeit aber vor allem, um sich auf das neue Leben einzustellen; und legen Sie beim Stillen die Füße hoch! Warum dabei nicht mal eine gute DVD anschauen?

> **FRAGEN SIE … EINEN KINDERARZT**
>
> **Darf ich meinem Baby Wasser zu trinken geben?** Stillbabys erhalten mit der Muttermilch genau die richtige Menge Flüssigkeit; mehr brauchen sie nicht, selbst bei leichter Dehydrierung infolge einer Krankheit. Auch Milchnahrung enthält die richtige Menge an Flüssigkeit; bei Hitze können Sie jedoch in einer sterilisierten Flasche etwas abgekochtes, abgekühltes Wasser anbieten.

UNSER BABY IST 2 WOCHEN UND 5 TAGE

Stillen in der Öffentlichkeit

Es ist eine Sache, in den eigenen vier Wänden zu stillen; in der Öffentlichkeit jedoch ist es vielen Frauen etwas peinlich.

Wenn es auch Ihnen so geht, dann haben Sie es bislang vielleicht vermieden, in der Öffentlichkeit zu stillen. Aber Stillen ist etwas ganz Natürliches und Sie müssen sich dabei wirklich nicht verstecken.

Es gibt eine Menge Möglichkeiten, diskret zu stillen; tun Sie es und machen Sie sich keine Gedanken, was andere Leute denken. In manchen größeren Geschäften gibt es Wickel- und Stillräume. Doch Sie sollten sich nicht scheuen, auch im Café oder auf einer Parkbank diskret zu

Diskret stillen Ein lockeres Shirt ermöglicht leichten Zugang zur Brust – ohne nackte Haut. Wenn Sie mögen, können Sie zusätzlich ein Tuch um sich und Ihr Baby legen.

stillen. Ein Gesetz, das das öffentliche Stillen ausdrücklich zulässt, gibt es bei uns im Gegensatz zu manchen anderen Ländern leider noch nicht. So könnte es tatsächlich geschehen, dass sich jemand dadurch belästigt fühlt. Allerdings ist das sehr selten der Fall.

Stillen Sie diskret, indem Sie Ihre Brüste und das Baby mit einem Tuch bedecken und einen stillfreundlichen Lagenlook tragen (s. S. 111); nehmen Sie Ihr Baby z. B. einfach unter ein weites Shirt. Wichtig ist ein BH, den Sie am besten mit einer Hand öffnen können.

Und vor allem: Entspannen Sie sich, dann funktioniert das Stillen problemlos auch unterwegs.

Der Thermostat Ihres Babys

Babys können ihre eigene Körpertemperatur noch nicht regulieren. Ganz wichtig ist es, darauf zu achten, ob Ihrem Baby zu heiß oder zu kalt ist.

Das Baby anziehen In der Regel benötigen Babys eine Lage Kleidung mehr als Erwachsene.

Der Körper des Babys kann seine Temperatur noch nicht wirksam regulieren. Schwitzende Babys verlieren Wärme über den Kopf; im Übrigen sind sie darauf angewiesen, dass die Betreuungspersonen sie angemessen warm halten.

Fieber (s. S. 395) müssen Sie nur messen, wenn es sich sehr heiß anfühlt und vielleicht eine Infektion ausbrütet. Legen Sie stattdessen regelmäßig Ihre Hand an seine Wange; sie sollte sich warm anfühlen. Kontrollieren Sie, ob Füße und Hände kühl und nicht heiß oder kalt sind. Lagenlook, der nach Bedarf geändert werden kann, ist am besten. Verlassen Sie sich auch auf Ihren Instinkt.

Die Temperatur im Kinderzimmer sollte 16–20 °C betragen. Eine Überwärmung begünstigt den plötzlichen Kindstod (s. S. 31). Ziehen Sie Ihrem Baby nachts einen Body und einen langärmligen Strampelanzug an und decken Sie es entsprechend der Raumtemperatur zu.

Tagsüber sollte Ihr Baby eine Schicht Kleidung mehr tragen als Sie. Stellen Sie die Wippe oder den Stubenwagen niemals neben einen Heizkörper, eine Feuerstelle oder in direktes Sonnenlicht. Halten Sie es von zugigen Fenstern fern. Mützchen sind angebracht, wenn es draußen kühl ist; sie sollten aber, außer bei sehr kleinen oder zu früh geborenen Babys, nicht im Bett getragen werden. Im Auto wird es Babys oft sehr warm; decken Sie es hier nur zu, wenn es kalt ist oder die Klimaanlage läuft. Ziehen Sie Ihrem Baby drinnen immer die Überkleidung aus.

Am wichtigsten: Machen Sie sich nicht zu viele Sorgen. Meistens erkennen oder fühlen Sie eindeutig, ob ihm zu kalt oder warm ist. Bald wissen Sie auf einen Blick, ob es ein Jäckchen braucht oder die Strümpfe ausziehen sollte!

BITTE BEACHTEN

Verhütung

Kümmern Sie sich nun auch wieder um die Verhütung. Besprechen Sie sich mit Ihrem Frauenarzt. Es ist zwar sehr unterschiedlich, wann der Zyklus wieder einsetzt, doch Sie sollten kein Risiko eingehen. Sonst sind Sie ein paar Wochen nach der Geburt Ihres Babys wieder schwanger! Wenn Sie die Flasche geben oder zufüttern, setzt die Periode gewöhnlich zwischen vier und zehn Wochen nach der Geburt wieder ein. Auch volles Stillen schützt nicht vor Schwangerschaft; bereits nach kurzen Stillpausen kann es wieder zum Eisprung kommen.

SO GEHT'S

Windelausschlag

Der Kontakt mit Urin oder Stuhl irritiert Babys zarte Haut und kann Windelausschlag verursachen. Als Vorbeugung wickeln Sie Ihr Baby häufig. Hat sich der Po entzündet, lassen Sie es am besten mindestens zweimal am Tag ohne Windel an der Luft strampeln. Spülen Sie Stoffwindeln einmal zusätzlich aus. Ringelblumensalbe oder Zinksalbe unterstützt die Heilung. Heilt der Ausschlag aber nicht in wenigen Tagen ab, wenden Sie sich an Ihren Kinderarzt; vielleicht handelt es sich auch um Soor; dann wird er eine entsprechende Salbe verordnen.

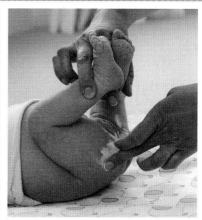

Wundschutzcreme Eine Wundschutzcreme, z. B. aus Zinkoxid, lindert die Entzündung und schützt Babys Haut bei einer schmutzigen Windel.

3 Wochen

WENN BABYS WEINEN, FLIESSEN IN DEN ERSTEN DREI WOCHEN NOCH KEINE TRÄNEN.

Sie erahnen inzwischen, wann Ihr Baby Hunger hat, eine frische Windel braucht oder schlafen sollte. Vermutlich schläft es 16–18 Stunden am Tag; zwischen den Mahlzeiten liegen drei bis vier Stunden. Tag für Tag wird es kräftiger und vielleicht dreht es Ihnen bereits den Kopf zu.

Die Welt erfahren

Ihr Baby ist nun schon länger wach und munter; das Spielen regt in dieser Zeit seine Sinne an und fördert sein Koordinationsvermögen.

Zweisamkeit Sie sensibilisieren das Gehör und fördern die sogenannten Vorläuferfertigkeiten des Spracherwerbs, wenn Sie Blickkontakt herstellen und mit Ihrem Baby lachen und sprechen.

Ihr drei Wochen altes Baby hat natürlich noch keine Vorstellung, was Spielen bedeutet. In diesem Alter bedeutet »Spielen« einfach, sich auf das Baby einzulassen und Qualitätszeit mit ihm zu verbringen, sich also bewusst mit ihm zu beschäftigen. Dabei lernt es viel mehr, als Sie vielleicht denken – und dieses Zusammensein fördert eine gute Bindung und damit seine emotionale Gesundheit.

Wichtig ist es, das Baby nicht zu überfordern; doch mehrmalige tägliche Spielzeiten von fünf bis zehn Minuten, wenn es ruhig und wach ist, machen Ihnen beiden Spaß und fördern seine Entwicklung in allen Bereichen. Stimmen Sie Ihr Spiel auf seine jeweilige Verfassung ab: Wenn es aktiv ist, sind Klatsch- und Kitzelspiele richtig, oder Sie tragen es hinaus und zeigen ihm den Garten. Wenn es in einer ruhigeren Stimmung ist, reden und

singen Sie mit ihm. Entscheidend ist es, Spaß zu haben – denken Sie nicht daran, was es dabei vielleicht lernt. Das merken Sie früh genug!

Durch das gemeinsame Spiel führen Sie Ihr Baby engagiert und fröhlich in die Wunder seiner Welt ein. Variieren Sie Ihre gemeinsamen Spiele, um seinen Horizont zu erweitern und die Entwicklung verschiedener Bereiche des Körpers und des Gehirns zu fördern. Ihr Baby hat dabei gleichzeitig Spaß, genießt Ihre Nähe und erlernt neue Fertigkeiten.

Babys »üben« erworbene Fähigkeiten instinktiv. Nach dem gemeinsamen Spiel probiert es seine neuen Kunststücke alleine aus. Haben Sie ihm z. B. »beigebracht«, die Zunge herauszustrecken und Grimassen zu schneiden, versucht es dies vielleicht jedes Mal, wenn es Ihr Gesicht wieder erblickt.

ENTWICKLUNG FÖRDERN

Schwarz-weiße Muster

Wenn es beginnt, die Umwelt wahrzunehmen, sind für Ihr sehr kleines Baby Kontrastbilder und ausgeprägte geometrische Formen und Muster visuell anregend. Um diese Stimulation zu fördern, malen Sie schwarzweiße Muster auf Karton. Verwenden Sie dazu Filzstifte, die die Konturen betonen (Streifen und Winkel finden Babys besonders faszinierend), oder kaufen Sie ein Babybilderbuch mit entsprechenden Abbildungen. Diese Muster trainieren das Fokussieren und fördern räumliches Bewusstsein und visuelle Wahrnehmung. Zeigen Sie Ihrem Baby die Bilder jeden Tag ein, zwei Minuten lang. Aber übertreiben Sie es nicht. Zu intensive visuelle Stimulation lenkt Ihr Baby ab und erschwert den Prozess der Eingewöhnung in seine neue Welt.

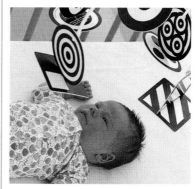

Visuelle Anregung Starke Kontraste fesseln Babys Aufmerksamkeit und fördern die Fähigkeit des Fokussierens.

Babys Schlaf fördern

Wenn Sie erkennen, wann Ihr Baby müde ist, können Sie den Zeitpunkt nutzen und einen friedlichen Schlaf fördern.

Ein übermüdetes Baby ist oft ruhelos und lässt sich nicht beruhigen; fördern Sie daher das Einschlafen, sobald Ihr Baby müde wird – dann findet es schneller in den Schlaf und schläft tiefer. Grundsätzlich braucht Ihr Baby nach einer Wachphase eine Ruhephase. Da diese Wachphasen individuell unterschiedlich lang sind, ist es wichtig, zu erkennen, wann es Zeit zum Schlafen ist.

Tags wie nachts gibt es Phasen, in denen Ihr Baby besonders gut einschläft. Wenn Sie ein solches Zeitfenster verpassen, müssen Sie etwa eine gute Stunde bis zum nächsten abwarten, da Ihr Baby einen erneuten Aktivität-Ruhe-Zyklus durchläuft. Achten Sie auf Gähnen und Augenreiben – das sind klare Anzeichen für Schläfrigkeit. Vielleicht weint es auch oder jammert ohne ersichtlichen Grund. Es kann kleine Laute von sich geben, die ruhig beginnen und sich bis zum Schreien steigern können. Manche Babys schauen »finster« drein, wenn Sie müde sind, andere zucken häufig zusammen. Versuchen Sie nicht, ein müdes Baby abzulenken oder bei Laune zu halten. Es wird überreizt und braucht umso länger, um zur Ruhe zu finden.

FRAGEN SIE ... EINEN KINDERARZT

Mein Baby erbricht nach jeder Mahlzeit ein wenig Milch. Ist es krank?

Das Aufstoßen von Milch nach dem Füttern ist normal. Dabei steigt Luft auf, die beim Trinken verschluckt wurde und Milch mit sich bringt. Es verursacht keine Beschwerden. Vorbeugend bewegen Sie Ihr Baby nach dem Trinken vorsichtig und lassen es aufstoßen. Erbricht es größere Mengen, leidet es vielleicht an Reflux (s. S. 401f.); sprechen Sie mit dem Arzt.

Eine verdiente Pause

Auch wenn Sie sich gerne voll und ganz der Babypflege widmen, schenken Ihnen regelmäßige Auszeiten neue Energie.

Vielen Müttern fällt es schwer, die Zügel aus der Hand zu geben – vor allem, wenn sie erprobte Methoden zum Beruhigen, Schlafenlegen und Wickeln des Babys entwickelt haben. Doch Auszeiten sind wichtig, um die Batterien wieder aufzuladen und sich vollständig von der Geburt zu erholen. Ein ausgiebiges Bad, ein Treffen mit einer Freundin, Sport oder Schlafen, ein Tapetenwechsel und eine Unterbrechung des Alltagstrotts sind gut für Ihre körperliche und emotionale Gesundheit.

Zeit mit Papa Auch Ihr Partner muss das Baby kennenlernen und seine Bedürfnisse verstehen.

Papa nutzt sicher gern diese Gelegenheit, um seine Vaterkompetenzen zu erproben. Er gewinnt dabei Sicherheit im Umgang mit dem Baby. Verabreden Sie am besten feste Zeiten, zu denen er zuständig ist – z. B. die Badezeit oder samstagmorgens, wenn er mit dem Baby im Tragesitz Zeitungen holen geht. Selbst kurze Phasen geben den beiden Gelegenheit, ihre Beziehung aufzubauen – und verschaffen Ihnen eine Pause.

Wenn Sie stillen, können Sie nach etwa vier Wochen Milch abpumpen (s. S. 28); dann kann Ihr Partner gelegentlich das Füttern übernehmen und Sie sind noch etwas flexibler.

Stillen nach Bedarf

Ihr Baby weiß nun, was Hunger bedeutet. Indem Sie seinen Appetit stillen, schenken Sie ihm Sicherheit und Geborgenheit.

Nahrung und Geborgenheit Lassen Sie Ihr Baby trinken, wann immer es will. Sein winziger Magen kann nur kleine Mengen aufnehmen; daher muss es regelmäßig trinken.

Es ist wichtig, das Baby weiterhin nach Bedarf zu füttern – an der Brust oder mit der Flasche –, denn es lernt nun, auf seine Hungersignale zu reagieren. Es lässt Sie wissen, wann es hungrig ist. Indem Sie diesen Hunger stillen, fördern Sie durch die Befriedigung seiner Grundbedürfnisse aber nicht nur Vertrauen und Sicherheit, sondern lehren es auch, dann zu trinken, wenn es hungrig ist. Und dies trägt tatsächlich bereits zur Vorbeugung von späterem Übergewicht bei.

Inzwischen können bereits drei oder vier Stunden zwischen den Mahlzeiten vergehen; doch dieser Rhythmus kann auch plötzlich wieder durchbrochen werden. Wachstumsschübe und intensivere körperliche Aktivität machen besonders hungrig; dann scheint Ihr Baby wieder endlos zu nuckeln und regt damit die Milchbildung an.

SO GEHT'S

Umgang mit Koliken

Um Koliksymptome (s. S. 68) zu lindern, lassen Sie Ihr Baby nach den Mahlzeiten sorgfältig aufstoßen (s. S. 49). Vielleicht wirkt auch ein warmes Bad beruhigend; massieren Sie danach in kreisförmigen Bewegungen etwas angewärmtes Oliven- oder Traubenkernöl in Bauch und unteren Rückenbereich ein.

Stillbabys reagieren oft auch auf die Ernährung der Mutter. Manchmal hilft es, weniger Milchprodukte und Fertigprodukte, die Milcheiweiß enthalten, z.B. Kekse und Kuchen, zu verzehren und auf Knoblauch, Zwiebeln, Kohl, Bohnen und Brokkoli zu verzichten.

Wenn Sie die Flasche geben, versuchen Sie es mit einer Anti-Kolik-Flasche; damit verschlucken Babys beim Trinken weniger Luft. Vielleicht verträgt es ein anderes Milchpulver besser; sprechen Sie aber zunächst mit Ihrem Kinderarzt. Kolikbabys lassen sich durch Bewegung beruhigen – eine Autofahrt oder eine Fahrt im Kinderwagen können helfen.

Koliken gehen in der Regel mit etwa drei Monaten vorüber; wenn Sie jedoch große Probleme mit Ihrem Baby haben, wenden Sie sich an den Kinderarzt; er kann ein sanftes, krampflösendes Mittel verschreiben.

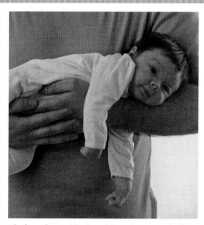

Lindernd Es wirkt beruhigend, wenn Sie Ihr Baby mit dem Gesicht nach unten über Ihren Unterarm legen, Ihre Hand fest zwischen seinen Beinen.

Widersprüchliche Ratschläge

Es schadet nicht, sich wohlmeinende Ratschläge von Freunden und Angehörigen anzuhören – Sie müssen Sie aber nicht alle umzusetzen.

Bestimmt haben Ihre Mitmenschen – von Ihrer Schwiegermutter bis zum Metzger – klare Vorstellungen von Babypflege und Kindererziehung. Für Sie kann es sehr bestürzend sein, wenn Sie feststellen, dass Sie in den Augen anderer irgendwie alles falsch zu machen scheinen.

Frischgebackene Eltern müssen unbedingt lernen, Ratschläge auszublenden. Das heißt, Sie sollten ein dickes Fell entwickeln, höflich zuhören und dann alles ignorieren, was nicht zur eigenen Erziehungsphilosophie passt. Diese Fähigkeit wird die gesamte Kindheit Ihres Babys und im Jugendalter wichtig

sein. Wenn Sie Ratschläge bekommen, egal wie erfahren diese Personen sein mögen, denken Sie daran, dass sich die Zeiten ändern. Zudem hat jeder seine eigenen Methoden. Was vor 20, 30 Jahren empfohlen worden ist, mag heute nicht mehr aktuell sein. Zudem ist auch jedes Baby anders und braucht eine individuelle Umgehensweise. Vertrauen Sie auf Ihr eigenes Wissen und weisen Sie Rat und Kritik höflich zurück. Tipps, die praktikabel und hilfreich erscheinen, probieren Sie natürlich durchaus aus; vertrauen Sie aber immer erst einmal Ihrer eigenen Vorgehensweise.

> **FRAGEN SIE … EINEN KINDERARZT**
>
> **Mein Baby hat auf dem Kopf trockene, schuppige Haut. Ist das ein Ekzem?** Ihr Baby leidet an Milchschorf, einer sehr häufigen Hautauffälligkeit mit gelblichen, schmierigen Stellen auf dem Kopf. Massieren Sie abends etwas Olivenöl ein und waschen es morgens mit wenig Babyshampoo ab. Bürsten Sie lockere Krusten mit einer weichen Bürste, aber kratzen Sie keine Schuppen ab, die sich nicht von selbst gelöst haben.

Kleiner Entdecker

Ihr Baby findet nun Interesse an allen neuen Dingen in seiner Umgebung; doch nichts ist faszinierender als sein eigener kleiner Körper.

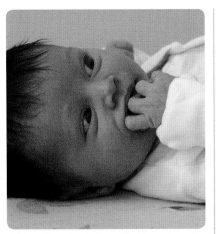

Orales Erkunden Babys erforschen alles mit Zunge und Lippen.

Etwa in diesem Alter entdeckt Ihr Baby seine Hände und möglicherweise auch die Füße. Es hält die Hände vors Gesicht, betrachtet sie voller Erstaunen, führt sie zum Mund und saugt an ihnen. Das bietet ihm Unterhaltung und trainiert die frühe Augen-Hand-Koordination (es ist nicht einfach, eine kleine Faust in den Mund zu stecken).

Dieses Interesse wird geweckt, weil die Hände beim Bewegen in sein Blickfeld geraten und es sie nun fokussieren kann. Dieses wunderbare »Spielzeug«, das auftaucht und wieder verschwindet, fesselt seine Aufmerksamkeit während langer Phasen. Doch erst in einigen

Monaten weiß es, dass sie ihm gehören. Wenn die Halsmuskulatur kräftiger wird, dreht es nun seinen Kopf als Reaktion auf Geräusche. Es bemüht sich, eine Stellung zu finden, in der es Sie sehen und hören kann. Seine Augen weiten sich voller Erstaunen und Interesse, wenn ein Gesicht oder ein Spielzeug in sein Blickfeld gerät, und es bemüht sich, ihm mit den Augen zu folgen. Das Verfolgen eines sich bewegenden Gegenstandes mit den Augen ist ein wichtiger Entwicklungsschritt (s. S. 81). Hängen Sie ein Mobile so über sein Bett, dass die Objekte etwa 30 cm von ihm entfernt sind – es wird sie genau betrachten.

Zu Stoffwindeln wechseln

Nachdem Sie nun eine gewisse Routine gewonnen haben, wollen Sie vielleicht nun etwas anders machen, z. B. zu Stoffwindeln wechseln.

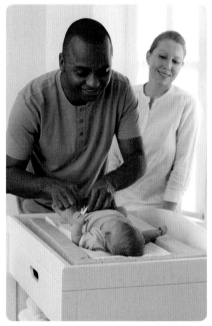

Helfende Hände Zeigen Sie, wie man mit Stoffwindeln wickelt – so können andere helfen.

Viele Eltern verwenden in den ersten Tagen Einmalwindeln, weil sie bequemer sind und kein ständig wachsender Berg an schmutzigen Windeln zusätzlichen Stress bereitet! Doch wenn sich eine gewisse Alltagsroutine einstellt, können Sie Ihre Zeit vielleicht wieder etwas planen und auch Windeln waschen – vielleicht können Sie auch einen Windeldienst nutzen. Babys wachsen sehr schnell; wenn Sie bereits Stoffwindeln verwendet haben, brauchen Sie jetzt vielleicht schon neue.

Sollten Sie erst jetzt in Erwägung ziehen, mit Stoffwindeln zu wickeln, dann ist dies nun ein guter Zeitpunkt für einen Wechsel. Wenn Ihr Baby etwa 4 kg wiegt, können Sie Windeln kaufen, die es bis zur Sauberkeitserziehung benutzen kann. Stoffwindeln sind in der Regel, auf lange Sicht gesehen, kostengünstiger; vermutlich ist auch die Umweltbilanz besser – dazu gibt es unterschiedliche Meinungen. Man vermutet, dass die Form und der Schnitt von Stoffwindeln der Körperhaltung des Babys besser entsprechen; die stärker gespreizte Beinhaltung unterstützt auch die gesunde Entwicklung der Hüften.

Natürlich haben auch Einmalwindeln ihre Vorteile; sie sind sehr saugfähig, leicht anzulegen und auszuziehen. Also gibt es keinen zwingenden Grund, zu Stoffwindeln zu wechseln. Und auch wenn Sie Stoffwindeln bevorzugen, sind Einmalwindeln manchmal praktisch – in den Ferien, bei Ausflügen oder wenn Sie viel zu tun haben und das Waschen und Trocknen der Windeln zu viel Zeit kostet.

BITTE BEACHTEN

Wichtige Nachsorge

Das sogenannte »Wochenbett«, die Zeit nach der Geburt, in der sich der Körper der Frau wieder umstellt, dauert sechs bis acht Wochen. Diese Zeit ist dringend erforderlich für die körperliche und seelische Rekonvaleszenz und die Anpassung an das neue Leben. Diese Phase wird mit einer umfassenden gynäkologischen Untersuchung beim Frauenarzt abgeschlossen (s. S. 94 f.). Bitte denken Sie daran, rechtzeitig einen Termin zu vereinbaren; er sollte etwa sechs bis acht Wochen nach der Geburt stattfinden.

DAS ENGELSLÄCHELN

Gut möglich, dass Sie Ihr Baby im Schlaf haben lächeln sehen und von Zeit zu Zeit ein flüchtiges Lächeln auf seinem Gesichtchen erkennen. Dieses Lächeln ist aber ein Reflex und tritt von der Geburt bis etwa zur achten Woche auf. Man vermutet, dass es die Eltern bezaubern soll, damit sie für ihr Kleines sorgen. Das soziale Lächeln, das als Reaktion auf Außenreize auftritt (z.B. Ihr lächelndes Gesicht oder ein bekanntes Lied) ist dagegen erlernt; gelegentlich tritt es bereits mit vier Wochen auf, in der Regel mit sechs bis acht Wochen. Sie erkennen es daran, dass das ganze Gesicht des Babys mitstrahlt, auch die Augen.

Lächelt es? In den ersten Tagen ist das Lächeln Folge eines angeborenen Reflexes und keine Reaktion auf äußere Reize.

4 Wochen

BABYS HABEN ÜBER 300 KNOCHEN – IM ERWACHSENENALTER SIND ES NUR NOCH 206 KNOCHEN.

Sie müssen es zwar noch gut abstützen, doch Ihr Baby versucht bereits, seinen Kopf selbst zu halten. Vielleicht hebt es ihn sogar schon kurz an, wenn es auf dem Bauch liegt. Die Hände sind anfangs zu Fäusten geschlossen, doch bald wird es sie öffnen und schließen.

Gegenständen nachschauen

Es bedeutet einen wichtigen Entwicklungsschritt, wenn Ihr Baby nun einem sich bewegenden Gegenstand mit den Augen folgt.

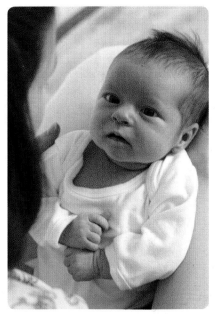

Mit beiden Augen fokussieren Ihr Baby sieht noch nicht sehr weit; halten Sie interessante Dinge etwa 30 cm vor sein Gesicht.

Um das Blickfeld zu verändern, bewegt Ihr Baby anfangs seinen Kopf; es ist also eine starke Bewegung erforderlich, um die Augen auf ein sich bewegendes Objekt fixiert zu halten. Anfangs dreht es dabei seinen Kopf nur horizontal, da es einfacher ist, den Kopf von einer Seite zur anderen zu bewegen als ihn zu heben und zu senken. Wenn Sie eine Rassel durch sein Blickfeld führen, will es den Kopf zur Seite drehen, um ihr zu folgen.

Mit der Zeit kann Ihr Baby seine Augen unabhängig vom Kopf bewegen und die Augen synchron ausrichten. Also keine Sorge, wenn es manchmal so aussieht, als würde es schielen – in den nächsten Wochen verbessert sich mit zunehmender Nerven- und Muskelkontrolle auch die Augenkoordination. Gegenstände mit starkem Kontrast kann Ihr Baby besser verfolgen – Ihr Gesicht oder schwarz-weiße geometrische Formen und Linien fesseln seine Aufmerksamkeit und leiten es zum Fokussieren an. Halten Sie den Gegenstand in sein Gesichtsfeld und bewegen Sie ihn langsam von einer Seite zur anderen. Seine Augen werden genau folgen. Sanfte Bewegungen sind leichter zu betrachten als schnelle, ruckartige.

Während der kommenden Wochen werden Sie bemerken, dass es Dinge länger verfolgt und viel mehr Interesse an ihnen zeigt. Mit drei Monaten können Sie es zu einer vertikalen Betrachtungsweise anleiten. Jetzt aber freuen Sie sich erst einmal über seine tolle neue Fähigkeit.

FRAGEN SIE ... EINEN ARZT

Ich glaube, ich verliere beim Husten oder Lachen etwas Urin. Sollte sich nicht inzwischen alles normalisiert haben? Es kann eine Weile dauern, bis Bänder und Muskeln wieder straff und elastisch sind. Der Beckenboden, der die Blase hält, muss – wie alle Muskeln – regelmäßig trainiert werden. Wenn Sie entsprechende Übungen (s. S. 65) während der Schwangerschaft nicht durchgeführt haben, dauert es länger, bis sie nach der Geburt wieder Spannkraft haben. Aber es ist nie zu spät anzufangen.

ZWILLINGE

Eineiige Zwillinge auseinanderhalten

Zwar beteuern alle Zwillingseltern, dass es feine Unterschiede zwischen ihren Babys gibt, allerdings haben die meisten Eltern von eineiigen Zwillingen vor allem in den ersten Wochen Mühe, die beiden auseinanderzuhalten. Denn in dieser Zeit ist die individuelle Persönlichkeit jedes Einzelnen noch nicht sehr ausgeprägt. Die Babys lassen sich viel einfacher unterscheiden, wenn es offensichtliche Merkmale gibt, z.B. ein Geburtsmal oder mehr Haare oder eine unterschiedliche Klangfarbe des Schreiens. Viele Eltern markieren jeweils einen Fingernagel ihrer Babys – z.B. beim einen rot, beim anderen blau. Oder sie lassen den beiden das Armband aus dem Krankenhaus an und markieren dann die Kleidung farblich, um zu wissen, wer wer ist. Sie können aber gewiss sein, dass Sie innerhalb weniger Wochen die winzigen Unterschiede erkennen werden – zudem treten diese mit jedem Monat deutlicher zutage.

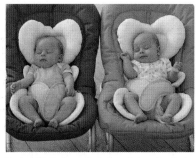

Farbcode Ordnen Sie jedem Baby eine Farbe zu, um die beiden auseinanderzuhalten.

Auszeit nehmen

Schon eine Stunde Abstand vom Alltagstrott der Babypflege lädt Ihre Batterien neu auf – nehmen Sie also jedes Angebot zum Babysitten an.

Egal wie gerne Sie Eltern sind, es gibt Zeiten, in denen die Anforderungen und der immer gleiche Trott ihren Tribut fordern. Bestimmt sehnen Sie sich nach einem Gespräch unter Erwachsenen und danach, einfach mal raus zu kommen. Das Elternsein ist jedoch eine umfassende Angelegenheit und erfordert von Ihnen viel Planung, Verhandlungen und Kompromisse, damit alles läuft.

Ihre Beziehung braucht, um intakt zu bleiben, dieselben Anregungen und Anstrengungen wie früher – und Sie brauchen Zeit füreinander als Paar. Auch wenn Sie zu Hause regelmäßige Zeiten für sich selbst freihalten, ist es sehr belebend, auch einmal auszugehen und sich aufeinander zu konzentrieren – ohne die unvermeidlichen Ablenkungen durch das Baby.

Die Großeltern oder eine gute Freundin können sich ein, zwei Stunden um das Neugeborene kümmern. Wählen Sie eine Zeit, zu der Ihr Baby gewöhnlich zufrieden und satt ist oder schläft. Lassen Sie sich dann so aufeinander ein wie früher; sprechen Sie nicht über das Baby und all den Stress. Sicher liegen Ihnen diese Themen auch am Herzen, doch begegnen Sie sich vor allem als Partner, nicht einfach als erschöpfte Eltern. Ihre Beziehung wird dadurch neuen Schwung erhalten!

Geräusche sind toll!

Ihr Baby unterscheidet allmählich die Geräusche in seiner Umgebung; es reagiert auf laute und sanfte Klänge und mag am liebsten Musik!

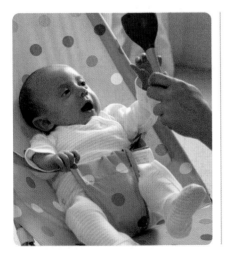

Wenn Ihr Baby nun ein interessantes Geräusch hört, beobachtet und lauscht es genau. Es hört aufmerksam auf neue Geräusche und dreht den Kopf, um die Ursache zu erkunden. Laute Geräusche erschrecken es, ein Wiegenlied beruhigt es. Beobachten Sie seine Reaktion, wenn Sie pfeifen oder mit den Fingern auf den Tisch trommeln. Spielen Sie ihm lebhafte Musik vor und beobachten Sie, wie Ihr Baby dabei strampelt oder interessiert lauscht. Bei einer ruhigeren Melodie wird es ruhig und entspannt sich sichtlich. Studien zeigen, dass Musik das Nervensystem eines Babys beeinflusst, Anspannungen löst und es einschlafen lässt.

In aktiven Phasen ist Musik anregend und bringt Spaß. Nutzen Sie verschiedene Musikarten, je nach seiner – und Ihrer – Stimmung; zeigen Sie ihm die Ursachen der Geräusche in seiner Umwelt. Das Baby verbindet dann die Geräusche mit den Aktivitäten: Hört es das Badewasser einlaufen, weiß es bald, dass nun die Badezeit naht. Erfüllen Sie sein Leben mit Klängen und Musik – und es wird ein waches, interessiertes Kind werden.

Rasseln schütteln Ihr Baby zeigt großes Interesse an den verschiedensten Geräuschen.

Nacht und Tag

Der Biorhythmus vieler Babys entspricht nicht dem Rhythmus der Eltern; sie sind nachts viele Stunden wach und schlafen tagsüber.

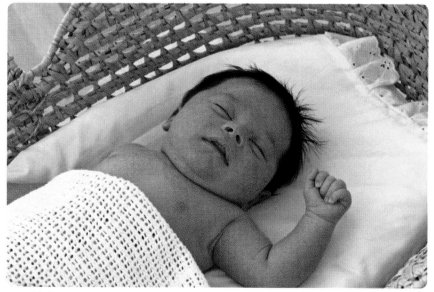

Tagschlaf Damit Ihr Baby lernt, zwischen Tag- und Nachtschlaf zu unterscheiden, bleibt das Zimmer tagsüber hell und Haushaltsgeräusche präsent.

Es ist sehr zermürbend, wenn das Baby regelmäßig dann wach und munter ist, wenn die Eltern auf etwas Schlaf hoffen. Auch wenn es sinnvoll ist, in den ersten Wochen dann zu schlafen, wenn das Baby schläft, muss allmählich ein verträglicher Schlafrhythmus gefunden werden – damit auch Sie die dringend nötige Ruhe finden.

Ihr Baby lernt zwischen Nacht und Tag zu unterscheiden, wenn es beides unterschiedlich erlebt. Gehen Sie nachts ruhig und leise mit ihm um. Spielen und plaudern Sie nicht mit ihm. Legen Sie es nach dem Füttern und Wickeln zurück ins Bettchen und machen Sie deutlich, dass nachts keine Spielzeit ist. Es mag ein wenig grummeln, versteht die Botschaft aber bald.

Tagsüber schieben Sie es zum Schlafen im Kinder- oder Stubenwagen in einen hellen Raum, nicht ins Schlafzimmer, und gehen Ihrer normalen Tätigkeit nach. Das Licht, das in das Zimmer fällt, wirkt auf die Zirbeldrüse im Gehirn, die Schlaf und Wachphasen steuert. Das Baby schläft dann kürzer als in einem abgedunkelten Raum. Auch Hintergrundgeräusche tragen dazu bei, dass es früher wieder aufwacht.

Bieten Sie ihm tagsüber Abwechslung, damit es nachts müde genug ist zum Schlafen. Wenn es den ganzen Tag über schläft und trinkt, ist es abends kaum so müde, um länger am Stück zu schlafen. Wecken Sie es aus langen Phasen Tagschlaf mit fröhlichem Geplauder, Spielen und Singen. Babys brauchen tagsüber viel Schlaf, dazwischen aber auch Phasen der Aktivität – nachts dagegen verzichten Sie auf diesen Trubel und gehen sehr ruhig mit ihm um.

ENTWICKLUNG FÖRDERN

Mobiles zum Staunen

Ein Mobile über dem Babybett, der Spieldecke oder dem Wickelplatz bietet visuelle Anregung und leitet das Baby an, Gegenstände mit den Augen zu verfolgen (s. S. 81). Damit wird auch seine räumliche Wahrnehmung trainiert. Wählen Sie helle Farben, die seine Aufmerksamkeit fesseln, und am besten ein Modell, das sich in einer sanften Kreisbewegung dreht. Musik ist ein schönes Extra, da sie je nach Situation beruhigend oder anregend wirken kann.

Wenn Ihr Baby im Stubenwagen oder auf der Spieldecke zufrieden mit dem Betrachten seines Mobiles beschäftigt ist, können Sie in Ruhe Ihren Haushalt erledigen.

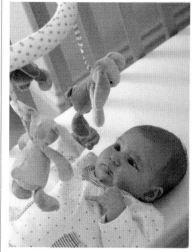

Rundherum Ein Mobile über dem Babybett fesselt seine Aufmerksamkeit und es trainiert dabei das Fokussieren.

Höhen und Tiefen erleben

Ein Baby verändert das Leben dramatisch; oft ist es anfangs schwierig, sich darauf einzustellen – und manchmal fühlt man sich deprimiert.

Trotz aller Vorfreude auf das Baby ist die Realität oft mühsam und manchmal sogar erdrückend. Vielleicht fehlen Ihnen die regelmäßigen Kontakte zu Freunden und Kollegen und Sie fühlen sich einsam. Vielleicht sind Sie auch schockiert, dass Sie zu nichts anderem kommen als zur Versorgung Ihres Babys, und Sie sehnen sich nach Tagen, an denen Sie einfach spontan sein können.

Haben Sie aber keine Schuldgefühle – diese Empfindungen sind kein Ausdruck mangelnder Liebe zu Ihrem Baby. Sie müssen sich an eine neue Lebensform

Tiefpunkt Die Versorgung eines Babys ist anstrengend – und gemischte Gefühle sind in den ersten Tagen völlig normal.

gewöhnen, die voll und ganz von einem anderen Menschen bestimmt wird. Normalerweise wollen wir eine gewisse Kontrolle über unser Leben haben – das Leben mit einem Baby ist das genaue Gegenteil. Organisieren Sie Treffen mit Bekannten aus dem Geburtsvorbereitungskurs oder mit anderen Müttern. Stellen Sie Ihr Baby den Kollegen am Arbeitsplatz vor. Gehen Sie hinaus an die frische Luft und durchbrechen Sie von Zeit zu Zeit Ihren Trott. Das Leben wird mit Sicherheit bald wieder strukturierter verlaufen und Sie können besser planen.

Nehmen Sie sich etwas Zeit für sich selbst. Bitten Sie Ihren Partner, sich um das Baby zu kümmern, lesen Sie ein Buch oder treffen Sie Freunde.

Sie und Ihr Körper

Manche Mütter erlangen ihre Figur schnell wieder, bei anderen dauert es länger – aber immerhin ist der riesige Bauch weg!

Sie beneiden diese prominenten Mütter, die ihre frühere Figur anscheinend wenige Tage nach der Geburt wiedererlangt haben? Seien Sie lieber dankbar, dass Sie nicht mit diesem Druck leben müssen! Viele frisch gebackene Mütter strotzen während der Rückbildungsphase – trotz aller Müdigkeit – vor Gesundheit. Der Bauch ist nicht mehr so rund und viele Frauen freuen sich, dass sie ihre Lieblingsjeans bald wieder tragen können. Doch keine Sorge, wenn es bei Ihnen noch nicht so weit ist. Die

Schwangerschaft dauerte neun Monate und jetzt braucht es auch seine Zeit, bis alles wieder »normal« ist. Seien Sie stolz auf Ihre üppigeren Brüste. Die Schwangerschaftsstreifen werden mit der Zeit wieder verblassen. Die Geburt ist noch nicht lange her, essen Sie gut und sorgen Sie für etwas Bewegung – aber lassen Sie sich nicht gefangen nehmen von dem Gedanken, unbedingt Ihre frühere Figur wiederzuerlangen. Daran können Sie arbeiten, sobald Sie im Baby-Alltag etwas mehr Routine gewonnen haben.

> **FRAGEN SIE ... EINEN ARZT**
>
> **Ich stille und trotzdem hat meine Periode wieder eingesetzt. Ist das normal?** Zwar setzt die Periode bei den meisten Frauen erst nach etwa sechs Monaten ein, sie kann aber auch nach vier Wochen oder erst nach einem Jahr wiederkommen. Aus diesem Grunde dürfen Sie nicht davon ausgehen, dass Stillen eine wirksame Verhütungsmethode ist.

Milch abpumpen

Durch das Abpumpen von Milch gewinnen Sie ein wenig Freiraum für sich – und Ihr Partner wird in das Füttern des Babys einbezogen.

Besondere Momente Papa freut sich, das Baby füttern zu können, während Mama ausruht.

Manche Frauen beginnen jetzt, Milch abzupumpen, z.B. weil sie nach dem Mutterschutz wieder arbeiten und trotzdem weiterstillen wollen oder um etwas Flexibilität zu gewinnen. Sie können Milch mit einer Pumpe abpumpen (s.S. 28) oder mit der Hand ausdrücken (s. Kasten rechts). Am besten funktioniert es, wenn Sie ganz entspannt sind. Sie werden bald herausfinden, zu welcher Tageszeit Sie am meisten Milch haben – viele Frauen haben morgens volle Brüste. Stillen Sie Ihr Baby an einer Brust und pumpen die Milch entweder gleichzeitig an der anderen Brust ab oder nehmen Sie ein warmes Bad, legen Ihr schlafendes Baby neben sich in den Stubenwagen und pumpen die übrige Milch ab.

Wenn Sie Milch abpumpen, werden Ihre Brüste auch mehr Milch bilden. Allerdings kann es einige Tage dauern, bis die Milchbildung der Nachfrage entspricht; nehmen Sie daher nur kleine Mengen ab und stillen Sie Ihr Baby oft. Auch wenn die Muttermilch im Vergleich zu Milchnahrung oder Kuhmilch wässrig aussieht, hat sie die perfekte Konsistenz und Zusammensetzung für Ihr Baby.

Wird Muttermilch sofort eingefroren, hält sie sich etwa vier Monate. Füllen Sie sie in verschließbare Plastikfläschchen; es gibt dafür auch spezielle Kunststoffbeutel. Datieren Sie die Flaschen oder Beutel, damit Sie wissen, bis wann sie zu verbrauchen sind. Beim Tiefgefrieren werden einige Antikörper zerstört, der Nährwert wird aber nicht beeinträchtigt. Tauen Sie tiefgefrorene Milch über Nacht im Kühlschrank auf oder stellen Sie die Flasche in eine Schüssel mit warmem Wasser. Erhitzen Sie die Milch nicht in der Mikrowelle oder auf dem Herd, da dabei Nährstoffe zerstört werden.

Frisch abgepumpte Muttermilch hält sich im Kühlschrank bei 4°C bis zu fünf Tage, im Eisfach bis zu zwei Wochen.

SO GEHT'S

Milch ausdrücken

Wenn Sie Milch lieber mit der Hand ausdrücken wollen, setzen Sie sich bequem hin; Ihr Baby ist am besten nah bei Ihnen. Ein warmes Bad zuvor wirkt entspannend. Umfassen Sie Ihre Brust mit einer Hand und drücken Sie mit der anderen auf die Brust, damit die Milch in den Milchgängen bis zum Warzenhof fließt. Nun drücken Sie mit Daumen und Zeigefingern das Brustgewebe ein, damit die Milch herausgedrückt wird. Fahren Sie mit dem Pressen und Loslassen fort; Sie werden einen angenehmen Rhythmus finden.

Es kann einige Minuten dauern, bis die Milch fließt. Wenn Sie Ihr Baby berühren, regt dies den Milchspendereflex an (s.S. 26). Streichen Sie langsam kreisförmig um die Brust

Stellen Sie eine saubere Schüssel oder eine sterilisierte Flasche bereit, um die Milch aufzufangen. Drücken Sie jede Brust aus, bis sich der Milchfluss verlangsamt – etwa fünf Minuten lang. Sie können zwischen den beiden Brüsten wechseln, bis beide leer sind. Versehen Sie die Flaschen mit Datum und stellen sie in die Tiefkühltruhe.

Anfangen Umfassen Sie Ihre Brust mit einer Hand und massieren mit der anderen die Milch entlang den Milchkanälen zum Warzenhof (links). **Drücken und freisetzen** Mit Daumen und Zeigefingern drücken Sie vorsichtig in die Brust und lassen dann los (Mitte). **Sammeln** Fahren Sie rhythmisch fort und fangen die Milch in einem sterilen Behältnis auf (rechts).

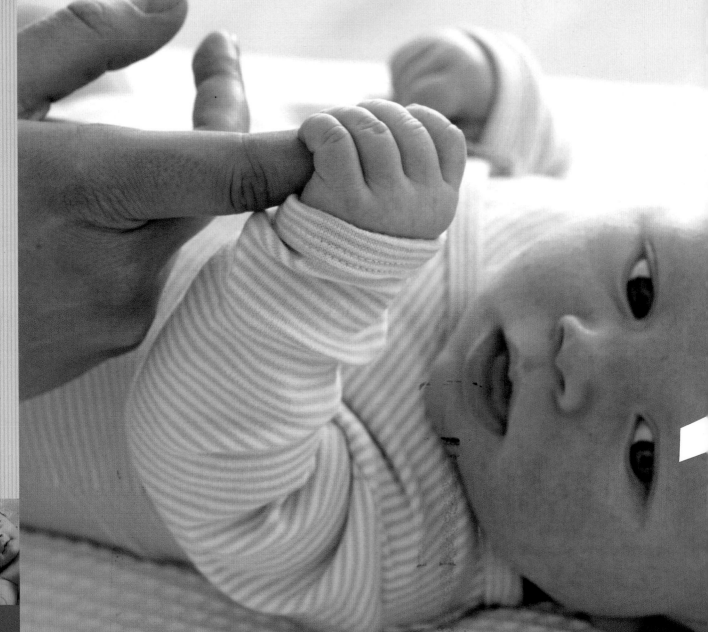

5 Wochen

DIE AUGEN DES BABYS SIND BEI DER GEBURT NUR UM ETWA EIN VIERTEL KLEINER ALS SPÄTER.

Jetzt beginnt Ihr Baby auf bestimmte Geräusche zu reagieren – erst durch Drehen des Kopfes und Verändern seines Gesichtsausdruckes, dann durch Lallen und Gurren. Es beginnt wirklich zu kommunizieren.

Zuhören und Lernen

Das Hörvermögen Ihres Babys ist sehr sensibel. Daher ist es ein guter Zuhörer – und Geräusche bieten ihm eine gute Informationsquelle.

Mama zuhören Ihr Baby hört Ihnen mit Hingabe zu; es liebt es, Ihre Stimme zu hören.

Schon vor der Geburt konnte Ihr Baby Ihre Stimme hören. Jetzt hört es sie jeden Tag deutlich in seiner Nähe und versteht bereits den Zusammenhang zwischen dieser Stimme und seinem Wohlergehen. Daher findet es diese Stimme höchst beruhigend. Dasselbe gilt für die Stimme des Vaters. Nutzen Sie es, dass es Ihre Stimme so gern hört: Sprechen Sie mit ihm (s. S. 88) und singen Sie ihm vor. Das gibt ihm Sicherheit.

Wiederholende Geräusche Fingerspiele mit sich wiederholenden Handlungen und Texten – z.B. »Da kommt der Bär« – lehren das Baby, eine Verbindung zwischen bestimmten Lauten und Handlungen herzustellen. Es versteht, dass Geräusche zu einer speziellen Wirkung führen. Vermutlich fördert dies auch das Erinnerungsvermögen des Babys.

Neue Geräusche Unerwartete Geräusche, z.B. ein Knall oder ein plötzlicher Schrei, erschrecken das Baby – es wirft die Arme in die Luft, zieht die Knie an die Brust oder schreit. Babys, die an lärmende Geschwister gewöhnt sind, können allerdings viele Geräusche schon ausblenden.

Die negative Reaktion auf Geräusche zeigt, dass Babys Gehör gut funktioniert. Wenn Sie einen Hund bellen oder ein Flugzeug dröhnen hören, erklären Sie Ihrem Baby, woher dieser Krach stammt. Dadurch beruhigt es sich und lernt bereits, dass Geräusche eine bestimmte Bedeutung haben.

Probleme erkennen Ihre Stimme sollte Ihr Baby beruhigen oder ablenken – auch wenn es seine Aktivität nur kurz unterbricht und Sie genau auf seine Reaktion achten müssen. Wenn Sie hinter seinem Kopf in die Hände klatschen, sollte es erschrecken. Wenn Sie glauben, dass Ihr Baby dauerhaft nicht auf Ihre Stimme oder laute Geräusche reagiert, sprechen Sie mit dem Kinderarzt, der einen Hörtest veranlassen kann. Das bietet Gewissheit. Denn trotz des obligatorischen Neugeborenen-Screenings, das heute in den ersten Lebenstagen durchgeführt wird, kann es auch danach noch zu Schädigungen des Gehörs kommen. Oft lernen Babys auch, die Alltagsgeräusche in ihrer Umgebung zu ignorieren, sobald sie sich eingewöhnt haben; kleine Babys können zudem oft trotz Lärm schlafen. Hörprobleme sind bei termingerecht geborenen Babys eher selten – außer es besteht eine familiäre Veranlagung.

ENTWICKLUNG FÖRDERN

Musik hören

Studien zeigen, dass Babys, die verschiedene Musikstile hören, später ein gutes Gehör und musikalisches Verständnis entwickeln. Insbesondere klassische Musik fördert demnach die Ausbildung neurologischer Pfade im Gehirn des Neugeborenen, unterstützt gedankliche Verarbeitungsprozesse und regt die Bildung von »Alpha«-Gehirnwellen an, die entspannend wirken.

Bereichern Sie das Leben Ihres Babys mit Musik: Spielen Sie z.B. morgens schwungvolle Musik, singen Sie ihm bei der gemeinsamen Spielzeit Kinderlieder vor und lassen Sie es klassische Musik hören, wenn es bald schlafen soll.

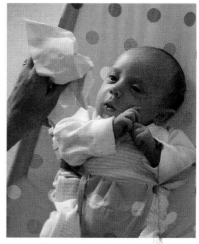

Geräusche erkunden Neue Geräusche – wie z.B. raschelndes Papier – fördern die Sinnesentwicklung Ihres Babys.

Babytalk – Ammensprache

Wenn Sie viel mit Ihrem Baby reden, fördert dies die Entwicklung von Sprache und Kommunikationskompetenz.

Vielleicht stellen Sie überrascht fest, dass Sie mit Ihrem Baby unbewusst in der »Ammensprache« sprechen, einem Singsang in höherer Tonlage – und dass Ihr Baby darauf positiv reagiert.

Diese Sprechweise, die Eltern instinktiv übernehmen, wird als Ammensprache, Motherese, Mutterisch oder modern als Babytalk bezeichnet; sie kommt in jeder Sprache der Welt vor. Studien zeigen, dass Babys auf diese Sprechweise mit erhöhter Aufmerksamkeit reagieren. Babytalk fördert die Kommunikation zwischen Eltern und Kind und führt Babys in die Grundlagen der Sprache ein. Das Baby nimmt dabei bereits Wörter auf und dies trägt zu seiner mentalen Entwicklung bei.

Auch wenn Ihnen dieses langsame, betonte, hohe Sprechen mit vielen Wiederholungen unangenehm ist – Ihr Baby findet es beruhigend und erfasst dabei tatsächlich erste Bedeutungen der Sprache. Das Sprechen mit dem Baby hat einen unglaublichen Einfluss auf seine Entwicklung; »baden« Sie Ihr Baby daher in Sprache, wann immer Sie bei ihm sind. Erklären Sie, was Sie gerade tun. Auch wenn es anfangs die Bedeutung der Worte noch nicht versteht, lernt es in den kommenden Monaten, dass diese Laute Ihr Handeln oder Gegenstände in seiner Umwelt bezeichnen.

Dieses Sprechen legt die Grundlagen für Babys Sprachverständnis und die zwischenmenschliche Kommunikation. Die Ammensprache fördert diese Sprachkompetenz gerade in den ersten Monaten. Sie werden feststellen, dass die meisten Erwachsenen – und sogar Kinder – mit Babys in der Ammensprache reden; diese instinktive Art des Sprechens trägt langfristig Früchte.

Die Last teilen

Wenn Sie sich die Babypflege mit Ihrem Partner teilen wollen, achten Sie von Anfang an darauf, alle Aufgaben gleichberechtigt anzugehen.

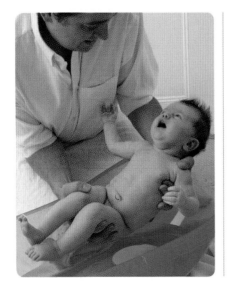

Es ist schön, wenn man sich mit dem Partner gemeinsam um das Baby kümmern kann. Ihr Baby verbringt dann mit beiden Elternteilen gleich viel Zeit und keiner von Ihnen fühlt sich ausgeschlossen oder ist unsicher im Umgang mit dem Baby. Es wird dabei mit Ihnen beiden vertraut und kommt mit den verschiedenen Methoden der Versorgung und des Tröstens gut zurecht.

Besprechen Sie von Anfang an, wie Sie die Doppelbelastung von Babypflege und Haushalt am besten teilen können. Kann

Papa ist dran Wenn Sie gemeinsam mit Ihrem Partner das Baby versorgen, teilen Sie die Pflichten – und lernen beide viel dazu.

Papa sich z.B. um das Baby kümmern, während Sie den Großeinkauf erledigen, oder das Baby baden, während Sie das Abendessen zubereiten? Teilen Sie aber auch weniger angenehme Pflichten fair auf, damit sich keiner benachteiligt fühlt. Wenn Ihr Partner im Umgang mit dem Baby manches anders macht, kritisieren Sie ihn nicht – lassen Sie ihm freie Hand.

Auch beim Flasche geben können Sie sich abwechseln. (In den ersten Tagen sollten am besten nur die Eltern das Baby füttern, da diese Zeit so wichtig für den Bindungsprozess ist.) Wenn Sie stillen, können Sie nun Milch abpumpen, die Ihr Partner gelegentlich aus der Flasche geben kann.

Flasche geben – gewusst wie!

Ob Sie Milchnahrung verwenden, zufüttern wollen oder Milch abpumpen – hier erfahren Sie, wie das Flasche geben reibungslos klappt.

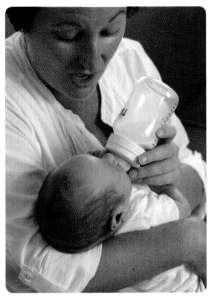

Schräg halten Damit Ihr Baby keine Luft schluckt, neigen Sie die Flasche so, dass Sauger und Flaschenhals voller Milchnahrung sind.

Experten raten davon ab, Stillbabys vor der vierten bis sechsten Woche eine Flasche zu geben, um eine »Saugverwirrung« zu vermeiden. Das bedeutet, dass Babys mit dem Wechsel zwischen Brustwarze und Flaschensauger nicht zurechtkommen. Denn das Trinken aus der Flasche erfordert weniger Anstrengung; Babys gewöhnen sich rasch an diesen schnelleren Milchfluss. Wenn Sie jedoch sechs Wochen lang erfolgreich gestillt haben, ist Ihr Baby in der Lage, zwischen Brust und Flasche zu wechseln.

Die Milchbildung basiert auf der Nachfrage des Babys. Wenn es Milch aus der Flasche bekommt, gibt es auch weniger »Nachfrage« und die Milchbildung geht zurück. Wenn Sie bald wieder arbeiten wollen, sollten Sie jetzt gelegentlich ein Fläschchen geben. Manche Babys verwei-

gern die Flasche, wenn sie zu spät damit anfangen. Sobald Sie Milch abgepumpt haben (s. S. 28 Milch abpumpen und S. 85 Milch ausdrücken), bieten Sie ihm etwa einmal in der Woche ein Fläschchen an, um es daran zu gewöhnen. Erwärmen Sie die Milch – ein Tropfen sollte sich an Ihrem Handgelenk warm anfühlen. Übrig gebliebene Milch schütten Sie besser weg, denn es können sich darin leicht Bakterien bilden, die Magen-Darm-Probleme verursachen.

Manchmal haben selbst Babys, die von Geburt an die Flasche bekommen haben, Trinkprobleme. Kontrollieren Sie in diesem Fall den Milchfluss. Braucht Ihr Baby länger als 20 Minuten, um die Flasche leer zu trinken, braucht es einen Sauger mit größerem Loch. Verschluckt es sich, fließt die Milch vermutlich zu schnell.

SO GEHT'S

Dem Stillbaby eine Flasche geben

Wählen Sie einen Zeitpunkt, zu dem Ihr Baby ruhig und nicht ausgehungert ist. Manche Babys nehmen die Flasche problemlos, andere sind widerwilliger. Wenn Ihr Baby sie ablehnt, geben Sie abgepumpte Muttermilch statt Milchnahrung und tragen Sie etwas Brustsalbe auf den Sauger auf. Wählen Sie einen der Brustwarze nachgebildeten Sauger mit langsamem Milchfluss und öffnen Sie Ihre Bluse, damit es Ihre Haut und Wärme spürt. Es kann

einige Versuche erfordern, bis es die Flasche annimmt. Wenn Sie kein Glück haben, lassen Sie es den Vater versuchen. Babys riechen oft die Milch ihrer Mutter und verweigern dann die Milchnahrung. Ist die Mutter nicht da, wird die Flasche eher akzeptiert, weil es keine Alternative gibt. Sträubt sich Ihr Baby vehement, verschieben Sie es auf einen anderen Tag und stillen es wie gewohnt. Es soll die Flasche nicht mit negativen Gefühlen verbinden.

Die Flasche geben Streicheln Sie seine Wange, um den Suchreflex anzuregen; schieben Sie den Sauger vorsichtig in seinen Mund (links). **Beim Füttern** Plaudern Sie mit ihm, machen Sie zwischendrin ruhig eine Pause, wenn das das Baby mag (Mitte). **Die Flasche wegnehmen** Schieben Sie Ihren kleinen Finger in seinen Mundwinkel, um das Saugen zu unterbrechen (rechts).

Ruhezeiten fürs Baby

Entspannte Eltern haben entspannte Kinder – dazu sollte Ihr Baby jeden Tag Ruhezeiten erleben, in denen es sich selbst beschäftigt.

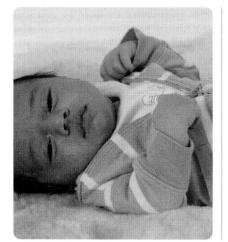

Ein Neugeborenes sollte man nie ignorieren – auch nicht für kurze Zeit. Aber das bedeutet keineswegs, dass Sie Ihr Baby in jeder wachen Minute unterhalten sollten. Es ist gut, wenn es lernt, sich durch Beobachten seiner Umwelt ohne elterliche Anleitung selbst zu beschäftigen. Andernfalls haben Sie bald ein unzufriedenes, überreiztes Kind. Anfangs mag es schwierig sein, das Gleichgewicht zwischen aktivem Spiel und Ruhephasen zu finden; doch sobald

Ruhige Zeiten Ruhige Wachphasen in Rückenlage sind ideal zum Weltentdecken.

Sie die Signale Ihres Babys richtig deuten können, wird es einfacher. Verbringen Sie jeden Tag ein wenig Zeit – und seien es nur 15 Minuten – mit Ihrem Baby im selben Zimmer. Dabei liegt es in Rückenlage unter seinem Babytrapez oder auf seiner Spieldecke mit einigen bewusst ausgewählten babysicheren Spielsachen in Reichweite. Es sollte jeden Tag aber auch einige Zeit in Bauchlage verbringen. Beobachten Sie es von einem Sessel aus oder lesen Sie ein wenig. Durch solche ruhigen Aktivitäten lernt es, die Welt selbsttätig zu erforschen. Und Sie gewinnen ein klein wenig Ruhe.

Ihr soziales Netzwerk

Freunde zu treffen, hebt Ihre Stimmung, gibt Abwechslung im Alltag und bietet Ihrem Baby erste soziale Erfahrungen.

Ob Sie sich mit Freundinnen aus dem Geburtsvorbereitungskurs treffen oder aber in der Krabbelgruppe – sie alle bieten ein hilfreiches Netzwerk zur Unterstützung. Hier können Sie Erlebnisse und Erfahrungen, Tipps und Ratschläge austauschen und Gespräche unter Erwachsenen führen. Das Elternsein hat Höhen und Tiefen. Bekannte zu haben, die im selben Boot sitzen, lässt einen manche Erfahrung mit etwas Distanz und auch Humor sehen und zeigt, dass man mit seinen Sorgen nicht alleine ist. Zudem können sie mögliche Lösungen mit gleichgesinnten Erwachsenen besprechen.

Auch Ihr Baby profitiert von diesen Treffen; es wird durch die Gespräche der Erwachsenen und die Aktivitäten der Babys angeregt. Es wird noch lange dauern, bis es mit anderen Kindern spielt, aber es betrachtet schon fasziniert das Geschehen in seinem Umfeld.

Verbringen Sie Zeit mit freundlichen, positiv eingestellten Menschen, die Ihre Meinungen respektieren. Wenn Sie das Gefühl haben, dass Sie nicht den allgemeinen Erwartungen entsprechen, dann ist es wohl die falsche Gruppe für Sie. Dieser Austausch sollte eine aufbauende Erfahrung sein, die Ihr Selbstvertrauen stärkt und Ihnen neue Ideen vermittelt.

FRAGEN SIE … EINEN KINDERARZT

Mein Baby will nicht auf dem Bauch liegen. Wie kann ich es dazu anleiten? Babys sollten etwa 30 Minuten am Tag auf dem Bauch liegen, um wichtige Muskeln zu entwickeln. Sie können diese Zeit in zehnminütige Phasen unterteilen; wenn es meckert, lenken Sie es mit einem Lied oder Spielzeug ab. Wenn es kräftiger wird, gewöhnt es sich an die Bauchlage. Legen Sie sich gemeinsam bäuchlings auf eine Spieldecke; streicheln Sie es am Rücken und sprechen mit ihm.

Es ist Schlafenszeit

Mit beinahe sechs Wochen reagiert Ihr Baby vermutlich gelassen auf sein Einschlafritual und ist auch zufrieden, wenn es einmal allein ist.

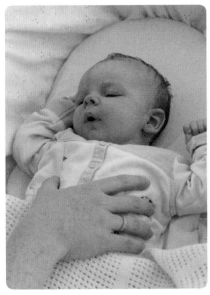

Schlafenszeit Ein festes Einschlafritual hilft Ihrem Baby beim Entspannen und Einschlafen.

Es dauert vermutlich noch etwas, bis Ihr Baby nachts durchschläft; noch wacht es häufig auf, um zu trinken oder getröstet zu werden. Auch wenn Sie müde sind – versuchen Sie ruhig zu bleiben und schnell und ruhig auf seine Bedürfnisse zu reagieren. Ein Baby, das weiß, dass seine Eltern kommen, wenn es sie braucht, fühlt sich sicher und entwickelt früh Methoden der Selbstberuhigung.

Guter Schlaf wird durch ein sanftes Einschlafritual gefördert, das Ihrem Baby abzuschalten hilft. Wiederkehrende Routinen geben ihm Halt und bringen es besser zur Ruhe, was letztlich zu längeren, erholsamen Schlafphasen führt. Ausgelassene Spiele mit Papa bei dessen Heimkehr von der Arbeit entspannen es nicht; gestalten Sie den Abend ruhig, waschen Sie es, füttern es liebevoll und singen ihm ein Lied, bevor Sie es hinlegen. Babys lieben Wiederholungen, also singen Sie jeden Abend dasselbe Lied.

Bleiben Sie bei Ihrem Baby, wenn es Sie braucht. Schleichen Sie nicht auf Zehenspitzen durchs Haus, wenn es einschlummert; lassen Sie es die vertrauten Geräusche – Ihre Stimme, Haushaltsaktivitäten – hören. Es weiß dann, dass Sie da sind, und gewöhnt sich daran, in einer lauteren Umgebung zu schlafen.

Babys, die tagsüber regelmäßig schlafen, schlafen nachts auch besser, weil sie nicht überreizt sind. Sie sind bereits »geübt«, zur Ruhe zu finden. Wenn Sie Ihr Baby beim ersten Anzeichen von Schläfrigkeit hinlegen (s. S. 76), verpassen Sie sein Einschlafzeitfenster nicht.

Wichtig: Machen Sie mit Ihrem Baby kein Schlaftraining und lassen Sie es nicht schreien. In dieser Phase braucht es eine warmherzige, liebevolle Routine. Sie schafft Vertrauen, damit es einschläft und wieder in den Schlaf findet, wenn es aufwacht – im Wissen, dass Sie da sind, wenn es Sie braucht.

DIE HAARE IHRES BABYS

Niemand weiß im Voraus, ob Ihr Baby bei der Geburt dickes oder dünnes, dunkles oder helles, abstehendes oder glatt am Kopf liegendes Haar besitzt. Das ist ebenso unvorhersagbar wie alles andere. Selbst wenn Mutter und Vater blonde Haare haben, kann das Baby bei der Geburt dunkle haben und andersherum. Wenn das Baby bei der Geburt überhaupt Haare hat, fallen diese sehr oft in den ersten Lebensmonaten aus; anschließend wachsen Haare nach, die eher in die Familie »passen«!

Viele Babys bekommen am Hinterkopf, wo der Kopf immer aufliegt, eine kahle Stelle. Das ist völlig normal und sobald die »richtigen« Haare sprießen, werden auch hier wieder Haare nachwachsen.

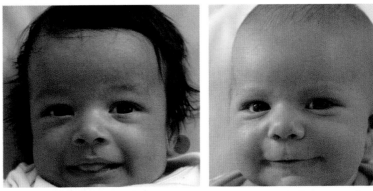

Dickes Haar Die Haare, die schon bei der Geburt da waren, können in den ersten sechs Monaten ausfallen und völlig anders nachwachsen (links). **Feines Haar** Babys, die bei der Geburt nur einen dünnen Flaum hatten, bleiben oft bis weit ins erste Lebensjahr hinein kahlköpfig (rechts).

6 Wochen

MIT SECHS BIS ACHT WOCHEN SCHLAFEN BABYS NACHTS ALLMÄHLICH LÄNGER ALS TAGSÜBER.

Viele Babys erleben in dieser Zeit einen Wachstumsschub und sind oft besonders hungrig und anspruchsvoll – stellen Sie sich daher auf zusätzliche Mahlzeiten ein. Wenn Sie Glück haben, lächelt Ihr Baby in dieser Woche das erste Mal. Oft ist dies auch erst mit etwa acht Wochen der Fall.

Zeit zum Wachsen

Jetzt kann jederzeit eine intensive Wachstumsperiode auftreten – manchmal könnte man meinen, das Baby sei über Nacht gewachsen!

Erhöhter Bedarf Stillen Sie Ihr Baby, wann immer es trinken will. Die Milchbildung ist davon abhängig, wie oft es saugt.

Ein unruhiger Schlaf, lange Schlafphasen und vor allem eine erhöhte Nachfrage nach Nahrung sind Anzeichen dafür, dass Ihr Baby einen Wachstumsschub erlebt. Dies gilt insbesondere, wenn diese Anzeichen gemeinsam auftreten. Viele stillende Mütter deuten die Ruhelosigkeit und den erhöhten Nahrungsbedarf

als Zeichen, dass sie nicht genug Milch haben – doch mit etwa sechs Wochen ist es viel wahrscheinlicher, dass ein Wachstumsschub die Ursache ist.

Während eines Wachstumsschubs lässt sich oft nur schwer ein fester Still- oder Fütterrhythmus einhalten. Und jede Routine, die sich inzwischen schon eingespielt hatte, scheint zunichte, wenn Ihr Baby nun scheinbar ständig Hunger hat. Da sich die Milchbildung an der Nachfrage des Babys orientiert, sollten Sie es immer stillen, wenn es danach verlangt. Ihr Körper bildet dann mehr Milch entsprechend Babys erhöhtem Bedarf. Achten Sie auch darauf, dass Ihr Baby jede Brust vollständig leer trinkt; nur dann erhält es auch genügend fettreiche, sättigende Hintermilch. Meist spielt sich der Trinkrhythmus bald wieder ein, denn der Wachstumsschub ist oft innerhalb weniger Tage überstanden.

Wenn Sie Ihrem Baby die Flasche geben, ist es nun wohl an der Zeit, die Milchmenge zu erhöhen – aber nur um 25 ml pro Mahlzeit. Sprechen Sie im Zweifelsfall mit Ihrem Kinderarzt.

ZU GROSS FÜR GRÖSSE 50?

Die Babygrößen für Kleidung beginnen bei Größe 50. Danach folgt die Größe 56, dann Größe 62, 68 usw. Ein Baby, das 54 cm groß ist, passt am ehesten in die Größe 56. Meist wachsen Babys zwischen fünf und acht Wochen aus der kleinsten Größe (50/56) heraus – aber das ist natürlich je nach Körperbau individuell unterschiedlich. Und auch Babykleidung fällt, wie Erwachsenenkleidung, unterschiedlich aus. Wenn die Kleidung eng sitzt und besonders an den Füßen spannt, fühlt sich Ihr Baby nicht wohl; steigen Sie dann auf die nächste Größe um – das ist bequemer. Die Größe 62/68 wird Ihr Baby eine ganze Weile tragen können.

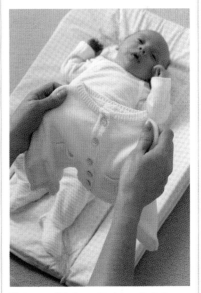

Platz zum Wachsen Rechnen Sie beim Kauf den Wachstumsschub mit ein und kaufen Sie lieber eine Nummer größer.

FRAGEN SIE ... EINE STILLBERATERIN

Mein Baby hat ständig Hunger. Kann ich ihm zusätzlich zum Stillen Milchfläschchen geben? Die Milchbildung erhöht sich im Laufe der Monate, um die Bedürfnisse des Babys zu stillen. Wenn Ihr Baby einen Wachstumsschub hat, will es öfter trinken, um den nötigen »Brennstoff« zu bekommen. Das Trinken erhöht die Milchbildung, die sich dem neuen Bedarf anpasst. Nehmen Sie Ihr Baby

daher so oft es will an die Brust. Es ist keine gute Idee, zusätzlich Milchfläschchen zu geben. Denn dann werden die Brüste nicht genügend angeregt, um mehr Milch zu bilden. Wenn Sie also weiterhin voll stillen wollen, sollten Sie darauf verzichten: Meist haben sich die Brüste in wenigen Tagen auf den erhöhten Bedarf eingestellt – halten Sie nach Möglichkeit durch und stillen Sie häufig.

IM BLICKPUNKT
Nachsorgeuntersuchung

Etwa sechs bis acht Wochen nach der Geburt findet die Nachsorgeuntersuchung beim Frauenarzt statt. Bei dieser gynäkologischen Abschlussuntersuchung wird überprüft, ob Sie sich von der Geburt gut erholt haben. Stellen Sie dabei all Ihre Fragen.

FRAGEN SIE…EINEN ARZT

Der Bauchnabel meines Babys steht heraus. Stimmt da etwas nicht?
Nabel gibt es in allen Formen und Größen; niemand weiß im Voraus, wie der Nabelstumpf Ihres Babys abfallen und wie sein Bauchnabel aussehen wird. Wenn er jedoch auffallend hervorsteht, besonders wenn sich Ihr Baby anstrengt oder schreit, kann ein Nabelbruch bestehen. Diese harmlose Schädigung entsteht, wenn die Bauchwand im Bereich der Nabelschnur noch nicht zusammengewachsen ist. Meist heilt der Nabelbruch bis zum dritten Lebensjahr von selbst. Gelegentlich ist eine einfache Operation erforderlich. Berichten Sie dem Kinderarzt von dem vorgewölbten Nabel, damit ein möglicher Nabelbruch diagnostiziert und beobachtet werden kann.

Wann bilden sich meine Hämorrhoiden zurück? Hämorrhoiden treten in der Schwangerschaft häufig auf und entstehen auch als Folge des Pressens während der Geburt. Meist bilden sie sich nach wenigen Monaten zurück. Essen Sie Vollkornprodukte, Obst und Gemüse, trinken Sie viel Wasser und treiben Sie regelmäßig Sport (Beckenbodenübungen, s. S. 65). Vermeiden Sie langes Sitzen oder Stehen, um den Druck auf Ihren Beckenboden zu reduzieren. Bei schmerzenden oder blutenden Hämorrhoiden wenden Sie sich an den Arzt.

Fragen stellen Die Nachsorgeuntersuchung bietet Ihnen die Gelegenheit, Fragen zu stellen. Bereiten Sie am besten eine Liste vor und notieren Sie die Antworten.

Ihre körperliche Verfassung Wie schon bei den Vorsorgeuntersuchungen während der Schwangerschaft werden bei diesem Termin Blutdruck und Gewicht kontrolliert. Sechs Wochen nach der Geburt sollte Ihr Blutdruck wieder ganz normal sein, auch wenn Sie in der Schwangerschaft an zu hohem oder zu niedrigem Blutdruck gelitten haben. Meist wird auch der Urin untersucht, vor allem dann, wenn Sie in der Schwangerschaft an Bluthochdruck litten oder jetzt Bluthochdruck haben; ebenso wenn Harnwegssymptome bestehen oder wenn Sie an Schwangerschaftsdiabetes gelitten haben.

Wenn Sie stillen, wird sich der Arzt danach erkundigen, ob Sie dabei Beschwerden haben oder irgendwelche Brustprobleme auftreten, ob die Brüste wund oder die Brustwarzen rissig sind. Auf Wunsch nimmt er eine körperliche Untersuchung der Brüste vor. Stellen Sie dabei auch mögliche Fragen, die Sie in Bezug auf das Stillen haben.

Bei der vaginalen Untersuchung wird die Lage und Größe der Gebärmutter untersucht. Es wird festgestellt, ob sie auf ihre ursprüngliche Größe geschrumpft ist. Daneben erfolgen eine Untersuchung des Muttermunds, der Scheide und des Dammbereichs sowie eine generelle Kontrolle der Rückbildung. Abschließend wird ein Abstrich vorgenommen.

Der Arzt möchte wissen, ob ein möglicher Dammriss oder Dammschnitt gut verheilt ist, und er kontrolliert gegebenenfalls die Naht. Er fragt, ob der Wochenfluss aufgehört hat und ob die Monatsblutung bereits eingesetzt hat.

Ärzte werden heute zunehmend beratend tätig und empfehlen den Müttern dringend, nach der Geburt auf eine gute Ernährung und ausreichend Bewegung zu achten, um die Rekonvaleszenz zu beschleunigen und eine angemessene Gewichtsabnahme sicherzustellen. Aus diesem Grund werden Sie gewogen und der Arzt berät Sie eventuell zu ausgewogener Ernährung und sportlicher Aktivität, damit Sie Ihr früheres Gewicht wiedererlangen. Warten Sie diese Untersuchung ab, bevor Sie ein intensiveres Trainingsprogramm aufnehmen. Ihr Körper braucht mindestens sechs Wochen, um sich von der Geburt gut zu erholen.

Wichtige Fragen Besprechen Sie bei diesem Frauenarztbesuch unbedingt Fragen zur Verhütung, auch wenn Sie voll stillen. Selbst das volle Stillen bietet keinen völlig sicheren Schutz. Jetzt ist z.B. der richtige Zeitpunkt, um eine Spirale einzusetzen. Wenn Sie schon wieder Sex hatten und dabei Schmerzen verspürt haben, sprechen Sie Ihren Arzt darauf an. Vielleicht haben Sie das Gefühl, Ihr Beckenboden ist noch nicht so stabil, wie er sein sollte? Viele Frauen leiden nach der Geburt unter dem Problem, dass sie beim Husten, Lachen und Niesen kleine Mengen an Urin verlieren. Bei dieser Form der schwangerschaftsbedingen Inkontinenz hilft meistens ein regelmäßiges Beckenbodentraining. Scheuen Sie sich nicht, Ihren Arzt darauf anzusprechen.

Ihre emotionale Gesundheit Ihr Arzt will auch wissen, wie es Ihnen nach der Geburt emotional geht. Er fragt, ob Sie Tiefphasen erlebt haben oder erleben, ob Sie gut schlafen und mit den Anforderungen des Mutterseins zurechtkommen und wie sich Ihr Baby entwickelt. Bestimmt fragt er auch, ob Sie genügend Unterstützung haben und wie lange Sie Elternzeit nehmen wollen. Diese Fragen haben nichts mit Neugierde zu tun. Beantworten Sie sie ehrlich und äußern Sie mögliche Sorgen und Fragen zu Ihrem eigenen Wohlbefinden oder dem des Babys. Es ist eine wichtige Aufgabe des Arztes, mögliche Anzeichen einer Wochenbettdepression zu erkennen, um gegebenenfalls wichtige Maßnahmen und Therapieangebote aufzeigen zu können .

CHECKLISTE

Untersuchungen beim Baby

Vier bis sechs Wochen nach der Geburt findet die dritte Vorsorgeuntersuchung Ihres Babys, die U3, statt. Die U3 ist eine der wichtigsten Untersuchungen, da hier viele Krankheiten und Fehlbildungen des Babys erkannt werden können. Ziehen Sie Ihrem Baby Kleidung an, die Sie leicht ausziehen können, und nehmen Sie ggf. eine Ersatzwindel mit.

■ **Knochen, Gelenke und Muskeln** Es wird speziell auf die normale Hüftgelenksentwicklung geachtet. Die sogenannte Hüftdysplasie kommt bei etwa 20 Prozent aller Kinder vor und heilt bei entsprechender Therapie (Hüftschale, breites Wickeln) meist folgenlos aus. Der Arzt kontrolliert, ob beide Beine gleich lang sind, die Wirbelsäule gerade ist und alle Gelenke richtig funktionieren. Er kontrolliert die Fontanellen (s. S. 99) und überprüft, wie sich Halsmuskulatur und Kopfkontrolle entwickeln.

■ **Herz** Der Arzt hört die Herztöne und den Puls ab, um angeborene Herzprobleme auszuschließen.

■ **Reflexe** Mit einfachen Tests überprüft er, wie sich die Reflexe entwickeln.

■ **Sehen und Hören** Der Arzt untersucht, ob die Augen des Babys eine Lichtquelle auch zur Seite hin verfolgen. Das Hörvermögen und der Blickkontakt werden überprüft: Reagiert das Baby auf die Worte der Mutter?

■ **Sonstiges** Der Arzt tastet den Bauch des Babys ab, um einen möglichen Nabelbruch zu erkennen. Bei einem Jungen tastet er, ob sich die Hoden in den Hodensack gesenkt haben.

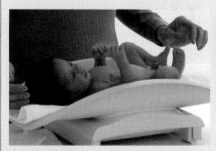

Gewichtskontrolle Das Baby wird gewogen und das Gewicht ins gelbe Vorsorgeheft eingetragen; so lässt sich die stetige Gewichtszunahme dokumentieren.

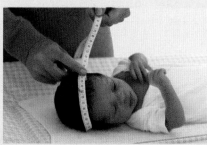

Messen des Kopfumfangs Der Kopfumfang bietet einen Hinweis darauf, ob Babys Wachstum normal ist und es keine Auffälligkeiten im Schädelinneren gibt.

Herzkontrolle Der Arzt überprüft, ob das Baby regelmäßig atmet. Beim Abhören des Herzschlags mit dem Stethoskop erkennt er, ob es ungewöhnliche Herzgeräusche gibt.

Soziales Lächeln

Das erste Lächeln Ihres Babys ist ein kostbarer Moment; es beweist, dass sich Ihr Baby gut entwickelt und zufrieden ist.

Erstes Lächeln Je öfter Sie Ihr Baby anlächeln, desto eher lächelt es zurück.

Babys lächeln erst dann bewusst als Reaktion auf Außenreize, wenn es ihre Entwicklung ermöglicht – selbst das zufriedenste Baby wird nicht vor sechs Wochen bewusst lächeln, sondern allenfalls das Engelslächeln als Reflex zeigen (s. S. 79). Allerdings zeigt die Erfahrung, dass das Sprechen mit dem Baby, das Anlächeln und Blickkontakt den Prozess fördern. Jungen lächeln oft später als Mädchen, profitieren aber ebenso von entsprechender Ermutigung. Sobald Ihr Baby das erste Mal lächelt, wird es ganz fasziniert sein von Ihrer begeisterten Reaktion und immer wieder lächeln.

Anfangs lösen auditive Wahrnehmungen das Lächeln aus, z. B. der Klang Ihrer Stimme. Wenn sich mit zwei Monaten das Sehvermögen verbessert, lächelt es auch als Reaktion auf visuelle Wahrnehmungen – vor allem wenn es seine liebsten Bezugspersonen sieht: Mama und Papa.

Das Lächeln bezeichnet den ersten Meilenstein in einer neuen Kommunikationsform neben dem Schreien. Dieses erste Lächeln ist doch ein wunderbarer Lohn für all Ihre Arbeit! Bald wird es andere bekannte Gesichter anlächeln, wie Geschwister und Großeltern.

Kontrolle gewinnen

Ihr Baby besitzt noch wenig Eigenkontrolle über seine Bewegungen – doch es greift bereits nach Gegenständen, die Sie ihm hinhalten.

Weil der angeborene Greifreflex noch aktiv ist, umklammert Ihr Baby automatisch alles, was in seine Handfläche gelegt wird. Es wird nun seiner Umgebung zunehmend bewusst und versucht, nach Interessantem zu greifen, oder es wedelt mit den Armen, um es zu erreichen.

Sein Spielzeug betrachtet es nicht mehr nur, sondern führt zusätzlich den Arm in einer unkoordinierten Bewegung in dessen Richtung. Es dauert noch lange, bis es seine Hand in einer gezielten Bewegung öffnen und den Gegenstand umfassen kann. Es ist aber gut möglich, dass es in seinen unkoordinierten Bewegungen, oft mit geballter Faust, gelegentlich zufällig etwas greift. Jetzt müssen Sie sicherstellen, dass keine Gegenstände in seiner Reichweite sind, die es auf sich herabziehen könnte, z. B. mit dem Zipfel einer Tischdecke das oben stehende Geschirr. Es greift gern auch nach offenen Haaren, Schmuck oder Schals – also Vorsicht!

Sein Strampeln und seine Armbewegungen sind noch etwas ruckartig; doch allmählich werden sie graziöser und koordinierter, da Muskeln und Nervensystem weiter ausreifen. Ihr Baby kann nun auch vor Aufregung oder Freude strampeln und die Arme schwenken.

Zupackend Haare sind verlockend. Wenn Ihr Baby sie erwischt, wird es heftig daran ziehen!

Verbessertes Sehvermögen

Wenn Ihr Baby sechs Wochen alt ist, hat sich sein Sehvermögen im Vergleich zur ersten Zeit nach der Geburt dramatisch verbessert.

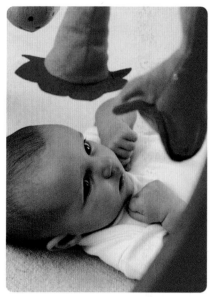

Farben sehen Mit sechs Wochen beginnt das Gehirn, die Farben Rot, Grün und Gelb – etwas später auch Blau – zu unterscheiden.

Bei der Geburt konnte Ihr Baby Gegenstände in einer Distanz von etwa 30 cm fokussieren – dies entspricht in etwa dem Abstand zwischen Ihrer Brust und Ihrem Gesicht, wenn Sie es tragen. Nun gelingt dies auf einer Distanz bis etwa 60 cm. Diese bedeutende Verbesserung ist im Wesentlichen eine Folge der Gehirnentwicklung; das Gehirn kann Daten jetzt besser interpretieren und sie zu klaren Bildern verarbeiten. Das Baby beginnt nun auch, Teile seines Körpers zu entdecken und genau zu brachten – vor allem seine Hände haben es ihm angetan (s. S. 110).

Mit sechs Wochen hat Ihr Baby sogenannte binokulare Zellen ausgebildet, die die Tiefenwahrnehmung verbessern. Es kann seine Augen jedoch noch immer nicht völlig synchron bewegen.

Farben und Formen Anfangs kann das Gehirn nicht zwischen verschiedenen Farben und speziell ihren Schattierungen unterscheiden; daher haben kleine Babys eine Vorliebe für Schwarz und Weiß oder intensive Hell-Dunkel-Kontraste.

Mit etwa sechs Wochen unterscheidet das Gehirn allmählich die Farben Rot, Grün und Gelb; etwas später dann auch Blau. Ihr Baby mag lieber deutlich ausgeprägte Formen als gerade Linien. Studien lassen vermuten, dass ein spezieller Teil des Babygehirns speziell darauf programmiert ist, Gesichter zu erkennen; daher lieben Babys einfache Strichzeichnungen von Gesichtern, fixieren sie und beginnen bei ihrem Anblick zu lächeln.

Bewegung Ihr Baby sollte nun in der Lage sein, mit den Augen eine Bewegung zu verfolgen – und sei es auch nur kurz (s. S. 81).

(s. S. 110).

BITTE BEACHTEN

Babys Reisepass

Wenn Sie mit Ihrem Baby ins Ausland, auch ins europäische Ausland, reisen wollen, benötigen Sie in Deutschland und Österreich einen Kinderreisepass. In Deutschland ist er sechs Jahre gültig und kann bis zur Vollendung des zwölften Lebensjahres verlängert werden. In Österreich gibt es andere Laufzeiten, bitte erfragen Sie diese bei Ausstellung. In der Schweiz wird für Babys die Identitätskarte oder ein Pass ausgegeben. Zur Beantragung benötigen Sie die Geburtsurkunde im Original sowie ein Foto des Babys. Es ist heute nicht mehr möglich, Kinder in den Reisepass der Eltern mit einzutragen.

FRAGEN SIE … EINEN KINDERARZT

Bei meinem kleinen Sohn hat sich ein Hoden noch nicht gesenkt – muss man ihn operieren? Normalerweise entwickeln sich die Hoden im Bauchraum des Babys und senken sich in der zweiten Hälfte der Schwangerschaft in den Hodensack. Bei der Geburt sollten die Hoden eigentlich im Hodensack sein. Manchmal verbleiben sie jedoch in der Leiste, man spricht dann von »Hodenhochstand«. Senken sie sich nicht in den Hodensack, können sie später kein Sperma bilden – und es besteht ein erhöhtes Krebsrisiko. Machen Sie sich aber möglichst keine Sorgen. Oft senken sich die Hoden noch bis zum zwölften Lebensmonat. Ist das nicht der Fall, kann eine Operation erforderlich werden; sie wird normalerweise mit zwei Jahren durchgeführt. Der Kinderarzt wird die Sache beobachten und mit Ihnen die Vorgehensweise besprechen.

Manchmal bemerke ich beim Waschen meines Sohns, dass er eine Erektion hat. Ist das normal? Ja, das ist völlig normal. Der Penis ist sehr sensitiv und alle Jungen haben von Zeit zu Zeit Erektionen, einige öfter als andere. Das wurde sogar schon in der Gebärmutter beobachtet.

Wieder intim sein

Sex mag auf Ihrer Prioritätenliste noch nicht ganz oben stehen, aber planen Sie Zeit für Ihr Intimleben ein – das stärkt Ihre Partnerschaft.

Sechs bis acht Wochen nach der Geburt sollte sich Ihr Körper wieder vollständig von der Geburt erholt haben. Dammrisse oder Dammnähte sind verheilt, der Wochenfluss hat aufgehört und die Scheide hat ihre ursprüngliche Größe wiedererlangt. Auch eine Kaiserschnittnaht sollte inzwischen gut verheilt sein.

Doch die Tatsache, dass sich Ihr Körper erholt hat, bedeutet nicht unbedingt, dass Sie auch Lust auf Sex haben. Durch einen starken Abfall des Östrogenspiegels in den Wochen und sogar Monaten nach der Geburt leiden viele Frauen an einer trockenen Scheide. Und doch hat mangelndes sexuelles Verlangen meist mehr mit Müdigkeit und der Umstellung auf die neue Elternrolle zu tun als mit den Hormonen.

Sagen Sie es Ihrem Partner, wenn Sie befürchten, dass Geschlechtsverkehr Ihnen Schmerzen bereiten könnte. Es gibt viele Möglichkeiten, sich Lust zu bereiten, auch ohne eine Penetration.

Seien Sie sensibel für die Bedürfnisse des jeweils anderen und haben Sie Geduld miteinander. Wenn Sie wieder Geschlechtsverkehr haben, sollten Sie anfangs sehr vorsichtig sein und besser ein Gleitmittel verwenden.

Sex kann den Milchspendereflex auslösen und vielleicht tritt dabei etwas Milch aus. Und natürlich müssen Sie an die Verhütung denken; auch volles Stillen bietet keinen 100-prozentigen Schutz vor einer neuen Schwangerschaft.

Höhepunkt des Schreiens

Wenn Ihr Baby nun unablässig zu schreien scheint, sollten Sie wissen: In diesem Alter erreicht das Schreien seinen Höhepunkt.

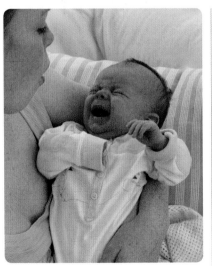

Häufiges Schreien Mit etwa sechs Wochen ist das Schreien oft am schlimmsten; mit drei Monaten sollte es deutlich nachgelassen haben.

Es gibt für Babys viele Gründe, um zu schreien (s. S. 68f.): Meist suchen sie Aufmerksamkeit (da hilft vielleicht ein Kuss), haben Hunger oder brauchen eine frische Windel. Mit sechs Wochen gibt es aber noch weitere mögliche Ursachen.

Manche Ärzte meinen, dass Koliken (s. S. 68) mit sechs Wochen ihren Höhepunkt erreichen und besonders heftige, oft abendliche, Schreianfälle verursachen. In diesem Fall können Sie wenig tun, außer abwarten, wohl wissend, dass mit etwa drei Monaten alles besser wird.

Ein Wachstumsschub (s. S. 93) macht Ihr Baby hungriger und unruhiger. Es gibt Theorien, die davon ausgehen, dass das Schreien des Babys den Körper der Mutter veranlasst, mehr Milch zu bilden, um den erhöhten Bedarf zu stillen.

Das Erlernen neuer Fertigkeiten, wie z.B. Lächeln, und häufigere Wachphasen sind für kleine Babys anstrengend; das Schreien bietet dafür ein Ventil. Wenn Ihr Baby bald alle Eindrücke besser verarbeiten kann, wird es weniger schreien.

Tragen Sie Ihr Baby in einem Tragesitz oder wiegen Sie es sanft in Ihren Armen. Das bietet ihm Sicherheit. Trösten Sie sich damit, dass diese Phase vorübergehen wird. Lassen Sie sich von Angehörigen und Freunden unterstützen, um mal eine Auszeit nehmen zu können.

Wenn Sie Mühe haben, mit der Situation zurechtzukommen, sprechen Sie mit dem Kinderarzt. Er kann Ihrem Baby gegebenenfalls ein leichtes, krampflösendes Mittel verschreiben. Koliken sind meist mit 12–13 Wochen überstanden.

Wieder Sport treiben

Wenn bei der Nachuntersuchung alles in Ordnung war, ist nun ein guter Zeitpunkt gekommen, den Körper wieder in Form zu bringen.

Gemeinsames Yoga Es gibt Yoga-Rückbildungskurse, bei denen Sie Ihr Baby mitbringen können. Yoga kräftigt insbesondere den Rücken, den Bauch und die Beckenbodenmuskulatur.

Denken Sie zuallererst daran, dass jeder Körper einzigartig ist und auf seine eigene Weise auf die Schwangerschaft reagiert. Seien Sie also realistisch in den Erwartungen an Ihre Fitness. Wenn Sie vor der Schwangerschaft sehr fit und muskulös waren, werden Sie Ihre Fitness wahrscheinlich recht schnell wiedererlangen – aber das muss nicht so sein. Setzen Sie sich in jedem Fall realistische Ziele und erwarten Sie nicht zu schnell zu viel. Letztlich werden Sie nie mehr ganz genau den Körper zurückerlangen, den Sie früher hatten. Aber mit etwas Zeit und Anstrengung werden Sie wieder fit, gesund und kräftig sein mit gutem Muskeltonus.

Nur kein Stress Schwangerschaft und Geburt sind die natürlichsten Dinge auf der Welt – da vergisst man leicht, dass der Körper einer enormen Belastung ausgesetzt war. Gehen Sie Ihr Sportprogramm daher langsam an. Gelenke und Bänder sind noch etwa drei bis fünf Monate recht schlaff; belasten Sie sich nicht und vermeiden Sie heftige oder ruckartige Bewegungen, die zu Verletzungen führen können.

Beginnen und beenden Sie die Trainingsphase mit sanften Dehnübungen. Wenn während des Sports Schmerzen auftreten, hören Sie sofort auf.

Wie viel, wie oft? Anfangs sind täglich etwa fünf bis zehn Minuten muskelkräftigende Übungen und dreimal wöchentlich 20 Minuten sanftes Ausdauertraining empfehlenswert. Beides können Sie mit zunehmender Fitness steigern. Überfordern Sie sich niemals und zwingen Sie sich nicht zu den Übungen!

Sie werden Wege finden müssen, die sportliche Betätigung mit dem Baby zu vereinbaren: z.B. eine Übungseinheit am Wochenende, wenn Ihr Partner zu Hause ist. Oder verabreden Sie mit einer Freundin, die ebenfalls ein Baby hat, einen regelmäßigen Babytausch. Wenn jeweils eine von Ihnen beide Babys betreut, kann die andere ihr Sportprogramm durchführen. Vergessen Sie aber nicht, Beckenbodenübungen einzubeziehen (s. S. 65), um postnataler Inkontinenz vorzubeugen.

Einer der besten Wege, den Körper zu kräftigen, ist Yoga. Yoga-Rückbildungskurse integrieren Yoga-Stellungen, die speziell auf die Rückbildungsphase abgestimmt sind.

FAKTEN UND HINTERGRÜNDE

Die Fontanellen

Die beiden weichen Stellen zwischen den Schädelknochen des Babys sind die Fontanellen. Sie ermöglichen den Schädelknochen, sich beim Durchtritt des Kopfes durch den Geburtskanal übereinander zu schieben. Am Hinterkopf liegt die dreieckige (Hinterhaupt-)Fontanelle, die sich mit etwa vier Monaten schließt, während die Fontanelle oben auf dem Kopf (die rautenförmige große Fontanelle) dazu neun bis 18 Monate braucht. Das Gehirn Ihres Babys wird durch eine dicke Membran geschützt, doch sollten Sie speziell auf diese Stellen achten.

Es ist normal, dass man sieht, wie hier das Blut pulsiert. Die Fontanellen können sich ein wenig wölben, wenn das Baby schreit. Eine eingesunkene Fontanelle kann Symptom einer Dehydrierung sein; dann muss das Baby mehr trinken. Eine gewölbte Fontanelle muss vom Kinderarzt untersucht werden, um festzustellen, ob das Gehirn in irgendeiner Weise unter Druckeinwirkung steht.

6 Wochen

7 Wochen

DIE ERSTEN LAUTE, DIE IHR BABY BILDET, SIND LANGE VOKALE WIE »AH« UND »OOH«.

Bestimmt lächelt Ihr Baby bei Ihrem Anblick und rudert aufgeregt mit den Armen; Fremden gegenüber ist es allerdings eher skeptisch. Der Grund dafür ist, dass es sich nun zunehmend an Menschen und Dinge erinnern kann. Wenn sie unbekannt sind, ist es ängstlich und sucht Schutz.

An die Sicherheit denken

Ihr Baby kann seine Bewegungen bereits besser steuern; daher müssen Sie alles, was gefährlich sein könnte, außer Reichweite stellen.

Die folgenden Tipps helfen Ihnen, Ihre Wohnung kindersicher zu machen, damit Ihrem kleinen Entdecker nichts passieren kann.

Stellen Sie sicher, dass Ihr Baby immer mit festem Griff gehalten und getragen wird und sicher liegt, damit es sich nicht durch plötzliche, ruckhafte Bewegungen aus Ihrem Griff befreien oder vom Bett herunterrollen könnte.

Entfernen Sie vor allem Elektrokabel und herunterhängende Vorhangschnüre aus dem Umfeld seines Betts und dem Spiel-, Wickel- und Essbereich.

Lassen Sie niemals Medikamente, kleine Gegenstände, Zimmerpflanzen oder Plastiktüten in seiner Reichweite. Gurten Sie es in der Wippe und im Autositz immer an, auch beim Schlafen.

Lassen Sie Ihr Baby auch nicht kurzzeitig allein, sofern es nicht auf einer flachen, sicheren Unterlage liegt (am besten auf dem Boden) oder in der Wippe oder im Kinderwagen angegurtet ist.

Achten Sie darauf, dass es Bettdecken nicht über das Gesicht ziehen kann. Zum Schlafen legen Sie es am besten mit den Füßen ans Bettende (s. S. 31).

TROSTOBJEKTE

Ihr Baby kann sich nun an bekannte Gegenstände erinnern und Sie sollten es an ein Trostobjekt gewöhnen. Ein Kuscheltier oder eine Schmusedecke sind geeignet – kaufen Sie zwei davon, falls eines verloren geht. Geben Sie dem Baby das Trostobjekt jedes Mal, wenn Sie es beruhigen. Bald verbindet es das Kuscheltier mit Trost und kann sich selbst beruhigen, da es positive Gefühle in ihm hervorruft.

Neue Laute bilden

Ihr kluges Baby verfügt bestimmt bereits über ein größeres »Vokabular« und bildet Zweisilber mit ersten Konsonanten.

Ihr Baby lallt, gurrt und giggelt voller Vergnügen. Es experimentiert mit seiner Stimme und wird ganz aufgeregt, wenn es mit Ihnen, mit Papa und mit anderen Familienmitgliedern kommuniziert. Sie werden in den kommenden Wochen große Fortschritte in seinem »Vokabular« erkennen, wenn es mit Spaß brabbelt.

Ihr Baby erfasst jetzt bereits die Grundlagen der Konversation und die Kunst des Zuhörens und Antwortens. Linguisten zufolge erkennen Babys etwa ab der vierten Woche den Unterschied zwischen ähnlichen Silben wie »ma« und »na«. Sie unterstützen den Lernprozess Ihres Babys, wenn Sie seine Lautbildungen wiederholen. Ihr Baby freut sich,

wenn Sie verstehen, was es sagen will, oder seine Gefühle erkennen. Am intensivsten reagiert es verbal auf vertraute Menschen sowie auf eine Ansprache in Ammensprache (s. S. 88).

Vokalbildungen wie »ah«, »uh«, »oh« sind die ersten (und einfachsten) Laute, die Babys artikulieren. Daraus entstehen dann Doppelsilben wie »ah-uh« und »oh-ah«, bevor es erste Konsonanten wie »g" oder »m« äußert. »Ahh-gooo« ist ein beliebter Ausdruck für große Freude. Bis Ihr Baby »ma-ma-ma« sagt, dauert es noch ein paar Wochen. Die sprachliche Entwicklungsphase von der sechsten Lebenswoche bis zum sechsten Lebensmonat nennt man die erste Lallphase.

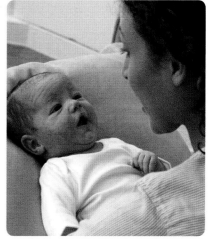

Babytalk Fördern Sie Babys Kommunikationskompetenz und »unterhalten« sich mit ihm.

Aktives Baby

Ihr Baby trainiert seine zunehmende Muskelkontrolle – es strampelt, zappelt und windet seinen Körper von einer Seite zur anderen.

Jetzt ist der ideale Zeitpunkt für ein Babytrapez, sofern Sie noch keines besitzen. Die Körperkontrolle Ihres Babys hat sich so weit verbessert, dass es begeistert nach herabhängenden Spielsachen schlägt – und sie manchmal sogar trifft. Es greift nach Dingen und manchmal bekommt es sie sogar zu fassen; es kann seine Hand allerdings noch nicht willentlich um einen Gegenstand schließen. Wenn Sie ihm etwas in die Hand legen, hält es den Gegenstand fest – gut möglich, dass es ihn gar nicht mehr loslässt.

Seine Arme und Beine rudern heftig, wenn es aufgeregt – oder auch wütend – ist. Das Wickeln wird somit zur echten Herausforderung. Vielleicht stellen Sie fest, dass seine Bewegungen bei ruhiger, besinnlicher Musik langsam und bei lebhafter Musik recht ungestüm werden. Es verfolgt seine Umgebung interessiert und will sie sich aktiv aneignen.

Diese vorrangige Beschäftigung mit seinen körperlichen Möglichkeiten kann es nachts sogar vom Schlafen abhalten, wenn es seine neuen Fähigkeiten trainiert und sich freistrampelt. Ein Schlafsack löst dieses Problem und hält Ihr Baby schön warm. Tief hängende Mobiles verkürzen Sie nun besser, damit Ihr Baby sie nicht plötzlich herunterreißt.

FRAGEN SIE ... EINEN KINDERARZT

Ist es in Ordnung, wenn mein Baby einen Schnuller bekommt? Ein Schnuller schadet der Gesundheit oder Entwicklung Ihres Babys nicht, sofern er mit Bedacht verwendet wird. Lässt sich Ihr Baby dadurch beruhigen, spricht nichts dagegen. Achten Sie darauf, dass Sie Ihrem Stillbaby nicht voreilig den Schnuller geben, obwohl es eigentlich Hunger hat. Das könnte auch die Milchbildung beeinträchtigen. Geben Sie den Schnuller nur zur Beruhigung..

Formen und Farben

Ihr Baby zeigt zunehmend Interesse an komplexen Mustern und Formen und kann mehr Farben unterscheiden.

Ihr Baby fokussiert einen Gegenstand nun mit beiden Augen; es betrachtet gern komplizierte Muster und Formen und verschiedene Farben. Gesichter sind weiterhin seine Favoriten – Ihr Gesicht, das anderer Angehöriger und anderer Babys. Faszinierend sind aber auch farbige Gegenstände mit starkem Kontrast, die es jeweils viele Minuten lang gebannt betrachten kann.

Bunte Spielsachen Ihr Baby betrachtet gern hellbunte Gegenstände, besonders wenn sie ein Gesicht darstellen. Ein buntes Mobile in Sichtweite zieht seinen Blick an.

Regen Sie Ihr Baby mit interessanten Gegenständen an, denn dies verstärkt die sich ausbildenden Gedächtnisspuren in seinem Gehirn und entwickelt das Sehvermögen weiter. Hängen Sie ein neues Mobile über sein Bett, nah genug, dass Ihr Baby es fokussieren kann.

Ihr Baby ist nun bereits länger wach und nutzt alle Gelegenheiten, seine Umgebung zu erforschen. Während es bislang nur schwarz-weiß und helle Farben deutlich sehen konnte, erkennt es nun interessante Muster und ein breites Farbspektrum; das ist ein Grund dafür, dass Babyspielsachen oft so bunt sind.

Die Impfungen Ihres Babys

Ein wichtiger Teil der Gesundheitsvorsorge sind die Impfungen des Babys gegen Krankheiten, die es im weiteren Leben schwer schädigen könnten. Es gibt einen festen Impfplan, der von der Ständigen Impfkommission (STIKO) herausgegeben wird.

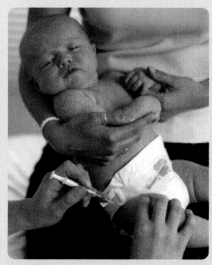

Gleich vorbei Halten Sie Ihr Baby fest und trösten Sie es, wenn der Pieks kommt.

Wenn ein Baby eine Krankheit durchmacht, entwickelt das Immunsystem eine lebenslange Immunität gegen diese Krankheit. Doch da viele Krankheiten gefährlich sind und ein hohes Komplikationsrisiko tragen, wird Ihr Baby in den kommenden Monaten vorsorglich gegen solche schweren Krankheiten geimpft. Dadurch erwirbt es einen Schutz gegen diese Erkrankungen. Indem Sie Ihr Baby impfen lassen, tragen Sie auch dazu bei, dass diese Krankheiten in der Bevölkerung ausgerottet werden.

Die Impfungen beginnen mit zwei Monaten; sie bereiten den Körper auf eine Abwehr der Krankheitserreger vor. Der Polio-Impfstoff regt z. B. das Immunsystem an, Antikörper gegen das Polio-Virus zu bilden; diese können die Krankheit dann bei einem späteren Kontakt bekämpfen.

Die meisten Impfungen schaffen eine lebenslange Immunität; manche müssen allerdings etwa alle zehn Jahre aufgefrischt werden. Es ist möglich, durch die Impfung leichte Symptome der jeweiligen Krankheiten zu entwickeln; das Komplikationsrisiko ist dabei aber weitaus geringer als bei einer grundlegenden Erkrankung. Die Impfungen überfordern das Immunsystem des Babys nicht: Es reift mit jedem Tag weiter aus und kann den Körper bereits vor einem breiten Spektrum an krank machenden Organismen schützen, mit denen das Baby häufig in Berührung kommt. Der Körper eines Babys verkraftet die Kombinationsimpfungen in der Regel sehr gut.

Es besteht ein geringes Risiko für Nebenwirkungen, wie leichtes Fieber oder leichte Symptome der Krankheit, gegen die geimpft wird. Sehr selten treten allergische Reaktionen auf. Eine gewisse Empfindlichkeit, Schwellung und Rötung der Impfstelle ist dagegen normal. Das Baby kann auch reizbar und unruhig sein und mehr schlafen als sonst.

In Deutschland veröffentlicht die Ständige Impfkommission (STIKO) am Robert-Koch-Institut jedes Jahr aktuelle Impfempfehlungen für Säuglinge, Kleinkinder, Kinder, Jugendliche und Erwachsene. In diesem sog. Impfkalender werden die Termine und Abstände für die empfohlenen Impfungen dargestellt.

Impfbuch Die Impfungen werden in einen Impfpass eingetragen; vielleicht wollen Sie mögliche Symptome oder Nebenwirkungen zusätzlich in einem Tagebuch festhalten.

Impfplan

In Deutschland empfohlene Impfungen; sie entsprechen weitestgehend dem Impfplan der Schweiz und dem Impfplan von Österreich.

Ab dem Alter von 2 Monaten:
■ 1. Impfung gegen: Tetanus (T), Diphtherie (D), Keuchhusten bzw. Pertussis (aP), Haemophilus influenzae Typ b (Hib), Kinderlähmung bzw. Polio (IPV) und Hepatitis B-Impfung (HB)
■ 6-fach Kombinationsimpfung (DTPa-IPV-Hib-HepB) empfohlen
■ 1. Pneumokokken-Konjugat-Impfung; Schluckimpfung gegen Rotavirus möglich. Individuelle Empfehlung durch den Kinderarzt

Ab dem Alter von 3 Monaten:
■ 2. Impfung T/D/aP/Hib/IPV und Hepatitis B-Impfung (HB)
■ 6-fach Kombinationsimpfung (DTPa-IPV-Hib-HepB) empfohlen
■ 2. Pneumokokken-Konjugat-Impfung

Ab dem Alter von 4 Monaten:
■ 3. Impfung T/D/aP/Hib/IPV und Hepatitis B-Impfung (HB)
■ 6-fach Kombinationsimpfung (DTPa-IPV-Hib-HepB) empfohlen
■ 3. Pneumokokken-Konjugat-Impfung

Zur Beruhigung Stillen oder füttern Sie Ihr Baby vor dem Impfen. Bleiben Sie ruhig, sprechen Sie mit ihm oder lenken Sie es mit einem Schnuller ab. In wenigen Sekunden ist alles überstanden – und es hat vielleicht nicht einmal etwas gemerkt. Wenn es schreit, halten Sie es fest und sprechen leise mit ihm. Es beruhigt sich sicher schnell wieder.

Regelmäßigere Mahlzeiten

Da Babys Magen nun schon mehr Milch aufnehmen kann, werden die Abstände zwischen den Mahlzeiten länger.

Stillzeiten Stillbabys werden in diesem Alter etwa sieben- bis neunmal am Tag gestillt.

Milch bleibt in den nächsten Monaten weiterhin Babys einzige Nahrungs- und Flüssigkeitsquelle. Daher ist es wichtig, keinen strikten Zeitplan zu verfolgen, bei dem es möglicherweise Hunger oder Durst leidet. Da Muttermilch schneller verdaut wird als Milchnahrung, müssen Stillbabys häufiger trinken als Flaschenbabys. Doch die Abstände zwischen den Mahlzeiten werden mit der Zeit größer. Flaschenbabys schlafen nachts oft länger durch als Stillbabys; doch das sollte kein Grund sein, zur Flasche zu wechseln.

Am besten lassen Sie Ihr Baby bei einer Mahlzeit beide Brüste leer trinken. Dadurch erhält es in einem ausgewogenen Verhältnis Flüssigkeit und Nahrung (s. S. 27f.). Sollte es schon nach einer Brust satt sein, notieren Sie sich, wann Sie Ihr Baby an welcher Brust gestillt haben, und geben ihm bei der nächsten Mahlzeit die andere Brust zuerst. So können Sie auch erkennen, ob sich ein Mahlzeiten-Rhythmus entwickelt. Nimmt Ihr Baby nicht wie erwartet zu, trinkt es vielleicht jeweils zu wenig.

Wenn Sie die Flasche geben, notieren Sie die Fütterzeiten und die Menge, die Ihr Baby trinkt; dann wissen Sie, wie viel es den Tag über trinkt. In diesem Alter bekommen die meisten Babys in 24 Stunden sechs bis acht Fläschchen mit je 120–180 ml Milch. Trinkt Ihr Baby viel mehr oder viel weniger, sprechen Sie mit dem Kinderarzt. Um die Nächte etwas angenehmer zu gestalten, stillen Sie Ihr Baby tagsüber nach Bedarf und wecken es zum Trinken, bevor Sie selbst zu Bett gehen. Dann können Sie meist etwas länger schlafen, bevor es wieder aufwacht. Sie können es z. B. auch außer der Reihe füttern, bevor Sie zu einer längeren Autofahrt aufbrechen oder um es an familienfreundlichere Zeiten zu gewöhnen.

Unser Baby Tag für Tag ■ 1.–3. Monat

FRAGEN SIE … EINEN KINDERARZT

Meinem Baby geht es nach dem Trinken nicht gut und es leidet an Durchfall. Soll ich das Milchpulver wechseln? Wenn Ihr Baby wiederholt Durchfall hat oder sich erbricht und mit dem verwendeten Milchpulver nicht gut gedeiht, sollten Sie zunächst nach möglichen Ursachen suchen. Manche Kinder reagieren allergisch auf Milcheiweiß, andere können keinen Zucker verdauen (die sogenannte Laktoseintoleranz ist aber etwas völlig anderes als eine Allergie, s. Kasten unten). Ihr Kinderarzt kann ein laktosefreies oder stark hydrolisiertes Milchpulver (die Eiweißbestandteile sind hier stark aufgespalten) auf Sojabasis verschreiben. Es enthält alle Nährstoffe, die Ihr Baby für ein normales Wachstum benötigt.

LAKTOSEINTOLERANZ

Babys mit einer Laktoseintoleranz leiden an Verdauungsbeschwerden, wie Durchfall, Erbrechen und Koliken, die anhaltendes Schreien verursachen.

Laktoseintoleranz wird durch einen Mangel an dem Enzym Laktase verursacht; Laktase unterstützt die Verdauung des Milchzuckers (auch in Muttermilch). Eine echte Laktoseintoleranz ist bei termingerecht geborenen Babys in Nord- und Mitteleuropa aber sehr selten. In diesem Fall müssen beide Elternteile das Gen für diese Intoleranz an ihr Baby weitergegeben haben. Das Baby leidet dann von Geburt an an schwerem Durchfall, weil es die Laktose in der Muttermilch oder in Milchnahrung nicht verdauen kann. Bei Frühgeborenen kommt eine Laktoseintoleranz etwas häufiger vor, weil dieses Enzym vor allem gegen Ende des dritten Schwangerschaftstrimesters gebildet wird.

Gelegentlich kommt es nach einer Mageninfektion zu einer vorübergehenden Laktoseintoleranz. In diesem Fall kann der Kinderarzt ein laktosefreies Milchpulver verschreiben; es verhindert die Verdauungsbeschwerden, während die Magenschleimhaut ausheilt.

Fröhliche Badezeit

Sollte sich Ihr Baby bisher gegen das Baden gesträubt haben, macht ihm das Planschen mit Spielsachen jetzt bestimmt Spaß.

Eine fröhliche Badezeit bildet einen schönen Abschluss des Tages und fördert guten Schlaf. Ihr Baby ist nun sehr interessiert an seiner Umgebung. Geben Sie ihm ein paar Spielsachen in die Wanne, nach denen es treten und patschen kann. Aufgeregt und auch ein bisschen erschrocken wird es die Wellen betrachten, die es mit seinem Strampeln auslöst.

Planschen Sie vorsichtig mit dem Wasser und gießen Sie mit einem kleinen Becher warmes Wasser über Ihr Baby – das gefällt ihm bestimmt und es beobachtet gespannt die Bewegung des Wassers. Singen Sie ihm vor, lachen und sprechen Sie sanft und freundlich, damit es die Badezeit als positive Erfahrung erlebt. Ihre Freude steckt es bestimmt an. Wenn Sie ein beruhigendes Lied singen, wird es das mit der Badezeit verbinden – und ruhig und zufrieden sein.

Da es nun bereits beweglicher ist, müssen Sie unbedingt darauf achten, dass Sie es immer fest im Griff haben. Ein nasses Baby ist sehr glitschig; zudem will es nun seine Haltung selbst bestimmen. Das Bad sollte auch nicht zu lang sein – einige Minuten sind in diesem Alter ausreichend. Nehmen Sie es aus der Wanne und wickeln Sie es schnell in ein warmes Handtuch.

Wenn Ihr Baby weiterhin nicht gern baden will, versuchen Sie es mit einem gemeinsamen Bad. Stellen Sie alles griffbereit neben die Wanne, damit Sie in Ihren Bademantel schlüpfen und Ihr Baby zuerst abtrocknen können. Am besten hält Ihr Partner das Baby, während Sie in und aus der Wanne steigen. Da Babys kein heißes Wasser vertragen, sollte die Wassertemperatur zwischen 32 und 37 °C betragen.

Nachts gut schlafen

Die ersten Wochen sind meist von Schlafmangel bestimmt. Doch mit der Zeit wollen Sie bestimmt nachts wieder richtig schlafen.

Es ist sehr anstrengend, nachts immer wieder geweckt zu werden, egal wie gerne man das Baby stillt oder füttert. Viele Frauen finden danach nur schwer wieder in den Schlaf. Wenn Ihr Baby neben Ihrem Bett schläft (oder bei Ihnen), können Sie es im Halbschlaf stillen. Ist seine Windel nicht voll, können Sie das Wickeln auch auf später verschieben. Mit der Zeit werden Sie nachts auf »Autopilot« schalten und Ihr Baby stillen, ohne richtig aufzuwachen!

Wenn Sie nicht mehr einschlafen können, machen Sie einige der Atem- oder Entspannungsübungen aus der Schwangerschaft; denken Sie vor allem nicht krampfhaft daran, wie viel Schlaf Sie versäumen. Verzichten Sie abends auf Alkohol oder Koffein, da beides den Schlafrhythmus beeinträchtigen kann. Trinken Sie vor dem Schlafengehen ein Glas warme Milch oder essen Sie ein Stück Käse oder etwas Putenbrust. Diese Nahrungsmittel enthalten die schlaffördernde Aminosäure Tryptophan. Wenn Sie stillen, geht etwas davon auch in die Muttermilch über und mit etwas Glück wird auch Ihr Baby gut schlafen!

Nehmen Sie eine Stunde vor dem Schlafengehen ein warmes Bad (kein heißes, das anregend wirkt) und geben Sie sich Zeit zum Abschalten. Im Haus umher zu eilen und dies und jenes zu erledigen, fördert keinen guten Schlaf!

Auftanken Nichts benötigen frisch gebackene Mütter dringender als erholsamen Schlaf!

8 Wochen

DER ANGEBORENE »GREIFREFLEX« BLEIBT WÄHREND DER ERSTEN MONATE ERHALTEN.

Babys Muskeln werden kräftiger und es kann sich in der Bauchlage bereits ein wenig hochdrücken. Nun entdeckt es auch seine Hände und findet sie unglaublich faszinierend. Es möchte bereits gezielt nach Dingen greifen, was ihm in den nächsten Wochen aber noch nicht gelingt.

Das Immunsystem Ihres Babys

Mit zwei Monaten braucht Ihr Baby etwas mehr Unterstützung von außen, also von Ihnen, um sich vor Infektionen zu schützen.

Bei der Geburt ist das Immunsystem des Babys zwar noch nicht ausgereift, aber dennoch kann es bereits viele Bakterien und Viren abwehren. Im Blut des Babys befinden sich viele Antikörper, die während der Schwangerschaft vom Immunsystem der Mutter übertragen worden sind. Beim Stillen erhält es weitere Antikörper von der Mutter. Mit zwei Monaten geht dieser »Vorrat« an Antikörpern allmählich zur Neige und das Baby wird anfälliger. Zu diesem Zeitpunkt beginnt daher auch das Impfprogramm (s. S. 103), um das Baby vor gefährlichen Krankheiten zu schützen.

Wenn Sie stillen, schützen Sie Ihr Baby weiterhin mithilfe der fünf wichtigsten Antikörper-Typen. Muttermilch enthält auch bestimmte weiße Blutkörperchen, die Lymphozyten, die Krankheiten bekämpfen. Die Immunität, die Ihr Baby besitzt, wird als »passive Immunität« bezeichnet, weil die Antikörper übertragen und nicht selbst gebildet worden sind. Ihr Baby besitzt damit einen Schutz vor den Krankheiten, gegen die Sie selbst immun sind. Stillbabys werden seltener krank, sie leiden seltener an Ohrentzündungen und im Krankheitsfall sind die Symptome weniger schwer. Das körpereigene Immunsystem des Babys baut sich ab den ersten Lebenswochen auf, reift aber erst in der späten Kindheit aus; daher sind Kinder so oft erkältet!

Hygiene Eine saubere Umgebung schützt Ihr Baby vor Krankheiten. Das bedeutet nicht, dass Sie im Haushalt antibakterielle Reinigungsmittel verwenden müssen; sauber und steril muss allerdings alles sein, was Ihr Baby in den Mund nimmt (Fläschchen, Beißringe, Zubehör für die Mahlzeiten und Schnuller). Dann wird der Körper Ihres Babys nicht mit Keimen überlastet, die Magen-Darm-Probleme verursachen können; auch die Übertragung von Viren anderer Familienmitglieder wird so weitgehend verhindert.

Bitte keine kranken Besucher! Zwar mag es unhöflich erscheinen, Besucher abzuweisen, die erkältet sind oder an einer anderen Krankheit leiden – doch dies ist in den ersten Lebenswochen

Vorsicht Wirkt Ihr Baby krank, sollten Sie bei einer Verschlimmerung zum Kinderarzt gehen.

Ihres Babys durchaus ratsam. Wegen des unreifen Immunsystems kann ein simpler Erkältungsvirus zu einer ernsteren Erkrankung führen. Auch bakterielle Infektionen können für die Kleinen sehr gefährlich werden. Bitten Sie Gäste (und Angehörige), regelmäßig die Hände zu waschen, benutzte Papiertaschentücher wegzuwerfen und von Besuchen abzusehen, wenn sie nicht ganz gesund sind.

Diese Vorsichtsmaßnahmen tragen zur Gesunderhaltung Ihres Babys bei, bis sein Immunsystem besser funktioniert. Kranke Babys trinken in der Regel schlecht – und schon eine geringe Gewichtsabnahme kann sich auf seine Widerstandskraft und seine Entwicklung auswirken. Bei Fieber stellen Sie Ihr Baby vorsichtshalber immer dem Kinderarzt vor (s. S. 401).

FRAGEN SIE ... EINEN KINDERARZT

Wie erkenne ich, ob mein Baby eine Ohrentzündung hat? Das ist ohne Arztbesuch schwer festzustellen. Ohrentzündungen entwickeln sich häufig nach einer Erkältung. Das Ohr muss nicht gerötet sein; manche Babys reiben am Ohr oder klopfen daran; viele Babys tun dies aber auch bei Müdigkeit. Weitere Symptome sind Schreien, Reizbarkeit, hohes Fieber, Erbrechen und sogar Durchfall (s. S. 410).

Hat die Infektion das Trommelfell verletzt, kann Ausfluss austreten. Die Schmerzen werden dadurch weniger – gehen Sie dennoch zum Arzt. Antibiotika werden nicht routinemäßig verschrieben, da Ohrentzündungen oft viral bedingt sind; bei einer schweren Erkrankung ist eine Antibiotika-Gabe jedoch wahrscheinlich. Paracetamol als Saft oder Zäpfchen und viel Zuwendung lindern die Schmerzen.

8 Wochen

Hübsch anziehen

Auch wenn Sie kein Vermögen für Babykleidung ausgeben wollen, macht es Spaß, das Baby für besondere Anlässe hübsch anzuziehen.

Wenn Sie sich beim Kauf von Babykleidung bisher zurückhalten konnten, mag ein besonderer Anlass einen willkommenen Grund bieten, sich etwas besonders Hübsches für Ihr Baby zu leisten.

Bevor Sie aber schnurstracks zu Schleifchen und Rüschen greifen, überlegen Sie, für welchen Anlass Sie Ihr Baby einkleiden wollen. Wenn es auf viele Arme wandert oder einen Tag außerhalb seiner gewohnten Umgebung verbringen soll, achten Sie vor allem darauf, dass die Kleidung praktisch und bequem ist. Sie sollte nicht kratzen und sich zum Wickeln schnell öffnen lassen.

Knifflige Knöpfe, ein enger Kragen oder Bänder in der Taille und zu warme Outfits sind wenig empfehlenswert.

Kaufen Sie keine sehr teuren Stücke; es kann gut sein, dass sie nach wenigen Stunden in Ihrer Tasche verschwinden, weil die Windel ausgelaufen ist oder das Baby gespuckt hat. Achten Sie beim Kauf darauf, dass die Kleidungsstücke auch wirklich problemlos maschinenwaschbar sind – das ist sonst sehr unpraktisch. Sinnvoll sind Teile, die sich untereinander gut kombinieren lassen. Nehmen Sie vorsichtshalber mehrere Ober- und Unterteile zu einem Fest mit.

ZWILLINGE

Zwillinge anziehen

Zwillinge für besondere Anlässe einzukleiden, ist besonders teuer – denn Sie brauchen zwei Outfits. Suchen Sie im Internet oder auf Zwillingsbasaren nach schönen Stücken. Sie werden oft nur ein- oder zweimal getragen, dann sind die Babys bereits herausgewachsen. Oft findet man für wenig Geld neue oder neuwertige Teile, die kaum getragen wurden.

Das Gedächtnis entwickelt sich

Ihr Baby entwickelt sein Wiedererkennungsgedächtnis – es kann sich nun an bekannte Menschen und Gegenstände erinnern.

Schon kurz nach der Geburt erkannte Ihr Baby Ihre Stimme und Ihren Geruch und bald zeigte es seine Vorliebe für bekannte Gesichter. Jetzt bilden sich allgemeinere Erinnerungen. Wenn sein älteres Geschwisterchen z. B. immer dieselbe Grimasse schneidet, versucht Ihr Baby diese bei seinem Anblick zu imitieren. Oder es schaut erwartungsvoll auf die Rassel, die Sie ihm hinhalten – es erwartet das bekannte Geräusch. Und es assoziiert Sie als Mutter mit Milch und Trost.

Voll dabei Ihr Baby erkennt Gegenstände und Menschen und es erinnert mehr, als Sie denken.

Die nun entstehenden Assoziationen basieren darauf, dass Ihr Baby immer wieder erlebt, wie eine Handlung mit einem bestimmten Sinneseindruck oder Gefühl in Verbindung steht. Sie strecken Ihre Arme nach ihm aus – es verknüpft damit das Gefühl, getröstet zu werden. Sie werden in den nächsten Monaten häufig beobachten, dass Ihr Baby Geschichten und Lieder wiedererkennt.

Dieses Grundgedächtnis entsteht aus einem natürlichen Schutzinstinkt, der Babys eine starke Bindung zu ihren Hauptbezugspersonen aufbauen lässt. Das Wiedererkennen der Familie schützt das Baby vor Gefahren.

Gesund essen

Auch wenn Sie frustriert sind, weil sie noch ein paar Schwangerschafts-
pfunde mit sich tragen, sollten Sie keine Diät halten.

Richtig essen Es ist wichtig, viel frisches und
nährstoffreiches Obst und Gemüse zu essen.

Frisch gebackene Mütter benötigen gesunde, nährstoffreiche Nahrungsmittel. Eine Diät kann, besonders in der Stillzeit, zu Nährstoffmangel führen – und dieser wiederum zu Krankheitsanfälligkeit, Müdigkeit und Stimmungsschwankungen. Zudem beeinträchtigt es Ihre Freude am Muttersein, wenn Sie sich vor allem mit Ihrem Gewicht beschäftigten.

Stellen Sie Ihre Ernährung aus Obst und Gemüse, Vollkornprodukten (Vollkornbrot, Naturreis, Vollkornnudeln), Eiweiß (mageres Fleisch, Milchprodukte, Eier, Fisch, Nüsse, Samen, Hülsenfrüchte) und gesunden Fetten (Oliven- und Sonnenblumenöl, Avocados, fettreicher Fisch) zusammen. So erhalten Sie alle essenziellen Nährstoffe für eine optimale Gesundheit.

DER ERNÄHRUNGSBERATER RÄT …

Wie viele Kalorien sollte ich in der Stillzeit täglich zu mir nehmen?
Stillende Mütter verbrauchen etwa 500 Kalorien am Tag zusätzlich. Sie müssen diese Kalorien aber nicht notwendigerweise aufnehmen. Wenn Sie sich ebenso ernähren wie vor der Schwangerschaft, nehmen Sie auf natürliche Weise etwa 450g pro Woche ab, weil Ihre Fettspeicher aufgezehrt werden. Wenn Sie zusätzlich ein wenig Sport treiben, nehmen Sie noch mehr ab. Zählen Sie aber nicht die Kalorien: Wenn Sie sich gesund ernähren, reguliert sich das Gewicht ohne zusätzliche Anstrengungen.

SO STEIGERN SIE IHRE ENERGIE

Der Energiespiegel wird am besten aufrechterhalten, wenn man über den Tag verteilt häufiger eine Kleinigkeit isst. Fettarmer Käse mit Apfelschnitzen, eine Reiswaffel mit fettarmem Aufstrich oder einige getrocknete Aprikosen liefern zwischen den Mahlzeiten Energie und halten den Stoffwechsel aktiv. Folgende Tipps fördern Ihre Gesundheit und Fitness:
■ Treiben Sie jeden Tag ein wenig Sport. Walken, Schwimmen, Aerobic und/oder Yoga (natürlich mit dem Baby) fördern den Muskelaufbau, verbrennen Fett und unterstützen den Stoffwechsel.
■ Trinken Sie viel, denn Stillen macht durstig. Oft wird Durst auch als Hunger fehlgedeutet. Sie benötigen jeden Tag etwa 2,7 Liter Flüssigkeit.

■ Nehmen Sie die Kochangebote von Freunden an; kochen Sie ruhig auf Vorrat, wenn Sie Zeit dazu haben. Es ist sehr praktisch, eine gut gefüllte Tiefkühltruhe zu besitzen. Füllen Sie sie mit nahrhaften Suppen, Eintöpfen oder leckeren Hafer-Obst-Muffins. Bei einem solchen Angebot ernähren Sie sich sicher gesund und greifen nicht zu fettreichen oder salzigen Fertigprodukten. Und ein leckerer Salat ist genauso schnell zubereitet wie eine Fertigmahlzeit aufgewärmt.
■ Halten Sie viele gesunde Snacks vorrätig. Schneiden Sie Karotten, Sellerie und Gurke mundgerecht und verpacken sie mit etwas Wasser und einem Spritzer Zitronensaft in Plastikbehälter. Kaufen Sie Salsa, fettarme Dips oder Hummus. Wenn Sie Lust auf etwas Süßes haben,

mixen Sie sich einen frischen Smoothie, essen einen Riegel Bitterschokolade oder eine Schüssel Vollkornmüsli mit frischem Kompott und Joghurt.

Energiespender Obst Regelmäßige, nährstoffreiche Snacks über den Tag verteilt helfen Ihnen, bei Kräften zu bleiben.

Schlafen wie ein Baby?

Die Abstände zwischen den Mahlzeiten werden länger und Ihr Baby schläft nachts tiefer. Auch Sie können nun wieder besser schlafen.

Wichtig für guten Schlaf sind eine bequeme Schlafstätte und Schlafposition. Gewohnheitsmäßig zieht man dem Baby meist Abend für Abend denselben Schlafanzug an und deckt es gut zu. Doch bitte berücksichtigen Sie dabei unbedingt die Zimmertemperatur. Ein Baby, das schwitzt oder friert, wacht häufig auf – selbst wenn es müde ist.

Das Schlafzimmer sollte gemütlich und kühl sein, auch im Winter. Kuschelig warm liegt Ihr Baby in einem jahreszeitlich angepassten Schlafsack. Wenn es draußen heiß ist, legen Sie es nur mit Windel und Body bekleidet in einen leichten Sommerschlafsack. Ein Ventilator im Zimmer – aber nicht in der Nähe des Bettes – sorgt für Luftaustausch und eine sanfte Brise, sodass der Raum angenehm kühl ist.

Wenn Ihr Baby seine Decken nachts wegstrampelt, schieben Sie diese seitlich fest unter die Matratze und schlagen sie unten um seine Beine. Wenn sich Ihr Baby noch immer durch Gliederzucken und Schreckbewegungen aufweckt, können Sie es auch jetzt noch pucken (s. S. 53).

Ein Schlafsack ist in diesem Alter sehr praktisch; er hält Ihr Baby warm, auch wenn es strampelt und sich windet. Empfehlenswert sind weiche Stoffe wie Baumwolle oder Nicki. Die Füllung hängt von der Jahreszeit ab. Im Sommer reicht ein dünnes Baumwollfutter, besonders kuschelig für den Winter ist ein Daunenschlafsack. Füllungen aus klimaregulierenden High-Tech-Fasern sorgen stets für eine angenehme Temperatur.

Faszinierende Hände

Babys Lieblingsspielzeug sind zurzeit seine Hände: spannend kommen sie in sein Blickfeld – und verschwinden dann wieder.

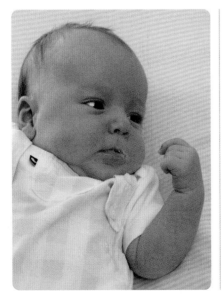

Ihr Baby beginnt nun, seine Hände zu öffnen und zu schließen, und betrachtet sie immer wieder voller Faszination. Es führt sie vorsichtig an den Mund oder streckt sie nach Ihrem Gesicht oder Ihrer Brust aus. Mit Schlagbewegungen kann es sogar schon versuchen, Gegenstände zu erreichen, die z.B. von seinem Babytrapez herabhängen. Es führt seine Hände auch zusammen, damit sie sich berühren.

Ihr Baby liebt haptische Erfahrungen und fühlt gern neue Materialien. Es streichelt vielleicht unbewusst sein eigenes Gesicht, Ihr T-Shirt oder Ihre Brust, seine Schmusedecke und alles, mit dem es in

Entwicklung Ihr Baby kann seine Handbewegungen bereits besser steuern.

Berührung kommt. Verblüfft schaut es auf, wenn Sie es eine ungewohnte Textur fühlen lassen – ein Stück weiches Fell oder einen rauen Beißring. Seine Hände (und sein Mund) sind die besten Werkzeuge, um alles Neue zu erforschen.

Lassen Sie Ihrem Baby Zeit, um in Ruhe seine Hände zu betrachten und zu erkunden, was sie alles können. Lassen Sie es einen Moment lang eine Rassel halten (dann lässt es sie wahrscheinlich fallen); bringen Sie eine Handgelenk-Rassel an seinem Arm an, die seine Aufmerksamkeit fesselt. Wenn Ihr Baby nach einem Gegenstand schlägt (als Vorstufe des Greifens), kann es allerdings sehr wütend werden, wenn es sein Ziel nicht erreicht.

Stillgerechte Kleidung

Vermutlich haben Sie keine Lust mehr auf weite T-Shirts und praktische Still-BHs. Es ist Zeit für ein neues Outfit!

Still-BH Ein einfacher Still-BH erfüllt seinen Zweck, doch es gibt auch attraktivere Modelle.

Still-BHs Die meisten Frauen tragen anfangs praktische Still-BHs ohne Spitze oder Bügel. Diese einfachen Modelle sind durchaus sinnvoll, vor allem wenn Sie Brustsalbe verwenden, wenn Milch ausläuft und das Stillen erst einmal in Gang kommen muss. Wichtig zu wissen ist, dass die Brüste in den ersten Monaten der Stillzeit ihre Größe verändern. Aus diesem Grunde ist es empfehlenswert, gelegentlich in ein Fachgeschäft zu gehen und den Brustumfang messen zu lassen. Dann können Sie sicher sein, immer die richtige Größe zu tragen. Still-Bhs sind heute aber nicht nur angenehm zu tragen, sondern können auch richtig schön sein – mit Spitze oder mit Bügel, in weiß, rosé oder schwarz, auch als Bustier.

Stillmode Auch Stillmode ist heute nicht nur praktisch, sondern kann bunt, attraktiv und sexy sein. Natürlich ist die Bequemlichkeit zunächst das wichtigste

Kriterium, doch sobald Sie das Gefühl haben, wieder »Sie selbst« zu sein, wollen Sie sicher auch Ihren eigenen Kleidungsstil wiederfinden. Und Sie können sich auch beim Stillen modisch kleiden – geeignet sind Wickeltops, tiefe U-Ausschnitte oder T-Shirts, die in der Taille weit sind und hochgehoben und über das trinkende Babys gezogen werden

können. Empfehlenswert sind natürliche Materialien, wie Baumwolle, die temperaturausgleichend sind. Nehmen Sie sich Zeit, um neue Kleidungsstücke anzuprobieren – es ist gut möglich, dass sich Ihre Figur verändert hat. Ein breites Angebot gibt es bei den Herstellern von Stillmode. Hier finden Sie auch im Internet eine große Auswahl.

ENTWICKLUNG FÖRDERN

Was für tolle Geräusche!

Rasseln sind wunderbare Spielzeuge für kleine Babys – und bald wird Ihr Baby gebannt lauschen, welche tollen Geräusche sich mit diesen Klangspielsachen erzeugen lassen.

Ob Sie eine Rassel aussuchen, die Sie an seinem Handgelenk befestigen können, oder eine Handrassel – beide sind perfekt als erstes Spielzeug. Ihr Baby erlernt dabei die Hand-Auge-Koordination und entwickelt Muskelkontrolle, wenn es herausfindet,

wie man die Rassel schütteln muss. Wählen Sie eine bunte Rassel, die schön leicht ist. Ihr Baby soll selber damit rasseln können – auch wenn es die Bewegung noch nicht bewusst ausführt. Da Ihr Baby seine Spielsachen unweigerlich in den Mund nimmt, sollte die Rassel weich und gut zu reinigen sein. Vorsicht: Babys Bewegungen sind noch immer ruckartig und es klopft sich vor Aufregung gern selbst an den Kopf.

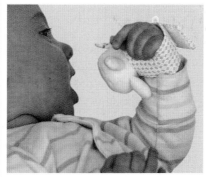

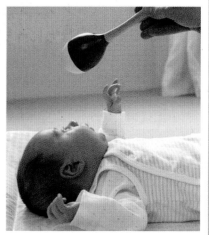

Sinneserfahrungen Ihr Baby wird sein Spielzeug sicher auch kosten wollen (oben)!
Rasselspaß Eine leichte Rassel kann Ihr Baby prima selbst halten (rechts).

9 Wochen

IHR BABY NIMMT KONTRASTE DEUTLICH WAHR, SOGAR EINEN WEISSEN TEDDY AUF EINEM WEISSEN SOFA.

Ihr Baby nimmt rund 150–200 g pro Woche zu. Für sein Wachstum ist guter Schlaf wichtig – Forschungen zeigen, dass 80 Prozent der Wachstumshormone während des Schlafs ausgeschüttet werden. Wenn es nun aus seinem Stubenwagen herauswächst, steht der »Umzug« in ein Kinderbett bevor.

Sich ans Bettchen gewöhnen

Lassen Sie Ihr Baby anfangs ruhig in der Tragetasche im neuen Bett schlafen; dabei gewöhnt es sich an die neue Umgebung.

Bis zum Alter von drei Monaten schläft ein Baby im Allgemeinen gern und bequem im Stubenwagen oder in der Tragetasche. Doch wenn es immer wieder an die Seitenwände stößt und sich dabei selbst aufweckt, wird es Zeit für ein »richtiges« Bett. Ein großes Kinderbett ist für ein Baby, das an die engere Umgebung gewöhnt ist, zunächst beängstigend. Gewöhnen Sie Ihr Baby daher schrittweise an diesen Umzug, bevor es tatsächlich das erste Mal darin schlafen soll.

Das Kinderbett kann auch ein sicherer Spielplatz sein, während Sie sich im selben Zimmer mit anderen Dingen beschäftigen – z. B. Kleidung sortieren oder bügeln. Ein Mobile und ein paar Spielsachen oder ein an der Bettwand befestigter Babyspiegel fesseln Babys Interesse. Auf diese Weise gewöhnt es sich an die neue Umgebung und wird später an dem vertrauten Ort angstfrei schlafen können.

Lassen Sie es als weiteren Schritt in seiner gewohnten Tragetasche im Kinderbett schlafen. Wenn es dann später bei den ersten Versuchten dennoch lautstark protestiert, legen Sie es zunächst für den Tagschlaf in das Bett. Auf diese Weise sieht es, was in seiner Umgebung geschieht, und fühlt sich zunehmend sicher. Sobald es tagsüber problemlos im neuen Bett einschläft, können Sie es auch nachts versuchen.

FRAGEN SIE ... EINE HEBAMME

Was muss ich beim Aufstellen des Babybetts beachten? Im ersten Lebensjahr sollte das Babybett im Elternschlafzimmer stehen, um das Risiko des plötzlichen Kindstods zu senken (s. S. 31). Es darf keine direkte Sonne darauf fallen und es sollte nicht in der Nähe von Fenstern, Gardinenschüren, Heizungen, Lampen, Bücherregalen und Wanddekorationen oder Bildern stehen.

Kann ich eine gebrauchte Matratze verwenden? Kaufen Sie eine neue Matratze, auch wenn das Bett secondhand ist. Sie muss genau passen, damit das Baby nicht zwischen Bettgestell und Matratze rutschen kann; sie muss den aktuellen Sicherheitsstandards (GS-Zeichen) entsprechen und auf Schadstoffe geprüft sein.

Ins Bett umziehen Stellen Sie die Tragetasche einige Nächte lang in das Bett, um Ihrem Baby die Umstellung zu erleichtern.

CHECKLISTE

Das Bett Ihres Babys

Jetzt ist ein guter Zeitpunkt für den Kauf eines Kinderbetts. Darin schläft Ihr Baby vermutlich, bis es zwei oder drei Jahre alt ist. Achten Sie auf einen stabilen Rahmen und Lattenrost ohne scharfe Kanten und Ecken.

■ Beim Kauf eines neuen Betts kontrollieren Sie, ob es den aktuellen Sicherheitsstandards entspricht. Die Gitterstäbe sollen mindestens 2,5 cm breit sein und höchstens 6,5 cm Abstand haben. Verzichten Sie auf dekorative Verzierungen am Kopf- oder Fußteil, in denen sich Babys Gliedmaßen womöglich verfangen könnten.

■ Bei den meisten Betten lassen sich die Seiten schnell herunterklappen und der Lattenrost ist verstellbar, damit man das Baby leichter hineinlegen und herausnehmen kann. Das schont Ihren Rücken.

■ Beim Aufbauen des Bettes achten Sie bitte darauf, dass alle Schrauben und Bolzen sicher befestigt sind, damit keine Gefahr besteht, dass das Bett zusammenklappt. Vorsicht: An herausstehenden Schrauben kann sich das Kind kratzen; sie können sich lösen und das Kind kann sie verschlucken.

■ Denken Sie daran, dass Betten, die vor mehr als 30 Jahren hergestellt oder bemalt worden sind, giftige, bleihaltige Farben enthalten können. In diesem Fall muss die Farbe entfernt und das Bett neu gestrichen werden.

Die Gesundheit der Mutter

Wenn der Babyblues andauert und Sie weiterhin niedergeschlagen sind, leiden Sie vielleicht an einer Wochenbettdepression.

Anhaltender Blues Wenn Sie immer noch ständig heulen könnten oder deprimiert sind, wenden Sie sich an Ihren Frauenarzt.

Die meisten Mütter erleben etwa drei Tage nach der Geburt des Babys den sogenannten Babyblues; er ist eine Folge der hormonellen Umstellung, die die Gefühle völlig auf den Kopf stellt (s. »Fragen Sie … eine Hebamme« S. 49). Normalerweise ist er in wenigen Tagen überstanden; falls Sie aber noch immer niedergeschlagen sind, leiden Sie vielleicht an einer Wochenbettdepression bzw. einer postnatalen Depression.

Eine Wochenbettdepression – was ist das? Eine über Wochen anhaltende Niedergeschlagenheit, das Gefühl, das Leben nicht in den Griff zu bekommen, oder eine im Laufe des ersten Lebensjahres des Babys auftretende Depression wird als Wochenbettdepression bezeichnet. Sie kann wenige Wochen

oder auch Monate andauern – je früher Sie professionelle Hilfe in Anspruch nehmen, umso schneller werden Sie wieder gesund. Typische Anzeichen einer Wochenbettdepression sind:
■ Gefühl der Erschöpfung bereits beim Aufwachen;
■ häufiges Weinen, ein Gefühl der Leere oder große Traurigkeit;
■ Schuld- und Schamgefühle, weil man nicht glücklich ist oder das Baby nicht genügend liebt;
■ übergroße Angstgefühle um sich selbst oder das Baby;
■ große Angst vor dem Alleinsein.

Ein bis zwei von zehn Müttern leiden an einer Wochenbettdepression. Wichtig ist es, zu erkennen, dass etwas nicht stimmt. Ihr Arzt wird die Situation rasch erkennen und Ihnen Therapievorschläge machen bzw. Sie an einen Psychologen überweisen.

Postnatale Psychose Sehr wenige Frauen (etwa ein bis drei von 1000) entwickeln die sogenannte postnatale Psychose mit schweren Depressionen, Wahnvorstellungen und Halluzinationen. In diesem Fall ist ein sofortiger Arztbesuch nötig. Mit Medikamenten, wie Antidepressiva oder Antipsychotika, sowie einer Therapie kann eine postnatale Psychose gewöhnlich in wenigen Wochen erfolgreich behandelt werden.

HORMONUMSTELLUNG NACH DER GEBURT

Durch das Schwangerschaftshormon Relaxin werden das Kollagen und Elastin im Gewebe elastisch; es verbleibt noch bis zu fünf Monate nach der Geburt im Körper. Während der Stillzeit hat das milchbildende Hormon Prolaktin eine ähnliche Wirkung. Als Folge wird das Zahnfleisch weich und blutet häufig, was Parodontose begünstigt. Gehen Sie regelmäßig zur Vorsorge und zur Zahnreinigung zu Ihrem Zahnarzt.

Nach der Schwangerschaft treten die Haarfollikel in eine »Ruhephase«; dies kann zwischen der sechsten und 30. Woche nach der Geburt zu verstärktem Haarausfall führen. Sobald sich der Hormonspiegel auf dem Niveau vor der Schwangerschaft eingespielt hat, hört dieser Haarausfall auf und die Haare wachsen nach.

Das Stillen wirkt sich auch auf die Knochen aus. Mütter verlieren während der Stillzeit drei bis fünf Prozent ihrer Knochenmasse; sie wird nach Wiedereinsetzen der Periode bzw. dem Abstillen ersetzt. Es bleiben keine dauerhaften Schäden, im Gegenteil beugt das Stillen späterer Osteoporose vor.

Mundpflege Gründliches Zähneputzen und der Gebrauch von Zahnseide sorgen vor!

Familien mit einbeziehen

Pflegen Sie die Beziehung zu Ihrer Verwandtschaft. Sie bietet Ihnen viele Jahre lang ein wichtiges Netzwerk der Unterstützung.

Gut möglich, dass Sie in den vergangenen Monaten mehr Verwandte zu Gesicht bekommen haben als jemals zuvor. Schließlich wollen alle vorbeikommen, um das neue Familienmitglied zu bestaunen und Ihnen zu gratulieren. Auch wenn Sie bisher Familie und Verwandte nur bei besonderen Anlässen getroffen haben, kann sich dies nun ändern. Vielleicht konnten Sie bereits feststellen, dass die Beziehung zu Ihren eigenen Eltern enger geworden ist. Vielleicht wird Ihnen bewusst, wie wichtig Ihre Familien im Leben Ihres Babys sein werden. Die Bindung, die Ihr Baby zu seinen Verwandten entwickelt, wird es in jeder Hinsicht bereichern.

Fördern Sie diese Beziehungen und schaffen Sie häufig Anlässe für Besuche.

Gegensätzliche Ansichten zur Babypflege können verwandtschaftliche Beziehungen allerdings ebenso belasten wie unerwünschte Ratschläge. Doch es kann Ihnen gelingen, wohlmeinende Familienmitglieder umsichtig davon zu überzeugen, Ihre Vorstellungen und Methoden zu respektieren. Ermöglichen Sie ihnen, eine liebevolle Beziehung zu Ihrem Baby aufzubauen – das ist das Wichtigste.

Für Alleinerziehende ist die eigene Familie wertvoller als jemals zuvor. Sie bietet Unterstützung, Anleitung und Liebe. Es ist schwer, ein Kind allein aufzuziehen – aber schön, wenn Sie Menschen haben, mit denen Sie über die Entwicklung Ihres Babys wie auch über Ihre Sorgen sprechen können. Ihre Familie liebt Ihr Baby ebenso wie Sie!

Nähe Starke verwandtschaftliche Beziehungen bereichern das Leben Ihres Babys.

Abgelenktes Baby

Ihr Baby betrachtet fasziniert seine Umgebung – schwierig ist es nun, seine Aufmerksamkeit beim Füttern und Wickeln zu erhalten.

Ihr Baby ist nun sehr leicht abzulenken und seine Aufmerksamkeit wandert von einer Sache zu anderen. Beim Stillen und Füttern kann das durchaus zum Problem werden. Wenn es ständig den Kopf wegdreht und nicht an der Brust bleiben will, stillen Sie es am besten in einem ruhigen Raum mit wenig Ablenkung.

Schalten Sie beim Stillen das Fernsehgerät ab und sprechen Sie leise mit Ihrem Baby. Nehmen Sie seinen Kopf in Ihre freie Hand und halten es so in der richtigen Stellung; führen Sie seinen Kopf sachte, aber bestimmt wieder zurück, wenn es sich wegdreht. Stillen Sie es dann, wenn es wirklich hungrig ist und ausgiebig trinken will. Trinkt es nur kurz oder nuckelt, verliert es schnell das Interesse und es gibt ein ständiges Hin und Her zwischen Anlegen und Wegnehmen von der Brust.

Zum Wickeln oder Umziehen legen Sie Ihr Baby unbedingt an einen sicheren Ort. Es windet und dreht sich nun, weil es sehen will, was in seiner Umgebung geschieht. Vielleicht sträubt es sich auch gegen das Wickeln, weil es sich gerade nach etwas anderem umschaut. Gestalten Sie das Wickeln ein wenig interessanter: Hängen Sie ein Mobile über den Wickeltisch oder geben Sie ihm eine Rassel – dann hat es etwas zu betrachten. Sprechen Sie mit ihm und machen Sie kleine Spielchen mit ihm. Wickeln Sie es zügig, damit Sie nicht lange mit der Zappelei zu kämpfen haben!

Farben sehen

Ihr Baby unterscheidet Farben und die Tiefenwahrnehmung verbessert sich – das ist ein großer Fortschritt im dreidimensionalen Sehen.

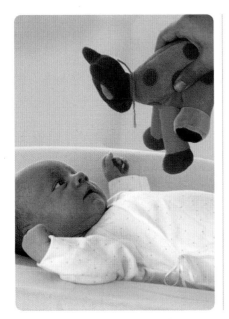

Ihr Baby unterscheidet nun Farben und ist fasziniert von der bunten Vielfalt. Das bedeutet, dass es jetzt instinktiv nach Spielsachen greift, wenn sie nur bunt genug sind. Besonders attraktiv findet es die Grundfarben; es betrachtet gerne Bilder mit starken Kontrasten.

Die Tiefenwahrnehmung wird erst in vier Monaten ausgereift sein (gewöhnlich frühestens mit sechs Monaten); doch wenn sich Gehirn und Koordination entwickeln, kann es Lage, Größe und Form eines Gegenstandes erkennen. Das ermöglicht ihm, irgendwann erfolgreich danach zu greifen. Es wird nun auch beurteilen können, welche Gegen-

Farbspiel Lustige Spielsachen in leuchtenden Farben fesseln Babys Aufmerksamkeit sofort.

stände näher oder welche weiter von ihm entfernt sind. Ihr Baby nimmt auch die Einzelheiten Ihres Gesichts wahr und will vielleicht nach Ihrem Mund oder Ihren Augen greifen.

Sie bemerken nun, dass sich die Tiefenwahrnehmung Ihres Babys langsam verbessert. Seine Augen bewegen sich zwar synchron, doch kann es in den ersten Wochen die Bewegung beider Augen noch nicht richtig koordinieren: Daher dauert es einige Zeit, bis es die Welt als Gesamtbild wahrnimmt.

Die Tiefenwahrnehmung ist sehr wichtig, damit sich das Baby später nicht in Gefahr bringt. Sie hält es z. B. davon ab, an den Rand eines Teiches zu gehen – aber verlassen Sie sich nicht darauf, denn seine Neugierde ist meist stärker.

Hygiene und Allergien

Gute Hygiene beugt Krankheiten vor. Ihr Baby braucht jedoch keine sterile Umgebung, denn der Kontakt mit Keimen ist sehr wichtig.

Es besteht ein Zusammenhang zwischen einer übermäßigen Verwendung antibakterieller Reinigungsmittel und dem erhöhten Vorkommen von Allergien – vermutlich weil das Immunsystem sich nicht richtig entwickeln kann, wenn es keine Keime zu bekämpfen gibt. Allergien sind Ausdruck eines fehlgeleiteten Immunsystems. Alles, was die Entwicklung des Immunsystems in der Babyzeit und Kindheit behindert, kann Ihr Baby allergieanfälliger machen. Als generelle

Regel gilt: Gegenstände des alltäglichen Gebrauchs sollten sauber, aber nicht steril sein. Auf diese Weise sind sie frei von krankmachenden Keimen, das Immunsystem hat aber dennoch genug zu tun und kann sich richtig entwickeln.

Reinigen Sie Babys Spielsachen mit heißem Wasser und Haushaltsreiniger. Verwenden Sie möglichst umweltverträgliche, biologische Reinigungsmittel. Ein Übermaß an chemischen Produkten kann ebenfalls allergische Reaktionen

auslösen und überfordert zudem Babys sensorisches System. Normale Reinigungsmittel, Seife und Wasser reichen für den Wohnungsputz allemal aus und schaffen natürliche Frische.

Ein gewisses Maß an Staub ist kein Problem: Studien haben gezeigt, dass der frühe Kontakt zu Hausstaubmilben einer entsprechenden Allergie vorbeugen kann. Dasselbe gilt für Tierschuppen (s. S. 128). Übertreiben Sie es daher nicht mit dem Putzen.

Die Rollenverteilung finden

Ihr Leben hat sich dramatisch verändert; vielleicht stellen Sie fest, dass sich auch das Gleichgewicht in Ihrer Beziehung verschoben hat.

Auch wenn Sie Ihr Baby noch so sehr lieben, erkennen Sie nun vielleicht etwas fassungslos, wie sehr sich Ihr Leben verändert hat. Vielleicht beneiden Sie gelegentlich Ihren Partner, der wieder arbeiten gehen kann, während Sie den Alltag zu Hause bewältigen müssen. Sie vermissen Ihren Beruf und machen sich vielleicht Sorgen um Ihre Karriere.

Da Sie nun zu Hause sind, empfinden Sie es vermutlich als normal, auch den Haushalt zu erledigen. Und so bekommen Sie plötzlich einen ganz neuen Blick auf Ihre Beziehung – die Rollen haben sich verändert! Wenn Sie länger Elternzeit nehmen wollen, belastet Sie vielleicht auch die finanzielle Abhängigkeit, in die Sie dadurch geraten.

Es ist wichtig, die Rollen klar zu definieren. Wenn Sie schon bald wieder berufstätig sein werden, kann es zu einer massiven Schieflage führen, wenn Sie jetzt den Großteil der Kinderpflege und den Haushalt erledigen. Denn dann wird es schwer, wieder etwas zu verändern. Bemühen Sie sich daher um eine faire Aufteilung der anfallenden Aufgaben und teilen sich die Arbeit. Partnern ist oft gar nicht bewusst, wie schwierig das Leben mit einem kleinen Baby ist. Sie wissen nicht, dass die Tage vergehen können und man sich doch nur um das Baby gekümmert hat. Teilen Sie Ihrem Partner mit, wie Sie sich fühlen, damit Missstimmungen ausgeräumt werden, bevor sie sich zu Problemen entwickeln.

Wertschätzung Es ist wichtig, dass beide Partner das Gefühl haben, sich die Aufgaben des Familienlebens so fair wie möglich zu teilen. Finden Sie die Ihnen gemäße Rollenverteilung!

DER FRAUENARZT RÄT …

Meine Kaiserschnittnaht ist zwar gut verheilt, doch ich fühle mich immer noch deprimiert und müde. Wie lange dauert es, bis alles wieder normal ist? Die Genesung nach einem Kaiserschnitt verläuft bei jeder Frau anders; auch wenn die sichtbaren Narben nach sechs Wochen verheilt sein mögen, dauert es bei manchen Frauen bis zu sechs Monaten, bis sie ihre frühere Energie wiederhaben. Nehmen Sie jeden Tag so, wie er kommt; ruhen Sie sich aus, wenn Sie müde sind. Bei Schmerzen im Beckenbereich oder anhaltender Niedergeschlagenheit und Müdigkeit sprechen Sie mit Ihrem Frauenarzt; vielleicht besteht eine Anämie oder Wochenbettdepression.

Nach dem Geschlechtsverkehr habe ich kleine Blutspuren entdeckt. Was bedeutet das? Manchmal kommt es durch die Reibung des noch nicht ausgeheilten Gebärmutterhalses oder einen Orgasmus (der Gebärmutterkontraktionen auslöst) zu einer leichten Blutung. Sie kann aber auch durch hormonelle Schwankungen oder die Pille verursacht werden. Manchmal bilden sich im Bereich der Nähte kleine Hautfalten, die bluten können, wenn sie aneinandergerieben werden. Auch manche Infektionen, wie Chlamydien, können leichte Blutspuren beim Sex verursachen. Vereinbaren Sie in jedem Fall einen Termin beim Frauenarzt.

9 Wochen

Die Kinderbetreuung planen

Wenn Sie vor Ablauf der Elternzeit wieder arbeiten wollen, sollten Sie sich beizeiten Gedanken über die Betreuung Ihres Babys machen. Trotz des Ausbaus von Krippenplätzen steht nicht überall der Wunschplatz zur Verfügung.

Die Betreuung von Babys und Kindern unter drei Jahren befindet sich z.B. in Deutschland gerade erst im Aufbau. Durch den seit 2013 geltenden Rechtsanspruch eines Kindes auf einen Krippenplatz wurde die Baby- und Kleinkindbetreuung stark ausgebaut – und es sollte inzwischen in Deutschland für etwa 20 Prozent der unter Dreijährigen ein Krippenplatz zur Verfügung stehen. In Österreich und der Schweiz wird das Thema immerhin schon diskutiert.

Informieren Sie sich zunächst über das Betreuungsangebot für unter Dreijährige an Ihrem Wohnort. Natürlich können Sie auch überlegen, ob für Sie eine Kinderfrau oder eine Tagesmutter in Frage käme. Fragen Sie Freunde und Bekannte mit Kindern nach ihren Erfahrungen. Das Wohlergehen Ihres Babys ist von höchster Bedeutung, daher wird die Frage der Kinderbetreuung zu einem vorrangigen Anliegen, wenn Sie wieder arbeiten gehen wollen.

Kinderkrippen Neben reinen Krippen für Babys werden heute vor allem auch altersgemischte Gruppen für Kinder von 1–3 oder 2–6 Jahren angeboten. Durch das Zusammensein mit Kindern in unterschiedlichem Alter erhalten alle Kinder vielfältige Anregungen und die soziale Kompetenz wird gefördert. Im Mittelpunkt der Betreuung in einer öffentlichen Einrichtung steht der Dreiklang aus Betreuen, Erziehen, Bilden.

Achten Sie bei der Auswahl einer Krippe aber nicht nur auf Kriterien wie Öffnungszeiten und Ferienregelungen, sondern auch auf den Betreuungsschlüssel (wie viele Kinder hat eine Erzieherin zu betreuen) und die Räumlichkeiten und Außenanlagen oder die Organisation des Tagesablaufs.

Krippen gibt es, ebenso wie Kindergärten bzw. Kindertageseinrichtungen, in privater (oft auch konfessioneller) oder kommunaler Trägerschaft. Auch Elterninitiativen betreiben manchmal Kinderkrippen; sie haben sich oft aus der Not, weil keine öffentlichen Angebote zur Verfügung standen, gebildet und werden häufig auch mit öffentlichen Mitteln bezuschusst.

Tagesmütter/Kindertagespflege
Gerade für die Kleinsten ist die Betreuung durch eine Tagesmutter – seltener ist es ein Tagesvater – eine Alternative. Bei der sogenannten Kindertagespflege werden die Kinder von der Tagesmutter betreut, und zwar meist in der privaten Wohnung. Vorteile sind das familiäre Umfeld, die feste Bezugsperson, eine intensive Betreuung sowie die flexiblen Betreuungszeiten. Achten Sie bei der Auswahl einer Tagesmutter aber unbedingt darauf, dass Ihre Erziehungsgrundsätze im Wesentlichen übereinstimmen, z.B. auch was Ernährungsfragen oder das Fernsehen anbelangt.

Die richtige Tagesmutter Eine Tagesmutter sollte viel Erfahrung im Umgang mit Babys haben und sich gleichzeitig auch angemessen um die Bedürfnisse der älteren Kinder kümmern.

Klären Sie auch, was geschieht, wenn Ihr Kind krank ist oder die Tagesmutter krank wird. Empfehlenswert ist es, wenn die Tagesmutter eine Qualifikation nachweisen kann. Bislang braucht eine Tagesmutter allerdings keine geregelte Berufsausbildung. Erst wenn sie mehr als drei Kinder betreut, ist in Deutschland eine Pflegeerlaubnis vom Jugendamt erforderlich. Dort wie auch bei Wohlfahrtsverbänden oder bei einem der Tagesmüttervereine bekommen Sie eine Liste mit geprüften, qualifizierten Tagesmüttern. In der Schweiz sind sogenannte Tageselternvereine oder Tagesfamilienorganisationen zuständig, die aber jeweils andere Maßstäbe für Qualifikation und Eignung der Tagesmütter setzen. In Österreich ist eine Grundausbildung für Tagesmütter und -väter gesetzlich vorgeschrieben. Nur der Nachweis dieser Grundausbildung berechtigt zur Arbeit als Tagesmutter. Allerdings gibt es auch dort keine landesweiten Qualitätsstandards.

Kinderfrauen Wenn Sie eine Kinderfrau beschäftigen wollen, dann kümmert sich diese in Ihren eigenen vier Wänden um Ihr Baby und bietet eine individuelle Betreuung. Allerdings ist eine Kinderfrau teuer, da Sie neben ihrem Gehalt auch für die Sozialabgaben aufkommen müssen. Kinderfrauen sind oftmals ausgebildete Kinderpflegerinnen oder Erzieherinnen. Eine Kinderfrau kann sich dann lohnen, wenn Sie mehrere Kinder zu betreuen haben oder sich mit anderen Eltern zusammenschließen. Nachteilig ist – wie bei der Tagesmutter –, dass Sie im Krankheitsfall selbst für Ersatz sorgen müssen.

Au-pair Wenn Sie anderen Kulturen gegenüber aufgeschlossen sind und ein freies Zimmer haben, kann ein Au-pair Sie in der Kinderbetreuung unterstützen. Doch auch hier gibt es einiges zu beachten: Ein Au-pair darf in Deutschland maximal sechs Stunden pro Tag (maximal 30 Stunden wöchentlich) Kinder betreuen und leichte Hausarbeit

Sichere Hände Eine gute Beziehung zur Betreuungsperson nimmt Ihnen Ihre Ängste.

verrichten. Sie müssen Urlaubszeiten, die Kosten für Taschengeld, für Sprachkurse wie auch eine Kranken-, Unfall- und Haftpflichtversicherung einrechnen. Informieren Sie sich vorher gut bei den verschiedenen Organisationen, die Au-pairs vermitteln.

Beachten Sie auch, ein Au-pair bleibt für längstens zwölf Monate in der Gastfamilie, sodass nach spätestens einem Jahr ein Wechsel der Betreuungsperson erforderlich wird. Zudem haben Au-pairs keine pädagogische Ausbildung und anfangs nicht selten Schwierigkeiten mit der deutschen Sprache.

Großeltern Wenn die Großeltern in der Nähe wohnen, Rentner sind und ein gutes Verhältnis zu ihnen besteht, sind sie die optimalen und flexibelsten Kinderbetreuer. Zudem haben sie Erfahrung mit Kindern in jedem Alter! Es könnte allerdings Probleme geben, wenn sie die Kinder zu sehr verwöhnen oder in die Erziehung hereinreden wollen. Klare Absprachen und ein vertrauensvolles Verhältnis sind wichtig.

CHECKLISTE

Die richtige Krippe

Vertrauen Sie bei der Auswahl der Krippe vor allem auf Ihren Instinkt. Wenn Sie dort zufriedene, glückliche Babys erleben und ein warmes, liebevolles Team kennenlernen, sind Sie vermutlich richtig. Achten Sie auf folgende Kriterien:

■ Der Betreuungsschlüssel: Es gibt offizielle Richtlinien dazu, wie viele Erzieherinnen für wie viele Kinder zuständig sind. Ideal ist es, wenn eine Betreuerin für weniger als fünf Kinder zuständig ist.

■ Für Babys unter einem Jahr sind nicht altersgemischte Gruppen besser, damit sie genügend Ruhe finden.

■ Die Erziehungsgrundsätze sollten mit Ihren eigenen übereinstimmen.

■ Fachkräfte, die in Erster Hilfe und Kindergesundheit geschult sind. (Wenn Ihr Kind spezielle gesundheitliche Probleme hat, klären Sie ab, ob das Personal entsprechende Kenntnisse besitzt.)

■ Gut ausgebildetes Fachpersonal, das sich kontinuierlich fortbildet und in frühkindlicher Betreuung geschult ist.

■ Warmherzige, liebevolle Erzieherinnen, die Kinder lieben und an jedem einzelnen Kind Interesse haben.

■ Eine Erzieherin, die speziell für Ihr Kind zuständig ist und seine speziellen Bedürfnisse kennt.

■ Klare Sicherheitsvorschriften und -regeln.

■ Eine gute Auswahl an sauberen, ordentlichen Spielsachen und altersgerechten Büchern.

■ Schlafräume und hygienische Räume für die Mahlzeiten.

■ Eine gute Zusammenarbeit mit den Eltern im Sinne einer Elternpartnerschaft.

■ Eine Politik der offenen Tür, sodass Eltern jederzeit willkommen sind.

10 Wochen

Sobald Ihr Baby nun eine interessante Sache sieht, z. B. ein Spielzeug, greift es danach. Zwar kann es noch nicht genau zielen, doch dieses Bemühen markiert den Beginn der Hand-Auge-Koordination. Ihr Baby wird geselliger und »unterhält« sich durch Lallen und Gurren.

Den Schlafrhythmus finden

Gerade meinen Sie, Ihr Kleines sei endlich eingeschlafen, da rührt es sich wieder und wacht auf. Wie findet ein Baby in den Schlaf?

Süße Träume Ein Einschlafritual trägt dazu bei, dass Ihr Baby besser in den Schlaf findet.

Babys erleben, genau wie Erwachsene, zwei verschiedene Schlafphasen: den Tiefschlaf bzw. »NREM«-Schlaf (non-rapid eye movement) und den »REM«-Schlaf (rapid eye movement). Im tiefen NREM-Schlaf ruhen Körper und Geist, die Atmung ist flach, die Gliedmaßen sind locker und entspannt. Im leichten REM-Schlaf dagegen bewegen sich die Augen unter den Augenlidern und das Gehirn bleibt aktiv; in dieser Phase treten Träume auf.

Schlaf und Gehirnaktivität Erwachsene können nach dem Hinlegen innerhalb von Minuten in tiefen Schlaf fallen. Während einer Acht-Stunden-Nacht verbringen Erwachsene typischerweise 75 Prozent der Zeit im tiefen NREM-Schlaf und 25 Prozent im leichten REM-Schlaf; diese Schlafphasen wechseln sich während der Nacht zyklusweise ab. In den ersten Lebensmonaten schlafen Babys etwa 18 Stunden am Tag – die Hälfte davon im leichten REM-Schlaf. Dieser REM-Schlaf, so eine Theorie, ist während der intensiven Lern- und Wachstumsphase im frühen Leben dringend erforderlich, damit das Gehirn die gemachten Erfahrungen verarbeiten kann. Der Durchblutung des Gehirns verdoppelt sich während des REM-Schlafs annähernd. Das Gehirn ist weiterhin aktiv – obwohl Ihr Baby zu schlafen scheint. Während des REM-Schlafs ist das Baby oft unruhig, mit flatternden Augenlidern und Gesichtsbewegungen, auch Arme und Beine können zucken.

Bis zur 20. Lebenswoche wird Ihr Baby kaum einen regelmäßigen Schlafrhythmus mit erkennbaren NREM- und REM-Zyklen entwickeln. Mit 20 Wochen erlebt es dann etwa 35 Prozent leichte REM-Schlafphasen und 65 Prozent tiefe NREM-Schlafphasen.

Was ist wann zu tun? Legen Sie Ihr Baby immer dann hin, wenn es erste Müdigkeitszeichen zeigt. Auf diese Weise gewöhnt es sich daran, von selbst in den Schlaf zu finden. Sobald es eingeschlafen ist, sollten Sie es nicht mehr an einen anderen Ort bringen, denn es könnte durch seinen leichten Schlaf augenblicklich aufwachen.

Meinen Sie, es könnte gleich aufwachen, sollten Sie es besser noch nicht streicheln oder mit ihm sprechen – gut möglich, dass Sie es dann erst wecken.

Wenn die REM-Phasen mit zunehmendem Alter länger werden, schläft es auch tiefer und wacht seltener auf.

FRAGEN SIE... EINEN KINDERARZT

Träumt mein Baby? Es gibt Hinweise, dass Babys nicht nur vom Augenblick der Geburt an träumen, sondern bereits in der Gebärmutter. Träume entstehen im REM-Schlaf (s. links), wenn das Baby nicht so tief schläft und das Gehirn aktiv ist. Da ein Baby so viele Stunden mehr in dieser Schlafphase verbringt als Erwachsene, träumt es häufig. In diesen Träumen verarbeitet es die Erfahrungen des Tages und festigt dabei Lernprozesse, Gefühle und Entwicklungsschritte. Manchmal kann das Baby auch schlechte Träume haben, wird sich aber durch Ihre Stimme schnell beruhigen.

Wann kann ich ein Schlaftraining durchführen? Ihr Baby schläft so viel, wie ihm sein Körper vorgibt – und zwar dann, wenn es diesen Schlaf benötigt. Es braucht außerdem nachts noch eine Mahlzeit. Formen des Schlaftrainings sollten frühestens starten, wenn ein Baby mehrere Monate alt ist. Sanft wird es dazu angeleitet, nachts länger zu schlafen. Das bedeutet aber nicht, dass man es schreien lässt: Geben Sie ihm vielmehr die Sicherheit, einschlafen zu können, weil Mama und Papa in der Nähe sind. Sie können jetzt aber bereits ein ruhiges Einschlafritual einführen, z.B. ein Bad, Füttern und eine Geschichte oder ein Wiegenlied; Ihr Baby beginnt bald, diese Abfolge von Ereignissen mit dem Einschlafen zu verbinden.

UNSER BABY IST 10 WOCHEN UND 1 TAG

Zielübungen

Die Hand-Auge-Koordination Ihres Babys entwickelt sich schnell. Es versucht, Arme und Beine in die gewünschte Richtung zu bewegen.

FRAGEN SIE … EINEN KINDERARZT

Warum keucht mein Baby? Vermutlich besteht eine Verengung der Luftwege – schwer festzustellen, wo genau sie sich befindet. Da Babys sowieso enge Atemwege haben, kommt dieses Keuchen oft vor. Die häufigste Ursache sind Erkältungen; möglicherweise besteht auch eine Bronchiolitis (s. S. 408), die ernster ist. Hält das Keuchen Ihres Babys an oder wirkt es krank und hat Fieber, gehen Sie sofort zum Kinderarzt.

Bisher war es wohl vor allem ein glücklicher Zufall, wenn Ihr Baby mit seinen schlagenden Bewegungen sein Babytrapez getroffen hat. Mit zehn Wochen erkennt es nun allmählich die Verbindung zwischen seinem »Treffer« und der daraus resultierenden Bewegung des Spielzeugs. Es stellt die Verbindung zwischen Ursache und Wirkung her. Bei jedem Treffer erhält sein Gehirn wichtige Informationen über die Bewegung von Muskeln und Körper.

Legen Sie Ihr Baby auf den Bauch und etwas von ihm entfernt ein Spielzeug; so wird es angespornt, sich darauf hinzu-

bewegen. Es lernt dabei, dass es durch eigene Bewegungen einen gewünschten Gegenstand erreichen kann. Legen Sie ihm das Spielzeug in die Handfläche; durch den Greifreflex wird es die Finger fest darum verschließen.

Legen Sie Ihr Baby unter sein Babytrapez – und zwar so, dass es die dort angebrachten Spielsachen erreichen kann. Das Greifen macht viel mehr Spaß, wenn es von Erfolg gekrönt ist! Wenn es in Rückenlage spielt, halten Sie ihm Spielsachen hin. Bald wird es in der Lage sein, genau danach zu zielen und sie zu sich heranzuziehen.

UNSER BABY IST 10 WOCHEN UND 2 TAGE

Die Bauchlage trainieren

Aus Sicherheitsgründen schläft das Baby in Rückenlage. Es muss aber auch auf dem Bauch liegen, um seinen Oberkörper zu kräftigen.

Mit rund zehn, elf Wochen versucht Ihr Baby vermutlich, in Bauchlage seinen Kopf anzuheben, um sich umzuschauen. Vielleicht will es sich bereits auf den Unterarmen hochschieben. Es dauert aber noch ein bis zwei Monate, bis es dazu genügend Kraft besitzt.

Dieser wichtige Meilenstein in seiner Entwicklung bezeichnet den Startpunkt der motorischen Fähigkeiten, die zum Rollen und später zum Krabbeln führen. Babys sollten einen Teil ihrer wachen Zeit in Bauchlage verbringen; in dieser Zeit kräftigt sich der Oberkörper und sie üben das Heben des Kopfes und das Sich-Hochdrücken. Bleiben Sie immer

bei Ihrem Baby, wenn es in Bauchlage ist. Seine Halsmuskulatur ist noch verhältnismäßig schwach und es kann seinen Kopf nicht lange halten; diese Hilflosigkeit macht ihm auch Angst und Sie müssen es dann schnell aus der Bauchlage »befreien«. Verteilen Sie Spielsachen in seiner Reichweite, damit es danach greift und sich vielleicht in deren Richtung bewegt (s. »Zielübungen« oben). Wenn es sich gegen die Bauchlage sträubt, legen Sie sich selbst auf den Rücken und nehmen es in Bauchlage auf Ihre Brust. Es freut sich bestimmt, beim Aufblicken in Ihr lächelndes Gesicht zu blicken.

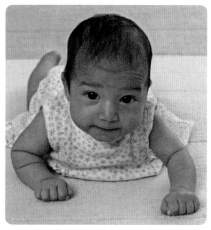

Muskelkraft Vermutlich kann Ihr Baby nun den Kopf heben – eine beachtliche Leistung!

Unterwegs sein

Das Sehvermögen verbessert sich ständig; bieten Sie Ihrem Baby daher viel Gelegenheit, seine Umgebung visuell zu erforschen.

Spazieren gehen Das Baby fühlt sich sicher, wenn es im Wagen sowohl die Mutter als auch die aufregende neue Welt sehen kann.

Bisher lag Ihr Baby flach im Kinderwagen, doch nun kann es auch abgestützt sitzen. Einen Kombiwagen können Sie entsprechend umbauen. Es gibt außerdem eine Vielzahl an Sportwagen; bei manchen sitzt das Kind in Fahrtrichtung, bei anderen hat es Blickkontakt zur Mutter.

Manche Fachleute meinen, die der Mutter zugewandte Sitzrichtung sei besser, weil dabei der Bindungsprozess gefördert werde, die Mutter sich mit ihrem Kind unterhalten könne und der Anblick der Mutter für das Kind beruhigend sei. Wenn das Kind in Fahrtrichtung sitzt, kann es aber seine Umgebung besser betrachten. Bekommt es Angst, weil es die Mutter nicht mehr sieht, kann man mit ihm sprechen und es streicheln. Gehen Sie von Zeit zu Zeit vor dem Kinderwagen in die Hocke und sprechen

Sie auf Augenhöhe mit Ihrem Baby. Ihre Worte, Tonfall und Rhythmus vermitteln ihm dabei Informationen, auch wenn es die Bedeutung noch nicht versteht.

Sicherheit Gurten Sie Ihr Baby immer sorgfältig im Wagen an und kontrollieren Sie, ob es bequem sitzt und nicht nach vorne gebeugt ist. Wenn der Po etwas weiter vorne sitzt, kann es sich bequem nach hinten lehnen. Eine Nackenstütze oder ein Nackenkissen sind sinnvolle Anschaffungen. Bei einem Kombiwagen lässt sich eine flache Liegefläche herstellen; so können Sie Ihr Baby, wenn es eingeschlafen ist, hinlegen. Vergessen Sie niemals, beim Anhalten die Bremse einzustellen, auch wenn es scheinbar kein Gefälle gibt. Hängen Sie keine schweren Taschen an die Schiebestange; der Wagen kann leicht umkippen. Am besten kaufen Sie einen Wagen, bei dem sich Einkäufe unter dem Sitz verstauen lassen. Zusammenklappbare Buggys, die nur eine Sitzposition haben, sind für Babys unter sechs Monaten nicht geeignet.

Für Mütter mit mehr als einem Baby gibt es eine große Modellpalette an Zwillings- und Drillingswagen. Alle haben Vor- und Nachteile. So kommen Sie z.B. mit einem Tandemwagen, bei denen die Babys hintereinander sitzen, zwar besser durch Türen, sie sind allerdings schwerer zu lenken und zu wenden.

Buggys, bei denen die Babys nebeneinander sitzen, sind populär, weil die beiden sich sehen, hören und miteinander kommunizieren können. Das kann bei längeren Ausflügen praktisch sein. Der Nachteil dieses Modells liegt darin, dass man wegen seiner Breite nicht durch alle Eingänge kommt.

ENTWICKLUNG FÖRDERN

Bilderbücher

Bücher in hellen, bunten Farben mit Babygesichtern oder Tierabbildungen sind in dieser Entwicklungsphase ideal. Ihr Baby wird die Abbildungen voller Hingabe betrachten.

Stabile Pappbilderbücher oder Stoffbücher sind robust und können gut sauber gehalten werden. Ihr Baby kann sich auch schon alleine damit beschäftigen. Bücher mit verschiedenen Materialien findet Ihr Baby ebenfalls toll und liebt es, sie zu fühlen. Erfinden Sie dazu Geschichten oder wiederholen Sie die Bezeichnungen der abgebildeten Dinge – das fördert den Lernprozess.

Bunt und lustig Bücher mit vielen Farben und Materialien gefallen Ihrem Baby und sorgen für Beschäftigung.

Signale erkennen

Mit den Beinen strampeln? Die Stirne runzeln? Wenn Sie wissen, was Ihr Baby Ihnen sagen will, können Sie viele Tränen vermeiden.

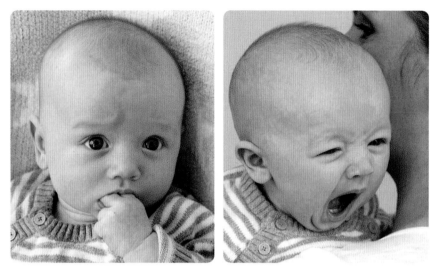

Was meine ich? An den Fingern saugen kann Müdigkeit, Hunger oder aufmerksames Beobachten bedeuten (links). **Abschalten** Das Gähnen bedeutet, dass Ihr Baby nun schlafen möchte (rechts).

FRAGEN SIE ... EINEN KINDERARZT

Es scheint so, als habe mein Baby Verstopfung – kann das sein? Der Stuhlgang von Babys unterscheidet sich stark; eine Veränderung des normalen Stuhlgangs kann aber ein Problem anzeigen. Babys können dreimal am Tag Stuhlgang haben oder nur jeden zweiten Tag.

Stillbabys bekommen in der Regel keine Verstopfung, da Muttermilch leicht verdaulich ist und für einen lockeren Stuhl sorgt. Symptome von Verstopfung sind ein harter, knotiger Stuhl, Pressen, ohne dass Stuhlgang ausgeschieden wird, oder Schmerzen beim Stuhlgang. Manchmal findet sich etwas hellrotes Blut in der Windel infolge kleiner Risse im After. Bei Blut im Stuhl wenden Sie sich sofort an den Kinderarzt.

Wenn Sie lernen, die körperlichen und mimischen Signale Ihres Babys zu deuten und darauf zu reagieren, fördern Sie die erste wichtige Form der beidseitigen Kommunikation zwischen Ihnen. Wenn Ihr Baby auf seine ersten Signale hin erhält, was es will, lernt es zugleich, dass seine Bedürfnisse befriedigt werden, ohne dass es schreien muss. Dadurch entwickelt es ein größeres Repertoire an Signalen und Gesten, um seine Botschaft zu übermitteln. In den kommenden Monaten erahnt es Ihre Reaktion dann bereits und lächelt aus Vorfreude. Auf diese Weise entwickeln sich seine kommunikativen Fähigkeiten und sein Urvertrauen – das Wissen, dass Sie kommen, wenn es Sie braucht – festigt sich.

Auf Hinweise achten In diesen ersten Wochen und Monaten besteht die Herausforderung für Sie darin, die Signale Ihres Baby zu lesen und zu deuten. Sie können vermutlich bereits das Müdigkeitsschreien und den Hungerschrei unterscheiden. Jetzt kommt es darauf an, auf speziellere verbale und nonverbale Signale zu achten. Dazu gehören z.B. Strampeln, ein gerötetes Gesicht oder Fäuste-Schwenken. Alle diese Anzeichen können bedeuten, dass das Baby überreizt oder frustriert ist oder eine neue Windel braucht. Achten Sie auf Verhaltensweisen, die zeigen, dass es müde wird – vielleicht reibt es die Augen, gähnt oder steckt die Finger in den Mund. Wenn Ihr Baby entsprechende Signale zeigt, legen Sie es zum Schlafen hin. Da Sie Ihr Babys nun immer besser verstehen, werden Sie immer sicherer vorhersehen können, was es im Moment braucht.

Spielen oder nicht spielen? Ihr Baby signalisiert Ihnen auch, ob es in der richtigen Verfassung zum Spielen ist oder ob es in Ruhe selber abschalten will. Wenn es ruhig wird, Ihr Gesicht betrachtet, nach Ihnen greift, seinen Körper geschmeidig bewegt, Ihnen seine Augen (weit geöffnet und strahlend) oder seinen Kopf zuwendet, lallt, lächelt, brabbelt und den Kopf anhebt, sind dies klassische Signale der Kontaktaufnahme. Es »sagt« Ihnen, dass ihm nach Kommunikation zumute ist!

Wenn es den Kopf zur Seite dreht, den Rücken durchbiegt, sich windet oder strampelt, die Augen von Ihnen abwendet oder die Stirne runzelt, sind dies Signale des »Rückzugs«. Nun braucht Ihr Baby eine Pause oder Ruhephase. Es will nicht mehr spielen, trinken und auch nicht getragen werden. Es ist Zeit für einen Aktivitätswechsel oder ein Schläfchen.

Babymassage

Eine Massage entspannt und beruhigt Ihr Baby, sie lindert Blähungen und Koliken und fördert einen erholsamen Schlaf.

Es gibt viele Babymassagekurse, in denen Sie die richtigen Techniken erlernen können (Ihre Hebamme kann Ihnen sicher einen empfehlen). Sie können aber auch täglich ein paar einfache Massagegriffe anwenden, wenn Sie Ihrem Baby beruhigend den Rücken streicheln oder mit seinen Händen und Füßen spielen. Eine Babymassage soll Mutter und Kind Spaß machen und dem Baby liebevolle Berührung schenken.

Wählen Sie einen Zeitpunkt, zu dem Ihr Baby entspannt ist – also nicht direkt nach einer Mahlzeit oder wenn es Hunger hat. Wichtig ist ein warmer Raum. Ihr Baby liegt bequem auf einer weichen Unterlage. Streichen Sie zunächst Arme und Beine fest aus, massieren Sie dann vorsichtig seinen Bauch im Uhrzeigersinn. Sprechen Sie dabei mit Ihrem Baby und achten Sie auf seine Signale: Wenn es sich nicht wohlfühlt, beenden Sie die Massage besser.

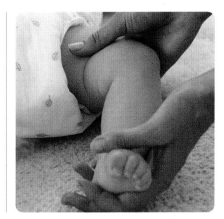

Beine und Füße Massieren Sie vom Oberschenkel zu den Knöcheln und Füßchen.

Ihr kontaktfreudiges Baby

Ihr Baby lächelt häufiger; es gurgelt und lallt, um sich mit Ihnen zu »unterhalten«. Allmählich zeigt sich das soziale Wesen Ihres Babys.

Die Eltern haben den größten Einfluss auf das sich entwickelnde soziale Wesen eines Babys. Wenn Sie mit Ihrem Baby sprechen, warten Sie ab, bis es Ihnen antwortet, und reagieren Sie dann selbst wieder. So lehren Sie es, wie man eine Kommunikationssituation gestaltet.

Ihr Baby lächelt nun häufiger; es reagiert damit nicht nur auf Ihr Lächeln, sondern vielleicht bereits auf Ihre Stimme. Auch andere freundliche Erwachsene lächelt es an. Auf diese Weise erweitert es sein soziales Netzwerk. Schenken Sie Ihrem Baby weiterhin viel Blickkontakt. Schauen Sie

Kontaktfreudig Unterstützen Sie einen offenen, liebevollen Umgang mit anderen.

ihm in die Augen, spiegeln Sie seinen Gesichtsausdruck wider, sprechen Sie und warten Sie auf seine Reaktion.

Babys wird nun zunehmend bewusst, welche Menschen vertraut und welche fremd sind. Ihr Baby kann seine Präferenz für bestimmte Menschen zum Ausdruck bringen. In der Gemeinschaft vertrauer Menschen wird es sich wohlfühlen, wenn z.B. Großeltern liebevoll mit ihm umgehen, es anlächeln und mit ihm sprechen. Babys sind fasziniert von anderen Babys und betrachten deren Gesichter oft völlig gebannt. Es dauert noch längere Zeit (bis zu zwei Jahren), bis Ihr Baby Freundschaften schließt, aber diese frühe Interaktion fördert sein späteres Sozialverhalten.

11 Wochen

BABYS MUND HAT MEHR NERVENENDIGUNGEN ALS JEDER ANDERE TEIL DES KÖRPERS.

Weil sein Mund hochsensibel ist, erforscht Ihr Baby die Welt mit dem Mund – alles wird hineingesteckt. Ihr Baby lernt auch durch Beobachtung. Spezialisierte Nervenzellen im Gehirn, die »Spiegelneuronen«, ermöglichen ihm, Mimik und Bewegungen anderer Menschen zu imitieren.

Hören + beobachten = lernen

Alles, was Ihr Baby sieht und hört, löst Lernprozesse aus, die seine Anpassung an die neue Umwelt fördern. Alles ist Gehirnnahrung!

Bei der Geburt besaß Ihr Baby bereits eine Vielzahl an Gehirnverbindungen – die Grundlage für lebenswichtige Tätigkeiten wie Saugen und Schlucken. Von Geburt an haben alle seine Sinne seither begierig Informationen aufgenommen. Alles, was Ihr Baby erlebt und erfährt, schafft Verbindungen zwischen Gehirnzellen und ermöglicht damit Lernprozesse. Ihr Baby ist darauf programmiert, auf Sie zu reagieren, Ihre Mimik nachzuahmen und Laute zu bilden, nachdem Sie gesprochen haben.

Wenn Sie seine Mimik imitieren, lernt Ihr Baby, seine Gefühle ohne Worte auszudrücken. Wenn Sie seine Laute und Gesichtsausdrücke nachahmen, lernt es, dass andere die gleichen Dinge können.

Psychologen halten dies für die entscheidende Rolle bei der Entwicklung des Selbstbildes, der Empathie und des Zugehörigkeitsgefühls. Mit elf Wochen nimmt Ihr Baby immer mehr Informationen über das Geschehen in seiner näheren Umgebung auf und entwickelt ein detailliertes Bild davon. Ob es seine Geschwister beim Tanzen beobachtet oder ein Licht betrachtet und sich dann abwendet – dies alles ist die Grundlage für vielfältige Nervenverästelungen in seinem Gehirn.

Schaffen Sie Ihrem Baby eine visuell anregende Umgebung. Dazu brauchen Sie nichts Teures, ein bruchsicherer Babyspiegel oder ein Windrad, das sich im Wind dreht, sind sehr inspirierend.

Spiegelspiel Ihr Baby wird ganz fasziniert sein eigenes Spiegelbild betrachten.

Eine Auszeit als Familie

Ein Familienausflug bringt eine willkommene Abwechslung – und lässt Ihr Baby neue Welten erfahren.

Da Ihr Baby nun ein immer stärkeres Interesse an den Eindrücken und Geräuschen in seiner Umgebung zeigt, bietet ein Ausflug eine schöne Abwechslung. Ihr Baby wird dabei viele neue Eindrücke und Anregungen für seinen Lernprozess gewinnen. Planen Sie familienfreundliche Aktivitäten – vielleicht der erste Ausflug aufs Land oder ein Besuch bei den Großeltern? Die Autofahrt sollte aber möglichst kurz sein, damit Ihr Baby nicht ermüdet, sondern seinen Tag in guter Stimmung genießen kann.

Geeignet sind Orte, an denen Ihr Baby neue Gerüche, Eindrücke und Geräusche erlebt. Es hat viel Spaß, wenn es Ihnen bei einem Picknick zuschaut; es gefällt ihm, mit Ihnen unter Bäumen auf einer Decke zu liegen und die Äste und Blätter im Wind zu beobachten. Ein Spaziergang durch den Park oder entlang einer ruhigen Straße bietet neue faszinierende Sinneserfahrungen für Ihr Baby.

Ganz wichtig ist dabei, dass diese gemeinsamen Unternehmungen als Familie, zu Hause oder unterwegs, Ihnen

ein Repertoire an gemeinsamen Erinnerungen und Geschichten schaffen. Später lassen sich daraus viele amüsante Geschichten über die Reaktionen Ihres Babys auf neue Erfahrungen erzählen. Sie starten damit auch eine Tradition von Familienausflügen, die im Laufe der Jahre hoffentlich zu einer schönen Gewohnheit werden.

Machen Sie bei diesen Erlebnissen viele Fotos. Wenn Ihr Kind älter wird, wird es sie gerne betrachten und staunen, was es als Baby alles gemacht hat.

Haustiere und Baby

Nicht nur bei Ihren eigenen Haustieren müssen Sie achtsam sein, sondern auch im Umgang mit den Tieren von Freunden und Angehörigen.

Es dauert noch eine Weile, bis Ihr Kind wirklich eine Beziehung zu Tieren aufbaut. Doch können Sie bei ihm bereits frühzeitig ein Gefühl der Verantwortung für das Tier wecken. Allerdings sollten Sie im Moment vor allem daran denken, dass selbst das besterzogenste Haustier unberechenbar sein kann. In einem Haushalt mit einem so leicht verletzlichen Baby darf im Umgang mit dem Haustier nichts als selbstverständlich betrachtet werden.

Tiere, insbesondere Hunde, können auf den neuen Mitbewohner eifersüchtig sein. Kümmern Sie sich daher weiterhin wie gewohnt um Ihren Hund, damit er sich nicht vernachlässigt fühlt. Behalten Sie die regelmäßigen Spaziergänge bei und geben Sie ihm sein Futter zu den gewohnten Zeiten. Lassen Sie den Hund nicht allein in den Schlafbereich des Babys; bringen Sie – falls nötig – ein Treppen- oder Türschutzgitter an, um ihn dort fernzuhalten.

Mit nun bald drei Monaten greift und zieht Ihr Baby an allem, was es erreichen kann. Handelt es sich dabei um den Schwanz oder das Ohr eines Tieres, wird es gefährlich – der Hund schnappt, die Katze beißt oder kratzt. Lassen Sie Ihr Baby aus diesem Grunde niemals unbeaufsichtigt bei Ihren Tieren; sie sollten auch nicht in das Spielzimmer Ihres Babys kommen. Unter keinen Umständen sollte irgendein Haustier im Bett des Babys schlafen dürfen. Insbesondere Katzen suchen gern ein warmes Plätzchen im Babybett (oder Kinderwagen). Verhindern Sie dies durch ein Katzennetz.

Lassen Sie Ihre Tiere regelmäßig impfen und achten Sie darauf, dass sie wurm- und flohfrei sind. Haustiere können Parasiten übertragen, die z.B. die Infektionskrankheit Toxicariasis verursachen. Beugen Sie Gesundheitsrisiken durch Hygiene vor. Lassen Sie nie zu, dass Tiere Ihr Baby ablecken, insbesondere nicht das Gesicht. Besuchen Sie Freunde mit Haustieren, gelten dieselben Vorsichtmaßnahmen – lassen Sie Ihr Baby nicht aus dem Blick.

ENTWICKLUNG FÖRDERN

Tanzen

Haben Sie einen Lieblingssong, zu dem Sie gerne tanzen? Machen Sie ihn doch zur Leitmusik für regelmäßige Aktivitäten mit Ihrem Baby. Spielen Sie Ihr Lieblingslied, halten Sie Ihr Baby fest im Arm und schwingen Sie es zur Musik. Sie können langsame, rhythmische oder intensivere Bewegungen ausführen, passend zur Musik. Ihr Baby liebt es, in Papas starken Armen durch die Luft zu schwingen, und gluckst dabei bestimmt vor Vergnügen.

Durch die wiederholte Erfahrung verbindet es im Laufe der Zeit die Musik mit dem positiven Erlebnis mit Papa oder Mama; auf diese Weise weckt später das Hören der Musik positive Gefühle in ihm, selbst wenn Sie z.B. bei der Arbeit sind.

Musik und Tanz Babys lieben es, wenn sie zu Musik gewiegt und geschaukelt werden – und noch ist es Ihnen nicht peinlich!

CHECKLISTE

Sicherheit mit Tieren

■ Decken Sie Babys Bett besser mit einem Katzennetz ab, um Ihre Katze fernzuhalten.

■ Lassen Sie Hund und Katze nicht unbeaufsichtigt bei Ihrem Baby. Eine unerwartete Bewegung oder ein Schlag des Babys – und das Tier wehrt sich instinktiv.

■ Waschen Sie nach dem Umgang mit Tierfutter oder Tiernäpfen Ihre Hände, um das Risiko von übertragbaren Krankheiten, z.B. einer Salmonelleninfektion, zu reduzieren. Benutzen Sie separate Eimer dafür.

■ Reptilien leiden häufig an Salmonellen, die leicht übertragen werden können. Am besten hält man in einem Haushalt mit Kindern unter fünf Jahren noch keine Reptilien.

Mit dem Mund erforschen

Die vielen Nervenendigungen und Geschmacksknospen in Mund und Lippen liefern Informationen über Geschmack, Material und Konsistenz.

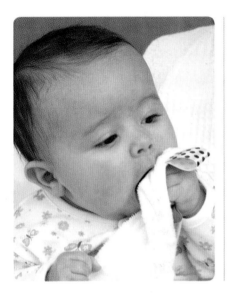

Ihr Baby steckt jetzt seine Finger in den Mund; es versucht Gegenstände zu greifen und sie auch in den Mund zu stecken. Mit Hingabe untersucht es jeden Gegenstand, entdeckt seinen Geschmack, seine Beschaffenheit und erfährt, welchen Widerstand er beim Draufbeißen bietet. Ihr Baby wird nun vermutlich mindestens bis zum zweiten Lebensjahr Dinge mit dem Mund untersuchen.

Das »Mundeln« trainiert die Beweglichkeit von Zunge, Lippen und Kiefer, sodass Ihr Baby diese Bewegungen

Die Welt erforschen Mit dem Mund erkundet Ihr Baby, wie die Dinge sich anfühlen.

während der kommenden Monate besser kontrollieren lernt. Das wiederum fördert die Sprachentwicklung, das Kauen und Schlucken. Weil Ihr Baby unterschiedslos alles in den Mund steckt, müssen Sie sicherstellen, dass nichts Verbotenes in seiner Reichweite ist. Es gibt eine Menge Spielsachen, die speziell zum Mundeln entwickelt worden sind – bis hin zu Stoffbilderbüchern mit festen Kanten, die Babys Kiefer angenehmen Widerstand leisten. Beißringe sind schmal und gut zu greifen und können daher von winzigen Händchen gehalten werden.

Vielleicht nuckelt Ihr Baby auch gern an der Ecke eines Kuscheltiers oder Mulltuchs – alternativ zum Schnuller.

Babys Hautpflege

Viele Babys leiden unter trockener Haut und Ausschlägen. Behandeln Sie seine Haut sanft, um größeren Hautproblemen vorzubeugen.

Babyhaut ist dünner, empfindlicher und weniger fettig als die des Erwachsenen; daher trocknet sie schnell aus, insbesondere im Winter, wenn die Räume trocken und überheizt sind.

Ein Baby mit trockener Haut wird am besten nur alle drei bis vier Tage gebadet (an den anderen Tagen genügt waschen). Verzichten Sie dabei auf Seife oder Badezusätze. Reines Wasser genügt völlig; Sie können, wenn wirklich nötig, einen Tropfen hypoallergenes Babybad dazugeben. Lassen Sie Ihr Baby nicht zu lange im Wasser, da dies die Haut weiter

austrocknet. Nach dem Bad tupfen Sie es trocken und tragen ein wenig hypoallergene Babylotion auf. Wenn Sie es lieber ganz natürlich haben, können Sie alternativ ein wenig angewärmtes naturbelassenes Oliven-, Mandel- oder Traubenkernöl einmassieren.

Beachten Sie, dass Waschmittelrückstände Hautreizungen verursachen können; verwenden Sie daher hautfreundliches Waschmittel und Weichspüler und spülen reichlich. Auch Wolle oder kratzende Fasern oder Synthetiks, wie Nylons, sollten Sie vermeiden.

Als Neugeborenenakne bezeichnet man Papeln und winzige Pickel im Gesicht; sie tritt zwischen der zweiten Woche und dem sechsten Monat häufig auf und ist eine Folge der hormonellen Umstellung. Auch wenn sie besorgniserregend wirkt, ist eine Behandlung nicht erforderlich.

Ein hellroter Ausschlag an Hals, Achseln oder Windelbereich wird oft durch Hitze bedingt. Lassen Sie Luft an Babys Haut und kühlen Sie seine Haut. Ein roter Ausschlag kann durch Soor verursacht werden (s. S. 405 f.); wenden Sie sich in diesem Fall an den Kinderarzt.

Das Gewicht dokumentieren

Die Gewichtszunahme verläuft nun recht gleichmäßig; dennoch beruhigt Sie das regelmäßige Wiegen Ihres Babys.

Auch wenn die Gewichtszunahme individuell etwas unterschiedlich verläuft, so nehmen die meisten Babys in den ersten sechs Lebensmonaten in der Woche durchschnittlich 120–200 g zu. Mit einem halben Jahr haben sie ihr Geburtsgewicht in der Regel etwa verdoppelt; danach verlangsamt sich die Gewichtszunahme. Stillbabys wachsen in den ersten drei Monaten schneller als Flaschenbabys, danach etwas langsamer; mit zwölf Monaten können Stillbabys bis zu 1 kg leichter als Flaschenbabys sein.

Bei den Vorsorgeuntersuchungen beim Kinderarzt wird Ihr Baby regelmäßig gewogen; sein Gewicht wird dabei ins Vorsorgeheft bzw. in Österreich in den Mutter-Kind-Pass eingetragen. So kann überprüft werden, ob Ihr Baby über einen längeren Zeitraum hinweg einen gleichmäßigen Wachstumsverlauf zeigt.

Viele Mütter wollen ihr Baby auch zu Hause regelmäßig wiegen. Dabei wird meist empfohlen, dies nur einmal wöchentlich zu tun, um sich nicht zu sehr auf das Gewicht zu fixieren.

Da eine normale Personenwaage zu ungenau und zum Wiegen des Babys unpraktisch ist, gibt es spezielle Babywaagen. Diese können Sie kaufen oder auch in der Apotheke ausleihen. Babywaagen gibt es in verschiedenen Preisklassen und Ausführungen. Die meisten Waagen verfügen über eine LED-Anzeige und haben einen Wiegebehälter, in den man das Baby legen oder setzen kann. Die Waagen sind meist bis zu einem Gewicht von 15 oder 20 kg geeignet.

Vorbereitung aufs Sitzen

Inzwischen ist die Halsmuskulatur so weit entwickelt, dass Ihr Baby das Gewicht des Kopfes einige Sekunden lang halten kann.

Kräftige Halsmuskulatur Der Blick über Mamas Schulter spornt Ihr Baby an, den Kopf zu heben und sich neugierig umzuschauen.

Das aufrechte Sitzen erfordert Kraft und Gleichgewichtsgefühl. Ihr Baby muss das Gewicht von Nacken und Rücken tragen und ausbalancieren können; zugleich muss es wissen, wie es sich mit Armen und Beinen stabilisieren kann, um nicht nach vorne zu kippen – vor dem siebten Monat wird es diese komplexe Position daher wohl kaum meistern. Es beginnt aber bereits jetzt, sich darin zu üben.

Auch wenn das Baby sich mit den Armen hochschieben kann, ist für das Sitzen eine bessere Stabilität des Nackens erforderlich. Diese kann es in der Bauchlage trainieren, aber auch beim Getragenwerden an der Schulter des Erwachsenen – gern hebt es den Kopf, um über die elterliche Schulter zu schauen.

Ein kräftiger Rücken erfordert eine stabile Körpermitte. Damit Ihr Baby diese Kraft entwickelt, stützen Sie es mit Kissen in einer leicht gebeugten Sitzposition ab. Polstern Sie es gut, damit es sich nicht wehtut, falls es umkippt. Lassen Sie Ihr Baby niemals unbeaufsichtigt sitzen. Es ermüdet rasch und wenn es Unbehagen zeigt, legen Sie es wieder auf den Rücken.

Die Bauchlage (s. S. 122) ist bestens geeignet zur Kräftigung von Babys Armen; legen Sie Ihr Baby daher jeden Tag für kurze Zeit auf den Bauch.

Sobald Ihr Baby kräftig genug ist, um den Kopf längere Zeit sicher zu halten, sollte es das Ausbalancieren konsequent üben – abgepolstert mit vielen Kissen.

Mit dem Baby verreisen

Ihr Baby ist inzwischen kräftiger und auch sehr anpassungsfähig; daher wäre jetzt ein guter Zeitpunkt für eine Reise. Es gibt – eine sorgfältige Planung vorausgesetzt – keinen Grund, warum Sie nicht alle miteinander eine entspannte Zeit erleben sollten.

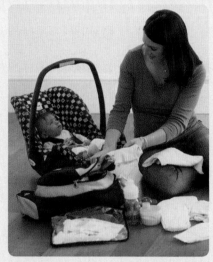

Packen Denken Sie an alles, denn das ist der Schlüssel zu einem erholsamen Urlaub.

Die meisten frisch gebackenen Eltern scheuen sich vor einer Reise mit ihrem kleinen Baby. Sie haben meist bereits genug damit zu tun, den Bedürfnissen des Babys zu Hause gerecht zu werden, und fragen sich, wie das alles im Urlaub funktionieren soll. Ein drei Monate altes Baby kann aber durchaus schon ein sehr guter Reisepartner sein. In diesem Alter ist Ihr Baby weniger anfällig als vorher und es schert sich noch wenig darum, wo es schläft. Es besitzt noch keine festen Gewohnheiten und daher stören es geringe Abweichungen im gewohnten Tagesablauf nicht allzu sehr.

Planung Wenn Sie eine Hotelunterkunft buchen und Ihr Baby normalerweise im eigenen Bett schläft, sollten Sie entweder ein Reisebett mitnehmen oder ein Kinderbett für Ihr Zimmer reservieren. Wenn Sie am Reiseziel einen Mietwagen buchen, denken Sie auch an den Babysitz. Für eine Reise ins Ausland benötigt Ihr Baby einen Kinderreisepass bzw. in der Schweiz die Identitätskarte oder einen Pass (s. S. 18 und S. 97). Wollen Sie in ein Land reisen, in dem bestimmte Impfungen erforderlich sind, besprechen Sie mit Ihrem Kinderarzt, ob Ihr Baby dafür alt genug ist. Bestimmte Impfungen, z. B. gegen Gelbfieber, sind für Babys unter sechs Monaten zu gefährlich.

Im Auto reisen Autoreisen sind in mancherlei Hinsicht am bequemsten – vorausgesetzt, Sie verfügen über genügend Stauraum. Bringen Sie an den hinteren Seitenfenstern Schutzblenden an, um Babys Augen und Haut vor der Sonne zu schützen. Mützen und Jacken werden im Auto ausgezogen. Achten Sie darauf, dass die Babyschale sicher befestigt ist. Wenn Sie eine lange Fahrt vor sich haben, reisen Sie möglichst außerhalb der Hauptverkehrszeiten; vielleicht können Sie nachts fahren.

Flugreisen Erkundigen Sie sich bei der Fluggesellschaft über die Beförderungsbestimmungen für Babys und deren Ausstattung. Bei vielen Fluggesellschaften können ein Kinderwagen oder Buggy kostenfrei aufgegeben werden. Fragen Sie bereits vor der Buchung nach!

Viele Fluggesellschaften bieten für Babys ein Babybett zum Einhängen an. Es kann aber nur auf bestimmten Plätzen verwendet werden. Sorgen Sie schon bei der Buchung dafür, dass Sie einen solchen Platz bekommen. Alternativ können Sie einen Babytragesitz verwenden.

Milchnahrung und Getränke für Babys für die Flugdauer unterliegen nicht den üblichen Mengenbeschränkungen, sondern dürfen 100 ml überschreiten. Babynahrung muss auch nicht in Plastikbeutel verpackt werden, wie andere Flüssigkeiten. Bei den mitgeführten Mengen sollte es sich aber um realistische Rationen handeln, der jeweiligen Flugdauer angepasst.

Stillen oder füttern Sie Ihr Baby während Start und Landung: Das Schlucken lindert die Ohrbeschwerden, die durch die Veränderung des Luftdrucks in der Kabine auftreten. Die meisten Flugzeuge verfügen über Wickeltische in den Toiletten.

FRAGEN SIE ... EINEN KINDERARZT

Wann kann mein Baby unbedenklich fliegen? Experten bestätigen, dass selbst kleine Babys Flugreisen gut überstehen, sofern sie gesund sind. Schon in der ersten Lebenswoche dürfen sie fliegen, die Fluglinien haben hier aber ihre eigenen Bestimmungen. Informieren Sie sich daher bereits vor der Buchung, damit es nicht zu Überraschungen kommt.

MALARIA

Die Weltgesundheitsorganisation (WHO) rät davon ab, mit Babys in Malariagebiete zu reisen. Wollen Sie das dennoch tun, lassen Sie sich von einem Tropenmediziner beraten, wie Sie Ihr Baby und sich selbst am besten schützen können. Suchen Sie sofortige medizinische Hilfe, wenn Ihr Baby während oder nach einer solchen Reise Fieber bekommt.

12 Wochen

ANGEBORENE CHARAKTERZÜGE PRÄGEN EINEN TEIL DER PERSÖNLICHKEIT IHRES BABYS.

Die Koordination der Augen verbessert sich und damit das räumliche Sehen. Die Muskeln werden kräftiger und plötzlich dreht sich Ihr Baby vom Bauch auf den Rücken – zu seiner eigenen Überraschung. Strampeln ist eine wichtige Vorbereitung auf das spätere Krabbeln und Laufen.

Ein neuer Wachstumsschub

Mit etwa drei Monaten steht ein weiterer Wachstumsschub an; stellen Sie sich also auf Heißhunger und durchwachte Nächte ein.

Angebot und Nachfrage Die verstärkte Nachfrage Ihres Babys nach Milch stellt sicher, dass Ihr Körper auch genügend Nahrung bildet.

Sicher erinnern Sie sich noch, dass Sie beim letzten Wachstumsschub vor etwa sechs Wochen (s. S. 93) viel Zeit mit Stillen oder Flasche geben zugebracht haben. Vielleicht erinnern Sie sich auch daran, dass Ihr Baby ruheloser war als sonst oder aber mehr schlief – klassische Anzeichen eines Wachstumsschubs, die beim ersten Mal eine echte Herausforderung darstellen.

Da Sie inzwischen bereits Routine im Umgang mit diesen Besonderheiten haben, sollte der Drei-Monats-Wachstumsschub keine großen Überraschungen mehr mit sich bringen. Wenn Ihr Baby einige Tage lang alle zwei Stunden nach Milch verlangt, ist das anstrengend, aber nicht zu vermeiden; lassen Sie sich einfach darauf ein. Wenn Sie stillen, stocken Sie Ihren Vorrat an gesunden Snacks auf, trinken Sie viel Wasser und entspannen Sie sich. Ihr Körper wird automatisch die Milchbildung erhöhen, um Babys Bedarf gerecht zu werden.

Milchnahrung Vielleicht müssen Sie tagsüber zusätzliche Fläschchen vorbereiten oder die Trinkmenge um jeweils 30 ml erhöhen. Lassen Sie sich vom Appetit Ihres Babys leiten. Achten Sie darauf, es nicht zu überfüttern. Ihr Baby sollte am Tag höchstens 150 ml Milch pro Kilogramm Körpergewicht zu sich nehmen. Bei sechs Kilogramm Körpergewicht sind dies in 24 Stunden nicht mehr als 900 ml Milch. Halten Sie zur Sicherheit als Reserve einige Kartons mit Babymilch vorrätig.

Schlafen Vielleicht schläft Ihr Baby tagsüber mehr und ist nachts unruhiger und wacht öfter auf. Nach spätestens einer Woche sollten diese Turbulenzen überstanden sein und der Schlafrhythmus Ihres Babys wird sich wieder normalisieren; ruhen Sie sich einstweilen immer dann aus, wenn Ihr Baby schläft.

Wachstumsschübe meistern

Es ist höchst anstrengend, wenn zwei Babys gleichzeitig oder kurz nacheinander einen Wachstumsschub erleben. Der normale Rhythmus gerät durcheinander – das eine Baby wacht ständig mit Hunger auf (das Baby im Wachstumsschub) und das andere nicht. Am besten pumpen Sie Muttermilch ab, damit eine andere Betreuungsperson dem anspruchsvollen Baby auch einmal seine Extra-Mahlzeit geben kann.

Eine andere Möglichkeit besteht darin, den anderen Zwilling auch aufzuwecken und trinken zu lassen, auch wenn er weniger trinkt. Viele Zwillingsmütter stellen fest, dass dann beide Babys am zufriedensten sind. Allerdings kann es sein, dass sich nach Beendigung des Wachstumsschubs beide Babys an dieses häufige Stillen gewöhnt haben. Dann müssen Sie beide wieder konsequent seltener stillen.

Am wichtigsten: Schlafen Sie dann, wenn Ihre Babys schlafen, und lassen Sie sich von Freunden und Angehörigen im Haushalt unterstützen.

Doppelte Arbeit Es erfordert eine Menge Geduld und Hingabe, zwei Babys während eines Wachstumsschubs zu stillen.

Das Blickfeld erweitert sich

Alles, was Ihr Baby sieht, ist neu und aufregend; es nimmt nun bewusst auch weiter entfernte Gegenstände in seinen Fokus.

Ihr Baby ist ganz fasziniert von Mobiles, Wanddekorationen und Wandbildern, von seinen älteren Geschwistern, seinen Eltern und der Hauskatze! Mit drei Monaten ist die Augenkoordination fortgeschritten. Es schielt immer weniger. Es bewegt seine Augen gleichmäßig, wenn es einen Gegenstand visuell verfolgt – sofern er sich nicht zu schnell bewegt. Auch die Tiefenwahrnehmung verbessert sich, da die Nervenzellen in den Augen und im Gehirn ausreifen; das Baby nimmt die Welt zunehmend drei-dimensional (räumlich) wahr. Auch die Weitsicht entwickelt sich; wenn Sie das Zimmer betreten, erkennt es den Umriss Ihres Gesichts. Es beobachtet Dinge, die mehrere Meter entfernt sind.

Visuelle Anregungen verschiedenster Art fördern das Sehvermögen und bieten Ihrem Baby Unterhaltung. Tragen Sie es mit nach vorne gewandtem Gesicht, damit es das Geschehen in seiner Umgebung beobachten kann. Zeigen Sie auf einzelne Dinge und benennen Sie sie. Rufen Sie Ihr Baby von einer Seite des Raumes aus und freuen Sie sich über sein Entzücken, wenn es Ihr vertrautes Gesicht erblickt. Schütteln Sie Rasseln in einiger Entfernung – es dreht sich hin und beobachtet genau.

Bis zum Alter von etwa zwölf Wochen ist Schielen nicht ungewöhnlich, sondern eine normale Entwicklungsphase. Wenn Ihr Kind jedoch nach dem dritten Monat weiterhin schielt, sollten Sie es dem Kinderarzt vorstellen. »Echtes« Schielen muss früh behandelt werden, um späteren Sehproblemen vorzubeugen.

Rollen und drehen

Bald wird sich Ihr Baby vom Bauch auf den Rücken drehen. Passen Sie gut auf – vielleicht fängt es bereits jetzt mit seiner Akrobatik an.

Umdrehen Mit drei Monaten ist Ihr Baby bereits viel wendiger. Es hebt Kopf und Schultern an – um sich umzudrehen und näher zu Ihnen zu kommen oder um ein Spielzeug zu untersuchen.

In der Bauchlage (s. S. 122) trainiert Ihr Baby die Muskeln, die es zum Drehen und Rollen benötigt. Meist beginnt das Baby, sich vom Bauch auf den Rücken zu drehen – das ist am einfachsten; es passiert einfach und ist keine Folge einer bewussten Anstrengung. Zwar ist es ungewöhnlich, dass sich Babys bereits mit zwölf Wochen drehen, doch wenn es einmal gelungen ist, wird Ihr Baby dieses Kunststück wiederholen. Achten Sie nun bitte immer darauf, wohin es rollen kann und was in seiner Reichweite liegt. Sie dürfen es keinesfalls mehr unbeaufsichtigt auf dem Bett oder Wickelplatz liegen lassen. Manche Babys überspringen diesen Meilenstein – das beeinträchtigt die weitere Entwicklung aber nicht.

Die Persönlichkeit Ihres Babys

Ihr Baby hat einen einzigartigen Charakter; gehen Sie auf seine Persönlichkeit ein und fördern Sie seine Entwicklung.

Sensible Seele Babys, die ängstlich vor fremden Menschen sind, brauchen viel Geborgenheit (links). **Kontaktfreudig** Andere Babys schäkern unbefangen und gern mit Besuchern (rechts).

Bereits in den ersten Wochen und Monaten kristallisiert sich die Persönlichkeit Ihres Babys heraus. Vielleicht ist es meist zufrieden oder aber schnell erregbar und sogar ein wenig mürrisch und lässt sich nur schwer beruhigen. Wenn Sie bereits ein Kind haben, stellen Sie vielleicht überrascht fest, dass Ihr neues Baby ein ganz anderes Temperament hat.

Die Persönlichkeit eines Babys wird von einer Kombination ererbter Merkmale, von seinen aktuellen Bedürfnissen und von seiner Umwelt beeinflusst – dazu gehören auch Ihre Reaktionen und Ihre jeweilige Gemütsverfassung. Fragen Sie doch einmal Ihre Eltern, wie Sie in diesem Alter waren.

Ein Baby, das ruhig und aufmerksam ist und oft lächelt, macht es Eltern leichter, seine Bedürfnisse zu erkennen, als ein unruhiges Baby, das eventuell an Koliken leidet und scheinbar ständige Aufmerksamkeit erfordert.

Einige Babys sind schüchtern; viele Menschen und eine laute Umgebung überfordern sie. Wenn Ihr Baby Gelegenheit hat, mit unbekannten Menschen langsam »warm zu werden«, wird es seine natürlichen Ängste bald überwinden.

Manche Babys sind kleine Energiebündel und lieben körperliche Betätigung – andere sind ganz ruhig und gemächlich. Wieder andere werden schnell unruhig und brauchen stets Routineabläufe, um sich sicher zu fühlen. Jedes Baby ist einzigartig. Wenn Sie die Persönlichkeit Ihres Babys kennenlernen und verstehen, können Sie immer besser auf seine Bedürfnisse reagieren. Sie wissen dann auch, welche Beschäftigung Sie ihm anbieten sollten. Vermeiden Sie aber unbedingt feste Zuschreibungen für Ihr Baby wie »unruhig«, »brav« oder »schüchtern«. Lieben Sie es so, wie es ist, dann wird es dank Ihrer Fürsorge bestens gedeihen.

SONNENSCHUTZ

Vitamin D wird durch Sonneneinstrahlung im Körper gebildet und ist wichtig für starke Knochen und gesunde Zähne; Babys zarte Haut ist aber höchst sonnenbrandgefährdet. Vermeiden Sie direkte Sonneneinstrahlung und lassen Sie Ihr Baby im Sommer von 10 bis 15 Uhr besser in der Wohnung. Verwenden Sie hypoallergene Sonnencreme mit hohem Lichtschutzfaktor (30–50), am besten mit Mikrofilter. Sie sollte vor UVA- und UVB-Strahlen schützen und zehn Minuten, bevor Sie in die Sonne gehen, aufgetragen werden. Erneuern Sie die Creme regelmäßig und vor allem nach jedem Kontakt mit Wasser. Setzen Sie Ihrem Baby einen Sonnenhut auf oder behalten Sie es im Schatten. Stillen Sie es häufig; Flaschenbabys bekommen eventuell zusätzlich etwas Wasser, damit sie nicht austrocknen.

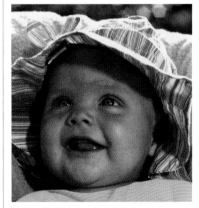

Sicher in der Sonne Schützen Sie Babys zarte Haut mit einem Sonnenhut und Sonnenschutzcreme vor der Sonne.

Berufstätige Eltern

Wenn Sie bald nach der Geburt wieder in den Beruf einsteigen, gibt es viel zu organisieren. Denken Sie daran: Sie müssen nicht perfekt sein!

Zurück in den Beruf Geben Sie sich und dem Baby genug Zeit für diese große Umstellung.

Wenn Sie – aus welchen Gründen auch immer – keine längere Eltern- oder Karenzzeit nehmen wollen und wieder in den Beruf zurückkehren, solange Ihr Baby noch sehr klein ist, müssen Sie ganz pragmatisch denken und handeln. Nicht wenige Mütter haben Schuldgefühle, wenn sie wieder arbeiten gehen – egal wann und auch, wenn sie kaum eine andere Wahl haben. Wichtig ist, dass Sie eine qualifizierte und vertrauenswürdige Betreuung finden, damit Sie sich keine Sorgen um Ihr Baby machen müssen.

Wenn Sie abends nach Hause kommen, werden Sie sicher auch nach einem anstrengenden Arbeitstag erst einmal Ihr Baby an sich drücken, es versorgen und mit ihm spielen wollen. Diese »Qualitätszeit« ist sehr kostbar für Sie beide und festigt die Bindung zwischen Ihnen.

Erledigen Sie den Haushalt erst, wenn Ihr Baby schläft. Vielleicht können Sie auch stundenweise eine Hilfe für den Haushalt engagieren – und sei es nur für die Übergangszeit in die neue Alltagsroutine. Machen Sie sich nicht zu viele Gedanken um einen gepflegten Haushalt: Ihr Baby genießt absolute Priorität.

Kompromisse schließen Finden Sie mit Ihrem Partner oder aushelfenden Angehörigen eine Arbeitsteilung, bei der die Haushaltspflichten gleichmäßig und fair aufgeteilt werden. Sie sollten ohne hohen Zeitaufwand akzeptabel erledigt werden können. Scheuen Sie sich nicht vor Kompromissen: Wenn Sie es nicht schaffen, jeden Abend eine komplette Mahlzeit zu kochen, greifen Sie auf gesunde Fertigprodukte zurück, die Sie beim Nachhausekommen z. B. einfach in den Backofen schieben. Die Zeit mit dem Baby ist wichtiger als die Zeit in der Küche. Sicher werden Sie manchmal von Ihren gewohnten Ansprüchen abweichen müssen, aber denken Sie daran: Von solchen Kompromissen profitieren Sie, Ihr Baby und die ganze Familie.

Und vor allem: Schonen Sie sich selbst. Viele berufstätige Mütter haben das Gefühl, nichts richtig zu machen. Mit der Zeit werden sich die Dinge einspielen und es wird eine Routine entstehen, Beruf und Familienleben zu vereinbaren. Es zahlt sich in den kommenden Jahren vielfach aus, wenn Sie jetzt vor allem Zeit für das Baby und den Partner finden. Wenn sich dann ein stabiles, konstruktives Familienleben entwickelt, werden sich neue Ressourcen auftun.

BITTE BEACHTEN:

Impfungen

Mit drei Monaten stehen die nächsten Impfungen Ihres Babys an. Sie vertiefen die Grundimmunisierung, die es mit etwa acht Wochen bekommen hat. Vereinbaren Sie rechtzeitig einen Termin bei Ihrem Kinderarzt. Versuchen Sie, nicht angespannt zu sein, wenn Ihr Kind die Spritze bekommt, sonst übertragen Sie Ihre Ängste auf Ihr Baby und es könnte weinen.

DER FRAUENARZT RÄT …

Ich fühle mich immer noch sehr müde – leide ich an Eisenmangel? Das ist zwar möglich, doch bei vielen Müttern sind die Anforderungen des Mutterseins und der Schlafmangel die eigentlichen Gründe für die anhaltende Erschöpfung. Müdigkeit kann auch Symptom einer Wochenbettdepression (s. S. 114) oder einer Schilddrüsenunterfunktion sein. Bei einer Anämie (Blutarmut) können folgende Symptome auftreten:
- Müdigkeit und verminderte Konzentrationsfähigkeit;
- Herzklopfen und Atemnot;
- Heißhunger auf bestimmte Nahrungsmittel wie Eis;
- ein verändertes Geschmacksempfinden;
- blasse Schleimhäute;
- Kopfschmerzen.

Bei diesen Symptomen wenden Sie sich an Ihren Haus- oder Frauenarzt.

Tag- und Nachtschlaf

Tagsüber ist Ihr Baby länger wach, unterbrochen von drei Schlafphasen. Nachts schläft es etwa zehn Stunden – aber noch nicht am Stück.

Mit rund drei Monaten schläft Ihr Baby während 24 Stunden etwa 15 Stunden: etwa zehn Stunden davon nachts (vermutlich mit ein, zwei Mahlzeiten), die weiteren fünf Stunden verteilen sich auf drei Schlafphasen am Tag.

Manche Mütter klagen, dass ihr Baby tagsüber kaum schläft; doch mithilfe einiger Routinen können Sie Ihr Baby nach und nach an einen gesundheitsfördernden Rhythmus von kurzen Schlafphasen am Tag und einem langen Nachtschlaf hinführen. Wenn Babys tagsüber nicht genügend Schlaf finden,

werden sie gern überreizt. Dann dauert es abends viel länger, bis sie zur Ruhe kommen. Legen Sie Ihr Baby tagsüber regelmäßig hin: Auch wenn es nur strampelt und im Bettchen spielt, entsteht dabei ein Schlafrhythmus. Es wird bald akzeptieren, dass diese ruhigen Phasen zum Schlafen vorgesehen sind.

Wenn Ihr Baby nachts länger als zehn Stunden schläft, wollen Sie es morgens vielleicht sanft aufwecken, um seine biologische Uhr »umzustellen«. Dann ist es tagsüber auch bereit für kleine Schlafeinheiten, die es neu beleben.

FRAGEN SIE ... EINEN KINDERARZT

Mein Baby scheint niemals müde – besonders abends nicht. Wie kann ich es zum Schlafen bringen? Viele Babys »drehen« abends richtig auf. Als Folge ihrer Übermüdung wird Adrenalin ausgeschüttet, das ihnen den Energieschub verschafft. Legen Sie Ihr Baby daher früher hin – unmittelbar zu dem Zeitpunkt, an dem es schläfrig wird. Beachten Sie seine Schlafsignale ganz genau.

Kleiner Strampelmaxe

Da die Beine kräftiger werden und die Koordination sich verbessert, strampelt Ihr Baby voller Begeisterung – manchmal sogar nachts.

Das Strampeln und Strecken der Beine bereitet Babys Beinmuskulatur auf das Krabbeln, Laufen und sogar aufs Drehen und Rollen vor. Um die Beinentwicklung zu fördern, legen Sie bunte Spielsachen ein wenig außerhalb von Babys Reichweite. Schaffen Sie eine sichere Umgebung, die es erforschen kann. Seine natürliche Neugierde treibt es in den nächsten Monaten zur Mobilität an.

Die Bauchlage fördert die Entwicklung von Oberkörper, Hals, Nacken und Armen. Die Beine lassen sich in dieser Position aus den Knien nach hinten anwinkeln – und später schiebt sich das Baby auf den Beinen vorwärts. In Rückenlage trainiert es das »Radfahren«

und viele weitere Beinbewegungen. Viele Babys lieben es, wenn sie am Oberkörper so gehalten werden, dass sie aufrecht stehen und sich dann mit den Füßen kräftig von der Unterlage abstoßen können. Lassen Sie es aber auf keinen Fall los, dafür ist es noch nicht stabil genug.

Babys strampeln bei Aufregung und auch wenn sie wütend sind. Strampeln ist ein hervorragendes Körpertraining und regt die Entwicklung an. Sie sollten nun aber besonders gut achtgeben: Ihr Baby zappelt immer mehr und will sich mit den Beinen fortbewegen. Vielleicht kann es schon robben – und sich langsam und stetig von einem Ort zum anderen bewegen.

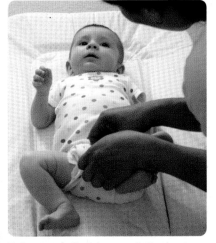

Freistrampeln Ihr Baby versucht bestimmt, beim Wickeln seine Kleidung wegzustrampeln.

13 Wochen

KONZENTRIERT BETRACHTET IHR BABY DIE DINGE, ALS WOLLE ES SICH JEDES DETAIL EINPRÄGEN.

Nun kommt die Zeit, in der Babys soziales Wesen voll erblüht. Es liebt die Gespräche mit Ihnen. Bei der Geburt sind die Milchzähne bereits vollständig ausgebildet, allerdings noch im Zahnfleisch verborgen. Die ersten brechen nun durch den Gaumen – mit der Folge von Zahnungsbeschwerden.

Brabbelndes Baby

Die frühen Sprechversuche Ihres Babys stellen eine neue Form der Kommunikation mit Ihnen dar – also antworten Sie ihm unbedingt!

Kleine Plaudertasche Spornen Sie Ihr Baby zum Sprechen an und zeigen Sie Ihre Freude über seine Plaudereien.

Ihr Baby verwickelt Sie nun gerne in ein Gespräch; vielleicht bemerken Sie, dass es Ihnen bewusst zuhört, wenn Sie mit ihm sprechen. Aber am liebsten übt es all die neuen Laute, die es nun bilden kann. Dieses Brabbeln stellt eine wichtige Phase in der allgemeinen Entwicklung Ihres Babys und im Spracherwerb dar. Das Baby experimentiert, indem es die Laute der Sprache(n), die es in seiner Umgebung hört, artikuliert. Dabei bildet es noch keine verständlichen Wörter: Es übt sozusagen das phonetische Alphabet! Es sammelt und vertieft all die Laute aus seiner Umgebung, damit es sie später – wenn es in seiner Entwicklung so weit ist – tatsächlich verwenden kann.

Bei der Geburt befand sich der Kehlkopf im oberen Bereich der Luftröhre, damit das Baby während des Schluckens atmen konnte. Nun senkt er sich und es entsteht der »Pharnyx« (Rachen). Dieser ist Teil des Atemwegsystems und für die Artikulation von großer Bedeutung. Sobald der Kehlkopf seine endgültige Position gefunden hat, kann das Baby alle in der menschlichen Sprache vorkommenden Laute bilden.

Helfen Sie Ihrem Baby, ein Lautgedächtnis aufzubauen, indem Sie möglichst oft mit ihm reden. Geben Sie ihm häufig Gelegenheit, seine Stimme zu nutzen, und ermutigen Sie es dabei intensiv. Lächeln Sie es an, klatschen Sie in die Hände und loben Sie es.

Zahnen und Schlaf

Wenn bald der erste Zahn durchbricht, wacht Ihr Baby womöglich nachts mit Beschwerden auf und schläft nur schwer wieder ein.

Das Zahnen bereitet den meisten Babys Beschwerden. Ihr Kleines wacht vielleicht nachts häufig auf, beißt auf seine Faust, klopft sich an die Ohren oder quengelt einfach nur. Ein Stillbaby will zum Trost nuckeln und lässt sich anders oft nicht beruhigen.

Zwar ist noch immer unklar, ob das Zahnen wirklich Durchfall verursachen kann, doch die meisten Eltern stellen während dieser Zeit fest, dass der Stuhl ihres Babys kurzzeitig weicher ist und es daher häufiger gewickelt werden muss.

Wenn Sie wissen, dass Ihr Baby zahnt, stellen Sie als Erstes sicher, dass es ihm vor dem Schlafengehen richtig gut geht. Ein warmes Bad und eine sanfte Gesichtsmassage im Kinnbereich entspannt seine Mundpartie und lindert die Entzündung. Gegebenenfalls können Sie ein Paracetamolzäpfchen geben und etwas Zahnungsgel in das entzündete Zahnfleisch einmassieren. (Sprechen Sie zuvor mit dem Kinderarzt und befolgen Sie genau die Packungsbeilage; erhöhen Sie die angegebene Dosis bitte

nicht, da dies gesundheitsschädlich für Ihr Baby sein kann.) Stillen Sie das Baby vor dem Hinlegen. Achten Sie aber darauf, dass es möglichst viel trinkt, damit es nicht bald wieder mit Hunger aufwacht. Wenn es nachts aufwacht, geben Sie nochmals Paracetamol und Zahngel – sofern seit der letzten Gabe mindestens vier Stunden vergangen sind und Ihr Arzt zugestimmt hat. Massieren Sie wieder die Kinnpartie. Schenken Sie ihm viel Zärtlichkeit und haben Sie Geduld – bald ist es überstanden.

Versteckspiel

Allmählich begreift Ihr Baby, dass ein Gegenstand, den es nicht sieht, immer noch da sein kann – Spiele helfen ihm, dies zu verstehen.

Das Wissen, dass Gegenstände weiterhin existieren, auch wenn man sie nicht sehen, hören oder berühren kann, bezeichnet man als »Objektpermanenz«. Diese Erkenntnis bezeichnet einen wichtigen Meilenstein im ersten Lebensjahr Ihres Kindes. Der Begriff wurde von dem Kinderpsychologen Jean Piaget geprägt. Er meinte, dass die meisten Babys dieses Verständnis mit acht bis zwölf Monaten erwerben. Doch jedes Kind ist anders und manche Babys entwickeln ein erstes Verständnis davon bereits mit vier Monaten. Guck-guck-Spiele machen viel Spaß, weil Ihr Baby jedes Mal freudig überrascht ist, wenn Ihr mit den Händen bedecktes Gesicht wieder zum Vorschein kommt. Solche Spiele trainieren auch das Gedächtnis – Ihr Baby entwickelt Erwartungen. Es ahnt, dass Ihr Gesicht gleich wieder auftauchen wird und Sie »Guck-guck« rufen. Lassen Sie Ihre Hände zu lange vor Ihrem Gesicht, greift es danach und verlangt, dass Sie sie wegnehmen! Dieses Wissen, dass Dinge – und Menschen – nicht einfach verschwinden, stärkt auch seine emotionale Sicherheit.

Guck-guck Wenn Ihr Baby Sie nicht sieht, meint es, Sie seien nicht mehr da – aber guck-guck, da sind Sie wieder!

Sitzen üben

Ihr Baby kann noch nicht frei sitzen – aber es sitzt gern abgestützt mit Kissen, um einen anderen Blick auf die Welt zu bekommen.

Ihr Baby erwirbt nun die Muskelkraft und das Koordinationsvermögen, die die Grundlage für das aufrechte Sitzen bilden. Wenn es in der Bauchlage seinen Kopf anheben und sich sicher drehen kann, bieten Sie ihm spielerisch Anreize zum Sitzen. Polstern Sie Ihr Baby z.B. in einer stabilen, halbaufrechten Position ab und spornen Sie es an, sich nach einer Decke auf seinen Beinen zu strecken. Bei jedem Beugen verfeinert es sein Gleichgewichtsgefühl. Da es oft umkippen wird, stehen Sie bereit, um es aufzufangen. Viele Kissen sorgen dafür, dass es schön weich fällt.

Lassen Sie es in dieser Sitzposition keinen Augenblick allein. Bis Muskeln, Koordination und Gleichgewicht weiter ausgereift sind, ermüdet es schnell. Achten Sie auf Signale, die zeigen, dass es lieber etwas weniger Anstrengendes spielen würde. Und wenn es für diese Aktivitäten insgesamt noch zu früh scheint, ist das völlig in Ordnung. Babys sitzen etwa mit sechs Monaten; manche Babys erlangen diesen Meilenstein erst mit rund zehn Monaten.

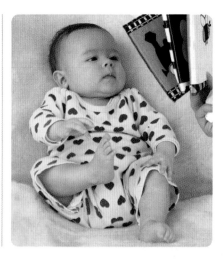

Gute Ausgangsposition Ist das Baby halb aufrecht abgestützt, kann es gut ein Buch betrachten, das Sie ihm zeigen.

Babys Abneigungen

Jedes Baby hat Phasen, in denen es nicht nur seine Vorlieben, sondern auch seine Abneigungen ausdrückt – Sie werden es sicher merken!

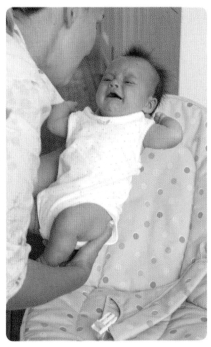

Ortswechsel Wenn es nicht in die Wippe will – saß es bereits zu lange darin? Vielleicht braucht es Abwechslung und eine neue Position.

Mit fortschreitender Gedächtnisbildung stellt Ihr Baby nach und nach positive und negative Assoziationen her. Es strahlt, wenn Sie das Zimmer betreten, lächelt sein älteres Geschwisterchen an und gluckst freudig beim Anblick seines Babytrapezes. Der Autositz dagegen kann einen sofortigen Protestschrei auslösen. Vielleicht widersetzt es sich auch, wenn es auf den Bauch gelegt wird, und der Versuch, es abends in sein Bettchen zu legen, kann mit Tränen enden – und sogar mit Wutgeschrei! Es will bereits seinen eigenen Kopf durchsetzen und äußert seine Meinung. Andere Eltern werden Ihnen bestätigen, dass ihre 13 Wochen alten Babys ebenfalls heftiges Missfallen ausdrücken: gegen ihr Bett, den Haushund, den Tragesitz, das Baden und Anziehen. Also stellen Sie sich auf manche Meinungsverschiedenheit ein!

Positive Assoziationen Diesen Abneigungen begegnet man am besten damit, dass man positive Assoziationen fördert. Vielleicht musste Ihr Baby in letzter Zeit zu lange in seinem Autositz sitzen: Ein paar kurze Autofahrten, bei denen es sein Kuscheltier dabei hat und lustige Kinderlieder hört, können seine Einstellung durchaus wieder verändern.

Widerstände gegen das Baden oder Zubettgehen können durch einen leicht veränderten Ablauf überwunden werden. Sie können z.B. gemeinsam baden und Ihr Baby danach geduldig streicheln. Wenn es nicht in sein Bettchen gelegt werden will, bleiben Sie bei ihm, umfassen es beruhigend mit Ihrem Arm. Auch das Pucken wirkt beruhigend. Erzählen Sie ihm leise eine Geschichte, summen oder singen Sie, denn das vermittelt ihm Sicherheit und Geborgenheit.

Tagsüber hilft oft Ablenkung. Hängen Sie ein Mobile über den Wickelplatz; befestigen Sie Spielsachen an seinem Autositz; tragen Sie es in einem Tragesitz mit dem Gesicht nach vorne; machen Sie beim Anziehen ein Fingerspiel oder bringen Sie einen bruchsicheren Spiegel an seinem Bettchen an.

Sanfte Führung Letztlich handelt es sich um eine Entwicklungsphase, die Sie durchstehen müssen. Die meisten Tätigkeiten, die Babys Widerstand hervorrufen, sind nun einmal notwendig. Geleiten Sie Ihr Baby sanft, freundlich und geduldig durch diese Situationen. Sprechen Sie leise mit ihm, bringen Sie es zum Lachen und halten Sie Blickkontakt. Unterdrücken Sie aber Ihren eigenen Ärger – und verstehen Sie: Das alles gehört zu seiner Entwicklung! Sagen Sie ihm, dass Sie es verstehen (das bedeutet eine wichtige Wertschätzung seiner Gefühle), aber machen Sie klar, dass manches einfach geschehen muss. Finden Sie kreative Auswege aus diesen Situationen – mit Empathie und sanfter Konsequenz.

DER KINDERARZT RÄT …

Meine Zwillinge mögen nicht dieselben Spiele. Wie kann ich sie beschäftigen, damit beide zufrieden sind? Fördern Sie das Einzelspiel. Setzen Sie ein Baby links, das andere rechts von sich und geben Sie jedem das Spielzeug, das es mag. Mit der Zeit werden sie auf diese Weise zufrieden spielen. Es ist gut, dass Ihre Babys ihre Individualität zeigen, auch wenn es schwierig ist, ihren verschiedenen Bedürfnissen gerecht zu werden. Wenn einer nicht gerne badet, waschen Sie ihn einfach; setzen Sie ihn dann in seine Wippe und baden Sie den anderen. Wenn sich einer abends gegen das Ins-Bett-Gehen sträubt, legen Sie erst den zufriedenen Zwilling hin und variieren Sie das Einschlafritual des anderen Zwillings. Mit zunehmendem Alter werden beide interessiert beobachten, was der andere tut, und es ihm gleich tun. Seien Sie möglichst flexibel und kreativ in Ihrer Organisation.

Alltagsroutinen

Der Schlaf- und Mahlzeitenrhythmus wird berechenbarer. Stimmen Sie Babys Tagesablauf nun mehr auf Ihre eigenen Bedürfnisse ab.

Arbeit und Spiel Vielleicht spielt Ihr Baby gern mit ein paar Spielsachen in seiner Wippe, während Sie im Haushalt arbeiten.

Ihr Baby ist inzwischen bereits ein wenig »pflegeleichter« geworden, weil es seltener trinken muss und längere Phasen am Stück schläft. Für viele Mütter bedeutet dies eine positive Entwicklung, denn sie können das Baby allmählich an einen Rhythmus heranführen, der stärker ihren eigenen Bedürfnissen entgegenkommt.

Sie wissen nun, wann Ihr Baby voraussichtlich wieder Hunger hat, und Sie können es ausgiebig stillen oder füttern, bevor Sie sich mit Freunden treffen oder einkaufen gehen. Es gibt Zeiten, zu denen es gewöhnlich munter und zufrieden ist und Sie es mit ein paar Pappbilderbüchern in seine Wippe setzen oder unter sein Babytrapez legen können. Währenddessen können Sie im Haushalt arbeiten oder Telefonate erledigen. Damit gewinnen Sie an Flexibilität und Freiraum. Feste Routinen sind auch sehr wichtig, um kleinen Babys ein Gefühl der Sicherheit zu verschaffen. Zu starre Abläufe können jedoch einengen – und Sie wollen sicher nicht dauerhaft alle Verabredungen zum Mittagessen absagen, weil Ihr Baby gerade dann seinen Mittagschlaf macht. Verschaffen Sie sich selbst kleine Freiräume und Auszeiten, indem Sie Ihren Partner und Verwandte in die Versorgung des Babys einbeziehen. Wenn Sie sich mit Ihrem Partner beim Einschlafritual abwechseln, lernen Sie beide, das Baby zu beruhigen – und Ihr Baby wird mit beiden Varianten ruhig und zufrieden sein. So wird das Leben bald viel einfacher sein!

FAKTEN UND HINTERGRÜNDE

Koliken

Auch wenn Ihr Baby weiterhin häufig schreit und erkennbar an Koliken leidet, haben der Stress und die Beschwerden bald ein Ende. Meist werden Koliken mit etwa drei Monaten überwunden.

In manchen Fällen dauern Koliken bis zum vierten Monat an. Leidet Ihr Baby weit über den dritten Monat hinaus an Koliken und lässt sich nicht beruhigen, wenden Sie sich an den Arzt. Er kann feststellen, ob nicht ein anderes Problem besteht, z. B. Reflux (s. S. 401f.).

ENTWICKLUNG FÖRDERN

Spielzeit

Besonders gerne untersucht Ihr Baby seine Spielsachen, während es auf Ihrem Schoß sitzt. Regen Sie es an, Spielsachen mit unterschiedlicher Textur und Form zu greifen und zu untersuchen. Klangspielsachen erregen seine besondere Aufmerksamkeit. Rascheln Sie mit Seidenpapier oder schütteln Sie eine Rassel neben oder über seinem Kopf. Es wird sicher danach greifen wollen. Diese Spiele fördern die Auge-Hand-Koordination, die Muskelkontrolle und die Fähigkeit, zu greifen.

Neues Spiel Korb füllen und Korb leeren – begeistert macht Ihr Baby bei diesem Spiel mit und greift nach den Spielsachen.

Geeignete Spielsachen

Mit drei Monaten ist Ihr Baby bereit für Spielsachen, die es greifen, schütteln und drücken kann – eine neue Herausforderung!

Schütteln macht Spaß Rasseln sind jetzt ideal; Ihr Baby lernt dabei, dass es durch das Schütteln ein Geräusch erzeugen kann.

Die frühen Reflexe verlieren sich allmählich und Ihr Baby gewinnt mehr Kontrolle über Arme, Hände und Finger. Mobile, Babytrapez, Spieldecke und Spielsachen aus verschiedenen Materialien fördern weiterhin seine Entwicklung. Ergänzt werden können sie durch Spielsachen mit neuen Texturen, Geräuschen und Knöpfen, die es drücken kann. Eine Rassel oder eine Quietsch-Ente lehren es, dass es selbst Reaktionen verursachen kann. In den kommenden Monaten erfasst Ihr Baby dabei allmählich das Prinzip von Ursache und Wirkung.

Spielsachen in hellen Farben, mit Leuchteffekten und Klängen oder Geräuschen sind besonders beliebt. Spielsachen mit freundlich gestalteten Gesichtern sind faszinierend und werden zu willkommenen Trostspendern. Zeigen Sie auf die einzelnen Gesichtszüge und benennen sie, deuten Sie dann auf Ihre eigenen und schließlich auf die einzelnen Merkmale im Gesicht Ihres Babys.

Packen Sie bisherige Lieblingsspielsachen nicht weg. Es tut Ihrem Baby gut, wenn es auch mit vertrauten Dingen, die es mühelos bedienen kann, spielt. Wenn es nur neue, komplizierte Spielsachen hat, ist es schnell entmutigt und hat keine Lust mehr zum Spielen.

SICHERE SPIELSACHEN

Achten Sie auf altersgerechte Spielsachen. Spielsachen für Kinder über drei Jahre können kleine Teile enthalten – und daran könnte ein Baby ersticken, wenn sie abgehen! Kontrollieren Sie, ob die Nähte bei Stoffspielwaren nicht aufgehen können und Etiketten fest angenäht sind.

Befestigen Sie Spielsachen nicht mit Schnur oder Gummiband an Babys Laufgitter oder Bettchen; es könnte die Finger einklemmen. Da Ihr Baby Spielsachen nicht von Haushaltsgegenständen unterscheidet, stellen Sie alles, was nicht in seinen Mund geraten darf, außer Reichweite.

Bewahren Sie Spielsachen von älteren Kindern getrennt auf. Halten Sie Ihre älteren Kinder dazu an, ihre Spielsachen vom Baby fernzuhalten – kontrollieren Sie dies aber besser.

Am wichtigsten: Lassen Sie Ihr Baby niemals unbeaufsichtigt, wenn etwas Gefährliches in seiner Reichweite ist oder andere Kinder bei ihm sind. Nur so können Sie sicherstellen, dass nichts in seinen Mund gerät, an dem es ersticken könnte.

13 Wochen

CHECKLISTE

Beste Spielsachen

Sie selbst bleiben Babys bevorzugtes »Spielobjekt«. Die Zeit, die Sie mit ihm verbringen, ist von unschätzbarem Wert für seine emotionale Entwicklung. Aber es gibt auch Spielsachen, die ihm jetzt Spaß machen und seine Entwicklung fördern:

■ Rasseln bleiben der Dauerbrenner; Ihr Baby lernt dabei, gezielte Bewegungen auszuführen.

■ Stoffbilderbücher mit verschiedenen Materialien sowie Pappbilderbücher mit Klappen sind faszinierend.

■ Greiflinge und Spielwürfel bieten immer wieder neue Überraschungen und Herausforderungen.

■ Stapelbecher erzeugen ein tolles Geräusch, wenn sie aneinandergeschlagen werden. Mit der Zeit lernt Ihr Baby, sie aufeinanderzustapeln.

■ Badespielsachen, die quietschen, schwimmen und mit denen man gießen kann, bereichern Babys Badezeit.

■ Wagenketten für den Kinderwagen sorgen unterwegs für Unterhaltung.

■ Eine Spieldose entzückt Ihr Baby durch Klänge und Musik.

■ Activity-Center und andere Spielsachen, bei denen Hebel bedient und Knöpfe gedrückt werden müssen, fördern die Entwicklung der Auge-Hand-Koordination.

Unser Baby mit 4 bis 6 Monaten

Fest im Griff Animieren Sie Ihr Baby häufig zum Greifen. Es kann Gegenstände nun schon viel besser und müheloser greifen.

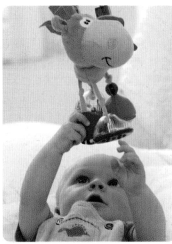

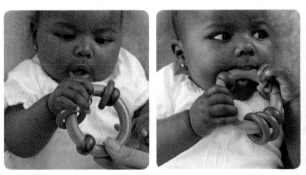

Kleiner Forscher Ihr Baby greift nach allem, was es interessiert. Es inspiziert die Sachen genau und nimmt sie dann zur näheren Untersuchung instinktiv in den Mund.

Schon gewusst? Babys Mund ist durch die erhöhte Anzahl an Nervenendigungen ideal geeignet zur Untersuchung von Gegenständen und ihrer Beschaffenheit.

Deutlicher sehen Mit vier Monaten sieht Ihr Baby bereits auf mehrere Meter Distanz. In der Nahsicht sind Farben und Muster faszinierend.

Drehen Die meisten Babys rollen zuerst vom Bauch auf den Rücken, bevor sie dann auch die schwierigere Drehung vom Rücken auf den Bauch beherrschen.

Schon gewusst? Nicht alle Babys rollen – manche überspringen diese Übergangsphase auch.

Lachen Im vierten Monat entzückt es Sie mit seinem freudigen Glucksen. Sie werden viele Wege finden, Ihr Baby zum Lachen zu bringen.

Ihr Baby erforscht die Welt, es lacht und kommuniziert und gewinnt an Mobilität und Koordinationsvermögen.

28 29 30 31 32 33 34 35 36 37 38 39 40 41 42 43 44 45 46 47 48 49 50 51 52

In der großen Wanne Wenn Ihr Baby aus der Babywanne herausgewachsen ist, ist es Zeit für die Badewanne. Ihm gefällt das freie Strampeln im Wasser – sicher gehalten.

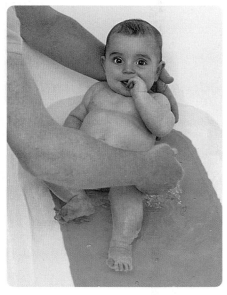

Brabbeln und Blubbern Ihr Baby experimentiert mit neuen Lautschöpfungen – den Vorläuferfähigkeiten des Sprechens..

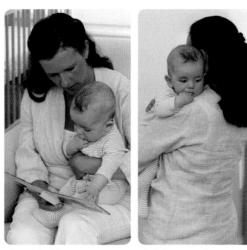

Einschlafritual Ihr Baby schläft jetzt nachts vielleicht schon sieben bis acht Stunden; viele Babys wollen nachts aber noch gefüttert werden. Ein Einschlafritual fördert gutes Schlafverhalten.

Abgestützt sitzen Gegen Ende des fünften Monats kann es seinen Kopf aufrecht halten und sitzt gern – gut abgestützt – aufrecht.

Beikost Mit sechs Monaten ist Ihr Baby alt genug für Beikost; ergänzen Sie die Milchernährung nun schrittweise durch Breinahrung.

Schon gewusst? Manches Baby ist ganz agil, andere liegen auf dem Rücken und strampeln.

Unterwegs Mit etwa sechs Monaten will Ihr Baby mobil werden. Es robbt oder kriecht auf dem Bauch, um ein Spielzeug zu erreichen.

14 Wochen

Die Schlafphasen werden nun länger; das ermöglicht Ihnen eine klarere Tagesstruktur und Sie können auch einmal an sich selbst denken. Ihr Körper hat sich – bald vier Monate nach der Geburt – gut erholt: der richtige Zeitpunkt, um wieder (oder erstmals) etwas Sport zu treiben!

Warum Fitness wichtig ist

Noch ist Ihr Baby nicht mobil – doch wenn es so weit ist, müssen Sie schnell, agil und ausdauernd sein. Fangen Sie am besten gleich an!

Es fällt oft schwer, sich zum Sporttreiben zu motivieren – umso mehr, wenn man unruhige Nächte erlebt und wenig Zeit für sich selbst hat. Wer hat schon Lust, die Sportsachen anzuziehen und zu trainieren, wenn gerade mal eine halbe Stunde Freiraum bleibt? Doch je früher Sie eine regelmäßige sportliche Aktivität in Ihren Tagesablauf einplanen, desto besser werden Sie sich fühlen. Sporttreiben zahlt sich in vielerlei Hinsicht aus: durch gesunde und kräftige Muskeln und Gelenke, weniger Körperfett und bessere Gewichtskontrolle, ein verbessertes Gleichgewichtsgefühl, eine bessere Koordination und höhere Beweglichkeit, eine positive Lebenseinstellung und eine geringere Anfälligkeit für Wochenbettdepression, Ängste oder Stress.

Wenn Sie noch nie Sport getrieben haben, kann die Tatsache, dass Sie allein schon wegen Ihres Kindes fit und gesund sein sollten, ein Ansporn sein. Regelmäßige (auch mäßige) körperliche Aktivität ist gesundheitlich von hoher Bedeutung.

Welcher Sport? 14 Wochen nach der Geburt ist ihr Körper kräftig genug für sanftes Sporttreiben. Empfehlenswert sind Radfahren, Schwimmen, Tanzen, Pilates und Yoga. Beim Training sollten Sie leicht außer Atem kommen, sich aber weiterhin unterhalten können. Überanstrengen Sie sich aber keinesfalls. Bei Beschwerden oder Schmerzen beenden Sie das Training bitte umgehend.

Wohin mit dem Baby? Fitness-Studios bieten oft eine Baby- und Kinderbetreuung an. Da die Sportkurse meist nur eine Stunde dauern, ist Ihr Baby in dieser Zeit dort gut aufgehoben. Das Gefühl, etwas

Wieder Sport treiben Ein paar flotte Runden im Schwimmbad, Baby-Jogging im Park oder eine Partie Tennis mit einer Freundin bieten beste Voraussetzungen, wieder in Bewegung zu kommen.

für sich selbst getan zu haben, macht diese Stunde der Trennung sicherlich wett. Ist der Besuch eines Fitnesscenters nicht möglich, können Sie sich vielleicht mit zwei, drei Müttern zusammentun und regelmäßig walken gehen – auch mit Kinderwagen.

Wenn Sie Ihr Baby nicht in eine Betreuung geben wollen, organisieren Sie sich am besten mit Ihrem Partner. Es kommt Vater und Kind nur zugute, wenn sie auch einmal miteinander allein sind.

In Familienzentren, an Volkshochschulen, aber auch in Sportzentren, gibt es Kurse, zu denen Sie Ihr Baby mitnehmen können und deren Programm speziell auf die Bedürfnisse von Müttern nach der Geburt abgestimmt ist. Informieren Sie sich über das Angebot in Ihrer Umgebung. Diese Kurse bieten auch eine gute Gelegenheit, gleich gesinnte Mütter zu finden.

DER WOHLFÜHLFAKTOR

In den ersten Wochen geschieht es nur allzu leicht, dass man völlig im Muttersein aufgeht und die eigenen Bedürfnisse vernachlässigt. Sprechen Sie Zeiten mit Ihrem Partner ab, in denen er sich um das Baby kümmert, damit Sie zum Friseur, zur Fußpflege, zur Kosmetikerin oder Massage gehen können. Wenn Sie lieber einem Hobby nachgehen, z.B. Joggen oder Tennis, oder gerne mit einer Freundin zum Essen oder ins Kino gehen wollen – nur zu! Sie haben es verdient, auch mal an sich zu denken und sich etwas Gutes zu tun. Reservieren Sie unbedingt im Voraus einen Termin beim Friseur oder im Lokal, damit Sie nicht doch noch Ausflüchte finden und abspringen!

Was für ein Lachen!

In der letzten Woche hat Ihr Baby Sie schon mit seinem Lächeln beglückt – und nun folgt schon sein erstes Jauchzen.

Bestimmt versuchen Sie nun, Ihr Baby immer wieder zum Lachen zu bringen. Am besten reagieren Babys auf Blickkontakt; schauen Sie ihm direkt in die Augen und lächeln Sie es an. Damit aus seinem Lächeln ein freudiges Glucksen wird, können Sie es an den Zehen oder unter den Armen kitzeln oder die pummeligen Oberschenkel kneten. Bestimmt quiekt und gluckst es voller Vergnügen.

Kitzeln Viele Babys glucksen vor Freude, wenn sie gekitzelt werden. Machen Sie ein lustiges »Kitzelspiel« daraus.

Zudem reagiert Ihr Baby immer besser auf Ihren Blick und imitiert Ihre Mimik. Schneiden Sie eine lustige Grimasse (z.B. den Ausdruck höchster Überraschung), während Sie es durchkitzeln: Es wird vor Entzücken ganz aus dem Häuschen geraten und fröhlich lachen.

Babys sprechen auf Erlebnisse besonders gut an – und speichern diese auch besser im Gedächtnis ab, wenn dabei mehrere Sinne angesprochen werden. Wenn das Kitzeln von einem lustigen Geräusch begleitet wird, ist Ihr Baby noch aufmerksamer.

Bindungen und Trostobjekte

Ihr Baby kennt nun Ihr Gesicht, Ihre Stimme und Ihren Geruch. Wenn es Sie sprechen oder singen hört, weiß es, dass Sie in der Nähe sind.

Geruchs- und Hörsinn eines Babys sind bereits bei der Geburt gut entwickelt. Mit etwa 14 Wochen verbessert sich auch das Sehvermögen deutlich. Wenn Sie durchs Zimmer gehen, verfolgt Ihr Baby Ihre Bewegungen mit den Augen. Es kann seine Augenmuskeln nun besser steuern. Da es sich Ihres Kommens und Gehens stärker bewusst wird, wird es protestieren oder weinen, wenn es Sie nicht mehr sieht.

Sprechen Sie beim Umhergehen beruhigend mit ihm. Wenn Sie kurzzeitig den Raum verlassen, sagen Sie ihm, dass Sie in Kürze wieder da sein werden. Auch wenn es die Worte noch nicht versteht, stellt es schon bald eine Verbindung zwischen Ihren Worten und Ihrem Handeln her. Wenn Sie wieder in sein Blickfeld kommen, lächeln Sie beruhigend.

Ihr Baby erkennt nun allmählich, dass es ein eigenständiges Wesen ist. Trostobjekte wie z.B. Kuscheltiere geben ihm ein Gefühl der Geborgenheit. Vielleicht wollen Sie es Ihrem Baby aber nur zum Einschlafen geben, damit es nicht zum ständigen Begleiter wird. Sie sollten zwei identische Trostobjekte im Haus haben – falls eines verloren geht oder gewaschen werden muss. Babys gewöhnen sich auch stark an den Geruch ihres Trostobjekts – daher sollten Sie es von Zeit zu Zeit waschen. Sonst verweigert es sein Kuscheltier, wenn es frisch duftet!

FRAGEN SIE ... EINEN KINDERARZT

Warum sabbert mein Baby? Alle Babys sabbern gelegentlich – die einen mehr, die anderen weniger. Das ist normal und gibt sich im Laufe der Zeit. Während des Zahnens ist der Speichelfluss stärker, ebenso bei einer Erkältung oder verstopften Nase. Der Speichel enthält schützende Proteine, die eine keimtötende Barriere gegen Bakterien bilden. Das Sabbern bietet daher einen guten Schutz während der oralen Phase, in der das Baby alle Dinge prüfend in den Mund steckt.

Drehen und Rollen

Es kommt vor, dass sich ein Baby bereits mit 14 Wochen dreht –
doch meistens geschieht dies nicht bewusst, sondern rein zufällig.

 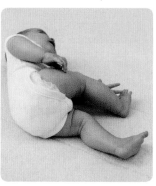 

Aus der Bauchlage drehen Drückt sich Ihr Baby besonders stark
mit einem Arm hoch und macht dabei eine leichte Schaukelbewegung von einer Seite zur anderen, kullert es fix auf den Rücken.

Die Rolle üben

Die Drehung vom Rücken auf den
Bauch erfolgt erst, wenn sich der
Schreckreflex zurückgebildet hat.
Die Muskeln müssen stark genug
sein, um Kopf, Körper und Beine zu
halten, und das Koordinationsvermögen so gut entwickelt, dass das Baby
beim Drehen die Arme anziehen
kann. Legen Sie Ihr Baby auf den
Rücken und seitlich (knapp außerhalb seiner Reichweite) ein Spielzeug.
Animieren Sie es, danach zu greifen.
Wenn es weit genug greift, verlagert
sich sein Körperschwerpunkt und
Ihr Baby dreht sich auf den Bauch.
Sobald diese Drehung gelingt, wird es
sie mit der Rolle vom Bauch auf den
Rücken kombinieren und sich quer
über den Boden kugeln.

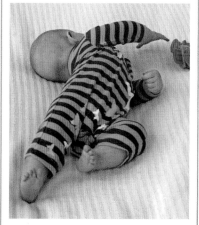

Ansporn Erst dreht es seinen Körper und
streckt sich in eine Richtung nach seinem
Spielzeug – dann kippt es über und dreht
ruck, zuck vom Rücken auf den Bauch.

Sobald sich Ihr Baby vom Bauch auf den
Rücken drehen kann (s. S. 134), will es
diese Kunst in alle Richtungen beherrschen! Die meisten Babys können sich
mit sechs oder sieben Monaten einmal
rundherum drehen – mit vier Monaten
ist das ungewöhnlich, kann aber bereits
vorkommen. Auch wenn das Drehen
einmal gelungen ist, wird es nicht bei
jedem weiteren Versuch klappen. Dazu
müssen sich Muskelkraft, Koordinationsvermögen und Handlungsplanung weiter verbessern.

Zum Drehen anspornen Die meisten
Babys sind nun noch mit den »Vorübungen« des Drehens beschäftigt. Legen
Sie Ihr Baby immer wieder kurzzeitig in
Bauchlage und ermutigen Sie es, seinen
Kopf zu heben und sich mit den Händen
hochzudrücken. Halten Sie ein interessantes, gut greifbares Spielzeug neben
Ihr Baby, am besten etwas erhöht, knapp
außerhalb seiner Reichweite. Animieren
Sie es, den Kopf nach hinten zu neigen,
um das Spielzeug zu sehen. Wenn es
danach greift, bewegen Sie das Spielzeug

weiter nach hinten. Vielleicht streckt sich
Ihr Baby intensiv nach dem Spielzeug
und dreht sich dabei auf den Rücken.
Belohnen Sie es dann mit Ihrer Freude
und Ihrem Applaus. Es kann gut sein,
dass es ein wenig verwirrt wirkt und
nicht so recht weiß, was mit ihm geschehen ist. Leiten Sie es dazu an, sich auf
beide Seiten zu drehen, damit es später
nicht eine Seite bevorzugt.

Sicherheit Wenn sich Ihr Baby erst einmal drehen kann, lassen Sie es niemals
auf einer erhöhten Fläche liegen. Wickeln
Sie es auf der Wickelunterlage auf dem
Boden. Eine Hand sollte immer auf ihm
ruhen, solange Sie nach etwas greifen.

Lassen Sie Ihr Baby bitte niemals
unbeaufsichtigt in einem Zimmer, das
nicht babysicher ist. Es ist erstaunlich,
welche Distanzen ein Baby allein durch
Rollen zurücklegen kann. Bewahren Sie
alle kleinen Spielsachen und Haushaltsartikel hoch oben außer Reichweite
des Babys auf. Ältere Kinder sollten Sie
ermahnen, ihre Spielsachen nicht in
Babys Reichweite liegen zu lassen.

14 Wochen

Finanzielle Vorsorge

Es ist nie zu früh, für Babys Zukunft zu sparen. Kleine Beträge addieren sich im Laufe der Jahre zu einer stattlichen Summe.

Informieren Sie sich Egal, welche Art der Vorsorge Sie für Ihr Baby treffen wollen, nehmen Sie sich genügend Zeit, um zu recherchieren und Angebote zu vergleichen.

FRAGEN SIE … EINEN KINDERARZT

Der Po meines Babys ist wund und es hat einen roten Ausschlag im Windelbereich. Was ist das? Vielleicht leidet Ihr Baby an Soor, einer verbreiteten Pilzinfektion, die im warmen, feuchten Milieu der Windel gedeiht. Die Entzündung kann bei Mädchen und Jungen auftreten. Typisch für Windelsoor ist ein feuerroter, pickeliger Ausschlag, manchmal mit nässenden Bläschen, der in der Regel um den After beginnt und sich über Po und Oberschenkel ausbreitet. Wickeln Sie Ihr Baby oft und lassen es auch einmal ohne Windel. Heilt die Infektion nicht in wenigen Tagen ab, wenden Sie sich an den Kinderarzt. Er kann eine pilztötende Salbe (Antimykotikum) verschreiben und untersucht, ob sich die Infektion auf den Mund übertragen hat.

Vielleicht stellt sich Ihnen die Frage, warum Sie schon jetzt an ein Studium oder gar den ersten Autokauf für Ihr Kind denken sollen, wenn es doch gerade erst 14 Wochen alt ist? Doch wenn Sie heute schon für die Zukunft Ihres Babys sparen, senkt das die finanzielle Belastung später bedeutend. Ein kleiner, regelmäßiger Posten kann bis zum 18. Geburtstag zu einer großen Summe werden – je früher Sie mit dem Sparen beginnen, umso mehr Zeit hat Ihre Anlage, um zu wachsen.

Manchmal steuern auch Großeltern oder Verwandte einen Betrag bei und Sie müssen die beste Anlageform finden. Natürlich können Sie das Geld einfach in Konten oder Fonds einbezahlen, die Sie bereits besitzen. Es kann jedoch durchaus sinnvoll sein – nicht nur aus steuerlichen Gründen –, eine Anlage auf den Namen des Kindes zu eröffnen. Klären Sie in diesem Fall aber ab, ob Sie selbst Zugang zu diesem Konto haben.

Welche Anlage ist die richtige?

Überlegen Sie zunächst, welches Risiko Sie eingehen wollen, wie lange der Vertrag laufen und wie einfach er zu handhaben sein soll. Beliebte Anlageformen sind Sparkonten, Banksparpläne, Investmentfonds und Bausparen.

Die Inhaberschaft bei Kinderkonten sollte zur Sicherheit auf den Namen des Kindes lauten. Informieren Sie sich dazu bei verschiedenen Banken. Bei der Beantragung ist eine separate Erklärung der Erziehungsberechtigten auszufüllen.

Wird das Geld auf den Namen des Kindes angelegt, kann es z.B. in Deutschland von den Sparer-Pauschbeträgen profitieren. Vergleichen Sie unbedingt verschiedene Angebote und achten Sie auf fest zugesagte Zinsen. Sind die Zinsen variabel, kann die Bank sie ändern. Ein Banksparplan mit festen Zinsen ist eine sichere Anlage.

Investmentfonds Für die monatlichen Einzahlungen kaufen Sie Fondsanteile. Aktienfonds bieten die größte Chance auf hohe Renditen – allerdings ist auch das Risiko hoch, dass die Aktien an Wert verlieren. Auch hier gilt es, sich unbedingt umfassend zu informieren und langfristige Entwicklungen zu beachten. Fonds sind eine langjährige Anlage über mindestens zehn bis zwölf Jahre. Risikoärmer als Aktienfonds sind Rentenfonds, die in festverzinsliche Wertpapiere investieren. Bei der Auswahl der Fonds sollte man prüfen, wie gut ein Fond in den letzten fünf Jahren im Verhältnis zum Markt gelaufen ist.

Lassen Sie sich bei der Wahl des Fonds ruhig von einer Verbraucherzentrale beraten.

Schlafen und Essen

Die Tage des ständigen Fütterns und unberechenbarer Schlafphasen sind vorüber – finden Sie Ihren gemeinsamen Tagesablauf.

Der Magen Ihres Babys kann nun so viel Milch aufnehmen, dass es länger durchschlafen kann. Ihr Tagesablauf wird nun viel regelmäßiger und strukturierter.

Sie können Ihr Baby durchaus morgens für die erste Mahlzeit wecken. Wenn es mit Ihnen »aufsteht«, ist es abends wahrscheinlich auch mit Ihnen müde.

Die meisten 14 Wochen alten Babys werden während 24 Stunden sechs- bis achtmal gefüttert. Wenn Ihr Baby weiterhin nachts trinken will, stillen oder füttern Sie es, bevor Sie selbst zu Bett gehen. Verzichten Sie dabei auf Ansprache, damit es schnell wieder in den

Schlaf findet. Das Baby lernt, zwischen Tag und Nacht zu unterscheiden, wenn Sie tagsüber nach dem Füttern mit ihm spielen.

Babys schlafen jetzt nachts durchschnittlich zehn Stunden und fünf Stunden am Tag. Vielleicht schaffen Sie es, Ihr Baby zu einem Vormittags- und einem Mittagsschlaf zu bringen. Sollten Sie es bereits um 19 Uhr schlafen legen wollen, verzichten Sie auf eine Schlafphase am Spätnachmittag.

Guten Morgen Auch durch das Wecken stellt sich allmählich ein Tagesrhythmus ein.

Körperbetonte Spiele

Körperspiele wie Kniereiter oder Kitzelspiele fördern Babys Selbstvertrauen und sein Körperbewusstsein.

Studien zeigen, dass Väter im Umgang mit ihren Babys körperbetonte Spiele bevorzugen – was den Babys sehr zugutekommt. Ob Spiele in Bauchlage, Kitzel- oder Schaukelspiele, Ihr Baby profitiert von diesen Bewegungen und Aktivitäten, da sie sein Körperbewusstsein schulen.

Wenn Ihr Baby auf dem Bauch liegt, rollen Sie ihm einen Ball zu. Vielleicht bewegt es Beine und Körper, um ihn zu erreichen. Oder setzen Sie sich auf den Boden, nehmen das Baby fest zwischen

Grimassen Schneiden Sie lustige Grimassen und reiben Sie Ihre Nasen aneinander – bestimmt ernten Sie ein fröhliches Lachen!

Ihre Beine und bauen vor ihm Türme aus Stoffwürfeln auf. Es wird danach greifen und sich freuen, wenn die Würfel über seine Füße purzeln.

Es gefällt Ihrem Baby, von einer Seite zu anderen gewiegt zu werden – halten Sie es aber gut dabei fest. Wenn es protestiert, hören Sie auf. Sobald es seinen Kopf halten kann, lassen Sie es hoch in die Luft fliegen: Beim »Landen« stoßen Ihre Nasen aneinander.

Auch erste Wasserspiele machen ihm Spaß. Nehmen Sie es fest in Ihre Arme und setzen Sie sich gemeinsam in die Wanne. Lassen Sie es planschen und gießen Sie sachte Wasser über seine Arme.

15 Wochen

BIS ZUM SECHSTEN, SIEBTEN MONAT ENTWICKELT SICH DAS GEZIELTE GREIFEN.

Dank der zunehmenden Tiefenschärfe nimmt Ihr Baby nun auch weiter entfernte Gegenstände wahr. Es greift nach allem, was in seiner Reichweite ist – allerdings noch nicht sehr zielgerichtet. Es plappert ständig mit Ihnen, ist bei fremden Menschen aber meist noch zurückhaltend.

Trinken und zahnen

Zwar kann es noch eine Weile dauern, bis der erste Zahn durchbricht – vielleicht hat Ihr Baby aber bereits jetzt Zahnungsbeschwerden.

Unglücklich Viele zahnende Babys sind reizbar und ruhelos. Wenn der neue Zahn durch das Zahnfleisch bricht, tut das weh.

Das Zahnen kann sich nicht nur auf Babys Schlaf auswirken (s. S. 139), sondern auch auf sein Trinkverhalten. Viele Babys haben während des Zahnens wegen des schmerzenden Zahnfleischs keinen Appetit. Wenn Ihr Baby gerötete Wangen und hellrotes Zahnfleisch hat, stark sabbert und mehr als sonst auf Spielsachen oder den Fingern kaut, bricht vielleicht schon ein Zahn durch. Viele Eltern berichten auch von leichtem Fieber – ein Zusammenhang, den Ärzte aber nicht bestätigen. Wenn Ihr Baby Fieber hat, wenden Sie sich besser an den Arzt, um die Ursache zu klären.

Jeder Zahn schiebt sich durch das Zahnfleisch nach oben, bis er sichtbar wird. Vielleicht können Sie eine harte Schwellung fühlen, wenn Sie mit Ihrem sauberen Finger über Babys Zahnfleisch streichen; der Bereich kann wund und entzündet sein.

Manche Stillbabys wollen in dieser Zeit verstärkt zum Trost an Mamas Brust nuckeln. Auch wenn dieses Trostsaugen Ihre Milchbildung durcheinander bringen kann, ist es vielleicht die beste Möglichkeit, das Baby zu beruhigen. Andere Babys haben auch beim Stillen Beschwerden, wenden sich von der Brust ab und verlangen doch gleich wieder danach, weil sie Hunger haben. Diese Situation ist für beide anstrengend – geben Sie Ihrem Baby dennoch die Brust wie normal. Oft ist das Ganze in zwei, drei Tagen überstanden und das Baby trinkt wieder normal.

Auch Flaschenbabys können beim Füttern unruhig sein oder weniger trinken. Tragen Sie vor dem Füttern etwas Zahnungsgel auf, das lindert die Schmerzen während des Trinkens. Fragen Sie ruhig Ihren Kinderarzt, wenn Sie unsicher sind.

(s. S. 139)

DIE STILLBERATERIN RÄT ...

Mein Baby hat bereits einen Zahn – und beißt mich beim Stillen! Was kann ich tun? Babys beißen, wenn sie mit ihrem neuen Zahn experimentieren. Nehmen Sie es von der Brust, sagen Sie »aua« und legen es wieder an. Bald versteht es die Bedeutung dieses Wortes. Ihre natürliche, deutliche Reaktion wird es mit der Zeit von weiteren Beißversuchen abhalten. Außerdem sind solche Spielereien wahrscheinlicher, wenn Ihr Baby keinen Hunger hat. Nehmen Sie es daher von der Brust, sobald es satt ist. Oder hat es eine Erkältung oder verstopfte Nase? Dann drückt es vielleicht die Zahnleisten zusammen, um die Brustwarze festzuhalten, weil es durch den Mund atmen muss. Der Arzt kann hier Abhilfe schaffen.

BITTE BEACHTEN

Beißringe

Empfehlenswert sind PVC-freie Beißringe, die im Kühlschrank gekühlt werden. Sie verschaffen Linderung bei entzündetem Zahnfleisch. Auch wenn es noch Wochen oder gar Monate dauern kann, bis der erste Zahn durchbricht, können Sie ihn Ihrem Baby bereits geben, um Symptome schon bei ihrem ersten Auftreten zu lindern.

Kühles tut gut Legen Sie am besten einige Beißringe in den Kühlschrank – dann ist immer ein gekühlter bereit.

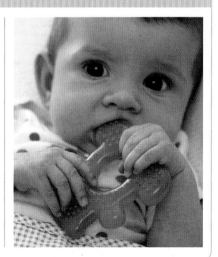

In der Obhut der Großeltern

Wenn es Ihre Eltern oder Schwiegereltern anbieten, können Sie überlegen, Ihnen Ihr Baby anzuvertrauen, und eine Nacht »frei« haben.

Großfamilie Liebevolle Großeltern bereichern das Leben Ihres Babys – vor allem, wenn diese Beziehung schon früh gepflegt wird.

Ihr Baby hat inzwischen einen beständigeren Rhythmus, seine Versorgung ist einfacher geworden und Sie haben vielleicht einen Vorrat an Muttermilch abgepumpt – somit können Sie auch wieder an Ihre Partnerschaft denken und gemeinsame Zeit mit dem Partner planen. Wenn die Großeltern abends babysitten, können Sie ins Theater oder zum Essen gehen und sogar auswärts übernachten. Nutzen Sie die Möglichkeit, sich endlich einmal wieder voll aufeinander einzulassen.

Manche Eltern scheuen sich, Ihr Baby schon so früh einem Babysitter anzuvertrauen, andere beteuern, dass die Vorteile für die Beziehung all diese Bedenken mehr als aufwiegen. Ihre Eltern oder Schwiegereltern haben dabei die Gelegenheit, eine liebevolle und sehr wichtige Beziehung zu dem Enkelkind aufzubauen. Aber natürlich ist es eine sehr persönliche Entscheidung, wann man sein Baby das erste Mal anderen überlässt. Sie sollten dabei ein gutes Gefühl haben.

Wenn Sie abends ausgehen wollen, entscheiden Sie zunächst, ob Ihr Baby bei Ihnen zu Hause bleiben oder bei den Großeltern übernachten soll. In diesem Alter schläft Ihr Baby vermutlich überall. Besprechen Sie auf jeden Fall alle Details seiner Versorgung: Wann muss man es füttern, wickeln und schlafen legen; was ist zu tun, wenn es aufwacht. Die Großeltern müssen wissen, wie sie es am besten beruhigen können, wenn es schreit. Wenn Sie das Gefühl haben, jede Eventualität bedacht zu haben gibt es auch keinen Grund, sich Sorgen zu machen. Bitten Sie Ihre Eltern oder Schwiegereltern, bei Problemen sofort anzurufen.

Babys Stimme aufnehmen

Es mag Ihnen unmöglich erscheinen, jemals das Lallen und Glucksen Ihres Babys zu vergessen. Doch wie es so ist im Leben, verlieren sich diese Erinnerungen und Eindrücke, wenn immer neue Entwicklungsphasen im Vordergrund stehen und Ihre Aufmerksamkeit fesseln. Nehmen Sie sich in dieser Woche Zeit, das Plappern Ihres Babys aufzunehmen. Vielleicht wollen Sie das weiterhin regelmäßig machen; notieren Sie dazu jeweils das Datum. Diese Aufzeichnungen können Sie per E-Mail an Verwandte und Freunde senden oder sie einfach als Erinnerung aufbewahren.

WENN GROSSELTERN WEIT WEG WOHNEN

Wenn Babys Großeltern weit entfernt leben, meinen sie vielleicht, Sie nur auf ausdrückliche Einladung besuchen zu dürfen – woran Sie wiederum gar nicht gedacht haben! Beziehen Sie die Großeltern in Ihr Leben ein, indem Sie per Internettelefonie mit Ihrem Baby auf dem Schoß miteinander telefonieren. Oder senden Sie ihnen wöchentliche E-Mails, um sie über die Entwicklung auf dem Laufenden zu halten. Trotz der Distanz kann die Beziehung zu den Großeltern für Ihr Baby bis ins Erwachsenenalter eine Bereicherung sein – es kommt einfach auf den richtigen Start an!

Auf dem Laufenden Videoclips lassen die Großeltern an Babys Entwicklung teilhaben und schaffen ein Gefühl der Nähe.

Soziale Kompetenzen fördern

Ihr Baby gurgelt, plappert und lallt in Ihrer Gegenwart. Es lernt auch gerne neue Menschen kennen – aber bitte mit Bedacht.

Babys sind von Natur aus auf ihre Hauptbezugsperson fixiert. Auch wenn eine Bindung nie zu intensiv sein kann, so erleichtern Sie Ihrem Partner und anderen Angehörigen den Zugang zu Ihrem Baby, wenn Sie auch seine sozialen Fähigkeiten fördern. Mit 15 Wochen ist es dazu bereit – seine Sozialkompetenzen entwickeln sich rasch.

Bieten Sie selbst ein gutes Vorbild und seien Sie freundlich zu den Menschen in Ihrer Umgebung. Wenn Ihr Baby den ganzen Tag mit Ihnen allein war, freut es sich abends, einen anderen Menschen zu sehen und mit ihm zu spielen. Geben Sie

Ihrem Partner einen Moment Zeit, um zu Hause anzukommen, und überlassen Sie ihm dann das Baby. Eine gemeinsame Umarmung bildet eine schöne Übergabe. Verbringen Sie möglichst viel Zeit gemeinsam als Familie; Ihr Baby erlebt dabei Ihren liebevollen Umgang miteinander. Sie sind der erste Lehrer Ihres Babys; es lernt von Ihnen und übernimmt Ihre Haltung.

Studien zeigen, dass kontaktfreudige Eltern auch eher sozial offene Babys haben. Eine Eltern-Baby-Gruppe bringt Ihr Baby in Kontakt mit anderen Babys und Erwachsenen und bietet auch Ihnen

Kontakte. Je nach Temperament ist Ihr Baby mehr oder weniger offen für andere Erwachsene. Seien Sie sensibel für seine Bedürfnisse; wenn es sich sträubt, gewöhnen Sie es langsam an andere Menschen. Überfordern Sie es nicht. Wenn nötig, kürzen Sie Besuche ab, bis es mehr Zutrauen besitzt.

Wechseln Sie sich mit Ihrem Partner ab. Solange Sie in etwa an derselben Routine festhalten, spielt es keine Rolle, ob sich Ihre Methoden etwas unterscheiden. Ihrem Baby ist es egal, wenn einer die Windeln anders wechselt oder das Wiegenlied anders singt.

Vorlesen – ein schönes Ritual

Dank des besseren Sehvermögens und seiner kognitiven Fortschritte hat Ihr Baby nun viel mehr Freude an Büchern und Geschichten.

Beim Vorlesen lernt Ihr Baby eine Menge über Kommunikation; es fördert das Zuhören, trainiert Gedächtnis und Wortschatz und vermittelt ein erstes Gefühl für Geschichten – und das ist unerlässlich für die spätere Lesekompetenz. Bücher vermitteln Ihrem Baby einen aufregenden Blick auf die Welt: voller Farben, Geschichten, Zahlen, Formen, Gesichtern, Tieren und allem, was es auf der Welt gibt.

Nehmen Sie sich mindestens einmal am Tag Zeit, um mit Ihrem Baby Bücher zu entdecken. Leiten Sie es an, alles zu betrachten und zuzuhören, wenn Sie auf die Bilder zeigen und darüber sprechen.

Sprechen Sie gefühlsbetont und ausdrucksstark, um seine Aufmerksamkeit zu fesseln. Diese positive soziale Interaktion beim Lesen fördert seine gesunde emotionale Entwicklung.

Babys lieben Wiederholungen; also seien Sie nicht überrascht, wenn es dasselbe Buch immer wieder anschauen will. Die Wiederholungen fördern seine Gedächtnisleistung.

Die meisten Dinge wandern in diesem Alter direkt in den Mund; wählen Sie daher robuste, speichelfeste Bücher aus. Stabile, bunte Bücher, gern auch mit Klappen zum Anheben und mit verschiedenen Materialien, fesseln Ihr Baby.

Vorlesezeit Bücher kann Ihr Baby später auch allein angucken.

Das Greifen üben

Ihr Baby weiß inzwischen, dass seine Hände zu ihm gehören, und es beginnt, das Greifen von Gegenständen ernsthaft zu üben.

Übung macht den Meister Allmählich werden die Versuche Ihres Babys, nach etwas zu greifen und es zu berühren, immer exakter.

Schon seit einigen Wochen schlägt Ihr Baby nach Dingen und versucht, sie zu greifen. Es hat herausgefunden, dass seine Hände ihm gehören; nun will es sie zu einem Gegenstand führen, ohne die Hand dabei zu betrachten.

Sobald Ihr Baby seine Hand zielgenau zu einem Gegenstand führen kann, wird es ihn auch aufheben. Besonders attraktiv sind kleine, leicht greifbare bunte Spielsachen und Rasseln. Sie wandern dann vermutlich direkt in seinen Mund; vielleicht betrachtet es sie zunächst auch ausgiebig, lässt sie fallen (unwillentlich) und greift wieder danach.

Die Bewegungen des Zielens, Ausholens und Greifens erfolgen zu diesem Zeitpunkt der Entwicklung gleichzeitig. Fehler während der Richtungsbewegung kann Ihr Baby während des Ausholens noch nicht korrigieren. Gelingt das Greifen beim ersten Mal nicht, versucht Ihr Baby es erneut. Bei jedem Versuch verbessert es seine Hand-Auge-Koordination.

Um Ihr Baby zum Greifen zu ermutigen, umgeben Sie es mit leichten, stabilen Spielsachen in verschiedenen Formen, die es mit einer Hand gut greifen kann. Bieten Sie Ihrem Baby feste und bewegliche Gegenstände an – es gibt viele Spielsachen, die vibrieren oder beweglich sind und damit seine Aufmerksamkeit erregen. Loben Sie seine Bemühungen. Legen Sie Spielsachen näher zu ihm hin, wenn es aufgeben will. Schließlich soll es nicht entmutigt werden. Halten Sie sich aber selbst zurück. Nur wenn Ihr Baby übt und aus Fehlern lernt, wird es seine Fähigkeiten bald verbessern.

Sobald Ihr Baby Gegenstände greifen kann, müssen Sie alle gefährlichen Dinge unbedingt außer Reichweite bringen. Dazu gehört z. B. auch Ihre Handtasche mit all den kleinen Gegenständen, die Ihr Baby verschlucken könnte. Gefährlich sind auch heiße Getränke oder Speisen, Haustiere, Schnüre und Kordeln, harte oder unhygienische Dinge, Elektrokabel, Pflanzen und Medikamente.

ENTWICKLUNG FÖRDERN

Klatschspiele

Auch wenn Ihr Baby erst mit sieben bis acht Monaten selber klatschen kann, können Sie seine Hände bei Klatschspielen vorsichtig zusammenpatschen und die Hände vor seinem Körper zusammenführen. Singen Sie dabei Lieder. Lassen Sie Babys Hände los, klatschen Sie dann selbst und singen Sie dabei. Greifen Sie wieder die Hände Ihres Babys und führen Sie sie sachte zusammen. Singen Sie wie folgt:
- Wir klatschen in die Hände. (Umfassen Sie dabei die Hände des Kindes.)
- Klatsch, klatsch, klatsch. (Klatschen Sie nun zusammen in die Hände.)
- Wir klatschen in die Hände. (Lauthals singen und klatschen Sie.)
- Klatsch, klatsch, klatsch.

Klatschen und singen Babys lieben die Dramatik und Dynamik von Klatschspielen. Es gefällt ihnen, wenn Mama oder Papa klatschen, dazu singen und kleine Spielchen machen.

Was Ihr Baby jetzt sieht

Das Sehvermögen Ihres Babys verbessert sich ständig. Besonders attraktiv bleiben helle Farben; es erkennt nun aber auch feinere Farbnuancen.

Mit beinahe vier Monaten hat sich die Sehschärfe verbessert und Ihr Baby nimmt Dinge und Menschen quer durch den Raum wahr. Allerdings betrachtet es weiterhin am liebsten Menschen aus der Nähe; halten Sie daher beim Füttern bzw. Stillen viel Blickkontakt.

Die Augen Ihres Babys sollten sich nun synchron bewegen und Dingen

Das Sehvermögen reift aus Ihr Baby erkennt nun verschiedene Farben und kann Abstände besser einschätzen.

und Menschen durch den Raum folgen. Wenn Sie ein Schielen oder andere Sehprobleme feststellen, wenden Sie sich an den Kinderarzt.

Ihr Baby unterscheidet jetzt zwischen feineren Farbkontrasten, z. B. zwischen Rot und Orange. Feine Unterschiede zwischen Pastelltönen erkennt es noch nicht. Vielleicht stellen Sie fest, dass sich die Augenfarbe Ihres Babys verändert. Eine helle Augenfarbe kann sich mehrfach ändern, bis sie mit etwa sechs Monaten ihre endgültige Farbe bekommt.

Freundschaften im Wechsel

Ein Baby verändert Ihr Leben dramatisch. Oft verändern sich mit den neuen Sichtweisen auch manche Freundschaften.

Gut möglich, dass viele Ihrer Freunde und Verwandten gerne stundenlang mit Ihnen über die Freuden und Sorgen des Elternseins sprechen. Andere jedoch befinden sich vielleicht in einer anderen Lebensphase und finden Ihr vorrangiges Interesse am Thema Baby befremdend. Und Sie fragen sich, was Sie eigentlich noch gemeinsam haben.

Es ist völlig normal, dass manche Freundschaften im Laufe des Lebens einschlafen, andere aufblühen. Bestimmt finden Sie auch neue Freunde unter jungen Familien, z. B. aus dem Babykurs, und haben mit ihnen in dieser Lebensphase mehr gemeinsam. Doch alte Freundschaften sind keineswegs überflüssig; bemühen Sie sich, einige Wichtige auf-

rechtzuerhalten. Finden Sie die Zeit, mit Freunden ohne Baby auszugehen. Konzentrieren Sie sich dabei auf das, was Sie weiterhin verbindet. Ihre Freunde sind nicht weniger wertvoll, nur weil Sie nicht Ihre Babyleidenschaft teilen. Erinnern Sie sich? Es gab eine Zeit, in der Sie sich selbst herzlich wenig für Windeln und Zahnen interessiert haben!

Ihre Freundschaften werden sich weiterentwickeln und vielleicht können Sie Ihren Freunden eines Tages wichtige Hilfestellung geben – nämlich dann, wenn sie ihr erstes Baby bekommen. Halten Sie zumindest losen Kontakt – eines Tages haben auch Sie die intensive Kinderphase überwunden und wieder Lust auf neue Impulse.

FRAGEN SIE … EINEN KINDERARZT

Mein Baby lutscht neuerdings am Daumen. Ist das ein Problem?
Etwa 80 Prozent der Babys lutschen am Daumen oder den Fingern. Dabei bildet das Gehirn Endorphine (Wohlfühlhormone), die beruhigend wirken. Wenn Ihr Baby am Daumen lutscht, zeigt dies vor allem, dass es lernt sich selbst zu beruhigen. Das ist durchaus von Vorteil. Sie müssen sich auch keine Sorgen wegen seiner Zähne machen. Solange es damit aufhört, sobald die Milchzähne ausfallen (mit etwa fünf Jahren), entstehen keine bleibenden Schäden.

16 Wochen

IN DER ERSTEN LALLPHASE BILDEN ALLE BABYS WELTWEIT DIESELBEN LAUTE.

Bestimmt liegt Ihr Baby inzwischen auch gerne auf dem Bauch. Es drückt sich dabei auf den Armen hoch und hält das Gewicht seines Oberkörpers – wenn auch nur einige Augenblicke lang. Es bildet viele verschiedene Laute und kombiniert vielleicht bereits Silben.

Guck mal, wer da »spricht«!

Ihr Baby kombiniert nun Laute und Silben, sodass sie wie »Wörter« klingen – doch sie besitzen natürlich noch keine Bedeutung.

Unterhaltung Ermutigen Sie Ihr Baby zum Sprechen, indem Sie seine Laute und »Wörter« ebenso imitieren wie seinen Gesichtsausdruck.

Inzwischen haben sich viele Vokale in Babys »Sprache« eingeschlichen. Sie bemerken sicher, dass es immer mehr vor sich hinplappert, auch wenn es alleine spielt. In dieser sogenannten ersten Lallphase experimentiert das Baby mit seinen Artikulationsorganen, also seiner Stimme und der Atmung. Die vielfältigen Empfindungen im Mund- und Rachenbereich regen es zu immer neuen Lautäußerungen an. Es ist dabei noch nicht auf die Laute der Muttersprache »programmiert«: Die Lallphase ist vielmehr international, denn alle Babys auf der ganzen Welt verwenden in dieser Zeit alle denkbaren Laute – auch wenn diese in ihrer eigenen Muttersprache gar nicht vorkommen. Ihr Baby erkennt allmählich auch, dass Ihre Mundbewegungen die Lautbildung beeinflussen.

Sie fördern die Entwicklung der sprachlichen Fähigkeiten, wenn Sie auf Babys Lautbildungen antworten. Das vermittelt ihm die Grundlagen von Sprache und Kommunikation – Sprechen und Zuhören. Ihr Baby hörte bereits im Mutterleib Sprache und verfügte bei der Geburt bereits über ein grundlegendes Verständnis von Sprachmustern und verschiedenen Lauten. Nun versucht es, diese Muster und Klänge zu reproduzieren. Es imitiert dabei die hohen und tieferen Tonlagen, die Sie beim Sprechen verwenden. Sein Brabbeln und Lallen ähnelt immer mehr der richtigen Sprache.

Zweisprachige Babys Forschungen zeigen, dass der frühe Kontakt zu zwei Sprachen die Gehirnentwicklung beeinflusst und Babys beide Sprachen perfekt lernen können. Das gilt insbesondere, wenn der bilinguale Spracherwerb bereits im ersten Lebensjahr beginnt. Sprechen Sie mit Ihrem Baby konsequent in Ihrer Muttersprache, Ihr Partner in seiner. Ihr Baby stellt sich darauf ein und wird beide Sprachen gleichberechtigt verwenden.

Kinder, die mit zwei Sprachen aufwachsen, haben gewöhnlich keine verzögerte Sprachentwicklung. Ist das der Fall, kann eine Sprachstörung bestehen, die auch bei Einsprachigkeit aufgetreten wäre. Bei Bedenken hinsichtlich der Sprachentwicklung Ihres Kindes wenden Sie sich an den Kinderarzt.

ENTWICKLUNG FÖRDERN

Bewegungsspiele

Das Gleichgewichtsorgan oder vestibuläre System im Gehirn dient zur Wahrnehmung von Richtung und Beschleunigung. Es trägt dazu bei, dass Ihr Baby seinen Kopf aufrecht halten kann, ebenso dass es später beim Sitzen und Aufstehen nicht sein Gleichgewicht verliert. Wenn Sie Ihr Baby vorsichtig herumschaukeln, es wiegen und schwingen, fördern Sie die Ausbildung dieses Organs. Viele Forschungen zeigen, dass solche Bewegungserfahrungen den Gleichgewichtssinn, die Grobmotorik und die Bewegungswahrnehmung als Vorreiter des Krabbelns und Laufens verbessern. Bewegung sollte zum Bestandteil Ihrer regelmäßigen Spielzeit gehören.

Hoch und runter! Das Auf- und Abschwingen fördert Babys Gleichgewichtssinn und sein Bewegungsgefühl.

Ihr Erziehungsstil

Inzwischen besitzen Sie klare Vorstellungen davon, wie Sie Ihr Baby erziehen wollen; doch es ist gut, diese immer wieder zu überdenken.

Ein heikles Thema für Eltern ist der Umgang mit den Ratschlägen der Mitmenschen. Manche Großeltern runzeln beim Schnuller die Stirn, andere meinen, ein Baby sollte am besten gleich nach der Geburt aufs Töpfchen gehen, und Ihre beste Freundin sagt vielleicht, man solle bereits bei kleinen Babys ein »Schlaftraining« durchführen. Sie sind anderer Meinung? Völlig in Ordnung. Wichtig ist nur gegenseitiger Respekt: »Ihr macht es so, ich mache es auf meine Art.«

Sicher steht bei Ihnen das Ziel im Focus, eine warmherzige, offene und liebevolle Familie zu bilden. Es ist noch zu früh, um Regeln oder Strafen einzuführen; aber es ist der richtige Zeitpunkt, um mit dem Partner Ihre Elternrollen zu diskutieren. Sprechen Sie darüber, wie jeder von Ihnen erzogen worden ist; diese Erfahrungen formen Ihre heutige Einstellung zur Erziehung. Diskutieren Sie Ge- und Verbote: Für den einen mögen Lob und Belohnungen wichtig sein, der andere mag dies als unnötig betrachten. Versuchen Sie Kompromisse zu finden, mit denen Sie beide leben können.

Falls Sie erleben, dass Mitmenschen Ihre Methoden missbilligen, übergehen Sie solche Einmischungen mit würdevollem Schweigen. Sie als Eltern haben das Recht, Ihr Kind nach Ihren Grundsätzen und Vorstellungen zu erziehen.

IMPFUNGEN

Wenn Sie Ihr Baby im dritten. Monat bei der U4 haben impfen lassen (s. S. 103), findet im vierten Monat eine Wiederholungsimpfung statt. Machen Sie am besten gleich einen Termin, falls Sie noch keinen vereinbart haben, damit die Impfungen im richtigen Zeitraum verabreicht werden. Die Auffrischungsimpfung umfasst sechs Infektionskrankheiten: Diphtherie, Hepatitis B, Hib (Haemophilus influenzae Typ B), Keuchhusten, Kinderlähmung und Wundstarrkrampf (Tetanus).

Gesunder Appetit

In dieser Woche ist Ihr Baby vielleicht hungriger als sonst und verlangt ständig nach der Flasche oder trinkt stundenlang an der Brust.

Ihr Baby wird aktiver und benötigt daher mehr »Brennstoff« – es hat also sicher mehr Hunger als bisher. Stillen Sie es nach Bedarf. Wenn es die Flasche inzwischen leer trinkt, geben Sie ihm 30 ml Milchnahrung mehr. Ist es danach immer noch nicht satt, geben Sie ihm nochmals 30 ml. Es sollte aber nicht mehr als 150 ml Milch pro Kilogramm Körpergewicht am Tag bekommen.

Mehr Milch Ihr Baby trinkt mehr, weil es für sein aktives Spiel und sein schnelles körperliches Wachstum auch mehr Energie benötigt.

Vielleicht hat es auch einfach Durst; geben Sie ihm aber nur kleine Mengen abgekochtes, abgekühltes Wasser.

Der Nahrungsbedarf Ihres Babys wird weiterhin durch die Milch gestillt; seien Sie nicht versucht, schon jetzt Beikost einzuführen. Babys Verdauungssystem ist vor der 17. Woche auf keinen Fall ausreichend entwickelt. Wenn Sie bereits vor dem sechsten Lebensmonat Beikost geben wollen, beraten Sie sich mit dem Kinderarzt. Er kann Ihnen sagen, ob Ihr Baby schon reif dafür ist (mehr über Beikost finden Sie auf S. 162 f.).

Die Bedeutung des Spiels

Das gemeinsame Spiel fördert Babys Entwicklung in vielfältiger Weise und legt die Basis für eine konstruktive Kommunikation.

Klangspielzeug Babys lieben Spielsachen, die Geräusche erzeugen. Je mehr Krach ein Spielzeug macht, umso mehr Spaß hat Ihr Baby.

Das gemeinsame Spiel mit dem Kind unterstützt seine seelische Gesundheit – indem es z. B. Selbstwertgefühl und Selbstvertrauen fördert. Spielen ist unerlässlich für die gesunde Entwicklung von Babys und Kindern: Das Spiel bietet Gelegenheit, motorische, kognitive, perzeptive und soziale Fähigkeiten zu entwickeln. Es fördert Kreativität, Fantasie und Selbstgenügsamkeit; Babys und Kinder entdecken dabei ständig Neues, lernen Probleme zu lösen, finden Entspannung und haben Spaß.

Im Spiel eignet sich Ihr Baby seine Umwelt an. Beim Hören, Sehen, Berühren, Schmecken oder Riechen werden Signale ans Gehirn übermittelt, die die Entstehung wichtiger mentaler Strukturen auslösen. Wenn Sie also mit Ihrem Baby spielen, tragen Sie zur Ausbildung seines Gehirns bei. Wenn Ihr Kind vielfältige Aktivitäten erlebt, entstehen immer mehr solcher mentaler Strukturen – das Wiederholen dieser Tätigkeiten verstärkt diese Gedächtnisspuren. Das körperbetonte Spiel (s. S. 151) fördert die Grobmotorik, die räumliche Wahrnehmung und vieles mehr. Bücher, Sortierboxen, Rasseln, Spielsachen mit Ursache-Wirkung-Prinzip und »Gespräche« fördern die kognitive Entwicklung, die Auge-Hand-Koordination und die Feinmotorik. Die Kombination verschiedener Spielformen lässt Ihr Baby zu einem gesunden, geistig wachen Kind heranwachsen.

Sie müssen Ihrem Baby aber keinesfalls ständig Anregungen bieten oder jede Spielzeit als Lernerfahrung gestalten. Das Spiel sollte sich spontan ergeben und Spaß machen. Bei einem Kitzelspiel lernt Ihr Kind ebenso viel wie von teuren Lernkarten. Ein Spiel muss nicht »sinnvoll« strukturiert sein – tun Sie das, was Ihnen in den Sinn kommt, ermutigen Sie Ihr Baby, Neues auszuprobieren. Es soll Spaß haben und seine Umgebung erforschen. Am wichtigsten: Lassen Sie ihm viel Zeit – und fördern Sie es, indem Sie einfach für Ihr Baby da sind.

ENTWICKLUNG FÖRDERN

Mit Haushaltsgegenständen spielen

Ihr Baby spielt liebend gern mit den Dingen, die Sie tagtäglich benutzen. Plastikbecher lassen sich wunderbar stapeln und umwerfen. Geben Sie ihm einen leichten, sauberen Kochlöffel und eine Rührschüssel aus Plastik zum Klopfen und »Rühren«. Zerknüllen Sie ein großes Stück Papier: Ihr Baby wird es freudig untersuchen und fasziniert dem Knistern lauschen. Selbst ein Pappkarton oder ein Messlöffel aus Plastik machen ihm Spaß! Vermeiden Sie aber gefährliche Dinge wie Plastikflaschen mit Schraubverschlüssen, die es verschlucken könnte, oder Werkzeuge aus lackiertem Holz.

Faszinierende neue Welt Alltagsgegenstände sind für Ihr Baby höchst exotisch. Beinahe alles ergibt ein gutes Spielzeug, solange keine Verletzungsgefahr besteht.

Einführung von Beikost

Es ist kein Wunder, dass beim Thema Beikost oft Unsicherheit herrscht – es gibt dazu unterschiedlichste Meinungen und widersprüchliche Ratschläge. Hier finden Sie klare Richtlinien dazu, wann und wie Sie Beikost einführen können.

CHECKLISTE

Beikost-Zubehör

■ Ein Hochstuhl oder Tischsitz, den Sie am Esstisch anbringen können. Suchen Sie nach einem stabilen Hochstuhl, am besten mit abgerundeten Ecken und Sicherheitsgurt, der sich gut sauber machen lässt. Mit einem Einsatz können auch kleine Babys bequem darin sitzen. Sehr praktisch ist ein abnehmbares Tablett (s. S. 220).

■ Eine Plastikplane zum Schutz des Bodens.

■ Zwei oder drei kleine Schüsseln, am besten mit Saugfuß.

■ Zwei oder drei flache und schmale Plastik- bzw. Beikostlöffel.

■ Eine Schnabeltasse.

■ Lätzchen, bei mindestens 60 °C waschbar.

■ Mixer oder Stabmixer. Eine elektrische Mühle ist praktisch für Speisen, die im Mixer zähflüssig werden, sowie für Nahrungsmittel mit harter Schale wie Erbsen oder Linsen.

■ Ein Eiswürfeltablett mit Deckel und kleine Töpfchen mit Deckel, um größere Mengen vom Lieblingsbrei Ihres Babys einzufrieren.

■ Selbstklebeetiketten oder Gefrierbeutel zum Auszeichnen und Datieren der Breie.

Was bedeutet Beikost bzw. entwöhnen? Als Entwöhnen (von der Flasche), Abstillen (von der Brust) oder allgemein als Einführung von Beikost bezeichnet man die schrittweise Umstellung von der reinen Milchernährung zu einer gemischten Kost. Das bedeutet nicht, dass das Baby keine Milchnahrung oder Muttermilch mehr trinken soll: Milch bleibt wesentlicher Bestandteil seiner Ernährung. Da Ihr Baby jedoch größer und aktiver wird, braucht es für seine Entwicklung und sein Wachstum zusätzliche Nährstoffe aus anderen Nahrungsmitteln.

Wann soll man beginnen? In den nächsten Wochen zeigt Ihr Baby womöglich schon die ersten Anzeichen, die darauf deuten, dass es für erste Beikost bereit ist (siehe nächste Seite). Vielleicht geben andere befreundete Mütter bereits Beikost oder Ihre Mutter meint, dass zu ihrer Zeit viel früher Beikost gegeben wurde und Ihnen dies keineswegs geschadet hat! Alle diese Faktoren können Mütter dazu veranlassen, schon früh Beikost zu geben – aber ist jetzt wirklich der richtige Zeitpunkt gekommen oder sollten Sie noch abwarten?

In Deutschland werden die allgemein gültigen Richtlinien zur Beikosteinführung vom Forschungsinstitut für Kinderernährung (FKE) in Dortmund herausgegeben. Nach dem dort entwickelten »Ernährungsplan für das erste Lebensjahr« sollte das Baby in den ersten vier bis sechs Monaten ausschließlich gestillt werden. Für Säuglinge, deren

An den Fingern saugen Wenn Ihr Baby verstärkt an Fingern oder Fäusten saugt, wird es nun bald Zeit für erste Beikost.

Mütter nicht ausschließlich stillen können oder möchten, ist industriell hergestellte Säuglingsmilchnahrung als Muttermilchersatz geeignet. Zwischen dem fünften und siebten Lebensmonat erfolgt die Einführung der Beikost, beginnend mit dem Gemüse-Kartoffel-Fleisch-Brei, gefolgt vom Milch-Getreide-Brei und zuletzt dem Getreide-Obst-Brei. Die Mahlzeiten werden während dieser Zeit durch Muttermilch oder Säuglingsmilch ergänzt. Ab dem zehnten Monat geht die Beikost schrittweise in die Familienkost mit fünf Mahlzeiten und zunehmend mehr festen Lebensmitteln über. Österreich orientiert sich an den ähnlich lautenden »Österreichischen Beikostempfehlungen«, herausgegeben vom Bundesministerium für Gesundheit, die Schweiz an den Empfehlungen der Weltgesundheitsorganisation (WHO).

Die Ernährungskommission der Deutschen Gesellschaft für Kinder- und Jugendmedizin e. V. (DGKJ) weist darauf hin, dass es nicht zu empfehlen ist, bei der Beikost bestimmte Zutaten zu meiden oder später einzuführen, um damit Unverträglichkeiten oder Allergien zu verhindern (z.B. ist die Einführung von Gluten – solange noch gestillt wird – mit einem um 50 Prozent gesenkten Zöliakierisiko verbunden). Andere Forschungen besagen, dass Babys, die vor dem sechsten Monat Beikost erhalten, sich leichter an verschiedene Geschmacksrichtungen gewöhnen (z.B. Gemüse oder Fisch) als diejenigen, die erst mit sechs Monaten oder später Beikost bekommen.

Der richtige Zeitpunkt Bevor Sie irgendetwas überstürzen, sollten Sie sichergehen, dass Ihr Baby körperlich und emotional reif ist für diesen Schritt. Wenn es mit Milchnahrung gesund und zufrieden ist, besteht keine Notwendigkeit für eine vorzeitige Beikostgabe.

Der frühestmögliche Zeitpunkt zur Einführung von Beikost sind vier Monate bzw. 17 Wochen. Vor diesem Zeitpunkt werden die Verdauungsenzyme, die zur Verwertung der Nährstoffe aus festen Speisen erforderlich sind, noch nicht gebildet. Kiefer und Zunge sind zudem nicht ausreichend entwickelt, um Speisen »kauen« und schlucken zu können; auch die Nieren können Beikost noch nicht verarbeiten. Das Baby muss auch den »Zungenreflex« verloren haben (der es veranlasst, alles, was in den Mund kommt, mit der Zunge hinauszuschieben) und es muss die motorische Fähigkeit besitzen, Nahrung von der Zungenspitze nach hinten zu befördern.

Nach der 17. Lebenswoche kann Ihr Baby reif für Beikost sein, wenn es einige oder alle der folgenden Anzeichen zeigt:
■ Es kann frei sitzen, was die Verdauung fördert und Verschlucken vorbeugt.
■ Es zeigt Interesse an Ihren Speisen und greift vielleicht danach.
■ Es ist hungriger als bisher und bleibt nach den normalen Mahlzeiten oft unzufrieden. Sein Geburtsgewicht hat sich schon verdoppelt.
■ Es will nachts wieder gefüttert oder gestillt werden, obwohl es bereits durchgeschlafen hatte.
■ Es kann seine Kopfbewegungen bereits kontrollieren.

■ Es steckt Dinge in den Mund und »kaut« auf ihnen, statt sie mit der Zunge wieder herauszuschieben.
Erkundigen Sie sich ruhig bei Ihrem Kinderarzt, er kann Sie zu Fragen der Beikosteinführung beraten.

Das richtige Tempo Wenn Sie bereits vor dem sechsten Monat Beikost geben, können Sie den gesamten Prozess langsam angehen. Wenn Sie bis zum empfohlenen sechsten Monat abwarten, sollten Sie aber rascher von den ersten Gemüsebreien zu eisenhaltigen Gemüse-Fleisch-Breien wechseln (Erste Kostproben, s. S. 190f.; 1. Phase der Beikost, s. S. 234f.) und zu Speisen mit Milchprodukten, Fisch, Eiern und Getreide wechseln (2. Phase der Beikost, s. S. 254f.). Mit sechs Monaten benötigt Ihr Baby Eisen aus eiweißreichen Nahrungsmitteln. Mit neun bis zehn Monaten geben Sie bereits gröbere Kost (Stückchen und Klumpen), da es nun bald bei einer ausgewogenen Familienkost mitessen kann (3. Phase der Beikost, s. S. 310f.).

Kaubewegungen Häufiges »Kauen« auf Gegenständen zeigt Ihnen, dass Ihr Baby bald reif ist für seine ersten Gemüsebreie. Sie können sie nun in seine Mahlzeiten integrieren.

> **FRÜHGEBORENE**
>
> Wenn Ihr Baby zu früh auf die Welt kam (vor der 37. Woche), kann es ratsam sein, beizeiten Beikost zu geben, Denn Babys, die zu früh oder mit niedrigem Geburtsgewicht geboren wurden, fehlen die Nährstoffe aus den letzten Wochen in der Gebärmutter: Hier sollte bei jedem Baby individuell besprochen werden, wann Beikost gegeben wird – dies hängt stark vom Wachstumsverlauf und der Gewichtszunahme ab. Gewöhnlich empfiehlt man, zwischen fünf und acht Monaten nach dem tatsächlichen Geburtsdatum erste Beikost zu geben. Die Babys müssen über eine gute Kopfkontrolle verfügen, bevor sie Beikost bekommen. Auch wenn ein Baby an Reflux leidet, sollte Beikost etwas früher eingeführt werden. Besprechen Sie mit dem Kinderarzt, wann der richtige Zeitpunkt bei Ihrem Frühgeborenen sein kann.

Nachts länger schlafen

Da der kleine Magen nun mehr Nahrung aufnehmen kann, könnten Babys nachts länger durchschlafen – wenn sie es wollen!

Etwa ab dem vierten Monat ist Ihr Baby körperlich in der Lage, nachts ohne Mahlzeit auszukommen. Wenn es weiterhin aufwacht, sucht es wahrscheinlich Trost und Zuwendung. Sorgen Sie daher dafür, dass es vor dem Einschlafen ausgiebig trinkt und aufstößt; dann wissen Sie, dass es nicht hungrig sein kann, wenn es wieder aufwacht. Vielleicht nuckelt es auch nur kurz und schläft wieder ein. Das schadet ihm zwar nicht, stört aber weiterhin Ihren Nachtschlaf.

Um Ihr Baby von diesen nächtlichen Trostmahlzeiten abzubringen, bieten Sie ihm alternative Trostmethoden an. Streicheln Sie seinen Rücken, singen Sie ihm vor und versichern Sie ihm, dass Sie da sind. So kann es sich beruhigen und wieder in den Schaf finden. Da es sich allerdings an das nächtliche Nuckeln und Hochnehmen gewöhnt hat, kann es sich anfangs der neuen Methode widersetzen. Nehmen Sie es hoch, aber füttern Sie es nicht – außer es hat wirklich großen Hunger. Leiten Sie es sanft zu Metho-

den der Selbstberuhigung an. Gehen Sie zu ihm, wenn es nach Ihnen ruft, damit es weiß, dass es Ihnen vertrauen kann. (Schreienlassen verschlimmert die Situation – es wird zwar irgendwann zu schreien aufhören, doch geht dabei auch das Urvertrauen verloren). Wenn es weiß, dass Sie da sind, lernt es allmählich, sich selbst zu trösten. Wenn Sie auf seine Bedürfnisse eingehen, werden die Abstände zwischen den Wachphasen im Laufe der nächsten Wochen geringer, bis es schließlich nachts durchschläft.

Sie sind ziemlich erledigt?

Die anstrengenden Tage und schlaflosen Nächte zehren an Ihren Kräften. Optimieren Sie Ihre Lebensweise – dann wird alles besser!

Gesunde Ernährung Drei ausgewogene Mahlzeiten sind wichtig – frisches Fleisch, Milchprodukte, Obst, Gemüse und Kohlenhydrate.

Lustlosigkeit und Antriebsschwäche sind häufig Folge von Schlaf- und Bewegungsmangel und ungesunder Ernährung. Also unternehmen Sie etwas dagegen! Spaziergänge an der frischen Luft geben Ihnen Energie und Frische.

Gute Ernährung ist ebenso wichtig. Viele Mütter essen nicht richtig, weil sie so sehr mit ihrem Baby beschäftigt sind oder möglichst schnell wieder in ihre frühere Kleidung passen wollen. Doch gesunde Kost, z. B. eine mit Thunfisch gefüllte Ofenkartoffel oder eine Gemüsesuppe mit Vollkornbrötchen und Butter, sorgt für anhaltende Energie. In der Stillzeit ist gute Ernährung besonders wichtig; sie beeinflusst auch die Qualität der Muttermilch.

Wenn Ihr Baby schon im Morgengrauen aufwacht, passen Sie Ihren eigenen Tagesrhythmus an, um genügend Schlaf zu finden. Gehen Sie eine Stunde früher zu Bett und erledigen Sie dafür morgens mehr. Arbeiten Sie nicht bis kurz vor dem Schlafengehen, sondern nehmen Sie sich Zeit, abzuschalten und zur Ruhe zu kommen – nur so finden Sie in einen erholsamen Schlaf. Achten Sie gut auf sich selbst, damit Sie für Ihr Baby sorgen können. Wenn die Erschöpfung lähmend wird oder Ihnen alles zu viel wird, wenden Sie sich an Ihren Haus- oder Frauenarzt. Vielleicht leiden Sie an Eisenmangel, einer Schilddrüsenunterfunktion, einer latenten Infektion oder möglicherweise sogar an einer Wochenbettdepression.

Vorübungen zum Krabbeln

Auch wenn Babys normalerweise erst mit acht bis neun Monaten krabbeln, üben sie bereits jetzt die dazu erforderlichen Bewegungsabläufe.

Vorübungen zum Krabbeln Bei seinen »Turnübungen« in der Bauchlage erwirbt Ihr Baby die nötige Kraft in Armen und Beinen.

In den kommenden Wochen hebt Ihr Baby in der Bauchlage seinen Kopf an, es zieht seine Zehen ein und versucht, sich vorwärtszubewegen und mit den Armen hochzudrücken. Es probiert auch, sich zu drehen; manchen Babys gelingt schon die Rolle vom Bauch auf den Rücken. Bei jeder Bewegung erfährt es mehr über die einzelnen Teile seines Körpers und findet heraus, wie es sie gleichzeitig bewegen kann.

In der Bauchlage bewegt es Arme und Beine vielleicht bereits wie beim Krabbeln, auch wenn es noch nicht vorwärtskommt, sondern mit dem Bauch nach vorne schaukelt. Dabei erwirbt es das für das Krabbeln erforderliche Koordinationsvermögen. Es blickt sich mit erhobenem Kopf und hochgestützter Brust um, wobei es die Unterarme oder Hände zum Hochdrücken benutzt. Es interessiert sich sehr für seine Umgebung – doch so gerne es auch vorwärts kommen würde, dies wird ihm erst gelingen, wenn es frei sitzen kann, irgendwann nach dem sechsten Monat.

Die Krabbelbewegung, bei der sich ein Arm synchron mit einem Bein bewegt, ist eine anspruchsvolle Leistung im Hinblick auf Koordination und Grobmotorik. Vielen Babys gelingt dies auch erst am Ende des ersten Lebensjahres. Machen Sie sich keine Sorgen, wenn Ihr Baby überhaupt nicht krabbelt – mache Babys überspringen diesen Schritt; sie laufen direkt und hangeln sich dabei an Möbeln entlang.

Seit als Vorbeugung gegen den plötzlichen Kindstod empfohlen wird, Babys in Rückenlage schlafen zu legen, krabbeln viele Babys später als früher. Vermutlich fehlt ihnen die längere »Übungszeit« auf dem Bauch.

Sie können Ihr Baby aber gut zur Bauchlage und zu vielfältigen Beinbewegungen anspornen. Legen Sie es auf den Bauch – und spielen Sie mit ihm. Wenn es auf dem Rücken liegt, hängen Sie Spielsachen auf; das regt es zum Strampeln und »Radfahren« an. Diese Aktivitäten fördern das Krabbeln, weil sie Gleichgewichtsgefühl, Kraft und Koordination ausbilden, die Ihr Baby später vermehrt zum Krabbeln benötigt.

ENTWICKLUNG FÖRDERN

Hol das Spielzeug

Legen Sie ein Spielzeug knapp außer Reichweite Ihres Babys, das aufrecht sitzt oder auf dem Bauch liegt; damit kann es die Auge-Hand-Koordination und die für das Krabbeln notwendigen Fähigkeiten trainieren. Setzen Sie sich zu ihm. Wenn Ihr Baby das Spielzeug trotz Anstrengung nicht erreichen kann, schieben Sie es ein wenig näher, damit es nicht frustriert aufgibt.

Innerer Antrieb Krabbeln entspringt Babys brennendem Wunsch, Dinge zu erreichen, die außerhalb seiner Reichweite sind. Sie werden über seine Beharrlichkeit staunen!

17 Wochen

IHR BABY VERFOLGT NUN AUCH EIN SICH HOCH UND RUNTER BEWEGENDES OBJEKT MIT DEN AUGEN.

In der Bauchlage hat Ihr Baby seine Muskulatur gekräftigt und sitzt, mit Kissen abgestützt, schon recht stabil. Seine Handgeschicklichkeit hat sich stark verbessert; es hält Gegenstände nun länger fest, kann sie aber noch nicht willentlich loslassen. Bestimmte Spielsachen faszinieren es sehr.

Babygymnastik

Ihr Baby besitzt jetzt ein besseres Koordinationsvermögen. Es »verrenkt« seinen Körper geradezu und erforscht dabei neue Körperteile!

Lecker, meine Zehen! In diesem Stadium besitzt Ihr Baby eine unglaubliche Gelenkigkeit. Es vollführt Yogastellungen mit Haltungen, die kaum ein Erwachsener einnehmen könnte.

Babys sind bei der Geburt körperlich sehr beweglich. Dank der weichen Knochen und des elastischen Knorpelgewebes konnten sie sich in der Gebärmutter zusammenkrümmen und durch den Geburtskanal gleiten. Bisher besaß Ihr Baby aber weder ausreichend Kraft noch genügend grobmotorische Kontrolle, um diese angeborene Beweglichkeit zu nutzen. Doch jetzt vollbringt es wahrhaft zirkusreife Verrenkungen. Fördern Sie diese Beweglichkeit durch Variationen des Guck-guck-Spiels. Neigen Sie sich über Ihr Baby, greifen Sie seine Beinchen und patschen Sie sie vorsichtig zusammen und wieder auseinander; rufen Sie dabei »guck guck« hindurch.

Kraft und Koordination Babys Muskulatur ist bedeutend kräftiger geworden: Die Hals- und Nackenmuskulatur hält den Kopf aufrecht und die gut ausgebildeten Brust- und Rückenmuskeln ermöglichen Ihrem Baby, bis zu 15 Minuten abgestützt zu sitzen. Studien zeigen, dass das Baby seine Muskeln von oben nach unten zu beherrschen lernt. Vom Kopf über den Nacken bewegt Ihr Baby z.B. erst seinen Arm aus der Schulter heraus, bevor es herausfindet, wie man den Ellbogen und später das Handgelenk beugt. Als Letztes erlernt es die geschickte Steuerung der Finger, die Feinmotorik. Im Moment greift Ihr Baby vermutlich noch mit beiden Händen nach einem Gegenstand.

Da die Rücken- und Halsmuskulatur nun besser ausgebildet ist, können Sie Kniereiterspiele mit Ihrem Baby machen. Setzen Sie es dazu auf Ihre Knie und spielen Sie »Hoppe, hoppe, Reiter« mit einem schnellen, aber sanften »Galopp« am Ende. Solche Spiele unterstützen die Entwicklung der Muskulatur.

Vitamin D

Milchnahrung wird Vitamin D zugesetzt. Muttermilch dagegen enthält das Vitamin D, das die Mutter über ihre Nahrung, wie fettreichen Fisch und angereicherte Cerealien, zu sich nimmt. Der Körper bildet das Vitamin D aber zum größten Teil selbst – dazu benötigt er die Sonne.

Babys von Eltern mit dunkler Hautfarbe oder asiatischer Herkunft können in unseren sonnenarmen Breiten an Vitamin-D-Mangel leiden, denn dunkle Haut erschwert die Bildung von Vitamin D durch die Sonne. Neuerdings gibt es auch Hinweise, dass Stillbabys nicht genügend Vitamin D aufnehmen. Ein Vitamin-D-Mangel verursacht Rachitis (Knochenerweichung).

Die Deutsche Gesellschaft für Kinder- und Jugendheilkunde (DGKJ) empfiehlt, unabhängig von der Vitamin-D-Produktion durch UV-Licht in der Haut und der Vitamin-D-Zufuhr durch Muttermilch bzw. Säuglingsnahrung, zur Rachitisprophylaxe bei gestillten und nichtgestillten Säuglingen die tägliche Gabe von einer Vitamin-D-Tablette von 10–12,5 µg (400–500 IE Internationale Einheiten) ab dem Ende der ersten Lebenswoche bis zum Ende des ersten Lebensjahres.

Bei Frühgeborenen muss die Vitaminversorgung jeweils individuell betrachtet werden. Hierzu wird Sie Ihr Kinderarzt gern beraten.

Selbstwertgefühl aufbauen

Schon mit vier Monaten entsteht ein Selbstbild, das lebenslang mitbestimmt, wie Ihr Baby sich selbst und die Welt sieht.

DIE STILLBERATERIN RÄT …

Ich werde wieder arbeiten gehen. Kann ich weiterstillen? Ja. Vielleicht können Sie sogar weiterhin voll stillen, sofern Sie bei der Arbeit regelmäßig die Milch abpumpen und dann in einer Kühltasche nach Hause bringen. Oder Ihr Baby bekommt in Ihrer Abwesenheit Milchnahrung und Sie stillen es morgens und abends. Die Milchbildung passt sich der jeweiligen Situation an. Weitere Informationen zum Thema siehe S. 179.

In diesem Alter erfährt Ihr Baby vor allem durch die rasche Befriedigung seiner Bedürfnisse, dass es geliebt und wertgeschätzt wird. Wenn es Hunger hat, dann füttern Sie es; wenn es friert, decken Sie es zu; wenn es eine frische Windel braucht, wickeln Sie es sofort. Zeigen Sie ihm, dass Sie sofort kommen, wenn es sich einsam fühlt – nehmen Sie es in den Arm; und wenn ihm langweilig ist, spielen Sie mit ihm. Zwar wird in manchen Erziehungsratgebern empfohlen, ein Baby schreien zu lassen, doch ist es wissenschaftlich mehr als gesichert, dass Babys, deren Bedürfnisse schnell befriedigt werden, zu sicher gebundenen und selbstsicheren Individuen heranwachsen.

Ihr Baby muss wissen, dass all die winzigen Dinge, die es Tag für Tag erlernt, wichtig sind. Wenn es nach einer Rassel greift oder plappert, spenden Sie ihm Beifall. So weiß es, dass es etwas Positives getan hat. Wenn es ihm gelingt, einen Gegenstand von der einen in die andere Hand zu legen, sagen Sie ihm, wie geschickt es ist. Lob und Zuwendung für scheinbar unbedeutende Leistungen zeigen ihm, dass es eine erfolgreiche und geschickte kleine Person ist – das fördert sein Selbstwertgefühl.

Allein spielen

Es ist für die Entwicklung Ihres Babys wichtig, dass es lernt, auch kurze Zeit allein zu spielen – fördern Sie diese Selbstbeschäftigung.

So sehr Ihr Baby Ihre Gesellschaft liebt und davon profitiert, braucht es auch Zeiten für sich allein. Nur so lernt es allmählich, dass es eine von Ihnen unabhängige Person ist.

Legen Sie Ihr Baby unter sein Babytrapez oder mit einigen Spielsachen auf eine Spieldecke auf den Boden. So kann es allein seine Umgebung erforschen. Es lernt dabei, auch einmal für kurze Zeit allein zu sein und sich selbst zu unterhalten. Im Laufe der Wochen verlängern Sie diese Phasen langsam. Achten Sie dabei weiterhin auf seine Signale: Nehmen Sie es hoch, bevor es unruhig wird oder weint. Aus Sicherheitsgründen bleiben Sie immer in Babys Sichtweite. Es kann genauso gut lernen, sich selbst zu beschäftigen, wenn Sie in der Nähe sind. Wenn es Ihre Anwesenheit spürt, fällt es ihm zudem leichter, auch längere Zeit allein zu spielen.

Wenn Ihr Baby lernt, sich auch alleine zu beschäftigen, wird es im Kleinkindalter (und darüber hinaus) viel zufriedener sein. Es ist dann in der Lage, sich mit einem Spielzeug zu beschäftigen, ohne immer Ihre Hilfe oder Beteiligung zu erwarten.

Selbstgenügsamkeit Geben Sie Ihrem Baby viel Gelegenheit, allein zu spielen.

Anlage versus Erziehung

Der Charakter Ihres Babys wird ebenso von der Umwelt geprägt wie von seinen Genen – berücksichtigen Sie dieses Wissen.

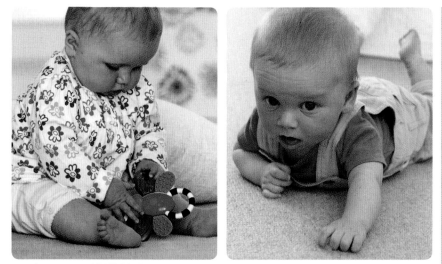

Angeborene Geschicklichkeit Egal, ob Ihr Baby von Natur aus neugierig oder besonders aktiv ist – es gedeiht dank Ihrer intensiven Zuwendung und entwickelt dabei neue Fähigkeiten.

Die Frage, ob der Charakter und die Entwicklung eines Babys genetisch vorherbestimmt sind oder von den alltäglichen Erfahrungen und der Umwelt beeinflusst werden – ob Anlage oder Erziehung einen Menschen prägen –, ist uralt. Heute besteht weitgehend Einigkeit darüber, dass das Zusammenspiel von Genen und Erziehung die Entwicklung eines Menschen bestimmt. Die Umgebung Ihres Babys und der alltägliche Umgang mit ihm bestimmen wesentlich, wie es mit Ihnen und anderen Menschen interagiert und wie erfolgreich es neue Fähigkeiten erwirbt. Das gilt insbesondere in den ersten Jahren, denn man geht davon aus, dass die Fürsorge und die Anregungen, die ein Baby erhält, die Gehirnentwicklung entscheidend beeinflussen. Als Hauptbezugsperson und als Quelle von Nahrung, Liebe, Trost und Anregung ist Ihre prägende Rolle für die positive Entwicklung Ihres Babys unbestritten.

Zwar begünstigen die Gene die Ausbildung bestimmter Eigenschaften oder Talente, z. B. besondere Geschicklichkeit oder Musikalität, doch können sich diese nur in einer anregenden und geborgenen Umgebung entfalten. Ihr Baby erwirbt in dieser Phase neue Fähigkeiten rasend schnell; seine Sinne werden unablässig mit neuen Informationen bombardiert. Ihre Aufgabe ist es, ihm den Sinn und die Bedeutung jeder neuen Erfahrung nahezubringen und sicherzustellen, dass es dabei auch nicht überfordert wird. Man geht davon aus, dass allein schon die tägliche positive Interaktion mit dem Baby seine Gehirnentwicklung fördert und das Befriedigen seiner Bedürfnisse sein gutes Gedeihen sicherstellt. Wird andererseits nicht auf das Baby reagiert und/oder zu wenig mit ihm kommuniziert, führt dies zu einem unsicher gebundenen Baby. In diesem Fall ist es wahrscheinlicher, dass sich negative Charakterzüge ausbilden.

Sprechen, Spielen und Interagieren sind unerlässlich für Babys positive Entwicklung. Gleichzeitig darf es nicht überfordert werden. Fürsorge bedeutet auch, zu erkennen, wann es genug Anregungen erhalten hat. Jedes Baby sollte sich in seinem eigenen Tempo entwickeln können. Nur so hat es Zeit, Informationen zu verarbeiten und Fähigkeiten zu festigen.

Zahnpflege

Irgendwann zwischen dem vierten und siebten Monat bricht der erste Zahn durch. Sobald er da ist, muss er auch gepflegt werden.

Erstes Zähneputzen Verwenden Sie zum Reinigen von Babys erstem Zahn eine Babyzahnbürste oder ein feuchtes Mulltuch.

Bald wird der erste Zahn Ihres Babys sichtbar sein. In der Regel bricht zunächst einer der beiden unteren Schneidezähne durch (die unteren kommen als Erstes), bevor dann die oberen Schneidezähne folgen. Auch wenn diese Milchzähne später wieder ausfallen (etwa ab dem sechsten Lebensjahr), sind sie wichtig, weil sie Ihrem Baby das Sprechen und Essen ermöglichen. Aus diesem Grunde müssen sie sorgfältig gepflegt werden; nur so wird auch Zahnentzündungen vorgebeugt und das Kind gleichzeitig zu guter Zahnpflege hingeführt – die es hoffentlich im späteren Leben beibehält.

Bei Ihrem kleinen Baby müssen Sie noch keine Zahnpasta verwenden. Geben Sie stattdessen ein wenig Wasser auf eine weiche Babyzahnbürste oder ein Stück sauberen Verbandsmull und putzen Sie damit morgens und abends vorsichtig das Zähnchen.

Wechseln Sie Zahnbürste oder Mull regelmäßig. Lassen Sie Ihr Baby niemals mit einer Flasche im Mund einschlafen; Milchnahrung und Muttermilch enthalten Zucker, der sich am Zahn festsetzt und Karies verursacht. Bieten Sie als Getränk abgekochtes, abgekühltes Wasser an statt purem oder verdünntem Fruchtsaft, der viel Zucker enthält.

Sachen aufheben

Erst seit kurzer Zeit kann Ihr Baby mit seinen Fingern Gegenstände umschließen – mit 17 Wochen wird es sie nun richtig festhalten.

Ihr Baby kann inzwischen recht sicher greifen. Es greift weiterhin mit der ganzen Handfläche (der angeborene Greifreflex bleibt etwa bis zum sechsten Monat bestehen; dadurch umklammert es Dinge, die in seine Handfläche gelegt werden), kann Dinge nun aber länger festhalten und dabei auch schütteln. Geben Sie ihm zum Üben der Handgeschicklichkeit Rasseln, Becher und andere Gegenstände. Mit Bauklötzen trainiert es das Aufheben und Festhalten. Es hält bestimmt gern einen Ball, lässt ihn dann auf den Boden kullern und beobachtet, wie er wegrollt (der Ball muss so groß

sein, dass er nicht in seinen Mund passt). Spaß machen ihm Greiflinge mit Löchern, in die es seine Finger stecken kann.

Das Loslassen funktioniert allerdings noch nicht so gut wie das Aufheben. Ihr Baby lässt einen Gegenstand nur los, wenn es spürt, dass er gegen etwas Hartes, z.B. den Boden, gedrückt wird.

Was Ihr Baby aufhebt, landet auch in seinem Mund: Stellen Sie daher sicher, dass alles, was es verschlucken könnte, außer Reichweite ist.

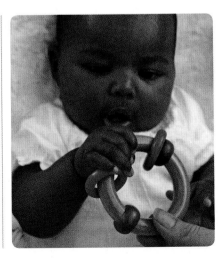

Handgeschicklichkeit Sobald Ihr Baby besser greifen kann, hält es Dinge auch länger fest.

Babykurse – Qual der Wahl

Die Auswahl an Babykursen ist heutzutage groß. Für Babys ab etwa vier Monaten, teilweise schon früher, gibt es ein breites Angebot.

Wenn Sie nach einer regelmäßigen Möglichkeit suchen, außer Haus zu kommen und Kontakt zu anderen Müttern mit Babys zu finden – warum nicht einen Babykurs besuchen? Es gibt eine große Auswahl: Informieren Sie sich bei Familienzentren, Volkshochschulen oder privaten Anbietern. Diese Form der Frühförderung umfasst ganz unterschiedliche Bereiche und soll dem Baby vor allem Spaß machen. Mögliche Angebote sind:

Babygymnastik Diese Kurse richten sich bereits an Babys im vierten und fünften Lebensmonat. Die Babygymnastik schult spielerisch Körperwahrnehmung und Bewegungsabläufe des Babys – wie fühlen, greifen, drehen, robben und krabbeln. Die Übungen kräftigen den Bewegungsapparat und die Muskulatur.

Wahrnehmungsschulung Beim »Prager Eltern-Kind-Programm« (PEKiP) trifft sich eine Gruppe von etwa sechs bis acht Vätern oder Müttern einmal pro Woche mit ihren Babys. Der Raum ist angenehm warm, denn die Babys liegen nackt auf ihren Matten. Sie bekommen viele unterschiedliche Spielangebote wie Kochlöffel, Wasserschüsseln, Bälle oder Krabbelhindernisse. Die Babys nehmen dabei ihre Umwelt intensiver wahr. Diese Form der Frühförderung ist für Babys ab der vierten Woche geeignet. Die Eltern lernen, auf ihr Baby einzugehen und es in der motorischen und geistigen Entwicklung altersgemäß zu unterstützen.

Musikgarten Es gibt eine Vielzahl an Kursen, die die Babys an Musik heranführen, z. B. den Musikgarten. Dabei wird gesungen, getanzt und mit Schlaginstrumenten experimentiert.

Baby-Yoga Yoga hilft dem Baby, seinen eigenen Körper zu erfahren; es stärkt die Körperwahrnehmung und beeinflusst Gelenkbeweglichkeit und Muskelaufbau. Die gymnastischen Übungen sollen ausgleichend auf das individuelle Temperament des Babys wirken.

Während die Wochenbettdepression bei Frauen gut dokumentiert ist, ist weniger bekannt, dass etwa einer von zehn Männern nach der Geburt eines Babys an einer Depression leidet. Auch wenn die Hormone bei Männern keine Rolle spielen können, so tragen Faktoren wie Schlafmangel, Isolation und Veränderung der Partnerschaft dazu bei. Auch die Belastung durch die zusätzliche finanzielle Verantwortung und Sorgen über die Vereinbarkeit von Beruf und Vaterschaft kommen hinzu. Manche Väter fühlen sich manchmal auch zurückgesetzt, weil die Partnerin sie nicht in die Babypflege einbezieht. Zu den Symptomen zählen Erschöpfung, Ängste, Reizbarkeit, Konzentrationsmangel, Appetitlosigkeit und Zukunftssorgen. Wie bei Müttern ist es wichtig, bei anhaltenden Symptomen professionelle Hilfe beim Hausarzt in Anspruch zu nehmen und mit Familie und Freunden über die Gefühle zu sprechen.

ENTWICKLUNG FÖRDERN

Hoch und runter

Ihr Baby verfolgt nun auch sich vertikal bewegende Gegenstände mit den Augen. Sie können diese Fähigkeit fördern, indem Sie ein buntes Spielzeug vor ihm hoch und runter bewegen. Halten Sie das Spielzeug zu Beginn ruhig, bis Ihr Baby es fokussiert; dann führen Sie es langsam nach unten. Beobachten Sie, wie seine Augen der Bewegung folgen. Sobald das Spielzeug unten an seinem Blickfeld angekommen ist, führen Sie es wieder nach oben. Achten Sie darauf, dass Ihr Baby es nicht aus dem Blick verliert.

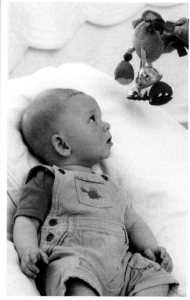

Vertikales Verfolgen Nun kann Ihr Baby Gegenstände sowohl horizontal als auch vertikal betrachten.

17 Wochen

171

18 Wochen

IHR BABY NIMMT NUN AUCH VERÄNDERUNGEN IN IHREM TONFALL DEUTLICH WAHR.

Die Augen Ihres Babys wandern fleißig umher und es greift immer häufiger nach Dingen, die es dabei entdeckt. Es weiß nun, woher bestimmte Geräusche kommen, und assoziiert sie mit Handlungen: Spiellieder kann es z.B. den entsprechenden Bewegungen zuordnen.

Handlungen versprachlichen

Erklären Sie Ihrem Baby, was Sie tun und was in seinem Umfeld geschieht: Es erkennt dadurch die Verbindung von Worten und Taten.

Zählen Sie die Stufen, wenn Sie eine Treppe hochgehen; zählen Sie die Spielsachen, die Sie in die Spielzeugkiste zurücklegen; zählen Sie beim Wickeln Babys knuddelige kleine Zehen. Benennen Sie den Schwanz der Katze und die Blätter der Zimmerpflanzen. Zeigen Sie auf seinen Bauch, auf seine Augen und Finger – und auf Ihre. Benennen Sie alle Dinge in seiner Umgebung. Jede Bezeichnung wird in sein Gehirn aufgenommen und bald wird es die Namen verwenden.

Wiederholung ist bei Weitem die beste Methode, um das Gelernte zu festigen. Wenn es ein Dutzend Mal gehört hat, wie Sie beim Treppensteigen 1, 2, 3, 4 gezählt haben, fällt ihm das Zählen später viel leichter, weil sich ihm die Abfolge bereits eingeprägt hat. Benennen Sie beim Anziehen jedes Mal seine Körperteile. Vielleicht imitiert es bereits die zentralen Laute der Wörter, die Sie verwenden. Es versteht sie zwar noch nicht, ahmt sie aber begeistert nach und beginnt, bestimmte Lautfolgen mit Gegenständen in Verbindung zu bringen.

Wörter lernen Tippen Sie auf Ihre Nase, dann auf seine Nase und sagen »Nase« dazu. Zeigen Sie auf seine Nase und wiederholen das Wort. Bald zeigt es selbst darauf, wenn Sie »Nase« sagen.

Dieses handlungsbegleitende Sprechen im Alltag unterstützt nicht nur die Sprachentwicklung, sondern fördert auch das Verständnis für die Funktionsweise der Dinge; ebenso für die Abfolge von Ereignissen und Tätigkeiten wie Kochen, Putzen und Einkaufen. Sagen Sie ihm, was Sie zum Abendessen zubereiten, zeigen Sie ihm die Zutaten und erklären Sie, was Sie tun. Zeigen Sie ihm die Wasserhähne, aus denen das Badewasser einläuft, und den Lichtschalter an der Wand. Demonstrieren Sie, wie alles funktioniert. Erklären Sie beim Aufräumen, was Sie tun. Beschreiben Sie immer, was Sie tun und wen Sie treffen.

Gefühle beschreiben Fördern Sie Babys emotionale Intelligenz, indem Sie Gefühle durch ausgeprägte Mimik unterstreichen und sie bezeichnen. Benennen Sie auch die Gefühle, die es Ihrer Meinung nach empfindet: Wenn es weint, sagen Sie »traurig«. Wenn es lacht, sagen Sie »glücklich«. Diese Emotionen verspürt Ihr Baby auch körperlich als physische Empfindung. Tragen und beruhigen Sie es daher, wenn starke Gefühle auftreten. So erfährt es, dass Sie ihm helfen, diese Gefühle zu bewältigen.

FRAGEN SIE ... EINEN KINDERPSYCHOLOGEN

Mein Baby will die ganze Zeit getragen werden. Ist das normal? In Ihren Armen findet Ihr Baby Trost; es braucht diese Sicherheit. Allmählich kann es aber lernen, kurzzeitig ohne körperliche Zuwendung auszukommen. Leiten Sie es sanft an, mit seinen Spielsachen zu spielen. Setzen Sie sich z. B. mit ihm auf eine Spieldecke und zeigen Sie ihm, wie ein Spielzeug funktioniert. Rücken Sie dann ein kleines Stück weg, kommen aber zurück, wenn es danach verlangt. Streicheln Sie seinen Rücken und rücken Sie wieder weg. Mit der Zeit entfernen Sie sich weiter und sprechen dabei mit ihm. Ihre Stimme beruhigt es. Bald wird es erkennen, dass Sie kommen, wenn es Sie braucht. Wenn es in Unruhe gerät und Sie es nicht sofort hochnehmen können, sprechen Sie beruhigend mit ihm. Sagen Sie ihm, dass Sie da sind. Mit der Zeit wird es immer länger allein zufrieden spielen und muss seltener getragen werden.

Die Milch macht's

Wenn Ihr Flaschenbaby ständig hungrig zu sein scheint, ist es vielleicht Zeit für ein anderes Milchpulver, die Folgemilch.

BITTE BEACHTEN

Grippeimpfung

In der Regel werden Babys nicht gegen Grippe geimpft. Eine allgemein geltende Empfehlung zur Grippeimpfung für Babys gibt es in Deutschland nicht. Kinder ab sechs Monaten sollten, so die Richtlinie der STIKO, dann geimpft werden, wenn sie unter einer chronischen Erkrankung, z. B. einer Herz- oder Lungenkrankheit, leiden.

Wenn Sie die Flasche geben, kennen Sie bereits die Vielzahl an Milchnahrungen, die auf dem Markt erhältlich sind. Es gibt zum einen Anfangsnahrung mit der Silbe »Pre« oder der Ziffer »1« im Titel. Diese Nahrungen sind für die Milchernährung im gesamten ersten Lebensjahr geeignet. Zusätzlich sind Folgemilchen mit der Ziffer »2« oder »3« auf dem Markt; das Forschungsinstitut für Kinderernährung (FKE) in Deutschland wie auch die Österreichische Ernährungskommission empfehlen, diese Milchnahrungen erst ab dem siebten Lebensmonat zu geben, wenn auch bereits Beikost gegeben wird.

Wenn Sie aber das Gefühl haben, dass Ihr Baby mit der bisherigen Milchnahrung nicht mehr satt wird, sprechen Sie mit dem Kinderarzt. Dann kann auch jetzt schon ein Wechsel zu einer Folgemilch möglich sein. Die Folgemilch 2 ist in ihrer Zusammensetzung auf den veränderten Nährstoff- und Energiebedarf des Babys im Beikostalter abgestimmt und ist sättigender. Gegen Verstopfung können Sie Ihrem Baby zusätzlich etwas abgekochtes, abgekühltes Wasser geben.

Fingerspiele

Bewegungslieder machen Spaß und fördern Koordinationsvermögen, Gedächtnis und Sprache – und sogar die sozialen Kompetenzen.

Wenn Sie Ihrem Baby vorsingen, lernt es, verschiedene Klänge, Klangfarben, Tonhöhen und Sprechmuster zu unterscheiden und darauf zu reagieren. Das spricht es mehr an als das bloße Reden. »Kommt ein Mäuslein, baut ein Häuslein«, »Klingeling, die Post ist da«, »Zehn kleine Zappelmänner« sind ideale Fingerspiele. Die Kombination aus Text und Handlung verstärkt den Lernprozess. Zeigen Sie Ihrem Baby, wie es seine Hände bewegen soll, und wiederholen Sie die Strophen, damit sie sich ihm gut einprägen.

Singen Bitten Sie eine Freundin, ein bekanntes Lied zu singen. Ihrem Baby ist es vertraut – und doch neu, weil jemand anderes es singt.

Geräusche zuordnen

Ihr Baby stellt nun Verbindungen her zwischen dem, was es sieht, und dem, was es hört. Jeden Tag erkennt es mehr Geräusche wieder.

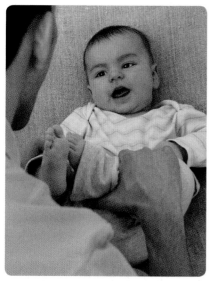

Geräusche erkennen Bei Spielen, in denen Worte und Handlungen kombiniert werden, erfährt Ihr Baby, wie beides zusammengehört.

Mit 18 Wochen äußert Ihr Baby mehr Laute und kennt bereits viele Geräusche: das Scheppern seiner Rassel, den Klang Ihrer Stimme und das Knarren der sich öffnenden und schließenden Tür. Es verbindet Gegenstände mit bestimmten Geräuschen; die Fähigkeit zur Antizipation bildet sich heraus: Es reagiert mit Jauchzen, wenn es Ihre Stimme hört, da es weiß, dass Sie gleich da sein werden.

Sein Hörvermögen ist bereits von Geburt an gut entwickelt; doch nun verarbeitet Ihr Baby das Gehörte auch und bringt es in Verbindung mit seinem bereits erworbenen Weltwissen. Wenn Sie sich zu ihm setzen und »Backe, backe Kuchen« klatschen, erwartet es, dass Sie den Text dazu singen. Es hat gelernt, das Klatschen mit dem entsprechenden Text zu assoziieren, und ist erstaunt, wenn Sie zwar klatschen, aber nicht dazu singen.

Es beobachtet konzentriert, wie sich Ihre Zunge und Lippen beim Sprechen bewegen. Es verbindet die Laute, die Sie bilden, mit der Bewegung Ihrer Lippen. Wenden Sie ihm beim Sprechen und Singen Ihr Gesicht zu, um diese Fähigkeit zu fördern.

Während laute oder plötzliche Geräusche Ihr Baby erschrecken, wird es von bekannten Klängen beruhigt: Daher können Sie es in einer lauten, unruhigen Umgebung durch ein bekanntes Lied beruhigen; es konzentriert sich auf Ihre Stimme und entspannt sich so leichter. Wahrscheinlich assoziiert es sein Schlaflied mit Wiegen; wenn Sie es also durch Vorsingen des vertrauten Schlaflieds beruhigen wollen, müssen Sie es auch schaukeln.

Winzige Fortschritte im Hörvermögen bedeuten, dass Ihr Baby auch den Tonfall Ihrer Stimme besser erkennt. Wenn Sie zufrieden sind, ist es ebenfalls zufrieden; wenn Sie gestresst sind, nimmt es diese Anspannung auf und wird unsicher. Eine positive Körpersprache – ihm beim Sprechen das Gesicht zuwenden und Blickkontakt herstellen – unterstützt Ihre Kommunikation.

ENTWICKLUNG FÖRDERN

Tierlaute

Nichts fasziniert ein Baby mehr als ungewöhnliche Geräusche. Tierlaute bieten eine ideale Anregung, denn Ihr Baby lernt dabei, dass verschiedene Tiere auch unterschiedliche Geräusche von sich geben. Zeigen Sie ihm Tierbilder und erklären, dass die Kuh »muh« macht, das Schaf »mäh« und das Huhn »gack, gack« usw. Übertreiben Sie ruhig dabei und zeigen Sie Ihre Lippen. Ihr Baby soll sehen, wie Sie Ihren Mund formen, um die Laute zu bilden. Deuten Sie auf die Abbildung des Tieres – oder eines Stofftieres –, damit es die Verbindung herstellt. Zwar kann es Tierlaute erst im zweiten Lebensjahr imitieren, doch es hat schon jetzt Spaß beim Zuhören und Lernen.

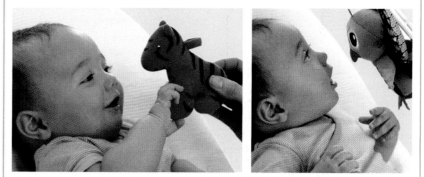

Sehen und hören Beim Imitieren eines Tierlautes zeigen Sie Ihrem Baby ein entsprechendes Spielzeug oder eine Abbildung; so stellt es die Verbindung zwischen Tier und Laut her.

Wonneproppen

Erst konnte Ihr Baby jauchzen und glucksen– und jetzt lacht es aus vollem Herzen! Die einfachsten Dinge bringen es zum Lachen!

Pop-up-Spielsachen, Grimassen, sanftes Kitzeln unter dem Kinn oder den Armen oder wenn Ihr hinter den Händen versecktes Gesicht mit einem »Bu« wieder auftaucht – all das kann einen Lachanfall auslösen, der sich mit jeder Wiederholung bis zur Hysterie steigern kann! Ihr Baby lernt gerade das Antizipieren: Es erahnt, was nach einem bestimmten Ereignis geschieht. Und so lacht es z.B. schon in dem Moment, in dem Sie Ihre Hände über Ihre Augen legen oder am Pop-up-Spielzeug einen Knopf drücken.

Fröhliches Lachen Bereichern Sie Ihren Alltag durch Spiel und Spaß – damit Sie beide immer wieder etwas zu lachen haben.

Manche Babys lachen schon mit acht bis zehn Wochen, die meisten geben mit 12 bis 14 Wochen kleine Freuden- oder Überraschungsjauchzer von sich. Das Lachen markiert einen Meilenstein in der Entwicklung; es zeigt, dass sich Sozialisation und Sprache entwickeln. Das Baby hat bereits gelernt, durch Schreien, Lallen und Grunzen zu kommunizieren; jetzt interagiert es auch durch sein Lachen. Durch überraschende Situationen lassen sich Babys auch sehr gut ablenken, wenn sie wütend werden.

Beim Lachen werden im Gehirn Hormone ausgeschüttet, die gute Laune machen und ein Gefühl der Zufriedenheit und Sicherheit verschaffen.

Allein einschlafen

Wenn Ihr Baby gewohnt ist, beim Einschlafen gewiegt oder gefüttert zu werden, muss es jetzt lernen, allein einzuschlafen.

Bei kleinen Babys ist es oft schwer, ein konsequentes Einschlafritual einzuhalten. Viele Eltern wiegen ihr Baby in den Schlaf, bevor sie es hinlegen. Dabei braucht das Baby allerdings die Eltern zum Einschlafen; es ist nicht in der Lage, allein in den Schlaf zu finden. Wenn es mitten in der Nacht aufwacht, ist es alarmiert, weil die Eltern nicht da sind – und fordert ihre Anwesenheit, um wieder einzuschlafen. Wenn Sie es anleiten, alleine in den Schlaf zu finden, wann immer es aufwacht, werden Sie selbst besser schlafen können. Das

bedeutet aber nicht, dass Sie Ihr Baby schreien lassen sollen. Versuchen Sie einfach, es hinzulegen, solange es noch wach ist; so verbindet es sein Bett mit dem Einschlafen.

Legen Sie es nach dem Füttern oder Vorlesen hin und versichern Sie sich, dass alles in Ordnung ist. Dimmen Sie das Licht und streicheln Sie Ihr Baby. Sagen Sie »Gute Nacht« oder einen anderen Satz, mit dem Sie es regelmäßig beruhigen. Verlassen Sie das Zimmer und warten Sie ab, wie es reagiert. Protestiert es, gehen Sie zurück, sprechen

leise mit ihm, damit es weiß, dass Sie da sind. Kommen Sie jedes Mal, wenn es Sie ruft, aber beruhigen Sie es, ohne es hochzunehmen. Nach und nach versteht es, dass Sie es nicht verlassen, sondern immer kommen, wenn es Sie braucht. Ist es allerdings untröstlich und schreit unablässig, nehmen Sie es hoch, schmiegen es zärtlich an sich und legen es wieder hin.

Wenn es jede Nacht schreit, nachdem es bereits allein einschlafen konnte, hat es vielleicht Schmerzen oder ist krank. Wenden Sie sich an den Kinderarzt.

Undichte Windeln

Sicher kommt es vor, dass die Windel gelegentlich ausläuft. Gibt es aber regelmäßig Pfützen, ist es vielleicht Zeit für eine andere Windel.

»Windelunfälle« gehören zum Leben mit einem Baby. Wenn die Windel jedoch häufig ausläuft, sollten Sie vielleicht die Größe, Marke oder Windelsorte wechseln.

Kontrollieren Sie als Erstes, ob Ihr Baby die richtige Windelgröße trägt. Höschenwindeln gibt es in verschiedenen Größen – je nach Körpergewicht des Kindes. Die Hersteller haben dabei leicht unterschiedliche Gewichtsklassen vorgegeben. Es kann aber auch sein, dass ein Baby zwar sieben Kilogramm wiegt, aber noch eine Windel der Größe bis sechs Kilogramm trägt, weil sein Körperbau eher lang und schmal ist – während ein anderes Baby mit sechs Kilogramm schon die nächste Windelgröße braucht, weil es eher klein und rund ist.

Da Ihr Baby nun sicher zwischen sechs und acht Kilogramm wiegt, kann es sein, dass es die nächste Größe braucht.

Die richtige Windel sollte an den Beinen gut sitzen, ohne einzuschneiden, und an der Taille bequem sein, ohne zu rutschen. Wenn Urin ausläuft, brauchen Sie vielleicht die kleinere Größe; wenn Stuhl austritt, ist die Windel vermutlich doch schon zu klein.

Überprüfen Sie auch, ob Sie Ihr Baby oft genug wickeln. Es muss tagsüber etwa alle zweieinhalb Stunden gewickelt werden. Eine schmutzige Windel sollte immer sofort gewechselt werden, da die enthaltene Säure die zarte Haut reizt.

Die Nächte sind eine große Herausforderung für die Windeln. Babys Blase ist nun größer und kann schon viel Urin fassen; es uriniert daher nachts regelmäßig. Wenn die Windel jede Nacht so voll wird, dass das Baby aufwacht und der Schlafanzug und die Bettwäsche nass sind, legen Sie eine zusätzliche Einlage in die Windel. Sie können extra saugfähige Windeln für nachts verwenden. Probieren Sie bei Einmalwindeln ruhig eine andere Sorte aus, die vielleicht saugfähiger ist.

FRAGEN SIE … EINEN KINDERARZT

Mein Baby hat Durchfall. Wie kann ich ihm helfen? Durchfall kann viele Ursachen haben; am häufigsten ist eine Gastroenteritis, selten besteht eine Milchunverträglichkeit. Er kann auch nach einer Antibiotikabehandlung vorübergehend auftreten. Durchfall führt bei Babys rasch zu Dehydrierung. Wenden Sie sich an den Kinderarzt, wenn Ihr Baby mehrmals täglich flüssigen Stuhl hat, wenn es erbricht oder die Nahrung verweigert, Fieber hat, schlaff oder schläfrig ist oder Blut im Stuhl auftritt. Der Kinderarzt wird die richtige Behandlung einleiten und es bei Dehydrierung evtl. ins Krankenhaus einweisen. Stillen Sie unterdessen nach Bedarf; wenn Sie die Flasche geben, bieten Sie abgekochtes, abgekühltes Wasser an: Es muss möglichst viel trinken.

Mein Baby hustet nachts oft – was soll ich tun? Häufigste Ursache eines Hustens ist eine Erkältung. Dabei rinnt Sekret aus dem Mund den Rachen hinab und verursacht eine Reizung und Husten. Erhöhen Sie das Kopfteil der Matratze, das verschafft Linderung. Eine weitere Ursache ist eine Verengung der Atemwege durch eine Infektion wie Bronchiolitis. Wenden Sie sich an den Kinderarzt, wenn Ihr Baby schwer atmet, nicht trinkt, Fieber hat, schläfrig ist, krank wirkt oder länger als eine Woche hustet. Hören Sie auch auf Ihren Instinkt. Wenn Sie sich Sorgen machen, wenden Sie sich an den Arzt.

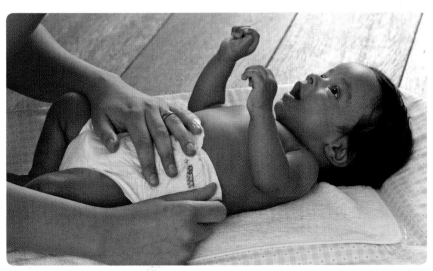

Die richtige Größe Ihr Baby wächst und benötigt größere Windeln. Achten Sie darauf, dass sie an Beinen und Hüfte bequem sitzen und weder rutschen noch einengen.

18 Wochen

19 Wochen

BABYS IMITIEREN DIE MIMIK IHRER MITMENSCHEN UND LERNEN DABEI, WIE MAN GEFÜHLE AUSDRÜCKT.

Ihr Baby ist ein wahres Energiebündel und liebt alle Arten körperbetonter Spiele, wie das Wippen auf den eigenen Beinen. Es mag aber auch ruhigere Aktivitäten und spielt z.B. allein in seinem Bettchen. Wenn Sie seine Körpersprache deuten lernen, wissen Sie immer, in welcher Stimmung es ist.

Berufstätigkeit und Stillen

Ihre Berufstätigkeit muss nicht das Ende der Stillzeit bedeuten. Dank sorgfältiger Planung kann Ihr Baby weiterhin Ihre Milch erhalten.

Wenn Sie bald wieder arbeiten gehen und Muttermilch abpumpen wollen, planen Sie dies am besten mehrere Wochen im Voraus. Informieren Sie Ihren Arbeitgeber schriftlich von Ihrem Vorhaben, damit er eine geeignete Räumlichkeit zum Abpumpen der Milch bereitstellen kann. Dieser Raum sollte Ihnen eine gewisse Intimsphäre ermöglichen und sauber und bequem sein (Toiletten sind dafür nicht geeignet); auch entsprechende Zeiten zum Abpumpen der Milch sollten Sie mit Ihrem Arbeitgeber absprechen. Wie oft Sie Milch abpumpen müssen, hängt vom Alter Ihres Babys und der Häufigkeit seiner Mahlzeiten ab; besprechen Sie dies mit Ihrem Arbeitgeber. Es muss auch sichergestellt sein, dass Sie die Milch in einem Kühlschrank aufbewahren können.

Beginnen Sie mit dem Abpumpen mehrere Wochen vor Arbeitsaufnahme, damit Sie Übung bekommen und die Technik perfektionieren. Sie müssen auch sicherstellen, dass Ihr Baby Ihre Milch aus der Flasche annimmt. Beginnen Sie mit der Flaschenfütterung schrittweise mehrere Wochen vor dem Rückkehrdatum.

Wenn Sie nicht weiter voll stillen wollen, sondern Ihr Baby tagsüber von seiner Betreuerin Milchnahrung erhalten soll, reduzieren Sie die Stillzeiten schrittweise, damit kein Milchstau entsteht. Lassen Sie alle vier bis fünf Tage eine Mahlzeit weg, bis die verbleibenden Stillzeiten Ihrem Arbeitstag in etwa entsprechen. An Wochenenden und im Urlaub müssen Sie diesen Rhythmus vermutlich weitgehend beibehalten, damit die Milchbildung konstant bleibt.

Organisation Sie brauchen sterilisierte Flaschen oder Muttermilchbeutel zur Aufbewahrung sowie Kühlakkus für den Heimtransport.

BITTE BEACHTEN

Eine Erinnerungsbox anlegen

Das Namensarmbändchen Ihres Babys aus dem Krankenhaus, eine Haarlocke, die Ultraschallaufnahmen, eine Aufnahme seines Gebrabbels, ein Tagebuch mit den ersten Kritzeleien und ein Abdruck seiner Hände oder Füße – solche Stücke bilden die Grundlage für Babys Erinnerungsbox. Wenn Sie sie im Laufe der Jahre ergänzen, bietet sie eine wunderschöne Dokumentation all dieser einmaligen Momente. Legen Sie alles dazu, was Erinnerungen hervorruft, z. B. den ersten Body oder die Rassel. Solche Sammelstücke bringen später wunderbare Erinnerungen wieder ins Bewusstsein..

Erinnerungen sammeln Sammeln Sie Erinnerungsstücke an die Babyzeit Ihres Kindes. Legen Sie auch ein Album mit Fotos und Ihren Notizen zu wichtigen Entwicklungsmeilensteinen an.

Ihr Baby und Infektionen

Auch Babys können krank werden; die Symptome sind ein Zeichen dafür, dass Babys Immunsystem funktioniert und immer stärker wird.

Krankheitszeichen Abweichungen vom gewohnten Trink-, Schlaf- und Verhaltensmuster können auf Krankheiten hinweisen.

Wenn sich Ihr Baby ein Virus einfängt, z. B. ein Erkältungsvirus, wird dieses von seinem Immunsystem bekämpft. Das führt zu einer Reihe von »Nebenwirkungen« (z. B. Husten, Triefnase, Fieber), die wir als Symptome wahrnehmen. Babys Körper bemüht sich sehr, die Infektion loszuwerden – behalten Sie es dabei genau im Auge. Mit jeder Infektion reift das Immunsystem weiter aus und wird wirksamer; im Grundschulalter wird Ihr Kind dann viel seltener krank.

Die Infektionsanfälligkeit steigt im ersten Lebensjahr, da sich die im Mutterleib erworbene Immunität nach den ersten Monaten abschwächt. Stillbabys besitzen dank der Antikörper in der Muttermilch eine längere Immunität. Babys eigenes Immunsystem ist bei der Geburt unaus-

gereift und entwickelt sich im ersten Jahr. Machen Sie sich keine Sorgen, wenn Ihr Baby häufig eine Erkältung bekommt. Solange es zunimmt, während seiner gesunden Zeiten zufrieden ist und sich gut entwickelt, ist in der Regel alles in Ordnung. Im Zweifelsfall wenden Sie sich immer an den Kinderarzt.

Am besten beugen Sie Erkrankungen vor, indem Sie große Menschenansammlungen meiden: Dort ist die Ansteckungsgefahr am größten. Zudem sollten alle Familienmitglieder und Freunde vor dem Kontakt mit dem Baby die Hände waschen. Rauchen Sie bitte nicht und lassen Sie nicht zu, dass in Anwesenheit Ihres Babys geraucht wird.

Stillen Sie Ihr krankes Baby auf jeden Fall weiter. Muttermilch stärkt das Immunsystem und versorgt es automatisch mit Ihren Antikörpern.

Erholsamer Schlaf ist für ein starkes Immunsystem ebenso unerlässlich. Achten Sie auf regelmäßige Schlafphasen am Tag und legen Sie Ihr Baby abends nicht zu spät schlafen; es benötigt immer noch mindestens 15 Stunden Schlaf.

Wenn Ihr Baby Beikost bekommt, geben Sie ihm frische, gesunde und nährstoffreiche Speisen. Die Vitamine und Mineralstoffe in seiner Kost tragen wesentlich zu seiner Gesundheit und seinem Wohlbefinden bei.

Anzeichen, dass Ihrem Baby etwas fehlt Wenn Sie meinen, dass Ihr Baby krank ist oder Sie sich sorgen, wenden Sie sich an den Kinderarzt. Wenn das Baby schlecht trinkt, ein Ausschlag oder Fieber auftritt, kontaktieren Sie umgehend den Arzt. Der Zustand eines Babys kann sich rasch verschlechtern.

CHECKLISTE

Ist mein Baby krank?

Viele Eltern spüren instinktiv, wann Ihr Baby krank ist. Kranke Babys sind weinerlich, müde, besonders anhänglich und unzufrieden. Sie lächeln oder spielen nicht und zeigen ein verändertes Trinkverhalten. Wenn Sie die Anzeichen einer Krankheit kennen, können Sie umgehend reagieren und falls nötig zum Arzt gehen.

Eindeutige Anzeichen sind:
- Fieber (über 39 °C);
- Durchfall oder Erbrechen;
- Ausschlag, Bläschen oder blaue Flecken;
- blasse, feuchte oder fleckige Haut;
- schwaches oder schrilles Schreien;
- auffällige Passivität;
- Blut im Stuhl.

Weniger deutliche Zeichen sind:
- ungewöhnlich lange Schlafphasen oder Schlaflosigkeit;
- kein Lächeln in Situationen, in denen es sonst lächelt;
- Reizbarkeit oder Anhänglichkeit;
- starker Speichelfluss.

Wenden Sie sich unverzüglich an den Arzt, wenn Ihr Baby:
- Atemprobleme hat;
- Krämpfe bekommt;
- sich der Mundbereich bläulich verfärbt;
- schlaff oder willenlos wirkt;
- eine gewölbte oder eingesunkene Fontanelle hat.

Ihre Übungen beibehalten!

Machen Sie unbedingt mit Ihren Beckenbodenübungen weiter. Es ist sehr wichtig, dass diese Muskeln kräftig und gut trainiert sind.

Wenn Sie weiterhin regelmäßig Ihre Beckenbodenübungen zur Kräftigung des Beckenbodens (s. S. 65) durchführen – wunderbar! Ein gut trainierter Beckenboden wie auch eine starke Bauchmuskulatur kommen Ihnen jetzt zugute. Das regelmäßige Tragen des Babys belastet den Rücken und führt rasch zu Rückenbeschwerden. Kräftige Bauchmuskeln bieten einen guten Schutz.

Wenn Sie die Übungen noch nicht durchgeführt haben, ist es keineswegs zu spät, um jetzt damit zu beginnen. Diese Übungen verbessern nicht nur Ihre Haltung und beugen Rückenschmerzen vor, sondern sie stärken auch den Kreislauf und kräftigen den Beckenbereich Die Bänder, die das Becken stützen, sind während der Schwangerschaft schlaffer geworden, um die Geburt des Babys zu ermöglichen; durch regelmäßige Übungen wird die Muskulatur wieder straff.

Führen Sie die Beckenbodenübungen täglich durch, um die Muskeln, die Gebärmutter und Blase umschließen, zu kräftigen. So kommen Sie schnell wieder in Form. Diese Übungen beugen auch Inkontinenz, dem Abgehen von Urin beim Lachen oder Husten, vor. Am besten ist es, diese Übungen nicht nur über einen bestimmten Zeitraum, sondern unbegrenzt durchzuführen.

Trainieren Sie aber nun auch Ihre Bauchmuskeln. Wenn Sie den Bauch immer wieder anziehen und einige Sekunden lang anspannen, bevor Sie ihn wieder entspannen, trägt dies ebenfalls zu einem flachen Bauch bei und fördert eine gute Haltung – was wiederum Rückenschmerzen vorbeugt. Warum nicht Babys Spielzeit für die Übungen nutzen? Setzen Sie es auf den Boden unter sein Babytrapez und führen Sie Ihr Trainingsprogramm mehrmals am Tag durch – interessiert schaut Ihr Baby zu.

Berühren und fühlen

Die Sinne Ihres Babys entwickeln sich immer stärker. Über seinen Tastsinn erfährt es eine Menge über seine Umwelt.

Zeigen Sie Ihrem Baby, wie man Kuscheltiere streichelt; zerknüllen Sie mit ihm Seidenpapier und erleben Sie gemeinsam, wie es knistert. Bücher, Spieldecken und Spielsachen aus verschiedenen Materialien bieten Ihrem Baby in diesem Alter viele Anregungen. Es fühlt nun ganz bewusst die Gummiente oder das weiche Fell seines Teddybären. Lassen Sie das Baby die Struktur des Teppichs oder seiner Schmusedecke fühlen. Beschreiben Sie mit Worten, was es fühlt: weich, rau,

Wasserspiele Waschen Sie Babys Hände im fließenden Wasser. Es staunt, wie das Wasser über seine Hand und durch seine Finger rinnt.

hart, glatt usw. Auf diese Weise erfährt es immer mehr über seine Umwelt.

Die Stimulation des Tastsinns steigert seine Neugierde und erhöht sein Interesse an der Umwelt; dadurch entwickeln sich die Gedächtnisleistung und seine Konzentrationsspanne. Das Baby entwickelt nun auch Vertrauen in unbekannte Situationen – die neuen Tasterfahrungen lösen mehr Neugierde als Furcht aus. Bald wird es Beikost bekommen – eine Welt voller neuer Konsistenzen. Wenn es bereits unterschiedliche stoffliche Beschaffenheiten kennt, wird es von einer matschigen Avocado oder einem trockenen Zwieback nicht abgeschreckt.

Kleine Unfälle

Trotz aller Vorsicht wird es immer wieder einmal einen kleinen Unfall geben. Doch glücklicherweise sind Babys erstaunlich widerstandsfähig.

Es ist unvermeidlich, dass Sie Ihre Augen auch einmal kurze Zeit von Ihrem Baby abwenden. Sie können auch stolpern und sogar hinfallen, wenn Sie Ihr Baby tragen. Und schon ist ein kleiner Unfall passiert. Auch wenn gar nichts passiert ist, sind die Babys meist fürchterlich erschrocken. Und Sie selbst machen sich Vorwürfe und denken schon an das Schlimmste.

Doch Babys überstehen solche Zwischenfälle meistens nahezu unversehrt. Natürlich sollten Sie immer genau auf Ihr Baby achten – doch geraten Sie nicht

Ein Küsschen hilft In Ihrem Arm und mit ein paar Küsschen kommt Ihr Baby schnell über den Schrecken eines kleinen Unfalls hinweg.

in Panik, wenn es einmal hinfällt. Wenn es sofort oder nach einer Schrecksekunde zu schreien beginnt, ist in der Regel alles in Ordnung – vor allem, wenn es kurz danach schon wieder lächelt und sich verhält wie immer.

Natürlich kann es gelegentlich auch zu ernsteren Verletzungen kommen. Wenden Sie sich an den Arzt, wenn Ihr Baby nach einem Sturz eine deutlich ausgeprägte Beule bekommt, insbesondere am Kopf, oder ein Körperglied nur mit Mühe bewegen kann.

Wenn es erbricht oder ungewöhnlich schläfrig ist oder andere Symptome zeigt, wenden Sie sich besser umgehend an den Arzt.

Ein Team: Mama und Papa

Mit Teamgeist bewältigen Sie das viele schmutzige Geschirr, den Wäscheberg und die Sorge um Babys Bedürfnisse viel besser.

Es ist nun einmal Tatsache, dass Eltern nie in allen Bereichen der gleichen Meinung sein werden. Auch eine praktikable und gerechte Aufteilung der Hausarbeit fällt oft nicht leicht. Doch Sie können eine Strategie entwickeln, die Ihnen beiden ermöglicht, das zu tun, was jeder gerne tut und gut kann.

Unterschiedliche Erziehungsstile müssen auch nicht notwendigerweise zu Konflikten führen. Alles, was Sie und Ihr Partner in die Elternschaft einbringen, bietet Ihrem Baby wichtige Anregungen und Chancen. Kritisieren Sie nicht, wenn

Ihr Partner manches anders macht – alle Eltern müssen lernen, dass es nicht den einzig »richtigen« Weg der Baby- und Kindererziehung gibt. Respektieren Sie Ihre Unterschiedlichkeit, sehen Sie sie als Bereicherung und seien Sie von Zeit zu Zeit zu Kompromissen bereit. Sie werden beide aus diesen Erfahrungen lernen und sie werden Ihre Partnerschaft bereichern.

Gehen Sie die Aufgaben gemeinsam an. Erstellen Sie eine Liste mit allem, was im Haushalt und in der Babypflege zu erledigen ist. Was machen Sie gern? Sind Sie Frühaufsteher und können die Spielzeit

im Morgengrauen übernehmen? Können Sie sich in der Woche ein paar Mal beim Kochen abwechseln und an den anderen Abenden eine Fertigmahlzeit akzeptieren? Können Sie sich gegenseitig gelegentlich einen Tag ohne Baby ermöglichen? Es gibt Lösungen für alle typischen Probleme der Anfangszeit – solange Sie bereit sind, zu kommunizieren und zu planen. Klären Sie diese Themen jetzt, damit sich keine Frustration entwickelt, die sich auf die Beziehung auswirken könnte. Als Team schenken Sie Ihrem Baby das bestmögliche Familienleben.

Körpersprache

Bis Ihr Baby in der Lage ist, verbal zu kommunizieren, erkennen Sie an seinen Körpersignalen, was es Ihnen sagen will.

Körpersprache Wenn Sie seine Körpersignale verstehen, können Sie herausfinden, was Ihr Baby will – und wie Sie am besten reagieren.

Mit jedem Tag, der vergeht, kennen Sie beide sich ein bisschen besser. Sie verstehen nicht nur Babys Körpersprache genauer, sondern können sie auch besser deuten. Wenn Sie die Signale Ihres Babys erkennen (s. S. 124), können Sie Stimmungsschwankungen vorhersehen und seine Aufmerksamkeit ablenken, bevor es wütend wird.

Das passt mir nicht Babys können ebenso Langeweile oder Frustration empfinden wie Erwachsene. Das Baby kneift die Augen zusammen, runzelt die Augenbrauen, es zieht eine Grimasse oder einen Schmollmund. Wenn sich der Gesichtsausdruck Ihres Babys verdüstert, überlegen Sie, was ihm wohl nicht gefällt. Vielleicht haben Sie ihm die falschen Spielsachen gegeben; vielleicht will Ihr Baby gerade jetzt nicht gewickelt oder gebadet werden.

Etwas Ablenkung und die gewohnten Tricks, die es zum Lachen bringen, lassen es diesen Missmut überwinden.

Manchmal drücken Babys ihr Unbehagen durch ein Kräuseln der Nase aus. Vielleicht will es diese dumme Rassel nicht schon wieder; vielleicht möchte es nicht von diesem unbekannten Menschen getragen werden; vielleicht schmeckt ihm nicht, was Sie zum Mittagessen gegessen haben und das es jetzt über die Muttermilch bekommt. Beobachten Sie seine Nase!

Wenn es den Rücken überstreckt und mit weit geöffneten Augen Finger und Zehen krümmt, hat es vielleicht Schmerzen. Lassen Sie es aufstoßen – vielleicht ist verschluckte Luft die Ursache. Bei einem Flaschenbaby überlegen Sie, wann es das letzte Mal Stuhlgang hatte – vielleicht hat es Verstopfung (s. S. 403f.).

Action oder Auszeit? Wenn Ihr Baby Ihrem Blick bewusst ausweicht, zappelt und beim Spielen den Kopf abwendet, braucht es wohl einfach eine Auszeit. Lassen Sie es bei einer ruhigeren Aktivität abschalten: Legen Sie es unter ein Mobile oder sein Babytrapez und lassen Sie es ein wenig allein. Auch wenn es die Hände vor die Augen hält, versucht es, sich vor zu vielen Reizen oder lauten Geräuschen zu schützen – es weiß noch nicht, dass man dazu die Ohren zuhalten muss!

Wenn es jedoch wild strampelt und schnell atmet, ist es vermutlich aufgeregt und fröhlich und freut sich über ausgelassene Spiele und Kitzeln! Auch wenn es seine Hände vor der Brust verschränkt, will es gerne spielen.

ENTWICKLUNG FÖRDERN

Mach es mir nach

Babys sind geborene Nachahmer: Sie lernen durch die Imitation der Erwachsenen, wie man Emotionen ausdrückt und Gesichtsbewegungen, Mund und Zungenmuskulatur steuert. Strecken Sie ihm Ihre Zunge heraus und ziehen Sie sie dann langsam zurück. Wenn Sie es wiederholen, wird es dasselbe versuchen. Loben Sie Ihr Baby für seine Versuche und machen Sie dazu ein fröhliches Gesicht – es weiß vielleicht gar nicht, dass es ihm gelungen ist! Bald wird es die Initiative ergreifen und dieses Spiel von sich aus beginnen.

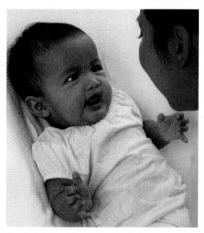

Nachahmen Schneiden Sie Grimassen – Ihr Baby wird Sie gleich imitieren.

20 Wochen

WENN MILCH ALLEIN NICHT MEHR SATT MACHT, WIRD ES ZEIT FÜR BEIKOST.

Keine Sorge, wenn Ihr Baby nur noch zu Ihnen will und Fremde ablehnt. Das zeigt, dass sich Ihre Bindung gefestigt hat und es sich in Ihren Armen sicher fühlt. Manche Babys gehen gern zu anderen Menschen, andere sind schüchterner. Respektieren Sie die einzigartige Persönlichkeit Ihres Babys.

Ehrgeizige Eltern

Kindererziehung ist kein Wettbewerb, auch wenn es manchmal den Anschein hat. Jedes Baby entwickelt sein individuell richtiges Tempo.

Gemeinschaft erfahren Eltern-Kind-Gruppen sind eine Bereicherung – Sie dürfen sich nur nicht zu Herzen nehmen, wenn ein anderes Baby länger schläft oder einen Meilenstein früher erreicht.

Regelmäßige Treffen mit anderen Eltern mit Babys im ähnlichen Alter ermöglichen Ihnen Austausch, bieten wertvolle Tipps und einen willkommenen Tapetenwechsel. Diese Treffen sind in der Regel eine Bereicherung, manchmal jedoch kommt auch eine Art Wettbewerb ins Spiel. Natürlich spricht man darüber, was das einzelne Baby schon kann, und ist stolz auf das eigene Kind. Aber lassen Sie sich nicht auf ungute Vergleiche ein, wenn ein anderes Baby in einem Bereich ein wenig schneller ist. Ihr Baby wird sich dank Ihrer Fürsorge und Zuwendung in seinem eigenen Tempo entwickeln.

Wählen Sie Ihre Freunde gut aus: Gehen Sie Menschen aus dem Weg, die Ihrem Selbstvertrauen schaden oder Ihnen das Gefühl geben, Ihr Baby sei weniger »fit« als andere. Wenn Sie allerdings über einen längeren Zeitraum hinweg einen deutlichen Unterschied zwischen Ihrem Baby und anderen Babys wahrnehmen, wenden Sie sich an den Kinderarzt. Keine unnötige Sorge, doch bei den wenigen Babys, deren Entwicklung verzögert ist, ist eine frühe therapeutische Förderung am wirksamsten.

Ihr Baby ist einzigartig; es entwickelt sich in seinem individuellen Tempo und wird in manchen Bereichen besser sein als in anderen. Babys, die früh krabbeln oder sprechen, sind nicht notwendigerweise auch später »Überflieger«. Nehmen Sie die Individualität Ihres Babys an und freuen Sie sich über das Erlangen der Meilensteine – dann wird es zu einem glücklichen, sozial gut angepassten Kind heranwachsen, mit Selbstvertrauen und der Fähigkeit, sein Potenzial zu entfalten.

FRÜHGEBORENE UND ZWILLINGE

Gehen Sie bei der Beurteilung der Entwicklung Ihres Babys immer vom errechneten Geburtstermin aus und nicht vom tatsächlichen. Frühgeborene brauchen Zeit, um in der Entwicklung aufzuholen; aber das heißt nicht, dass es ihnen nicht gelingt! In den allermeisten Fällen haben Frühgeborene bis zum Vorschulalter in ihrer Entwicklung aufgeholt und sind später ebenso erfolgreich wie ihre Altersgenossen.

Vergleichen Sie auch Ihre Zwillinge nicht miteinander: Es ist völlig normal, dass ein Zwilling dem anderen in der Entwicklung ein wenig voraus ist. Das ist Folge der ungleich verteilten Ressourcen in der Gebärmutter. Freuen Sie sich an ihren einzigartigen Merkmalen, ihrer Persönlichkeit und ihren Fortschritten – und unterstützen Sie jedes Baby ganz individuell.

Individuell Zwillinge sind Individuen – und erwerben Fähigkeiten manchmal auch in unterschiedlichem Tempo.

Hören Sie genau zu?

Mit 20 Wochen versucht Ihr Baby bereits, Ihnen durch seine Lautbildungen etwas mitzuteilen. Sie müssen nur noch herausfinden, was...

Babys entwickeln ihr eigenes Repertoire an Lautfolgen und es ist nicht leicht herauszufinden, was sie damit meinen. Manchmal experimentiert Ihr Baby mit Lauten, indem es Ihre Worte nachahmt. Wenn Sie beim Wickeln z.B. immer »Braaaves Baby« sagen, ahmt es beim Wickeln vielleicht dieses »Aaa« nach. Dann wieder drückt es durch Laute aus, dass es müde ist: Typisch ist ein Grunzen, ebenso ein weinerlicher, quengelnder Laut. Es möchte Ihnen mitteilen, dass es Hunger hat, indem es mit den Lippen schmatzt und klagend brabbelt, während es versucht, sich in eine Fütterposition zu bringen. Wenn es fröhlich ist, lallt, gurgelt oder quiekt es, um Ihre Aufmerksamkeit zu erregen.

Ihr Baby versucht also bereits, Ihnen auf verbalem Wege seine Bedürfnisse mitzuteilen, und es ist sehr wichtig, darauf mit Zuhören, Antworten und Befriedigen der Bedürfnisse zu reagieren.

Die Botschaft verstehen Auch durch seine Tonlage und Körpersprache teilt Ihr Baby Ihnen mit, ob es weiterspielen möchte oder müde oder hungrig ist. Wenn Sie schnell reagieren und Laute, Ausdruck und Bewegungen richtig deuten, weiß es, dass Sie seine Kommunikationsversuche verstehen. Antworten Sie mit eigenen Worten und warten Sie, bis es reagiert. Dabei lernt es das wechselseitige Prinzip eines Gesprächs. Wenn Sie ihm genau zuhören, werden Sie feststellen, wie sich Laute wiederholen: Antworten und ermutigen Sie es, dann wird es umso mehr kommunizieren wollen.

Manchmal lässt sich nur schwer deuten, was das Baby mitteilen will. Achten Sie auf seine Körpersprache, folgen Sie seinem Blick und zeigen Sie auf die Dinge, die es vielleicht haben möchte. Passen Sie auf, ob sich dabei sein Gesichtsausdruck ändert. Wenn es z.B. mit einer Lautäußerung sehnsüchtig auf sein Kuscheltier schaut, wiederholen Sie den Laut und geben es ihm. Wenn Sie es richtig gemacht haben, ernten Sie bestimmt ein dankbares Lächeln. Benennen Sie den Tag über Gegenstände, Handlungen und auch Gefühle. Damit bereichern Sie das Gedächtnis Ihres Babys mit Wörtern, auf die es zurückgreifen wird, wenn sich seine sprachlichen Fähigkeiten weiterentwickeln. Diese ersten Unterhaltungen sind ein wichtiger Schritt in seiner kognitiven und sprachlichen Entwicklung. Und um seinen ersten Geburtstag herum werden Sie mit seinen ersten Worten belohnt.

ZEHN HIGHLIGHTS DES ELTERNDASEINS...

Wenn Sie erschöpft sind, machen Sie sich die wunderbaren Seiten des Elternseins bewusst!

■ Der unglaubliche Stolz auf dieses kleine Wesen, das aus Ihnen stammt.

■ Dieses selige Gefühl, als Ihr Baby Ihr Lächeln das erste Mal erwidert hat.

■ Die eigene Kindheit nacherleben zu können. Sie werden noch so viel Aufregendes gemeinsam unternehmen.

■ Eine Beziehung für immer – beängstigend, aber auch unglaublich! Ihr Kind steht für Sie immer an erster Stelle.

■ Dieser berauschende Babygeruch und diese wunderbare Zärtlichkeit!

■ Durch Babys Augen die Welt wieder neu zu entdecken.

■ Die Kunst des Lachens neu zu erfahren – haben Sie gewusst, wie ansteckend Babylachen sein kann?

■ Ein ganz neues Gefühl der Nähe zum Partner zu empfinden.

■ Erleben, wie sich auch Ihre Eltern in Ihr Baby verlieben.

■ Wenn Ihr Baby das erste Mal »Mama« oder »Papa« sagt – das sind Sie!

Babyliebe Blubbern, Gurgeln und Kichern – die unwiderstehlichen Kommunikationsversuche eines Babys lassen jedes Erwachsenenherz dahinschmelzen, und besonders das der Eltern.

Tagsüber spielen

Je mehr Freude Ihr Baby an seinen Spielzeiten während des Tages hat, umso mehr lernt es – und umso inniger wird Ihre Bindung.

Spaß muss sein Im Tagesablauf sollte immer ein wenig Zeit zum gemeinsamen Spielen sein.

Je älter Ihr Baby wird, umso wichtiger werden seine Spielzeiten am Tag. Dabei verbraucht es überschüssige Energie und übt die Koordination. Auch das Bewusstsein für die Bewegung der Gliedmaßen wird geschärft. Diese Spielphasen ermöglichen auf entspannte, fröhliche Weise wichtige Lern- und Entwicklungsprozesse. Und sie sind ein wunderbarer Weg, Ihre Beziehung zu hegen und pflegen.

Ihr Baby wird Ihre Spielzeiten bereits freudig erwarten. Probieren Sie sich aus: Sie können es z. B. schwingen und mit ihm im Arm tanzen, ihm Spielsachen hinhalten, nach denen es schlagen oder treten kann oder Seifenblasen pusten,

die es fangen will (achten Sie darauf, dass sie nicht im Gesicht zerplatzen). Auch Gerüche zum Schnuppern sind faszinierend – verreiben Sie z. B. ein wenig Lavendel oder Zimt auf Ihrer Hand.

Wichtig ist, dass die Spielzeiten Spaß machen und positiv verlaufen, da ein Baby in einer ruhigen, zufriedenen Atmosphäre am besten lernt. Manche Eltern machen sich Sorgen, dass ihr Baby Meilensteine nicht so schnell erlangt wie andere, und nutzen die Spielzeit, um mit ihrem Baby Fähigkeiten zu trainieren, bevor es bereit dazu ist. Tappen Sie nicht in diese Falle, sondern bieten Sie Ihrem Baby einfach eine förderliche Umgebung.

Babys Rollenvorbilder

Erwachsene sind nicht nur die ersten Lehrer des Babys, sondern auch Rollenvorbilder, die ihm ein Beispiel geben fürs Leben.

Als Eltern sind Sie nun sensibilisiert für die Bedürfnisse Ihres Babys. Sie wissen, was es gerade möchte: einen Kuss, Unterhaltung, eine Mahlzeit oder eine frische Windel. Sie sorgen für seine alltägliche Pflege und schenken ihm bedingungslose Liebe, die die Eckpfeiler für eine gesunde emotionale Entwicklung bilden. Weitere Rollenmodelle liefern Ihrem Baby die anderen Erwachsenen in seinem Umfeld – Großeltern, Tanten, Onkel und enge Freunde. Gemeinsam üben Sie einen positiven Einfluss aus und mit der Zeit wird Ihr Baby Ihre Gewohnheiten, Einstellungen und Handlungen

spiegeln. Auch wenn im Moment noch keine direkten Auswirkungen erkennbar sind, nimmt es dieses Vorbildverhalten bereits auf. Leben Sie Ihrem Baby daher bereits jetzt all die Eigenschaften vor, die es später entwickeln soll. Durch gutes Vorbildverhalten vermitteln die Erwachsenen dem Baby grundlegende Tugenden wie Empathie, gute Manieren, eine positive Lebenseinstellung, Verantwortungsgefühl und konstruktive Interaktionsweisen.

Wenn Sie alleinerziehend sind, beziehen Sie einen Familienangehörigen oder eine Freundin als weitere Bezugsper-

son in das Leben Ihres Babys ein. Es ist schön zu wissen, dass noch jemand da ist, der sich um das Baby kümmert. Und es ist gut, jemanden zu haben, mit dem man seine Sorgen und die Freude über Babys Entwicklung teilen kann.

Ihr Baby lernt ständig. Wie ein Schwamm saugt es die Eindrücke aus seiner Umwelt auf und übernimmt die Interaktionsweise der Menschen in seiner Umgebung. Wenn Sie ihm starke, verantwortungsbewusste und liebevolle Rollenvorbilder bieten, werden diese positiven Einflüsse es die Kindheit hindurch bis ins Erwachsenenleben leiten.

20 Wochen

Tagschlaf

Manche Babys können bereits auf eine Schlafphase während des Tages verzichten, während andere gerne noch dreimal am Tag schlafen.

Vielleicht will sich Ihr Baby am Spätnachmittag nicht mehr hinlegen lassen und spielt und zappelt, statt einzuschlafen. Und wenn es einschläft, dann will es abends nicht ins Bett gehen und es dauert länger, bis es zur Ruhe findet.

Ihr Baby benötigt während 24 Stunden immer noch rund 15 Stunden Schlaf, aufgeteilt in eine lange Schlafphase in der Nacht und mehrere Schläfchen am Tag. Mit fünf Monaten wollen viele Babys nur noch zweimal am Tag schlafen, nicht mehr drei- oder viermal. Ihr Baby trinkt nun auch seltener und kann daher länger schlafen. Meist fällt als Erstes der Schlaf am Spätnachmittag aus, denn in diesem Alter reichen oft eine Schlafphase am Vormittag und ein längerer Mittagsschlaf. Da Ihr Baby inzwischen aber auch aktiver ist, braucht es jedoch unbedingt regelmäßige Schlafphasen – auch wenn es nicht sofort zur Ruhe findet. Stimmen Sie es mit einem ruhigen Ritual auf den Schlaf ein. Wenn Ihr Baby dann in seinem Bettchen nicht schläft, sondern spielt, braucht es vermutlich tatsächlich keinen Schlaf. Lassen Sie es aber dennoch in seinem Bett; diese Phase des ruhigen Alleinspielens fördert die Selbstbeschäftigung und entspannt Ihr Baby – und verschafft Ihnen eine Verschnaufpause.

Wenn Sie zum ersten Mal eine Schlafphase auslassen, hat Ihr Baby womöglich Mühe, bis zur nächsten Schlafenszeit durchzuhalten, ohne einzunicken oder gereizt zu sein. Verlegen Sie seine Schlafenszeit daher etwa eine halbe Stunde vor, bis sich Ihr Baby auf den neuen Rhythmus eingestellt hat.

Gegenseitige Zuwendung

Ihr Baby liebt Ihre Zuwendung – es lernt aber auch schon, wie es Ihre Liebe und Zuneigung erwidert. Genießen Sie es!

Die körperliche Zuwendung zwischen Ihnen beiden ist der beste Weg, Ihre Beziehung zu intensivieren. Anfangs erfolgt die Zuwendung weitgehend einseitig; sie geht von Ihnen aus, wenn Sie Ihr Baby küssen, umarmen, massieren und streicheln. Doch Ihr Baby beherrscht nun seinen Körper immer besser und reagiert zunehmend auf Ihre Zuwendung. Es beginnt ein Geben und Nehmen: Ihr Baby schlingt seine Arme um Ihren Hals, wenn Sie es tragen, oder es quiekt vor Entzücken, wenn Sie es kitzeln. Bald streckt es seine Arme aus, damit Sie es

Außer Reichweite Ihr Baby greift nach allem, was es interessiert – wenn Sie eine Kette tragen, will es diese auch haben!

hochnehmen oder ihm einen Kuss geben. Diese Gesten sind ein bedeutsamer Ausdruck seiner frühen Kommunikationsfähigkeit. Wenn Sie unverzüglich darauf reagieren, weiß es, dass es sein Bedürfnis erfolgreich mitgeteilt hat und wird zu weiteren Versuchen ermutigt.

Ihr Baby zeigt seine Zuneigung auch, wenn es sich an Ihren Körper kuschelt, und fühlt sich sicher, wenn Sie es fest an sich drücken. Gern schmiegt es sich an Ihre Schulter, um von Ihrem sicheren Arm aus die Welt zu beobachten.

Interagieren Sie weiterhin positiv mit Ihrem Baby, schenken Sie ihm viel Zuneigung und reagieren Sie auf seine Kommunikationsversuche. Dafür schenkt es Ihnen seine Liebe!

Unternehmungsgeist

Ihr Baby braucht jeden Tag kurze Phasen, in denen es ohne Ihre Anleitung alleine experimentieren und selbsttätig die Welt erkunden kann.

Beliebte Spielsachen Am liebsten spielt Ihr Baby allein, wenn seine Spielsachen einfach zu handhaben sind, wie z. B. Stoffbücher.

Es ist nun an der Zeit, dass Ihr Baby kurzzeitig auch ohne Anleitung spielt. Ihre Rolle besteht darin, ihm Spielsachen zur Verfügung zu stellen. Legen Sie es z.B. mit ein paar Spielsachen auf seine Spieldecke; beaufsichtigen Sie es, aber greifen Sie einige Minuten lang nicht in sein Spiel ein. Beim Solo-Spiel lernt Ihr Baby, sich aus eigenem Antrieb auf etwas zu konzentrieren, und es kann nach Belieben mit seinen Spielsachen experimentieren: durch Fühlen, Mundeln und Betrachten. Diese Phasen sind wichtig, dürfen aber keinesfalls das gemeinsame Spiel mit Ihnen ersetzen. Denn am meisten lernt Ihr Baby nach wie vor, wenn Sie mit ihm spielen, kommunizieren und ihm die Welt erklären.

Setzen Sie Ihr Baby zum Spielen entweder mit Kissen abgestützt an einen sicheren Ort oder legen Sie es auf den Rücken auf seine Spieldecke oder setzen Sie es angeschnallt in seinen Buggy oder in die Wippe. Legen Sie mehrere, aber nicht zu viele Spielsachen in Reichweite. Vielleicht gefällt ihm ein Korb mit kleinen, leicht zu greifenden Klangspielsachen, deren Material und Töne es erforschen kann. Geben Sie ihm Spielsachen, die fixiert und vielfältig zu bedienen sind, z.B. ein Babytrapez oder Activity-Center.

Durch Strampeln, Schlagen, Drücken und Kicken versuchen Babys oft hartnäckig, am Babytrapez hängende Spielsachen zu erlangen. Wenn es sich längere Zeit vergebens müht, dann greifen Sie ein – es soll nicht frustriert werden. Wenn es wütend wird oder sich in eine missliche Lage bringt, helfen Sie ihm sofort. Bleiben Sie daher immer in der Nähe und achten Sie auf Ihr Baby, auch wenn Sie nicht am Spiel beteiligt sind.

SO GEHT'S

Ein überreiztes Baby beruhigen

Wenn Ihr Baby überreizt ist, helfen Sie ihm, zur Ruhe zu finden. Lassen Sie sich von ihm leiten, um herauszufinden, auf welche Weise es sich beruhigen lässt. Legen Sie es in seinem Bett in Rückenlage zum Schlafen hin. Schalten Sie sein Mobile an; dann kann es beobachten, wie es sich dreht; das wirkt beruhigend. Oder legen Sie Stoffbücher in sein Bett und lassen Sie es diese in Ruhe betrachten.

Vielleicht braucht Ihr Baby aber auch Trost. Nehmen Sie es auf Ihren Schoß und singen Sie ihm ein Schlaflied vor. Oder rezitieren Sie einen vertrauten Reim, der beruhigende Assoziationen auslöst. Sprechen Sie ruhig und streicheln Sie seinen Rücken. Körperliche Berührung wirkt beruhigend auf das Nervensystem.

Überreizte Babys sprechen oft gut auf eine kühle, dunkle Umgebung an. Stellen Sie die Heizung kühler, öffnen Sie ein Fenster oder ziehen Sie ihm das Jäckchen aus, damit es abkühlt (aber denken Sie daran, dass ein Baby schnell auskühlt).

Anzeichen der Überreizung Das Baby vermeidet Blickkontakt, überstreckt den Rücken oder windet sich in Mamas Armen.

IM BLICKPUNKT
Babys erste Kostproben

Sie sind der Meinung, es sei nun Zeit für die erste Beikost? Wenn Sie die Beikosteinführung vom ersten Tag an richtig angehen, verläuft diese Umstellung für Sie und Ihr Baby ganz entspannt – und Ihr Baby wird gerne neue Speisen kosten.

CHECKLISTE

Erste Breie

Geben Sie zunächst reinen Gemüsebrei, doch auch mildes Obstmus ist für den Anfang gut geeignet. Beginnen Sie aber mit Gemüse – Babys, die als Erstes Obstmus bekommen, lehnen oft das herzhaftere Gemüse ab und gewöhnen sich an Süßes.

■ **Gemüsebrei:** Karotten, Kartoffeln, Kürbis, Pastinaken, Steckrüben, Süßkartoffeln, Spinat, Brokkoli, Fenchel.

■ **Obstmus:** milder Apfel, Birne, Banane, Pfirsich, Nektarine, Mango, Papaya.

■ **Mageres Fleisch:** Rind, Geflügel (als Gemüse-Kartoffel-Fleisch-Brei).

■ **Konsistenz:** Die ersten Breie sind dünnflüssig; sobald sich das Baby an pürierte Kost gewöhnt hat, werden sie fester.

■ **Wie oft?** Zunächst einmal am Tag, meist als Mittagsmahlzeit, anfangs zur üblichen Milchmahlzeit; der nächste Brei wird nach etwa vier Wochen eingeführt.

■ **Wann?** Geben Sie erst Brust oder Flasche, damit Ihr Baby ruhig und nicht ausgehungert ist.

■ **Wie viel?** Anfangs ein bis zwei Teelöffel; die Menge wird langsam erhöht, bis Ihr Baby etwa 200–250 g Brei isst.

Neue Geschmacksrichtungen Gesunde, leckere Nahrungsmittel pürieren Sie mit einem Handmixer oder Passierstab.

Für die ersten Beikostversuche sollte Ihr Baby munter und nicht allzu hungrig sein. Ist es ausgehungert, regt es sich nur allzu leicht auf, wenn es nicht die gewohnte Milch erhält. Sie können zuerst Milch geben, dann ein, zwei Löffel Brei und anschließend wieder Milch. Üblicherweise bietet man den ersten Gemüsebrei zur Mittagsmahlzeit an. Setzen Sie Ihr Baby in den Hochstuhl oder die Wippe und stellen Sie im Voraus alles griffbereit. Der Gemüsebrei sollte lauwarm sein; kontrollieren Sie die Temperatur an Ihrem Handgelenk.

Vom Löffel essen Nehmen Sie etwas Brei auf einen Löffel und führen ihn seitlich an Babys Mund; legen Sie den Löffel an die Lippen. Wenn es den Mund öffnet, schieben Sie den Löffel sachte hinein. Am Anfang saugt Ihr Baby den Brei vom Löffel und nimmt ihn nicht mit den Lippen ab. Wenn Ihr Baby den Brei nicht herunter saugt, drücken Sie den Löffel vorsichtig an die obere Zahnleiste, damit der Brei in den Mund fließt. Es kann gut sein, dass Ihr Baby etwas entsetzt wirkt oder den Brei wieder ausspuckt (geschieht dies mehrmals, besteht vielleicht noch der Zungenreflex, durch den das Baby automatisch feste Nahrung wieder herausschiebt. In diesem Fall warten Sie noch zwei, drei Wochen ab und versuchen es dann erneut). Wenn es den Mund nicht öffnet, geben Sie ein wenig Brei auf seine Lippen. Es wird ihn mit der Zunge ablecken.

Nehmen Sie Brei, der das Kinn hinabtropft, mit dem Löffel auf und schieben ihn wieder in Babys Mund. Dann geben Sie nochmals einen Löffel voll. Die meisten Babys nehmen bei den ersten Versuchen nur ein, zwei Löffel an; erwarten Sie nicht, dass es eine ganze Portion isst. Wenn es sich widersetzt, hören Sie auf. Wichtig ist, dass Sie sich Zeit nehmen und die Sache Freude macht.

Gesellige Mahlzeiten Sprechen Sie mit Ihrem Baby, wenn Sie ihm den Löffel anbieten. Machen Sie ihm vor, wie man den Mund öffnet. Vielleicht kosten Sie den Brei mit einem anderen Löffel, um zu demonstrieren, wie lecker er ist. Lassen Sie Ihr Baby mit seinem Essen spielen – auch wenn es eine Panscherei gibt. Das gehört zum Entwicklungsprozess, wenn Ihr Baby essen lernt.

Zu Beginn wird jeweils nur ein neues Nahrungsmittel gegeben und etwa eine Woche oder mindestens zwei, drei Tage lang abgewartet, bevor wieder etwas Neues dazukommt. So können Sie erkennen, ob eine allergische Reaktion auftritt. Wenn Ihr Baby ein Nahrungsmittel nicht mag, probieren Sie es später nochmal. Wenn Sie mit der Beikosteinführung dagegen warten, bis das Baby sechs Monate alt ist, können Sie die Breiphase überspringen. Beim sogenannten Baby-led-Weaning können die Babys selbst unter klein geschnittenen Lebensmitteln wählen (s. S. 234f.)

Ein Ernährungstagebuch führen

Schreiben Sie auf, welches neue Nahrungsmittel Sie Ihrem Baby gegeben haben und notieren Sie mögliche Reaktionen Ihres Babys. Wenn Sie neue Nahrungsmittel mittags geben, können Sie im weiteren Tagesverlauf gut etwaige Reaktionen beobachten.

SO GEHT'S

Gemüsebrei zubereiten

Für die ersten Breie dämpfen Sie das Gemüse oder Obst, bis es weich ist. (Gemüsesorten wie Karotten können gekocht oder in der Mikrowelle gegart werden). Verwenden Sie entweder einen Dampfeinsatz oder einen Dampfgarer. (Sehr reife Früchte wie Pfirsich, Papaya, Mango oder Banane müssen nicht gekocht werden.)

Eine größere Menge Brei lässt sich mühelos im Mixer zubereiten; kleine Mengen pürieren Sie am besten mit einem Stabmixer oder einem Passiersieb. Die ersten Breie sollten dünnflüssig – beinahe wie Milch – sein, damit das Baby sie mühelos schlucken kann. Geben Sie zum Verflüssigen des Breis ggf. etwas Muttermilch oder Milchnahrung oder abgekochtes, abgekühltes Wasser bzw. Kochflüssigkeit bei.

Wenn Sie Brei auf Vorrat kochen, stellen Sie ihn sofort kalt und frieren ihn dann portionsweise ein. Eiswürfelbehälter ergeben ideale Babyportionen. So haben Sie jederzeit fertige Babymahlzeiten griffbereit und können Ihrem Baby ohne Mühe immer wieder Abwechslung bieten. Füllen Sie Eiswürfelbehälter und andere Behältnisse bis zum Rand, verschließen Sie sie und stellen Sie sie innerhalb von 24 Stunden in die Tiefkühltruhe. Die Temperatur sollte unter −18 °C liegen. Die Breie halten sich eingefroren bis zu einem Monat.

Schonend dämpfen Schälen und würfeln Sie das Gemüse. Garen Sie es im Dampfeinsatz in einem Topf mit etwas kochendem Wasser oder in einem Dampfgarer (oben). **Pürieren** Das gedämpfte Gemüse in einer Schüssel abkühlen lassen und dann mit dem Handmixer, einem Mixer oder Passiersieb pürieren (oben rechts). **Einfrieren** Den Brei portionsweise in beschriftete Behälter geben, verschließen, mit Datum und Inhalt beschriften und dann einfrieren (rechts).

DER ERNÄHRUNGSBERATER RÄT …

Kann ich meinem Baby zu Beginn der Beikostphase Fruchtsaft geben? Nein. Still- und Flaschenbabys benötigen keinen Saft. Im ersten Lebensjahr ist Milch oder pures Wasser das wichtigste Getränk. Wenn Ihr Baby Saft trinkt, lernt es weder kauen noch unterstützt dies die Entwicklung der Kiefer- und Zungenmuskulatur. Saft kann zudem, vor allem wenn er in der Flasche gegeben wird, die ersten Zähne schädigen. Wenn Sie Ihrem Baby später, wenn es schon vermehrt feste Nahrung zu sich nimmt, Saft geben, verdünnen Sie ihn im Verhältnis 1 : 10 mit Wasser und geben ihn aus einem Becher.

Was sollte mein Baby vor dem sechsten Lebensmonat nicht essen? Getreide, wie z. B. Hafer, Weizen und Roggen, enthält das Klebereiweiß Gluten, das manche Menschen nicht vertragen. Nach neuesten Empfehlungen sollten Babys jedoch nicht mehr unbedingt bis zum siebten Lebensmonat auf glutenhaltiges Getreide verzichten. Glutenhaltige Beikost darf in kleinen Mengen eingeführt werden, und zwar vorzugsweise, solange das Baby noch gestillt wird. Wird gestillt, müssen Sie auch mit der Gabe von hochallergenen Nahrungsmitteln wie Eiern, Fisch und Milchprodukten nicht mehr über den sechsten Monat hinaus abwarten. (Mehr zum Thema finden Sie auf S. 234f.)

Kann ich Brei in der Mikrowelle aufwärmen? Ja – aber rühren Sie ihn vor dem Servieren sorgfältig um, da sich in der Mikrowelle heiße Stellen bilden können. Breie können in der Mikrowelle auch aufgetaut werden. Erhitzen Sie den aufgetauten Brei in kochendem Wasser und lassen Sie ihn dann auf Verzehrtemperatur abkühlen.

21 Wochen

MIT ETWA FÜNF MONATEN SPIELEN VIELE BABYS SCHON LÄNGERE ZEIT ALLEIN.

Sie sind erstaunt, was Ihr Baby schon alles kann – doch Ihr Baby ist oft frustriert, weil ihm manches noch nicht gelingt! Achten Sie aber auch auf sich selbst. Essen Sie gut, ruhen Sie ausreichend und treiben Sie ein wenig Sport.

Aus dem Becher trinken

Wenn Ihr Baby abgestützt sitzen kann, können Sie zunächst mit einer Schnabeltasse experimentieren, bevor Sie ihm einen Becher anbieten.

Es erleichtert die Einführung von Beikost, wenn Sie Ihr Baby beizeiten an einen Becher gewöhnen. Denn je länger das Baby aus der Flasche trinkt, desto schwerer fällt es ihm, eine Tasse zu akzeptieren. Auch Stillbabys, die nicht aus der Flasche trinken wollen, können besser gleich eine Schnabeltasse bekommen. Sie akzeptieren abgepumpte Muttermilch oder Milchnahrung oft besser im Becher. Allgemein gilt die Empfehlung, Babys ab sechs Monaten an die Schnabeltasse zu gewöhnen. Manche Babys trinken auch schon mit fünf Monaten daraus, andere zeigen noch länger keinerlei Interesse daran (nach dem ersten Geburtstag sollte das Kind aber nicht mehr aus der Flasche trinken). Die wichtigste Voraussetzung ist, dass Ihr Baby sitzen kann. Wenn es nicht aufrecht sitzt, besteht die Gefahr, dass es die Flüssigkeit verschluckt. Auch wenn Ihr Baby aus einem Becher trinkt, muss es nicht gänzlich auf Brust oder Flasche verzichten. Der Becher bietet lediglich eine zusätzliche Form der Flüssigkeitsaufnahme.

Der richtige Becher Wählen Sie einen stabilen Plastikbecher mit Deckel, der nicht zerbricht, wenn Ihr Baby ihn auf den Boden wirft. Probieren Sie verschiedene Modelle aus, bis Sie die Kombination von Griff und Schnabel finden, die Ihrem Baby gefällt. Manche Babys halten lieber einen Becher ohne Henkel zwischen ihren Handflächen, andere wollen einen Henkel zum Greifen. Flaschenbabys mögen oft einen weichen Trinkschnabel, aus dem die Flüssigkeit leichter fließt. Viele Babys sind schnell frustriert, wenn sie zu stark saugen müssen. Am Anfang sollte die Flüssigkeit langsam herausfließen, da sich Ihr Baby leicht verschlucken kann.

Was kommt in den Becher? Wenn Ihr Baby Beikost bekommt, nimmt es sicher gern etwas Wasser zu seinen Mahlzeiten. Keineswegs müssen Sie nun aber die Milchmahlzeiten aus dem Becher geben oder Muttermilch abpumpen, um sie aus dem Becher zu füttern. Geben Sie Ihrem Baby vielmehr etwas abgekochtes, abgekühltes Wasser aus dem Becher – jeweils ein paar Schlucke. Sobald es mit Beikost beginnt, bieten Sie ihm zu den Mahlzeiten den Becher an und geben die Milchmahlzeiten weiterhin an der Brust oder aus der Flasche. Verzichten Sie auf Säfte oder Sirupgetränke – der Zucker schadet den kleinen Zähnchen Ihres Babys.

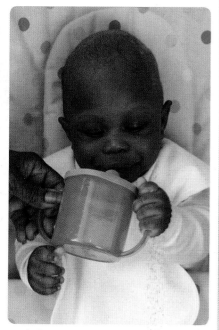

Festhalten Anfangs werden Sie den Becher für Ihr Baby halten müssen; doch sobald es geschickter wird, hält es ihn selber.

CHECKLISTE

Becher-ABC

■ Füllen Sie anfangs nur winzige Mengen in den Becher; Ihr Baby kann nur wenig trinken. Es lernt so auch leichter, wie man den Becher benutzt.

■ Zeigen Sie Ihrem Baby, wie man den Becher an die Lippen führt, ihn neigt und dann einen Schluck nimmt.

■ Ziehen Sie ihm ein Lätzchen an. Ihr Baby wird nur einen Bruchteil dessen, was in seinen Mund gelangt, auch schlucken; der Rest tropft das Kinn hinunter auf die Kleidung.

■ Helfen Sie ihm, den Becher zu fassen. Halten Sie die Unterseite des Bechers, wenn es einen kleinen Schluck nimmt.

■ Sobald Ihr Baby seinen Kopf abwendet, möchte es nicht mehr trinken. Drängen Sie es auch nicht. Stellen Sie den Becher weg und versuchen Sie es am nächsten Tag oder in der nächsten Woche nochmals.

■ Becher, Deckel und Trinkschnabel müssen bis etwa zum sechsten Monat sterilisiert werden; danach genügt eine sorgfältige Reinigung per Hand oder in der Geschirrspülmaschine. Wenn Sie Ihrem Baby Milch aus dem Becher geben, sollten Sie Deckel und Trinkschnabel so lange sterilisieren, bis es ein Jahr alt ist.

■ Lassen Sie Ihr Baby beim Trinken nie unbeaufsichtigt, denn es könnte sich verschlucken.

Gefahrlos rollen

Manche Babys rollen schon mit fünf Monaten – ziemlich schnell – quer durchs Zimmer. Höchste Zeit, die Wohnung kindersicher zu machen!

Womöglich rollt sich Ihr Baby schon vorwärts? Dann sind Sie sicher erstaunt, welche Strecke es in ein paar Sekunden zurücklegen kann. Sorgen Sie dafür, dass ihm dabei nichts im Wege steht, an dem es sich verletzen könnte.

Kontrollieren Sie gründlich Ihre Fußböden und entfernen Sie alles, was Ihr Baby nicht in den Mund stecken sollte – entweder weil es schmutzig ist oder weil es eine Erstickungsgefahr oder andere Gefahren birgt. Entfernen Sie auch Kabel, an denen es ziehen könnte (z.B. unbefestigte Lampen- oder Telefonkabel). Oft besteht sogar die Gefahr, dass dabei etwas auf Ihr Baby herabfällt (z.B. das Bügeleisen). Ihr Baby nimmt die Umgebung aus einer viel tieferen Perspektive wahr als Sie – legen Sie sich auf den Bauch, um zu sehen, welche Gefahren unter Tischen und Sofas lauern.

Am geschicktesten wickeln Sie Ihr Baby nun auf dem Boden und ziehen es dort auch an. Dann besteht keine Gefahr, dass es vom Wickeltisch rollt, wenn Sie nach etwas greifen. Falls Sie Ihr Baby auf einer erhöhten Fläche wickeln und anziehen (z.B. auf einem Wickelplatz in einer öffentlichen Toilette), halten Sie es zur Sicherheit immer mit einer Hand fest.

FRAGEN SIE … EINEN KINDERARZT

Muss ich die Spielsachen meines Babys sterilisieren? Manchmal wird empfohlen, nicht nur Flaschen und Sauger, sondern auch die Spielsachen zu sterilisieren, die das Baby in den Mund nimmt. Allerdings ist der Kontakt mit Keimen wichtig für den Aufbau des Immunsystems. Wägen Sie ab: Wenn z.B. der Hund ein Spielzeug abgeleckt hat, reinigen Sie es in der Spül- oder Waschmaschine oder in einem Sterilisiergerät.

Frustriertes Baby

Manche Babys sind wahre Draufgänger – und wollen mehr, als sie körperlich vermögen. Kein Wunder, dass sie frustriert sind!

Die einen Babys sitzen zufrieden da und beobachten die Welt, andere wollen losrennen, bevor sie laufen können! Wenn Ihr Baby zu den Draufgängern gehört und immer in Bewegung ist, brauchen Sie viel Geduld – zunehmend wird es mobiler.

Machen Sie sich auf lautes Geheul und Tränen der Frustration gefasst, wenn Ihr Baby sich im Sitzen nach vorne beugt, um sich mit den Armen abzustützen, und dann plötzlich einknickt. Diese nicht immer erfolgreichen Versuche sind wesentlicher Bestandteil seines Lernprozesses – auch wenn es sehr anstrengend ist, sie Tag für Tag mitzuerleben. Ihr Baby ist nun mal kein ruhiger Beobachter; es wird jedoch viel zufriedener sein, sobald es krabbeln kann!

Greifen Sie ein, sobald Sie merken, dass Ihr Baby Ihre Hilfe benötigt, um sich zu beruhigen. Wenn es in Erregung gerät, greifen Sie am besten sofort ein. Wenn es sich bemüht, ein Spielzeug zu erreichen, führen Sie es vorsichtig in die Richtung, lassen es das Spielzeug aber letztlich selber nehmen. Wenn es wütend ist, weil es beim Spielen umgekippt und auf dem Bauch gelandet ist, setzen Sie es mit ein paar beruhigenden Worten wieder hin.

Streben nach Erfolg Alle Frustration ist vergessen, sobald Ihr Baby sein Ziel erreicht.

Gut vernetzt

Elternsein ist wunderbar – und zugleich stressig. Nutzen Sie die vielen Formen der Unterstützung, auf die Sie zurückgreifen können.

Erfahrungen austauschen Internetforen bieten Ihnen die Chance, jederzeit mit anderen Eltern in Kontakt zu treten.

Der Kontakt zu anderen Eltern ist nicht nur für frisch gebackene Eltern, sondern auch für Eltern mit älteren Kindern sehr wichtig und wertvoll. Man kann dabei Erfahrungen austauschen und erhält viele Tipps und Ratschläge. So findet man Unterstützung bei den Themen, die Eltern beschäftigen, und findet Hilfe und Austausch bei Sorgen, die allein nur schwer zu bewältigen sind.

Wenn Sie das erste Mal Eltern geworden sind und viele Ihrer bisherigen Freunde und Bekannten noch keine Kinder haben, bieten örtliche Eltern-Kind-Gruppen eine hervorragende Möglichkeit, andere Familien kennenzulernen. Solche Gruppen gibt es in Familien- oder Nachbarschaftszentren, an Volkshochschulen oder bei kirchlichen Trägern. Informieren Sie sich in regionalen Zeitungen oder bei den entsprechenden Institutionen; vieles können Sie aber auch gut online recherchieren (s. S. 416f., Adressen).

Für jeden etwas dabei In vielen Städten gibt es Elternnetzwerke, die ein vielfältiges Angebot für Familien bieten; häufig mit sehr unterschiedlichen Schwerpunkten, z. B. für Eltern mit Migrationshintergrund. Mütterzentren oder Familientreffs sind eine weitere wichtige Anlaufstelle für Eltern.

Wie auch immer die Angebote heißen, z. B. Familien- oder Nachbarschaftszentren, Eltern-Kind-Zentren oder Elternstammtische – sie alle bieten für Kinder und Eltern leicht zugängliche Angebote und Förderung. Oft sind die Familien- oder Nachbarschaftszentren um eine Kindertagesstätte zentriert und bilden ein Netzwerk. Ziel solcher Einrichtungen ist die Zusammenführung von Bildung, Erziehung und Betreuung mit Angeboten der Beratung und Hilfe für Familien. Sie offerieren Ihnen Informationen, Gesprächskreise oder Kurse zu vielen interessanten Themen.

Ebenso bieten auch kirchliche Träger Angebote für Familien; informieren Sie sich bei Ihrer Kirchengemeinde.

Internet Soziale Netzwerke haben in den letzten Jahren einen Boom erlebt und unter den vielen Chatrooms und Blogs gibt es auch wertvolle und informative Elternseiten. Dort finden Sie aktuelle Ratschläge zu Themen wie Ernährung und Schlafen bis hin zu Informationen über lokale Elterngruppen und Aktivitäten.

Die Foren von Elternzeitschriften, die Webseiten der Kinderärzte, Hebammen und viele freie Foren bieten Rat und die Möglichkeit, sich einzuloggen und über Erfahrungen auszutauschen. Und vor allem vermitteln sie ein Gefühl der Gemeinschaft. Wenn Sie wegen einer Verhaltensweise Ihres Babys besorgt sind oder es einen Meilenstein nicht zum erwarteten Zeitpunkt erlangt, finden Sie hier viele andere Eltern, die dasselbe erlebt haben und Ihnen praktischen Rat oder zumindest Zuspruch bieten.

FAKTEN UND HINTERGRÜNDE

Alleinerziehende

Für Alleinerziehende gibt es spezielle Foren im Internet. Sie informieren über alle wichtigen Themen, die das Leben als Alleinerziehende bestimmen: von der Kinderbetreuung bis zum Kontakt zum Vater des Kindes (oder der Mutter). Sie finden dort u. a. ausführliche Hinweise zu Rechten und Hilfen, ebenso Informationen zum Thema Kinderbetreuung oder zur Vereinbarkeit von Familie und Beruf. In den Foren können Sie Ihre Sorgen und Erfolge mit anderen Alleinerziehenden austauschen. www.alleinerziehung.de, www.alleinerziehend.net oder www.alleinerziehend.ch sind nur einige der vielen Seiten, die es im Netz gibt. Viele Informationen erhalten Sie auch bei den jeweiligen Verbänden für alleinerziehende Mütter und Väter in Deutschland, Österreich und der Schweiz (s. S. 416f., Adressen).

Babys Gehirnentwicklung

Die Erfahrungen Ihres Babys schaffen Milliarden neuronaler Netzwerke in seinem Gehirn – die Grundlage seines Weltverständnisses.

Bei der Geburt ist ein Baby bereits mit allen Gehirnzellen ausgestattet, die ihm sein Leben lang erhalten bleiben. Anfangs bestehen allerdings nur wenige Verknüpfungen zwischen diesen Zellen. Doch alles, was Ihr Baby sieht, hört, berührt, riecht oder schmeckt, trägt dazu bei, dass sich Verbindungen, die sogenannten Synapsen, zwischen diesen Zellen bilden. Allein in den ersten Monaten entstehen Tausende solcher Verknüpfungen. Sie bilden die Grundlage für das Denken, Fühlen und Verhalten und ermöglichen die vielen kognitiven Meilensteine: das Farbensehen, den Pinzettengriff oder das Bindungsverhalten. Die Umwelt prägt diese Verknüpfungen, denn je mehr Erfahrungen Sie Ihrem Baby ermöglichen, umso besser entwickelt sich sein Gehirn. Wenn Sie mit Ihrem Baby sprechen, bilden sich neurologische Pfade im Sprachzentrum des Gehirns. Das Eingehen auf die Bedürfnisse des Babys fördert die Ausbildung der emotionalen Bereiche und schafft die Basis für konstruktive Beziehungen im späteren Leben. Daher spielt die Familie eine entscheidende Rolle für die Gehirnentwicklung Ihres Babys.

FAKTEN UND HINTERGRÜNDE

Gehirnzellen

Babys besitzen bei der Geburt mehr als 100 Milliarden Gehirnzellen oder Neuronen. Das Gehirn wird von den Erfahrungen geprägt, die das Baby über seine fünf Sinne aufnimmt. Sie schaffen die Verknüpfungen zwischen diesen Zellen. Mit drei Jahren sind im Gehirn etwa 1000 Billionen Verbindungsmöglichkeiten erreicht.

Ablenken statt schimpfen

Einem Baby können Sie nichts erklären. Wenn es etwas tut, was es nicht tun darf, besteht die beste Taktik darin, es abzulenken.

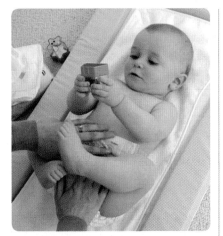

Ablenkungsmanöver Beschäftigen Sie Ihr Baby mit Spielzeug – dann bleibt es auch bei weniger angenehmen Tätigkeiten kooperativ.

Mit 21 Wochen kann Ihr Baby noch nicht ungezogen sein – sein »Fehlverhalten« ist die Folge seiner Entdeckungsfreude und seiner Spielexperimente. Bestimmte Sicherheitsregeln muss es natürlich bereits jetzt befolgen; doch zurzeit ist eine der besten Methoden, dies zu erreichen, das Ablenken. Wenn es etwas aufhebt, das es nicht haben soll, bieten Sie ihm im Austausch eine ungefährliche Alternative an.

Wenn Sie mit Ihrem Baby am Tisch sitzen und es nach etwas Verbotenem greift, z.B. Ihre Kaffeetasse, schieben Sie sie einfach weg und lenken seine Aufmerksamkeit mit einem Spielzeug ab. Babys sind flatterhaft – Sie werden sicherlich feststellen, dass sich sein Interesse sofort dem neuen Angebot zuwendet.

Sagen Sie, wenn Sie Ihr Baby ablenken, jeweils ruhig, aber bestimmt »Nein«; so verinnerlicht es im Laufe der Monate die Bedeutung dieses Wortes. Seien Sie konsequent bei Handlungen, die Sie verbieten, denn sonst wird es verunsichert.

Und nicht zuletzt: Schimpfen Sie nie mit Ihrem Baby – und ein Klaps sollte gar nie in Frage kommen. Ihr Baby lernt viel besser in einer sicheren, liebevollen und fürsorglichen Umgebung. es hört auf Sie, wenn es Ihnen vertraut. Wenn Sie brüllen, wird es weinen; aber wenn Sie ruhig, konsequent und fest bleiben, versteht es im Laufe der Zeit die gesetzten Grenzen.

Energie auftanken

Es ist wichtig, dass Sie Ihre Batterien immer wieder aufladen. Nutzen Sie wertvolle Energiespender, die Ihnen neue Kraft schenken.

Frischluft tanken Ein flotter Spaziergang mit dem Baby durch den Park verschafft Ihnen sportliche Betätigung und Ihrem Baby neue Anregungen. Verabreden Sie sich dazu mit einer Freundin.

Gut frühstücken Nehmen Sie sich jeden Tag Zeit für ein Frühstück. Wenn Sie keine Zeit haben, zu Hause zu essen, packen Sie eine Banane oder ein Brötchen für unterwegs ein.

Viel trinken Trinken Sie mindestens 1,5 Liter am Tag (beim Stillen mehr). Dazu zählen Wasser, reiner Fruchtsaft (nicht mehr als ein Glas pro Tag), Milch, koffeinfreie Getränke und Suppen. Auch Obst und Gemüse liefern Flüssigkeit.

Tief durchatmen Tiefe Atmung ermöglicht eine bessere Sauerstoffaufnahme, wodurch Sie mehr Energie verspüren. Aufrecht hinstellen oder -setzen, die Beine stehen schulterbreit nebeneinander (Knie beim Stehen leicht durchdrücken). Die Arme hängen locker seitlich herab. Atmen Sie bewusst durch die Nase ein – tief bis in den Bauch und Brustkorb. Dann langsam durch den Mund ausatmen. Wiederholen Sie diese tiefe Atmung drei- bis fünfmal und atmen Sie dann wieder normal.

Sport treiben Ein flotter 30-minütiger Spaziergang (bei dem Sie leicht außer Atem geraten), erhöht Ihren Herzschlag und regt den Kreislauf an.

Kalt duschen Kalt-warme Wechselduschen regen den Stoffwechsel und den Kreislauf an und verbessern so die Sauerstoffversorgung des Körpers. Das macht munter!

Gesund naschen Verzichten Sie auf zuckerreiche Snacks; essen Sie stattdessen besser eine Schale Müsli oder einen Joghurt mit Obst, um Energie zu tanken.

ENERGIESPENDER SCHLAF

Ihr Muttersein ist ein guter Grund, die Siesta wieder einzuführen! Forschungen zeigen, dass der Körper am Nachmittag eine kurze Ruhephase braucht. Sie verschafft neue Energie und verbessert signifikant die kognitiven Funktionen. Nutzen Sie am besten den Mittagschlaf Ihres Babys, um selbst ein wenig zu schlafen. Ein etwa ein- bis eineinhalbstündiger Schlaf umfasst einen vollen Schlafzyklus und wirkt sich optimal auf den Energiehaushalt aus. Danach sind Sie sicher wieder fit für den Nachmittag. Wenn Sie allerdings während des Mittagschlafs Ihres Babys auch noch andere Dinge zu erledigen haben, schlafen Sie wenigstens 20 Minuten – auch das bringt Erholung. Stellen Sie sich ruhig einen Wecker, um nicht unterbewusst zu befürchten, dass Sie zu lange schlafen.

Kurze Ruhepause Wenn Sie müde sind, halten Sie am besten ein Nickerchen, während Ihr Baby schläft.

22 Wochen

BABYS HABEN NUN DIE KRAFT, UM ZU SITZEN, ABER NOCH NICHT DAS NÖTIGE GLEICHGEWICHTSGEFÜHL.

Ihr Baby kann seinen Kopf halten und abgestützt bereits aufrecht sitzen. Es versteht allmählich, dass lebendige Dinge (wie die Mama) sich selbsttätig bewegen können, während unbelebte Dinge (wie der Teddy) sich nur bewegen, wenn sie von jemandem getragen, geschoben oder gezogen werden.

Milch bleibt wichtig

Auch wenn Ihr Baby nun Beikost bekommt, bleibt Milch die wichtigste Grundlage seiner Ernährung im ersten Lebensjahr.

Der Speiseplan Ihres Babys verändert sich gravierend, wenn Sie ihm nun Beikost und damit neue Nahrungsmittel, Geschmacksrichtungen und eine veränderte Konsistenz der Nahrung anbieten. Wichtigste Voraussetzung dafür ist, dass es inzwischen kauen, schlucken und feste Nahrungsmittel auch verdauen kann. Das heißt aber nicht, dass die Milchmahlzeiten weniger wichtig werden. Vielmehr bildet Milch weiterhin den wichtigsten Bestandteil seiner Ernährung.

Anfangs geben Sie Ihrem Baby nur wenige Löffel sehr dünnflüssigen Brei (s. S. 190f.). Natürlich sollte dieser nährstoffreich und gesund sein, doch den wesentlichen Anteil an Nährstoffen, Fetten, Eiweißen und Kohlenhydraten liefert weiterhin die Milch.

Sobald Ihr Baby eine größere Menge Brei (etwa 200–250 g) pro Mahlzeit isst (s. S. 234f. und S. 254f.), können Sie die Anzahl der Milchmahlzeiten bzw. die Milchmenge, die Sie jeweils füttern, allmählich reduzieren (und damit die Milchmenge, die es am Tag erhält). Aber bleiben Sie flexibel – wenn es Hunger hat, muss es gefüttert werden.

Im ersten Jahr benötigen Babys mindestens 500–600 ml Milchnahrung oder Muttermilch am Tag und das bedeutet, dass sie regelmäßige Milchmahlzeiten bekommen müssen. Auch die Milch, die dem Brei zugegeben wird, zählt zu dieser Tagesmenge.

Trostsaugen Die Milch dient nicht nur der Nahrungsaufnahme, sondern stillt auch das Saugbedürfnis Ihres Babys. Körperkontakt bleibt für Babys auch nach der 22. Lebenswoche weiterhin sehr bedeutsam für die emotionale Entwicklung. Indem Sie Ihr Baby weiterhin stillen oder ihm die Flasche geben, verbindet es die Nahrungsaufnahme mit einem Gefühl der Liebe und Sicherheit.

Es gibt durchaus Babys, die Beikost zunächst ablehnen, weil sie sich so sehr vom Trinken an Brust oder aus der Flasche unterscheidet. Doch auch sie gewöhnen sich daran und freuen sich bald über die neuen Geschmackserfahrungen.

Entwöhnen Sie Ihr Baby schrittweise von der Brust oder Flasche; auf diese Weise können sich Mutter und Baby körperlich (beim Stillen) und emotional darauf einstellen. Wenn Sie die Milchmahlzeiten reduzieren, lassen Sie am besten zunächst die Mahlzeit weg, auf die Ihr Baby am leichtesten verzichten kann. Dies ist in der Regel die mittägliche Milchmahlzeit, die durch den Gemüse-Kartoffel-Brei bald komplett ersetzt wird. Viele Mütter behalten die morgendliche und abendliche Milchmahlzeit gerne möglichst lange bei.

Hauptnahrungsmittel Muttermilch oder Milchnahrung bildet weiterhin den größeren Anteil an Babys Ernährung.

FRAGEN SIE ... EINEN KINDERARZT

Wann weiß ich, ob mein Baby Links- oder Rechtshänder ist? Frühestens mit 18 Monaten kann man bei einem Kind eine deutliche Bevorzugung einer Hand erkennen. Vor allem, wenn das Kind beide Hände gleichberechtigt einsetzt, erfolgt die endgültige Festlegung oft erst mit fünf bis sechs Jahren. Rechts- oder Linkshändigkeit ist davon abhängig, welche Gehirnhälfte dominant ist: Wenn die rechte Seite vorherrscht, wird Ihr Baby Linkshänder sein und umgekehrt. Im ersten Jahr zeigt sich aber nur selten eine Präferenz für eine bestimmte Hand. Babys greifen in der Regel mit der Hand, die dem gewünschten Gegenstand am nächsten ist.

Etwa zehn Prozent der Menschen sind Linkshänder. Die Händigkeit wird vermutlich von den Genen beeinflusst. Wenn beide Elternteile Linkshänder sind, ist das Kind zu 45–50 Prozent auch Linkshänder. Beeinflussen Sie die Präferenz Ihres Kindes nicht, dies wirkt sich negativ auf die psychische Verfassung aus und kann später auch die Schreibfertigkeit beeinträchtigen.

Kleiner Zappelphilipp

Es gibt so vieles zu tun und so viele Fertigkeiten zu üben – da ist es schwer für Ihr Baby, ruhig zu liegen. Da hilft nur Ablenkung!

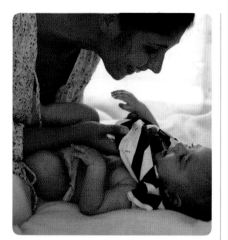

Ablenken Ein bisschen Spaß genügt oft schon, damit Ihr Baby vergisst, dass es das Umziehen eigentlich gar nicht mag!

Wickeln, Umziehen und selbst das Füttern können eine wahre Herausforderung werden, wenn Ihr Baby ständig zappelt und sich von seiner Umgebung ablenken lässt. Diese völlig normale Entwicklungsphase kann mehrere Monate andauern.

Versuchen Sie, Ihr Baby zu »überlisten«. Wickeln Sie es an ungewohnten Orten. Solche kleinen Abweichungen vom gewohnten Ablauf machen es neugierig und es vergisst vielleicht seine Zappeleien. Hängen Sie ein Mobile über den Wickelplatz, das seine Aufmerksamkeit fesselt. Singen und sprechen Sie beim Anziehen mit ihm und halten Sie Blickkontakt. Zählen Sie seine Zehen, kitzeln Sie seinen Bauch, pusten Sie in seinen Nacken, benennen Sie die Farben seiner Kleidung und erledigen Sie unterdessen die anstehende Tätigkeit so schnell und effektiv wie möglich!

Wenn es beim Füttern bzw. Stillen zappelt, ziehen Sie sich an einen Ort ohne Ablenkungen zurück. Schaffen Sie eine Atmosphäre, die Freude, Trost und Entspannung vermittelt, indem Sie z.B. ein bisher unbekanntes Wiegenlied singen. Singen Sie es ihm nun jedes Mal vor, wenn Sie es vor den Mahlzeiten beruhigen wollen; bald wird es das Signal erkennen. Wenn es dann wieder in einer lauteren, reizintensiven Umgebung ist, hilft ihm dieses Lied, sich zu beruhigen.

Gewichtskontrolle

Es ist normal, wenn Sie sich Sorgen machen, ob das Baby genügend zunimmt und altersentsprechend wächst.

Kindliches Übergewicht ist heutzutage ein aktuelles Thema. Manche Eltern machen sich daher Sorgen, ob bereits ihr Baby zu pummelig ist und später ein Gewichtsproblem haben wird; und wenn es zierlich ist, fragen sich manche Eltern, ob es untergewichtig ist. In der Regel werden die Eltern bei den Gewichtskontrollen im Rahmen der Vorsorgeuntersuchungen beruhigt; dabei arbeitet man mit Normwerttabellen – sogenannten Perzentilenkurven. Ein Körpergewicht auf der 50. Perzentile sagt aus, dass 50 Prozent der Kinder gleichen Alters und gleichen Geschlechts leichter oder maximal genauso schwer wie das betreffende Kind sind, während die restlichen 50 Prozent schwerer sind. Das Gewicht entspricht damit dem durchschnittlichen Körpergewicht. Bleibt das Kind im Großen und Ganzen im Bereich der Perzentile, auf der es bei der Geburt lag, ist alles in Ordnung.

Stillbabys haben sehr selten Übergewicht. Bei sehr kleinen oder dünnen Babys werden etwaige Probleme bei den Vorsorgeuntersuchungen erkannt. Wenn Ihr Baby munter ist, gut schläft und trinkt und seine Windeln regelmäßig nass und voll sind, ist alles in Ordnung.

Flaschenbabys sind eher anfällig für Übergewicht, weil man sie leichter überfüttern kann. Wenn Sie Beikost einführen, achten Sie darauf, die Milchmenge entsprechend zu reduzieren. Denken Sie daran, dass Babys nicht nur aus Hunger, sondern auch zum Trost saugen wollen. Reduzieren Sie die Milchmahlzeiten daher schrittweise, damit Ihr Baby Zeit hat, sich darauf einzustellen.

Wenn Sie sich Sorgen machen, sprechen Sie am besten mit dem Kinderarzt.

Frühaufsteher

Gerade wenn Ihr Baby nachts endlich durchschläft und Sie mehr Ruhe finden, wird es zum Frühaufsteher – und will frühmorgens spielen!

Wenn Ihr Baby regelmäßig sehr früh aufwacht, betrachten Sie sein gesamtes Schlafverhalten; vielleicht können Sie seinen Rhythmus ein wenig umstellen. In diesem Alter haben Babys einen sehr unterschiedlichen Schlafbedarf: Manche schlafen nachts elf Stunden, einige acht Stunden und viele wollen nachts noch gefüttert werden. Wenn es um 18.30 Uhr schlafen gelegt wird und jeden Morgen putzmunter um 5 Uhr aufwacht, legen Sie es ein wenig später hin. Verkürzen Sie aber nicht die Schlafphasen am Tag; es würde deshalb nachts nicht länger schlafen. Ihr Baby benötigt tagsüber weiterhin zwei bis drei kurze Schläfchen. Vielleicht können Sie diese Schlafphasen aber besser terminieren; nach 16 Uhr sollte Ihr Baby nicht mehr schlafen, sonst ist es abends nicht müde.

Könnte es sein, dass es morgens durch Einflüsse aus der Umgebung geweckt wird? Fällt vielleicht morgens die Sonne in sein Zimmer? Dann bringen Sie Verdunkelungsrollos an. Stehen Familienmitglieder früh auf und stören seinen Schlaf? Versuchen Sie in diesem Fall möglichst leise zu sein.

Achten Sie darauf, dass Ihr Baby tagsüber körperlich aktiv ist und viele Spielzeiten und Anregungen bekommt. Wenn es regelmäßig lange in seiner Wippe oder im Autositz sitzt, ist es nicht müde genug, um lange zu schlafen. Ein gutes Gleichgewicht zwischen Anregung und Ruhe stellt sicher, dass es müde ist und gut schläft; regelmäßige Schlafphasen ermöglichen, dass sich die erworbenen Informationen während des Schlafs im Gedächtnis verankern.

Wenn Ihr Baby nach dem Aufwachen eine Zeitlang zufrieden allein spielt, legen Sie ihm ein Stoffbuch oder Kuscheltier ins Bettchen. Alle Spielsachen müssen natürlich ungefährlich sein und dürfen keine Bänder haben, die ein Strangulierungsrisiko darstellen.

Wenn es beim Aufwachen jedoch sogleich nach Ihnen ruft, gehen Sie zu ihm, füttern und wickeln es und spielen ein wenig mit ihm. Wenn es noch schläfrig ist, versuchen Sie, es mit den gewohnten Methoden in den Schlaf zu bringen, wie wiegen, streicheln, vorsingen, summen oder tätscheln.

Wenn alles nichts hilft, wechseln Sie sich beim Aufstehen ab und freuen sich an Babys guter Laune, auch wenn Sie selber noch gerne länger unter der Decke liegen würden!

Frühaufsteher Wenn Ihr Baby sehr früh aufwacht, versuchen Sie seinen Tagesrhythmus leicht zu verändern, damit es zu einer verträglicheren Zeit aufwacht!

ZWILLINGE

Weckruf

Zwar könnten beide Zwillinge jetzt durchschlafen, doch sehr wahrscheinlich wird irgendwann in den nächsten Wochen oder Monaten einer früher aufwachen als der andere und den anderen dabei stören. Vielleicht benötigt ein Zwilling mehr Schlaf oder hat leichter in einen regelmäßigen Schlafrhythmus gefunden. Für Sie und die Zwillinge wäre es zwar am besten, wenn sie einen identischen Schlafrhythmus hätten, doch wenn einer der beiden viel früher aufwacht, ist es am einfachsten, sie zu trennen. Der richtige Zeitpunkt für getrennte Bettchen ist gekommen.

Klein ist schön

Dank seines schärferen Sehvermögens gewinnt Ihr Baby Interesse an den winzigsten Dingen – Knöpfe, Blümchen und Ihre Ohrringe.

In dieser Woche erleben Sie vielleicht, wie Ihr Baby höchst interessiert und aufgeregt die Tupfen auf seinem Strampler betrachtet oder die Augen seines Teddys und die Schnalle der Wickeltasche. Jetzt fesseln kleine Details sein Interesse und es streckt automatisch die Hand danach aus, um sie anzufassen und mit der Hand zu greifen. Es greift weiterhin mit der gesamten Handfläche. Der Pinzettengriff, bei dem es einen kleinen Gegenstand mit Daumen und Zeigefinger aufhebt, entwickelt sich erst zwischen acht und zehn Monaten. Zurzeit sind seine Versuche noch etwas unbeholfen. Doch es übt intensiv und verbessert dabei seine Feinmotorik. Es streckt eine Hand aus, um Spielsachen und andere Dinge zu greifen, es kann sie festhalten und untersuchen.

Unterstützen Sie Babys Neugierde, indem Sie ihm viele verschiedene Dinge zum Betrachten und Greifen geben. Transparente Plastikbälle mit kleinen Figuren darin, abwechslungsreiche Greiflinge und Activity-Center mit Knöpfen, Drehscheiben und Hebeln sind faszinierend.

Seien Sie angesichts seiner neuen Fähigkeiten aber auch auf der Hut. Alles, was kleiner ist als seine Faust, muss außer Reichweite sein, weil es daran ersticken könnte. Kontrollieren Sie, ob die Knöpfe an seiner und Ihrer Kleidung fest angenäht sind, und lassen Sie Ihre Handtasche nicht in seiner Nähe.

Lernen wie im Nu

Die Entwicklung Ihres Babys schreitet weiterhin rasant voran. Sie werden verblüfft sein, wie mühelos Ihr 22 Wochen altes Baby lernt.

Vielleicht haben Sie bereits bemerkt, dass Ihr Baby bestimmte Tätigkeiten und Laute andauernd wiederholt. Wiederholung ist die beste Methode für Ihr Baby, etwas über seine körperliche und soziale Umwelt zu lernen. Auch die Fähigkeit nachzudenken (um zu verstehen, wie die Welt funktioniert), erwirbt Ihr Baby durch ständige Wiederholung. Dabei prägen sich Informationen in bestimmten Nervenbahnen ein. Zwar lernt Ihr Baby weiterhin am besten durch Interaktion und gewinnt dabei auch emotionale Sicherheit, doch es erkundet Dinge auch gerne in seinem eigenen Tempo und experimentiert herum. Ihr Baby lässt sein Spielzeug fallen – Sie heben es auf. Ihr Baby erwartet nun, dass Sie dies jedes Mal wiederholen. Wenn Sie ihm nun die Gelegenheit geben, es selbst aufzuheben, übt es viele wichtige Fähigkeiten wie die Hand-Auge-Koordination, die Feinmotorik und, vielleicht am wichtigsten, seine Selbstständigkeit.

Fördern Sie Ihr Baby, indem Sie ihm Spielsachen geben, mit denen es alleine spielen kann Es fördert seine Entwicklung keineswegs, wenn Sie ihm Spielsachen für ältere Kinder geben. Das Spielen mit bekannten Spielsachen verankert das erworbene Wissen und ermöglicht ihm Erfolgserlebnisse. So gewinnt es das nötige Selbstvertrauen, um später schwierigere Spielsachen zu erkunden.

Ringring Erst die Wiederholung zeigt dem Baby, dass es eine Verbindung zwischen dem Drücken eines Knopfes und einem Geräusch gibt.

In die große Badewanne

Wenn Ihr Baby zu groß für die Babywanne wird, ist es an der Zeit, es an die große Wanne zu gewöhnen.

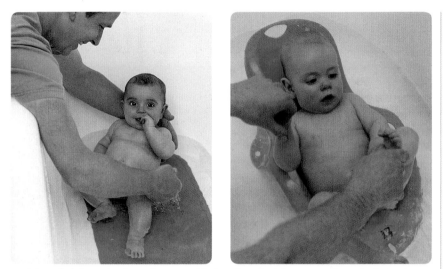

Anti-Rutscheinlage Eine Gummimatte verhindert, dass Ihr Baby wegrutscht und sein Kopf unter Wasser gerät. **Badehilfe** So haben Sie die Hände frei, um Ihr Baby zu waschen.

Manche Babys baden begeistert in der großen Wanne und freuen sich über die Bewegungsfreiheit. Andere sind ängstlich und müssen schrittweise daran gewöhnt werden. Sie ahnen sicher, wie Ihr Baby voraussichtlich reagieren wird. Wenn Sie meinen, dass es Angst hat, stellen Sie zunächst die Babywanne in die große Wanne. Oder baden Sie mit ihm gemeinsam, damit es sich daran gewöhnt.

Achten Sie beim Baden unbedingt auf die Sicherheit. Legen Sie eine Anti-Rutschmatte in die Wanne. Sorgen Sie für die richtige Wassertemperatur, etwa 37 °C – lassen Sie zuerst das kalte Wasser einlaufen, anschließend heißes, bis das Badewasser richtig temperiert ist. Legen Sie während des Bades einen Waschlappen um den Heißwasserhahn: So werden Tropfen aufgefangen und Ihr Baby kann sich nicht verbrühen. Lassen Sie Ihr Baby in der Badewanne nie unbeaufsichtigt – keine Sekunde lang.

Gestalten Sie die Badezeiten so lustig und entspannend wie möglich. Legen Sie Badespielsachen bereit – auch ein paar neue. Zeigen Sie ihm, wie sie auf dem Wasser tanzen oder wie das Wasser hindurch rinnt. Sprechen Sie ruhig und sanft, da Ihre Stimme im Badezimmer vermutlich ein Echo wirft; wenn es ängstlich wirkt, singen Sie ein vertrautes Lied.

Badehilfen In einer Badeliege für Babys (von null bis etwa acht Monate) sitzt Ihr Baby sicher – und Sie haben die Hände frei, um es zu waschen. Achten Sie aber unbedingt darauf, eine dem Alter des Babys entsprechende Badehilfe zu kaufen. Sie sollte ergonomisch geformt und geneigt sein und Babys Kopf, Schultern und Rücken abstützen. Durch Saugfüße hat sie einen festen Halt auf dem Wannenboden. Badesitze eignen sich erst für Babys ab sechs Monaten, die bereits frei sitzen können.

Haarewaschen

Die meisten Babys verabscheuen das Haarewaschen. Drücken Sie beim Baden aus einem Schwamm etwas warmes Wasser über seinem Kopf aus. Lenken Sie es dann mit einem Spielzeug ab, während Sie seine Haare unbemerkt waschen. Halten Sie es in Ihrem Arm und geben Sie mit der anderen Hand einen Tropfen Shampoo auf die Haare und halten dann einen feuchten Waschlappen an seine Stirn, damit kein Wasser oder Shampoo in die Augen gerät. Massieren Sie das Shampoo sanft ein, befeuchten dann wieder den Schwamm und drücken ihn über Babys Kopf so oft aus, bis die Haare gespült sind. Ein Shampoo-Schutzschild, das wie ein Hut aufgesetzt wird, kann verhindern, dass Wasser ins Gesicht rinnt. Beruhigen Sie ihr Baby während des Haarewaschens.

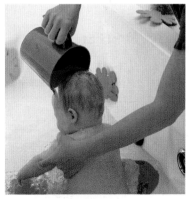

Keine Tränen Ein spezieller Spülkrug verhindert, dass Wasser ins Gesicht rinnt.

23 Wochen

Ihr Baby erinnert nun, was in einer Abfolge von Ereignissen als Nächstes kommt, und es erkennt eine ganze Reihe bekannter Gesichter. Es kann Ihre Mimik imitieren und lernt auch, Laute nachzuahmen. Es studiert genau Ihren Mund und versucht, Ihre Lippenbewegungen nachzumachen.

Lernen durch Nachahmung

Fasziniert beobachtet Ihr Baby, was Sie tun, und imitiert Ihr Handeln.
Gerne hantiert es mit den Gerätschaften, die Sie täglich benutzen.

Babys lernen durch das Nachahmen ihrer Eltern und Betreuer. Besonders gerne spielen sie mit altersgerechtem Spielzeug, das alltägliche Gegenstände der Erwachsenenwelt nachbildet. Spielzeugschlüssel, Rührschüsseln und Kochlöffel, Töpfe und Pfannen, Babyhandys und sogar eine Babygitarre bieten endlose Stunden lang Unterhaltung und ermöglichen wertvolle Lernfortschritte.

Zeigen Sie Ihrem Baby, wie man in einer Schüssel rührt. Telefonieren Sie mit ihm, jeder mit seinem Telefon. Machen Sie ihm vor, wie es die Trommel schlagen kann oder mit dem Spielzeugschlüssel rasselt. Die Welt erschließt sich Ihrem Baby immer mehr und diese Aktivitäten vermitteln ihm wertvolle Erfahrungen in sicherer Umgebung.

Sie können Ihrem Baby auch echte Haushaltsgegenstände zur Verfügung stellen, wie Schüsseln, Rührlöffel oder Teigschaber. Sie müssen sauber und leicht zu handhaben sein; Ihr Baby darf sich nicht verletzen können. Ihren Schlüsselbund sollte es besser nicht bekommen, denn er wandert unweigerlich in seinen Mund – und das ist gefährlich, da die Schlüssel voller Keime sind und meist auch scharfkantig.

Je öfter Sie Handlungen und Wortfolgen wiederholen, umso besser versteht es die Welt und umso besser wird sein Gedächtnis – und seine Fähigkeit, daraus Informationen abzurufen.

Vokalisierung Etwa ab fünf Monaten können Babys nicht nur Bewegungen und Mimik imitieren, sondern auch Klangfolgen. Vielleicht summt Ihr Baby, während es mit einem Löffel in seiner Schüssel »rührt« – genauso, wie Sie selbst beim

Das ist für dich! Mit einem Babytelefon können Sie Alltagshandlungen nachahmen. Ihr Baby lernt dabei, beobachtete Situationen nachzustellen; das fördert Fantasie und Kreativität.

Kochen summen. Wenn es »telefoniert«, werden seine Lautfolgen lauter und aufgeregter, und wenn es seine Trommel schlägt, »singt« es vielleicht sogar.

Die Lautäußerungen Ihres Babys ähneln im Tonfall und Ausdruck Ihren eigenen Äußerungen bei bestimmten Tätigkeiten. Diese Imitationen begleiten Sie nun den ganzen Tag über: Zur Schlafenszeit lallt Ihr Baby z.B. leise und melodiös, denn Sie selbst sprechen zu dieser Zeit sanft und ruhig mit ihm. Vielleicht brummelt es beim Baden ein wenig, weil es daran gewöhnt ist, dass Sie es beruhigen, während es im Wasser ist.

Ihr Baby imitiert auch Ihren Tonfall und so unterscheiden sich seine Äußerungen im Umgang mit Ihnen von den »Gesprächen« mit seinem Vater, der eine tiefere Stimme hat. Es imitiert Sie beide.

DER KINDERPSYCHOLOGE RÄT …

Sollte ich schon bewusst »nein« sagen? Ja – verwenden Sie dieses Nein jedoch mit Bedacht und untermauern Sie es durch Ihr Handeln. Mit neun bis zwölf Monaten erwerben Babys ein erstes Verständnis der Begriffe »ja« und »nein«. Wenn Sie diese Wörter bereits jetzt regelmäßig verwenden, erhält Ihr Baby allmählich ein klares Verständnis davon. Wenn Sie das Nein durch Ihr Handeln veranschaulichen, vermitteln Sie ihm, dass dieses Wort bedeutet, dass es sein Tun unterlassen soll. Da Ihr Baby Ihnen gefallen möchte, werden »ja« und »nein« auch bald eindeutige Signale werden.

UNSER BABY IST 23 WOCHEN UND 1 TAG

Ich erinnere mich daran!

Das Gedächtnis Ihres Babys entwickelt sich. Es erinnert nun Abfolgen sich wiederholender Ereignisse und ahnt, was als Nächstes kommt.

Sehen Sie, wie das Gesicht Ihres Babys aufleuchtet, wenn es ein bekanntes Buch sieht? Wie es vielleicht sogar versucht, die Seiten umzublättern, um zu sehen, wie die Geschichte weitergeht? Ihr Baby gewinnt nun ein Gefühl für die Abfolge von Ereignissen – und erinnert sich daran. Es wird z. B. ganz aufgeregt, wenn Sie seine Spielsachen auspacken, und sucht womöglich nach einem bestimmten Spielzeug. Und wenn Sie sich abends beim Einschlafritual mit einem Buch zu ihm setzen, kommt es zur Ruhe.

Als Erstes merkt sich Ihr Baby die Dinge, die am häufigsten wiederholt werden oder sein Interesse am stärksten fesseln. Es erinnert und imitiert Handlungen, die es bei Ihnen viele Male gesehen hat. Durch wiederholtes Beobachten weiß es, wo seine Spielsachen sind und welchen Knopf man drücken muss, damit die Spieluhr läuft. Wiederholung ist der wirksamste Weg zur Unterstützung von Erinnerungs- und Lernprozessen.

Nach einmaliger Beobachtung kann Ihr Baby sich noch nicht an eine Handlung erinnern. Es muss Erfahrungen wiederholt gemacht haben, um sich daran zu erinnern. Signale des Wiedererkennens zeigt es beim Hören einer sehr vertrauten Geschichte – nicht aber, wenn es die Geschichte nur wenige Male gehört hat. Ein Spielzeug, mit dem es häufig spielt, beherrscht es gut, ein neues noch nicht. Die Bedeutung der wiederholten Erfahrung erklärt, warum es freudig auf seine Großmutter reagiert, die es regelmäßig sieht, weniger aber auf die weiter entfernte, die nur selten zu Besuch kommt.

UNSER BABY IST 23 WOCHEN UND 2 TAGE

Emotionales Baby

Ungeniert drückt Ihr Baby seine Gefühle aus. Vielleicht stellen Sie fest, dass es sogar Ihre Stimmungen aufnehmen und ausdrücken kann!

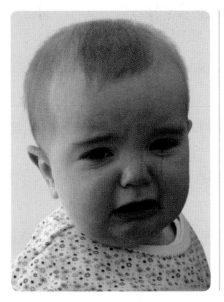

Frustriert wirft Ihr Baby ein Spielzeug weg oder wird wütend oder ängstlich, wenn Sie das Zimmer verlassen. In einem Moment ist es aufgeregt und fröhlich, giggelt und jauchzt im Spiel mit einem älteren Geschwisterchen, im nächsten Moment wird es wütend, weil das Spiel zu Ende ist oder es nicht mehr spielen mag. Kennen Sie solche Situationen? Wichtig zu wissen ist, dass ein Baby seine Gefühle noch nicht kontrollieren oder verstehen kann: Sie sind einfach da. Bitte denken Sie unbedingt daran: Diese emotionalen Ausbrüche sind nicht

Starke Gefühle Ihr Baby kann seine Gefühle noch nicht verstehen oder kontrollieren. Seine Stimmungen kommen und gehen.

Ausdruck eines schlechten Benehmens oder der Ungezogenheit.

Schon sehr früh ist Ihr Baby auch sensibel für Ihre Gefühle; es reagiert dann oft sehr ähnlich wie Sie auf eine Situation. Wenn Sie gestresst und angespannt sind, wird es weinerlich oder unruhig; wenn Sie fröhlich sind, ist es ein wahrer Sonnenschein.

Versuchen Sie daher, ruhig zu bleiben, auch wenn Sie aufgewühlt sind. Forschungen zeigen, dass Kinder nicht nur Stress aufnehmen, sondern letztlich selbst dadurch gestresst werden. Dies wiederum beeinträchtigt das Lern- und Erinnerungsvermögen und begünstigt eine Übersensibilität gegenüber negativen Erfahrungen im späteren Leben.

Babys gesunde Ernährung

Babys haben einen anderen Nährstoffbedarf als Erwachsene – einige Hinweise sollten Sie beachten, bevor Sie Beikost geben.

Von Natur aus gut Eine Auswahl an verschiedenfarbigem Obst und Gemüse bildet einen wichtigen Bestandteil einer gesunden Babykost.

Wenn Sie nun Beikost geben, sollten Sie die Grundlagen einer gesunden Babykost kennen. Sie unterscheidet sich zum Teil von einer ausgewogenen Erwachsenenkost, da ein Baby besondere Bedürfnisse hat. Für sein Wachstum und sein Gedeihen benötigt es bestimmte Nährstoffe und genügend Energie. Die gesunde Ernährung im zweiten Lebenshalbjahr baut auf vier Hauptbestandteilen auf: Fette, Kohlenhydrate, Vitamine und Mineralstoffe sowie Eiweiß.

Fette Im Verhältnis zu seiner Größe hat ein Baby einen hohen Energiebedarf: Muttermilch und Milchnahrung enthalten daher einen hohen Anteil an Fett. Fett bildet eine konzentrierte Energiequelle (Kalorien). Sie können die erste Beikost (s. S.190f.) mit Babys gewohnter Milch anreichern – nicht nur, weil der Geschmack vertraut ist, sondern auch, weil sie aufgrund ihres Fettanteils und des Milchzuckers zusätzliche Energie liefert. Geben Sie immer Vollfettprodukte, denn Ihr Baby hat einen sehr kleinen Magen, aber einen hohen Energiebedarf.

Kohlenhydrate Die Kohlenhydrate in Muttermilch bestehen hauptsächlich aus Laktose, dem Milchzucker. Daher ist Muttermilch so süß. Auch Milchnahrung enthält Laktose. Wenn Ihr Baby mehr feste Nahrungsmittel zu sich nimmt, erhält es Stärke und Fruchtzucker aus Obst, Gemüse, Getreide und Kartoffeln. Kohlenhydrate sind ebenfalls eine wichtige Energiequelle und enthalten zusätzlich Vitamine, Mineralstoffe und schützende Pflanzenstoffe (Phyto-Nährstoffe). Der Anteil an Zucker in der Kost Ihres Babys wird nach und nach geringer, wenn Ihr Baby mehr feste, stärkehaltige Nahrungsmittel und weniger Milch bekommt.

Eiweiße Jede Körperzelle enthält Eiweiß; Milch ist ein hervorragender Eiweißlieferant. Doch Ihr Baby benötigt nun auch andere eiweißreiche Nahrungsmittel, die zusätzlich wichtige Mineralstoffe und Vitamine liefern. Rotes Fleisch z.B. enthält lebenswichtiges Eisen und Zink. Pflanzliche Eiweißquellen wie Tofu sind leicht zu zermusen oder pürieren und ebenfalls eine gute Eiweiß- und Kalziumquelle. Erst ab dem ersten Lebensjahr sollten Sie Milchprodukte wie Vollmilch einführen. Sie müssen wissen, dass Milcheiweiß über die Nieren ausgeschieden wird; diese sind aber erst mit etwa 18 Monaten voll funktionsfähig.

Vitamine und Mineralstoffe Sie sind unerlässlich für die Gesundheit. Eine hervorragende Quelle sind Obst und Gemüse – je bunter die Auswahl, umso besser.

CHECKLISTE

Ausgewogene Kost

Diese Nahrungsmittel aus den vier Hauptnahrungsmittelgruppen können Sie im zweiten Lebenshalbjahr nach und nach geben.

- **Fette:** Käse, kleine Mengen Joghurt, und Quark, Butter, Eier, Pflanzenöle (wie Oliven- und Rapsöl; jedoch nur raffinierte Öle), fettreicher Fisch (z.B. Lachs, Makrele, Sardinen).

- **Kohlenhydrate:** Reisflocken, Kartoffeln, Süßkartoffeln und glutenhaltiges Getreide wie Weizen, Roggen, Buchweizen und Hafer (üblicherweise nach dem sechsten Monat), gefolgt von Nudeln, Brot und ungesüßten Frühstückscerealien.

- **Vitamine und Mineralstoffe:** Frisches oder tiefgekühltes Gemüse, z.B. gekochte Karottensticks, grüne Bohnen und Babymais oder rohe Gurke sowie Obst (frisch, tiefgekühlt oder ungesüßtes Dosenobst). Geeignet sind z.B. Bananenscheiben, Birne, Avocado, Trauben und Blaubeeren (beide halbiert) und ungesüßte Trockenfrüchte wie klein geschnittene getrocknete Aprikosen, Feigen oder Pflaumen.

- **Eiweiße:** Mageres rotes Fleisch (gründlich durchgegart), Hähnchen oder Pute (besser dunklere Stücke, die mehr Eisen enthalten); weißes Fischfilet und fettreicher Fisch wie Lachs oder Fisch aus der Dose in Öl; Linsen-, Bohnen- und Erbsenbrei; salzarmer Hummus; Eier (hartgekocht).

Seite an Seite spielen

Zwar dauert es noch lange, bis Babys miteinander spielen können – doch spielen die Kleinen mit 23 Wochen schon zufrieden Seite an Seite.

Gesichter faszinieren Ihr Baby nach wie vor. Voller Staunen beobachtet es andere Babys und Kinder, auch wenn es noch nicht mit ihnen interagiert. Es interessiert sich für die Geräusche, die sie machen, und für die Dinge, die sie tun. Beim Beobachten und Nachahmen erwirbt es dabei neue Fähigkeiten. Eine Studie zeigt, dass Babys in diesem Alter andere Babys imitieren, indem Sie z. B. ebenso wie das andere Baby eine Rassel oder ein Buch aufheben. Ihr Baby weint vielleicht, wenn ein anderes Baby weint; es lächelt andere Babys an und »spricht« mit ihnen. Regelmäßige Spieltreffen mit anderen Babys oder das Spiel mit älteren Geschwistern bieten Gelegenheit zur sozialen Interaktion. Ihr Baby profitiert davon, wenn es bereits jetzt unterschiedliche soziale Beziehungen erlebt.

Ihr Baby geht wahrscheinlich völlig in seinem eigenen Spiel auf, wenn es mit anderen Babys zusammen ist. Vielleicht meinen Sie, es sei schüchtern. Doch dieses Alleine-Spielen ist altersbedingt. Zudem muss es sich erst an neue Gesichter und Erfahrungen gewöhnen. Sobald ihm soziale Erfahrungen vertraut werden, wird es gerne immer wieder mit anderen zusammen sein wollen.

Spieltreffen Zusammen mit anderen Kindern entdeckt Ihr Baby neue Aktivitäten und Spielsachen – und lernt, was Teilen bedeutet.

Wer ist dieses Baby?

Ihr Baby kennt kein »Du« und kein »Ich«. Zurzeit ist seine eigene Identität noch völlig mit Ihrer Person verknüpft.

FRAGEN SIE ... EINEN KINDERARZT

Mein Baby lutscht ständig am Daumen. Wann wird es sich das abgewöhnen? Daumenlutschen verschafft Babys ein gutes Gefühl und bietet ihm eine Möglichkeit der Selbstberuhigung. Machen Sie sich keine Sorgen, es ist nicht schädlich. Ihr Baby hört damit auf, sobald es reif genug ist und andere Formen der Selbstberuhigung entwickelt hat. Nach Ansicht von Zahnmedizinern sollten Kindern aber spätestens mit drei Jahren damit aufhören.

Unablässig experimentiert Ihr Baby damit, wie sich sein Körper bewegt: Es kann seine Mitmenschen nachahmen und bemüht sich um Interaktionen mit seiner Umwelt, auch wenn es sich noch nicht als eigenständige Person erkennt oder betrachtet. Wenn Sie Ihr Baby vor einen Spiegel setzen, betrachtet es aufgeregt das »andere Baby«. Es hat keine Ahnung, dass es sich um sein eigenes Spiegelbild handelt – selbst wenn es Sie erkennt und weiß, dass es selbst auf Ihrem Arm ist, genauso wie das andere Baby. Es blickt vielleicht verwundert zwischen Ihnen und Ihrem Spiegelbild hin und her und versucht, beide zu berühren.

Frühestens mit etwa 16 Monaten nimmt Ihr Kleinkind sich allmählich als eigenständiges Individuum wahr; die »Entdeckung seines Ichs« ist eine überwältigende Erfahrung. Ihrem Baby wird nun bewusst, dass es eine von Ihnen getrennte Person ist. Es versteht, dass es eigene Entscheidungen treffen kann; sein Wille entwickelt sich.

In dieser Phase, irgendwann zwischen 16 Monaten und zwei Jahren, beginnt das berüchtigte »Trotzalter«. Das Baby versucht, seinen Willen und seine Persönlichkeit durchzusetzen. Sein Lieblingswort und seine bevorzugte Reaktion auf jede Aufforderung sind dann »Nein«.

Sie sind nicht nur Mutter

Egal, wie sehr Sie Ihr Baby lieben und wie gern Sie es umsorgen – um wieder zu sich selbst zu finden, ist gelegentlich eine Auszeit angesagt.

Alle Eltern brauchen auch Zeit für sich selbst, um eigenen Interessen nachzugehen, Gespräche unter Erwachsenen zu führen und sich unabhängig von ihrer Elternschaft zu erfahren. Sie sind nicht nur entspannter und zufriedener, wenn Sie sich auch ein eigenes Leben erhalten, sondern vermutlich auch bessere Eltern. Es kommt weder Ihnen noch Ihrem Baby zugute, wenn Sie sich keine Zeit nehmen, Ihre Batterien wieder aufzuladen.

Allerdings sollten Sie sich auch nicht zu viel vornehmen, denn dies führt nur zu Erschöpfung und Frustration. Entscheidend ist vielmehr, eine Balance im Leben zu finden, die Ihnen ausreichend Freiraum lässt, um eigenen Interessen nachzugehen und die eigene Persönlichkeit zu bewahren.

Mit nun bald sechs Monaten können Sie Ihr Baby gewiss auch einmal einem Babysitter anvertrauen, einer nahen Angehörigen oder Freundin. Wenn Sie bereits zufüttern, ist die Organisation umso leichter, weil es in Ihrer Abwesenheit sicher gerne die Flasche oder Beikost vom Babysitter nimmt.

Vielleicht lesen Sie gern und wollen sich einfach mal wieder mit einem Buch zurückziehen oder Sie möchten regelmäßig ein Fitnesscenter besuchen. Vielleicht haben Sie auch neue berufliche Pläne oder wollen nach der Elternzeit den Arbeitsplatz wechseln und möchten sich nebenher fortbilden. Auch eine Auszeit mit Freunden, deren Lebensmittelpunkt nicht Babys und Kinder sind, kann sehr bereichernd sein und Sie daran erinnern, dass es neben Ihrer Elternrolle auch andere Aspekte im Leben gibt, die gepflegt werden müssen.

Besprechen Sie mit Ihrem Partner, wie Sie beide Zeit für sich selbst finden können, um Ihren Interessen nachzugehen. Überlegen Sie auch, ob nicht auch gemeinsame Unternehmungen ohne Baby für Ihre Partnerschaft wichtig sind. Es ist nicht egoistisch, darauf zu achten, dass man genügend neue Impulse erhält. Letztlich sind Sie ein Rollenvorbild für Ihr Baby. Wenn Sie ihm vorleben, wie man ein ausgewogenes Leben führt, in dem individuelle Interessen und Familie eine wichtige Rolle spielen, wird es mit zunehmendem Alter – wenn es eigene Freundschaften und Interessen entwickelt – viel eher Ihrem Beispiel folgen.

DER KINDERPSYCHOLOGE RÄT ...

Mein Baby macht großes Theater, wenn ich mich um meine anderen Kinder kümmere. Ist das normal?

In diesem Alter bilden Sie das Zentrum seiner Welt; es empfindet sich als ein Teil von Ihnen und versteht nicht, dass Sie noch weitere Verantwortung tragen. Beziehen Sie es ein, wenn mit Ihren anderen Kindern zusammmen sind; auch Ihre großen Kinder sollten sich mit ihm unterhalten und es mitspielen lassen. Das wird es beruhigen. Wenn Sie mit einem anderen Kind spielen, setzen Sie Ihr Baby mit einigen Spielsachen dazu, damit es sich selbst unterhalten kann. Zeigen Sie all Ihren Kindern regelmäßig Ihre Liebe, damit Ihr Baby sich daran gewöhnt.

Zeit für sich Sie schöpfen neue Kraft, wenn Sie gelegentlich Zeit für sich und Ihre Bedürfnisse finden. Dadurch gewinnen Sie auch wieder viel mehr Lust auf neue Aktionen mit Ihrem Baby!

24 Wochen

MIT ZUNEHMENDER GEDÄCHTNISLEISTUNG AHNEN BABYS, WAS ALS NÄCHSTES GESCHIEHT.

Viele Babys verlieren in den ersten Monaten nach der Geburt ihre Haare, doch sie werden bald wieder nachwachsen. Kahle Stellen auf dem Kopf können auch entstehen, wenn das Baby immer in derselben Position schläft. Sobald das Baby öfter sitzt, werden die Haare nachwachsen.

Vorlesezeit

Ihr Baby freut sich inzwischen bereits auf das Vorlesen und will dabei aktiv mit einbezogen werden.

Ihr Baby liebt bekannte Geschichten und ahnt bereits, wie die Geschichte weitergeht. Es greift nach dem Buch, um sein Interesse kundzutun – und wenn Sie das Buch weglegen oder nicht weiterlesen, äußert es seine Missbilligung durch Stirnrunzeln oder lautstarkes Protestieren. Vorlesen macht Ihrem Baby nicht nur Spaß, sondern führt es auch an immer neue Wörter heran. Zudem lernt es, wie man Tonfall und Stimmlage variiert. Es macht erste Erfahrungen mit Buchstaben und muss gedanklich der Abfolge der Ereignisse folgen. All dies unterstützt seine Sprachentwicklung und bietet erste Lese-Erzähl-Erfahrungen (Literacy), die sehr wichtig für die späteren Schreib- und Lesefertigkeiten sind.

Wenn Sie Zwillinge haben, können Sie beide zum Vorlesen auf Ihren Schoß nehmen. Lesen Sie aber auch immer wieder jedem Baby einzeln vor; in dieser wertvollen Zeit mit Ihnen allein kann es seine eigenen Lesevorlieben entwickeln. Währenddessen setzen Sie das andere Baby mit eigenen Büchern und Spielsachen auf den Boden oder Ihr Partner übernimmt eines der Babys. Gerade bei Mehrlingskindern und insbesondere bei Frühgeborenen fördern diese individuellen Vorlesezeiten in besonderer Weise Spracherwerb und Lernprozesse.

Voll dabei Führen Sie Ihr Baby an Bücher heran. Lassen Sie es die Seiten umblättern, Klappen anheben und die Materialien fühlen.

Versuch und Irrtum

Helfen Sie Ihrem Baby nicht sofort, wenn es sich mit einer Sache abmüht. Lassen Sie es durch Versuch und Irrtum lernen.

Natürlich möchte man dem Baby sofort helfen und es trösten, wenn es frustriert ist, weil ihm manches noch nicht gelingt. Babys erlernen neue Fähigkeiten jedoch am besten durch stete Wiederholung, durch Versuch und Irrtum – gern gelenkt durch geschickte elterliche Anleitung.

Versuchen Sie ein Gleichgewicht zu finden zwischen ausprobieren lassen und sinnvoller Unterstützung. Immer wieder fällt Ihrem Baby ein Spielzeug herab; es gelingt ihm einfach nicht, mit seinen kleinen Fingern den richtigen Hebel zu

bedienen oder es versucht unermüdlich, die Seiten umzublättern oder Klappen im Buch anzuheben – greifen Sie nicht sofort helfend ein. Führen Sie es bei neuen Fertigkeiten durch den erforderlichen Bewegungsablauf. Sie können seine Hand halten oder seinen Körper in die richtige Position bringen. Das nächste Mal geben Sie weniger oder keine Unterstützung mehr. Äußern Sie Ihre Freude, wenn es etwas Neues versucht; wenn es nicht ganz gelingt, kommentieren Sie dies mit einem aufmunternden

»Beinahe geschafft« oder »Hoppla«. Wird es wütend, greifen Sie unterstützend ein. Überlegen Sie, ob es etwas versucht, das ihm entwicklungsmäßig noch nicht gelingen kann. In diesem Fall braucht es noch länger Ihre Hilfe.

Wenn Sie es für seine Bemühungen loben und es ermutigen fortzufahren, wird es bestimmt bei der Sache bleiben. Auf diese Weise stärken Sie seine Problemlösekompetenzen, sein Selbstvertrauen, seine Leistungsfähigkeit und seinen Stolz.

Die Zähne Ihres Babys

Die Zähne entwickeln sich schon früh in der Schwangerschaft im Zahnfleisch – und nun brechen nach und nach die ersten der 20 Milchzähne durch. Manche Babys haben dabei Beschwerden, andere nur einen verstärkten Speichelfluss.

Zähneputzen Lassen Sie das Zähneputzen zu einem lustigen Ritual werden, das ganz selbstverständlich morgens und abends zum Tagesablauf gehört.

FRAGEN SIE ... EINEN KINDERARZT

Ist es normal, dass mein Baby beim Zahnen Durchfall hat? Zwar gibt es medizinisch gesehen keinen Grund, warum ein Baby Durchfall haben sollte, und doch berichten viele Eltern, dass ihr Baby während des Zahnens flüssigeren Stuhlgang hat. Zweimal dünner Stuhl täglich sind noch kein Grund zur Besorgnis. Erst wenn laufend Durchfall in der Windel ist, müssen Sie reagieren. Gehen Sie jedoch nie davon aus, dass das Zahnen die direkte Ursache des Durchfalls ist. Hält der Durchfall an, wirkt das Baby krank oder hat Fieber, gehen Sie mit ihm besser zum Arzt, um andere Ursachen abzuklären.

In seltenen Fällen kommt es vor, dass ein Baby bereits bei der Geburt einen Zahn besitzt: Doch die meisten Babys zahnen zwischen vier bis acht Monaten, im Durchschnitt mit sechs Monaten, manchmal aber erst mit zwölf Monaten.

Als Erstes brechen die unteren zentralen Schneidezähne durch, gefolgt von den oberen zentralen Schneidezähnen etwa einen Monat später. Mit neun bis zwölf Monaten kommen als Nächstes die oberen seitlichen Schneidezähne (beidseitig neben den zentralen Schneidezähnen). Die unteren seitlichen Schneidezähne erscheinen etwa einen Monat später, danach, mit etwa 16 Monaten, die Eckzähne (die spitzen Zähne auf jeder Seite der vier oberen und unteren Schneidezähne). Die Eckzähne und die hinteren Backenzähne erscheinen oft erst nach dem 20. Monat. Mit zweieinhalb bis drei Jahren besitzt Ihr Baby alle Milchzähne.

Die Pflege der Babyzähne Reinigen Sie bereits den ersten Zahn regelmäßig (s. S. 170). Sobald Ihr Baby drei oder vier Zähne hat, verwenden Sie eine Babyzahnbürste. Diese besitzt extraweiche Borsten und einen kleinen Kopf, damit Sie bequem den inneren Mundbereich erreichen können. Ab etwa zwei Jahren geben Sie einen kleinen Klecks Babyzahnpasta mit niedrigem Fluoridgehalt auf die Zahnbürste, vorher reicht Wasser aus. Fluorid stärkt den Zahnschmelz und macht ihn widerstandsfähiger gegenüber Säuren und schädlichen Bakterien und beugt so Karies vor. Verwenden Sie nur wenig Zahnpasta – und verhindern Sie, dass Ihr Kind sie schluckt.

Putzen Sie die Zähne frühestens eine halbe Stunde nach einer Mahlzeit, damit die antibakteriellen Eigenschaften des Speichels zuerst wirksam werden können. Bürsten Sie vorsichtig in einer kreisförmigen Bewegung. Putzen Sie vor allem das Zahnfleisch, da sich hier Plaque bilden kann.

Wenn Ihr Baby sich gegen das Zähneputzen wehrt, machen Sie ein Spiel daraus. Zählen Sie seine Zähnchen beim Putzen und geben Sie ihm nach dem Zähneputzen die Zahnbürste, damit es selbst damit hantieren kann. Sie müssen ihm die Zähne putzen, bis es etwa sieben Jahre alt ist; es muss sich also auf jeden Fall daran gewöhnen.

Zahnarztbesuch Die Deutsche Gesellschaft für Kinderzahnheilkunde (DGK) empfiehlt den ersten Zahnarztbesuch bereits im ersten Lebensjahr; die Schweizerische Zahnärztegesellschaft (SSO) ab etwa zwei Jahren. Am besten nehmen Sie Ihr Baby zu Ihrer jährlichen Vorsorgeuntersuchung mit.

Nah am Wasser gebaut?

Oft hört man, Frauen würden, sobald sie Mutter geworden sind, beim geringsten Anlass in Tränen ausbrechen. Wie kommt das?

Eine Nachrichtenreportage, ein ergreifendes Foto, ein Kindercartoon, selbst ein Fernsehfilm – aus nichtigem Anlass scheinen bei Ihnen die Tränen zu fließen. Diese besondere Empfindsamkeit, vor allem bei Themen, die mit Kindern zu tun haben, scheint eine »Nebenwirkung« des Mutterdaseins zu sein. Vielleicht hat diese Veränderung damit zu tun, dass man als Mutter einfühlsamer wird – die intensive Liebe für Ihr Kind macht Sie sensibler für das Leiden anderer Menschen und macht Ihnen die Verletzlichkeit von Babys und Kindern deutlich bewusst. Vermutlich sind Ihre Freundinnen, die ebenfalls Mutter geworden sind, ebenso »sentimental« wie Sie.

Wenn diese Sensibilität und Weinerlichkeit jedoch von einem schweren prämenstruellen Syndrom (PMS) begleitet wird und Sie gerade abstillen, sind diese Gefühle vermutlich auch eine Folge der hormonellen Umstellung. Beim Abstillen verändert sich der Hormonspiegel – insbesondere die Menge des milchbildenden Hormons Prolaktin (das entspannend wirkt) nimmt ab, während der Progesteron- und Östrogenspiegel steigt. Eine mögliche Folge ist Übersensibilität, aber auch Gefühle der Aggressivität oder Wut sowie schlechte Laune können in Verbindung mit PMS auftreten. Diese Unausgeglichenheit sollte vorübergehen, sobald sich die hormonellen Turbulenzen legen. Wenn Ihre schlechte Laune anhält, wenden Sie sich an den Arzt – vielleicht leiden Sie an einer Wochenbettdepression; dafür gibt es Therapiemöglichkeiten.

Hände frei!

Sobald Ihr Baby abgestützt sitzen kann, kann es seine Hände für andere Dinge nutzen und wird sie bald wirkungsvoll einsetzen.

Ihr Baby benötigt nun seine Hände beim Sitzen nicht länger zum Ausbalancieren des Gleichgewichts, sondern kann sie für andere Dinge nutzen und dabei auch seine Hand-Auge-Koordination trainieren. In den nächsten Wochen gelingt es Ihrem Baby, ein Spielzeug von der einen in die andere Hand zu legen. Vielleicht hält es nun in jeder Hand ein Spielzeug und schlägt sie aneinander, bevor es eines wieder fallen lässt.

Die Fähigkeit, mit beiden Händen gleichzeitig zu hantieren, wird als beidhändige Koordination bezeichnet. Sie bildet sich gewöhnlich während des ersten Lebensjahres heraus. Spielsachen mit Drehscheiben, Schnüren oder Knöpfen sind zum Üben ebenso geeignet wie Steckkästen, Sortierboxen, Bauklötze und Ringpyramiden. Ihr Baby wird begeistert und ausdauernd damit spielen.

Nicht jedes Baby beherrscht diese Beidhändigkeit bereits mit sechs Monaten. Wenn Ihr Baby aber einen Gegenstand greift und in den Mund steckt, wenn es seine Füße an den Mund führt und kleine Gegenstände hält und Gegenstände manchmal auch willentlich loslässt, dann ist es auf dem richtigen Weg. Diese Fähigkeiten sind wichtige Meilensteine, die zum Erwerb der beidhändigen Koordination erforderlich sind.

Zwei Hände Spielsachen, bei denen Ihr Baby beide Hände einsetzen muss, fördern seine beidhändige Koordination.

Das sieht lecker aus!

Ihr Baby schaut sehnsüchtig auf Ihren Teller und möchte nur zu gern probieren? Aber darf es Erwachsenenkost schon bekommen?

Verlockend, aber nichts für dich! Geben Sie Ihrem Baby möglichst keine Naschereien, z.B. Kekse.

Ein deutliches Anzeichen für Beikostreife ist, dass das Baby die Eltern beim Essen beobachtet und sich für ihre Speisen interessiert. Doch nicht alles, was Sie essen, ist von Anfang an auch für Ihr Baby geeignet. Manches, wie Süßigkeiten, geben Sie ihm möglichst lange nicht. Beikost soll das Baby Schritt für Schritt an die Familienmahlzeiten heranführen. Vielleicht müssen Sie Ihre Gerichte etwas abwandeln, damit sie babygerecht sind. Erwachsenenkost enthält oft Zutaten, die für Babys ungeeignet sind.

Zu viel Salz Viele Nahrungsmittel – insbesondere industriell verarbeitete Produkte – enthalten Salz. Die Nieren eines Babys sind noch nicht voll entwickelt und können im ersten Lebensjahr maximal ein Gramm Salz pro Tag verarbeiten. Zu dieser Menge zählt auch das Salz, das in Gemüse und Getreide sowie in der Muttermilch natürlich vorkommt. Kochen Sie daher am besten salzlos für Ihr Baby.

Zu wenig Fett Fettreduzierter Joghurt unterstützt Erwachsene bei der Gewichtskontrolle, enthält aber für ein Baby nicht genügend Fett und damit Kalorien, die es für sein Wachstum und seine Energieversorgung benötigt. Verwenden Sie in den ersten beiden Lebensjahren vollfette Milchprodukte; danach können Sie zum Teil auch fettarme Milchprodukte geben. Achten Sie aber darauf, Vollmilch erst ab etwa einem Jahr zu geben (s. S. 207).

Zu viel Zucker Die Vorliebe für Süßes ist dem Menschen angeboren. Daher ist es so wichtig, beizeiten Gemüse und herzhafte Nahrungsmittel einzuführen, damit Ihr Baby auch diesen Geschmack kennenlernt. Gesüßte Speisen verstärken Babys Vorliebe für Süßes und es lehnt später herzhafte Speisen ab. Auf diese Weise entsteht nicht nur ein Nährstoffmangel, auch das Kariesrisiko steigt.

Zu viele Ballaststoffe Zwischenmahlzeiten wie Bananenscheiben auf Vollkorntoast und Apfelschnitze sind für Erwachsene gesund, doch ein Baby sollte keine allzu ballaststoffreiche Kost bekommen. Natürlich soll das Baby viel Obst und Gemüse essen, aber es benötigt auch andere kalorienreiche Nahrungsmittel. Gemüse, Obst und Getreideprodukte sind sättigend; Babys Bauch ist schnell voll, ohne dass es viele Kalorien zu sich genommen hat. Daher geben Sie z.B. dem Gemüsebrei etwas Fett (Pflanzenöl oder Butter) zu und führen Sie nach und nach auch kalorienreichere Nahrungsmittel ein. Wenn Ihr Baby sehr oft volle Windeln und einen voluminösen Stuhl hat, kann es ratsam sein, weniger ballaststoffreiche Kost zu geben.

Süßungsmittel Zuckerersatzstoffe wurden entwickelt, um Erwachsenen und älteren Kindern eine Reduktion des Zuckerkonsums zu ermöglichen und das Kariesrisiko zu senken. Sie sind für Babys und Kleinkinder nicht geeignet; Getränke und Nahrungsmittel mit Süßstoffen sind für sie tabu.

Alkohol Manche Nachspeisen für Erwachsene enthalten Alkohol, den Ihr Baby nicht abbauen kann. Lassen Sie Ihr Baby keinesfalls von solchen Nachspeisen kosten!

DER ERNÄHRUNGSBERATER RÄT …

Erhöht eine frühe Beikostgabe das Allergierisiko? Das Verdauungssystem verträgt die ersten Nahrungsmittel in der Regel etwa ab 17 Wochen; es wird jedoch allgemein empfohlen, Beikost erst mit sechs Monaten zu geben. Wollen Sie schon früher damit beginnen, sprechen Sie zuvor mit dem Kinderarzt. Frühere Richtlinien besagten, dass allergenisierende Nahrungsmittel wie Weizen, Eier, Erdnüsse und andere Nüsse, Schalentiere und Fisch erst nach dem sechsten Monat gegeben werden sollten, da eine frühere Gabe das Allergierisiko erhöhen könnte. Mittlerweile gibt es dazu neuere Meinungen und Empfehlungen: Danach erhöht eine frühere Beikosteinführung die Toleranz und senkt das Allergierisiko. Weitere Informationen finden Sie auf S. 162f. und 241; verfolgen Sie auch neuere Studien oder fragen Ihren Arzt.

Lautwiederholungen

Fördern Sie das Wiedererkennen von Lautfolgen und Wörtern, indem Sie beim Reden mit Ihrem Baby die Alltagsgegenstände benennen.

Das Wiederholen von Lautfolgen und später auch Wörtern ist unerlässlich für die Sprachentwicklung. Unermüdlich experimentiert Ihr Baby mit seinen Lautäußerungen, es brabbelt und reiht Lautketten aneinander. Dabei erwirbt es eine immer bessere Kontrolle von Mund, Lippen und Zunge, die Voraussetzung ist für die korrekte Lautbildung. Ihre Aufgabe ist es, mit ihm zu sprechen, ihm Wörter durch Gesten und Mimik begreifbar zu machen und seinem Gebabbel zuzuhören, seine Lautgebilde zu wiederholen und seine Antworten abzuwarten.

Sie fördern das Sprachverständnis Ihres Babys, indem Sie im Alltag Gegenstände und Personen in Ihren Gesprächen mit ihm regelmäßig benennen. Jedes Mal, wenn Sie ihm seinen Teddy geben, sagen Sie »Teddy«, und »Papa«, wenn sein Vater das Zimmer betritt. Auf diese Weise stellt Ihr Baby nach und nach selbst die Verbindung zwischen einer Sache oder einer Person und der entsprechenden Bezeichnung her. Das sprachliche Begleiten des Alltags legt den Grundstein für Babys Wortschatz und seine Kommunikationsfähigkeit.

FRAGEN SIE … EINEN KINDERARZT

Kann ich mein Baby unbedenklich im Sandkasten auf dem Spielplatz spielen lassen? Solange es dabei beaufsichtigt wird, hat es sicher Spaß und lernt eine Menge beim Beobachten der anderen Kinder. Der Sandkasten darf aber nicht durch Tierkot oder anderen Schmutz verunreinigt sein. Ihr Baby sollte keinen Sand in den Mund nehmen und nach dem Spielen waschen Sie seine Hände.

Naturerlebnisse

Ob es auf einer Decke im Garten liegt oder in Ihren Armen die Natur erkundet – Ihr Baby liebt die Eindrücke und Geräusche im Freien.

Die Natur ist für Babys faszinierend. Setzen Sie Ihr Baby im Garten abgestützt auf eine Decke in den Schatten oder an einen sicheren Ort im Park und lassen Sie es die frische Luft und die vielfältigen Fühlerlebnisse und Eindrücke in seiner Umgebung erleben. Machen Sie es auf das Eichhörnchen aufmerksam, das von Baum zu Baum springt, auf den Vogel am Himmel, die Ente im Teich und den winzigen Marienkäfer auf einem Blatt.

Lassen Sie Ihr Baby das weiche Gras fühlen, die zarten Blütenblätter einer

Umweltfreundlich Lassen Sie Ihr Baby all die aufregenden Eindrücke, Gerüche und die vielen Naturmaterialien in Freien erkunden.

Blume, den grobkörnigen Sand im Sandkasten und die raue Rinde eines Stamms. Ziehen Sie seine Strümpfe aus und halten Sie es aufrecht, damit es das Gras oder den Sand zwischen den Zehen fühlt.

Füllen Sie dabei kontinuierlich die Gedächtnisbank Ihres Babys mit Wörtern. Benennen Sie die Dinge in seiner Umgebung und beschreiben Sie sie mit Adjektiven wie »rau« oder »weich«.

Schüren Sie das Interesse Ihres Babys, indem Sie ihm immer neue Dinge aus der Natur zum Betrachten, Fühlen, Riechen und Schmecken anbieten. Diese Aktivitäten regen seine Sinne an; jede neue Erfahrung vergrößert sein Wissen über die Welt und macht ihm Spaß.

25 Wochen

BABYS GREIFEN ZUNÄCHST NOCH MIT DER GANZEN HAND, DANN ERLERNEN SIE DEN PINZETTENGRIFF.

Ihr Baby wird zunehmend mobil; seine Handgeschicklichkeit entwickelt sich weiter und es kann immer besser greifen. Es erkundet das Zusammenspiel von Ursache und Wirkung und lernt dabei schnell, dass ein Ball oder Rollspielzeug nach dem Anstoßen wegrollt.

Neue Abenteuer

Da Babys Mahlzeiten schon viel leichter planbar sind, können Sie nun größere Ausflüge unternehmen.

Unternehmungslustig Damit Ihr Baby Spaß hat, machen Sie viele Pausen, bei denen es die interessanten neuen Dinge bestaunen kann.

FRAGEN SIE ... EINEN KINDERARZT

Eine Freundin, die wir kürzlich getroffen haben, hat Windpocken bekommen. Kann sich mein Baby angesteckt haben? Es ist möglich, aber sehr selten, dass kleine Babys Windpocken bekommen. In der Regel erwerben Babys in der Gebärmutter Antikörper der Mutter gegen das Virus und besitzen daher in den ersten Monaten eine Immunität. Mögliche Symptome treten nach einem Kontakt etwa innerhalb von drei Wochen auf und bestehen fünf bis zehn Tage. Wenn sich Ihr Baby angesteckt hat, ist es müde, appetitlos und hat leichtes Fieber. Es entwickeln sich kleine rote Bläschen, typischerweise auf dem Oberkörper und manchmal im Gesicht. Bei Babys verlaufen Windpocken meist leicht und es besteht gewöhnlich kein Grund zur Sorge.

Mit nun bald sechs Monaten nimmt Ihr Baby das Geschehen in seiner Umgebung immer bewusster wahr. Es ist nun sehr offen für neue Erfahrungen. Als Mutter wissen Sie inzwischen schon recht gut, welche Bedürfnisse es zu den verschiedenen Zeiten hat. Das bedeutet, dass Sie unternehmungslustiger sein können und gelegentlich auch größere Ausflüge planen können. Sie wissen nun, wann es Zeit für eine Mahlzeit oder zum Wickeln ist. Vielleicht wollen Sie nun weiter entfernte Freundinnen oder Verwandte besuchen, eine Unternehmung mit anderen Müttern und Babys organisieren oder einen Familienausflug ans Meer unternehmen.

Besuche bei Großeltern ermöglichen Ihrem Baby, diese wichtigen Bezugspersonen besser kennenzulernen: Je vertrauter sie miteinander werden, umso einfacher und schöner werden künftige Besuche sein. Auch Ihnen tut die Gesellschaft anderer Mütter mit ihren Babys gut – warum also nicht einen Ausflug mit der Krabbelgruppe an ein familienfreundliches Ziel planen und gemeinsam einen abwechslungsreichen Tag erleben?

In diesem Alter lieben Babys die Natur; sie sind fasziniert von Parks, Spielplätzen und Stränden (aber bitte vor zu viel Sand und Sonne schützen). Sehr gerne beobachtet Ihr Baby auch andere Kinder, z.B. auf Spielplätzen. Schön ist es, wenn es dort spezielle Bereiche für Babys gibt.

Informieren Sie sich vorab, ob Sie mit dem Kinderwagen problemlos in öffentlichen Verkehrsmitteln unterwegs sein können. Prüfen Sie z.B., ob Sie den Buggy in den Bus schieben können oder ihn zusammenklappen müssen und ob es in Unterführungen Lifte gibt.

GUT VORBEREITET

Ausflüge mit dem Baby machen Ihnen beiden sicher viel Spaß – vorausgesetzt, Sie sind auch auf jede Eventualität vorbereitet. Zu wenig saubere Kleidung, auslaufende Windeln und zu wenig Spielsachen – und schon wird Ihr Baby quengelig. Stellen Sie unbedingt sicher, dass Sie alles dabei haben. Am besten packen Sie noch etwas zusätzlich ein, falls es eine unerwartete Programmänderung gibt. Sorgen Sie dafür, dass die Wickeltasche gut gefüllt ist – mit ausreichend Windeln, Babynahrung (wenn es Beikost bekommt), Milchnahrung (wenn Sie die Flasche geben), Spielsachen und einem Trostobjekt. Wichtig ist zudem genügend Kleidung zum Wechseln für Sie beide.

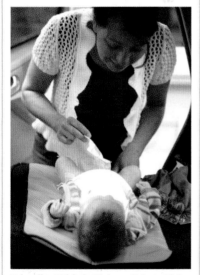

Schnelles Wickeln Unkomplizierte Kleidung ermöglicht problemloses Wickeln unterwegs.

Auf die Beine…

In aufrechter Stellung wippt Ihr Baby begeistert auf und ab – das kräftigt seine Beinmuskulatur als Vorbereitung auf das Krabbeln.

Stehen lernen Lassen Sie Ihr Baby auf Ihrem Schoß hüpfen. Dabei entwickelt es Gleichgewichtsgefühl und kräftigt seinen Unterkörper.

Die Beine sind bald kräftig genug, um das Körpergewicht zu tragen, wenn Ihr Baby aufrecht im Stand gehalten wird. Durch diese Übung werden Knochen und Muskeln gekräftigt. Allerdings darf man das Baby nicht zum Stehen drängen, wenn es dies nicht von sich aus versucht. Mit etwa sieben Monaten macht den meisten Babys das Stehen (und Wippen) allerdings viel Spaß. Es gibt jedoch auch Babys, die nicht stehen wollen und lieber auf dem Po rutschen. Diese Babys laufen in der Regel erst spät.

Bei diesen ersten Stehübungen stellen sich den Eltern meist auch typische Fragen, z.B. ob das Baby dadurch keine O-Beine bekommt (das hat Ihnen vielleicht die Oma erzählt!)? Hier finden Sie einige Antworten zu Fragen, die in diesem Zusammenhang auftreten.

O-Beine Das Stehen und Wippen führt nicht zur Ausbildung von O-Beinen. Bei den meisten Babys sind die Beine aus der Hüfte heraus leicht nach außen gekrümmt und biegen sich am Knöchel wieder nach innen und wirken daher wie O-Beine. Diese Form nehmen die Beine bereits im Mutterleib an, um trotz des begrenzten Raums optimal zu wachsen.

Sobald Ihr Baby stehen und später laufen kann, kräftigen sich die Knochen, sodass sie sein Körpergewicht tragen können. In der Folge werden die Beine kräftiger und gerader. Mit drei Jahren sind die Beine Ihres Kindes ebenso gerade wie beim Erwachsenen. Wenn Sie Bedenken haben, fragen Sie Ihren Kinderarzt.

Dünne Beine Eltern von feingliedrigen Babys mit dünnen Waden und Oberschenkeln befürchten oft, dass die Beine zu schwach sind, um Babys Körpergewicht zu tragen. Diese Befürchtungen sind unbegründet: Sofern Ihr Baby sein Gewicht auf seine Beine verlagern kann, wenn es von Ihnen gehalten wird, ist alles in Ordnung. Die Beinmuskulatur entwickelt sich durch Bewegung und Spiel. Lassen Sie Ihr Baby z.B. in Rückenlage mit den Beinen Rad fahren und fassen Sie seine Hände, damit es sich hochzieht. In der Bauchlage lernt es, seine Beine aus den Knien heraus anzuwinkeln und sich vorwärtszuschieben.

Plattfüße Anfangs hat jedes Baby Plattfüße – zumindest sieht es so aus. Denn die Fußgewölbe von Babys sind mit einer dicken Fettschicht gepolstert, sodass die Fußsohlen völlig flach wirken. Die Fußwölbung bildet sich mit etwa zwei Jahren aus.

FRAGEN SIE … EINEN KINDERARZT

Bei meinem Baby sieht ein Bein kürzer aus als das andere. Mein Baby will auf diesem Bein auch kein Körpergewicht tragen, wenn ich es aufrecht halte. Was könnte der Grund dafür sein? Ihr Baby könnte an einer Hüftdysplasie leiden. Sie ist Folge einer Anomalie des Hüftkopfs (Oberschenkelknochen) bzw. der Gelenkpfanne. Der Gelenkkopf am oberen Ende des Oberschenkelknochens liegt in der Gelenkpfanne der Hüfte – in ihr gleitet er in die verschiedenen Richtungen. Ist die Gelenkpfanne zu steil, rutscht er jedoch heraus, er »luxiert«. Bei der inkompletten Hüftausrenkung (Subluxation) steht der Hüftkopf nicht mehr richtig im Gelenk, ist jedoch noch nicht vollständig ausgerenkt. Eine Hüftdysplasie tritt bei ein bis drei Prozent der Neugeborenen auf und zwar häufiger bei Mädchen sowie bei Steiß- und Mehrlingsgeburten und bei Babys mit Klumpfuß.

Bei der U2 und U3 wird ein spezieller Hüft-Ultraschall durchgeführt, um eine mögliche Hüftdysplasie zu erkennen. Eine Hüftdysplasie kann sich aber auch noch nach der achten Woche entwickeln; bei entsprechenden Bedenken wenden Sie sich bitte an der Kinderarzt: z.B. wenn Ihr Baby sein Gewicht nicht auf beiden Beinen trägt oder die Beine unterschiedlich lang erscheinen. Bei einer frühzeitigen Behandlung ist die Prognose hervorragend; das Laufenlernen ist in der Regel nicht verzögert.

Stimmt etwas nicht?

Ihr Baby lässt sich von Ihren Gefühlen beeinflussen – halten Sie
negative Gefühle von ihm fern; denken Sie positiv!

Haben Sie schon bemerkt, dass Ihr Baby Sie genau beobachtet, wenn Ihre Stimme traurig oder frustriert klingt? Wenn Sie aufgebracht telefonieren, unterbricht es seine Tätigkeit und schaut, ob alles in Ordnung ist. Wenn Sie traurig, bekümmert, gestresst oder wütend sind, weint es vielleicht sogar und streckt seine Arme nach Ihnen aus. Es versteht Ihre veränderte Stimmung nicht. Es erlebt sich weiterhin als ein Teil von Ihnen – und Ihre Emotionen bestimmen seine Gefühle mit. Wenn Sie traurig oder angespannt sind, wird

es anhänglich und sucht Rückhalt und Trost. Natürlich ist das eine paradoxe Situation, denn wenn Sie traurig oder aufgebracht sind, belastet Sie ein quengelndes Baby zusätzlich. Doch Ihr Baby möchte Sie damit daran erinnern, dass es auch noch da ist. Manche Fachleute betrachten diese »Antennen« als einen Basisinstinkt, mit dem das Baby sicherstellt, dass seine Mutter sich nicht zu stark mit anderen Dingen beschäftigt und ihr Baby darüber vergisst!

Mit zunehmendem Weltverständnis reagiert Ihr Baby immer sensibler auf

Ihre Stimmungen und greift diese auf. Es beobachtet Sie und registriert Ihre Reaktionsweise in neuen Situationen. Wenn Sie in bestimmten Situationen wütend oder enttäuscht reagieren, versteht es dies als die richtige und angemessene Reaktion. Wenn Sie fröhlich, ausgeglichen und kontaktfreudig sind, übernimmt es diese Gemütsverfassung. Natürlich kann niemand immer ausgeglichen sein, doch bemühen Sie sich, nicht negativ zu klingen und zu wirken. Dann fühlt sich Ihr Baby sicher und lernt, auch in schwierigen Situationen positiv zu reagieren.

Alles untersuchen

Es ist aufregend, Babys Interesse am Erkunden seiner Umwelt mitzuerleben. Schaffen Sie aber gefährliche Dinge besser außer Reichweite!

Faszinierend Ihr Baby wird von gefährlichen Gegenständen mit spitzen Kanten, wie Scheren oder Schlüssel, magisch angezogen.

Handtaschen sind für Babys besonders attraktiv. Ihr Baby sieht regelmäßig, wie Sie darin nach höchst interessanten Dingen suchen: Getränke, Schnuller, Autoschlüssel, Handy und Spielsachen. Diese faszinierende Schatztruhe möchte es möglichst bald selbst untersuchen! Bald wird es körperlich so weit sein, dass es sich Ihre unbewachte Handtasche schnappen kann.

Stehen in Ihrer Wohnung Reinigungsmittel in tiefen Schränken oder gibt es Schubladen mit Dingen, die für ein Baby nicht geeignet sind, wie z. B. Scheren, Gartengeräte, Schnüre und Klebstoff? Ihr Baby wird versuchen, damit Ihre Tätigkeiten nachzuahmen. Und es will seine

angeborene Neugierde befriedigen und sich seine Umwelt erschließen.

Für Ihr Baby ist es ganz selbstverständlich, die Pflanzenerde im Blumentopf zu kosten, seine Rassel in den DVD-Player zu schieben oder das Bügeleisen mit einem Ruck an dem herunterhängenden Kabel herabzuziehen. Es gibt so viel Neues zu entdecken!

Lassen Sie Ihr Baby also nun keinesfalls aus den Augen und kontrollieren Sie, ob Ihre Wohnung kindersicher ist. Es dauert noch viele Jahre, bis Ihr Baby ein Gefahrenbewusstsein entwickelt. Treffen Sie daher jede erforderliche Vorsichtsmaßnahme, damit Ihr Baby in Ihrer Wohnung nicht zu Schaden kommen kann.

Mama, dada

Mit 25 Wochen wiederholt Ihr Baby Laute und probiert Lautbildungen aus wie »ma-ma-ma« und »da-da-da«.

Ihr Baby sagt das erste Mal »Mama«? Wunderbar, doch leider meint es Sie damit noch nicht. Es hat zufällig ein paar Laute in die »richtige« Reihenfolge gebracht. Aber Ihre freudige Reaktion spornt es an, diese Lautfolge zu wiederholen. Innerhalb der nächsten drei, vier Monate lernt es, dass Sie die Mama sind!

Meistens äußern Babys zunächst »dada«, meinen damit aber nicht das hinweisende Fürwort. Harte Konsonanten wie D und B erlernt ein Baby vor weichen Konsonanten wie N und M.

Mama! Das erste »Mama« ist eine zufällige Lautbildung, die Ihr Baby aber wiederholt, wenn es Ihre Freude darüber erlebt!

Ihr Baby freut sich, wenn Sie sein Gebrabbel wiederholen. Es lernt weiterhin sehr viel, wenn Sie Dinge und Menschen benennen. Es versteht dabei zunehmend, dass konkrete Dinge stellvertretend durch Worte ausgedrückt werden. Im Augenblick ist das Sprechen für Ihr Baby ein Spiel und es experimentiert mit dem Einsatz seiner Stimmbänder, seiner Zunge und Zähne, um verschiedenste Laute zu bilden. Unabhängig von der Muttersprache verläuft der Spracherwerb in den ersten Monaten identisch. Daher bilden Babys überall auf der Welt dieselben Laute wie Ihr Baby! Es bildet Laute, die es interessant und lustig findet, und wiederholt sie immer wieder.

Hochstühle

Im Hochstuhl lernt Ihr Baby essen und es erlebt sich darin bei den gemeinsamen Mahlzeiten als Mitglied der Familie.

Da ein Hochstuhl eine größere Anschaffung darstellt, sollten Sie vor dem Kauf genau wissen, welchen Anforderungen er genügen muss.

Handhabbarkeit Ein Hochstuhl sollte leicht zu reinigen sein (am besten mit abnehmbarem Tablett) und nicht zu viel Platz beanspruchen. Platzsparend sind klappbare Modelle oder Tischsitze, die sich am Esstisch einhängen lassen. Manche Modelle sind höhenverstellbar und können so an verschiedene Tischhöhen angepasst werden.

Bequemlichkeit/Komfort Der Sitz sollte gut gepolstert sein oder Sie sollten eine Sitzeinlage einlegen können, damit Ihr Baby aufrecht sitzt. Praktisch sind abnehmbare, waschbare Einsätze – kaufen Sie zwei, damit immer einer zur Verfügung steht, während der andere in der Wäsche ist. Ein Stuhl mit verstellbarer Fußstütze und Sitzhöhe wächst mit, wenn Ihr Baby größer wird.

Sicherheit Der Sitz sollte eine breite Standfläche haben und darf nicht plötzlich umkippen. Im Sitz sollte das Kind mit einem 5-Punkt-Sicherheitsgurt angeschnallt werden – und zwar jedes Mal, wenn es im Hochstuhl sitzt – es ist erstaunlich, wie schnell Babys aus ihrem Hochstuhl rutschen können. Bei einem klappbaren Modell achten Sie darauf, dass er sich im Stand sicher verriegeln lässt, damit er durch die Manipulation des Babys nicht zusammenklappen kann oder Ihr Baby seine Finger einklemmt. Es spricht nichts gegen den Kauf eines gebrauchten Sitzes; kontrollieren Sie jedoch, ob er das deutsche GS-Prüfzeichen (geprüfte Sicherheit) hat.

Babys Mahlzeiten

Viele Mütter denken nun ans Abstillen oder Zufüttern oder überlegen, auf eine neue Folgemilch umzusteigen.

Falls Sie bislang voll gestillt haben und nun wieder berufstätig sein wollen, können Sie überlegen, ob Sie am Arbeitsplatz Milch abpumpen und aufbewahren können (s. S. 179). Oder Sie entscheiden sich für eine Zwiemilchernährung – also die Kombination von Brust und Flasche. Wenn Ihr Baby die Flasche zunächst ablehnt, reiben Sie etwas Brustsalbe in den Sauger. Sie können auch Milchnahrung und abgepumpte Muttermilch mischen, damit es Ihrem Baby besser schmeckt. Alternativ können Sie einen anderen Sauger versuchen oder Ihrem Baby die Milchnahrung aus einer Schnabeltasse geben. Hat Ihr Baby bislang keine Milchnahrung erhalten, sollten Sie verschiedene Sorten ausprobieren, bis Sie die finden, die ihm schmeckt.

Folgemilch Es ist nicht notwendig, dass Sie auf Folgemilch umstellen, da Ihr Baby die Anfangsnahrung bis zum Alter von zwölf Monaten bekommen kann. Wenn Sie jedoch gestillt haben und nun zu Milchnahrung wechseln oder Ihr Baby nach seinen Mahlzeiten immer noch hungrig wirkt, kann eine sättigendere Folgemilch angebracht sein. Folgemilch enthält konzentrierte Nährstoffe – und vor allem mehr Eisen, da der Eisenbedarf des Babys nun ansteigt.

Wenn Ihr Baby mehr Beikost bekommt, wird es langsam und sanft von seiner gewohnten Milch entwöhnt. Eine abwechslungsreiche Beikost aus einer Vielfalt gesunder Nahrungsmittel versorgt es mit allen wichtigen Vitaminen und Mineralstoffen. Die Milch wird dann nach und nach weniger wichtig.

Wenn Ihr Baby jedoch sehr wählerisch ist und Beikost nur langsam akzeptiert, kann eine Folgemilch sinnvoll sein – nicht nur, weil sie nährstoffreicher und damit sättigender ist, sondern sie enthält auch mehr Eisen, Omegaöle und Vitamin D.

Egal ob Sie weiterhin Anfangsnahrung geben oder eine Folgemilch – die Milch sollte Ihr Baby sättigen und es sollte weiterhin normal zunehmen. Kuhmilch (vollfett) ist als Getränk für Babys unter zwölf Monaten nicht geeignet, aber Sie können sie in geringen Mengen zum Kochen verwenden. Nach den ersten Gemüse-Fleischbreien kann Ihr Baby dann bald auch Milchprodukte als Beikost bekommen.

EIN ZEITPLAN FÜRS ABSTILLEN

Wenn es in den nächsten Wochen ein festes Datum gibt, an dem Sie nicht mehr stillen wollen bzw. können, beginnen Sie am besten jetzt damit, eine Stillmahlzeit durch die Flasche zu ersetzen. Bitte stillen Sie nicht abrupt von einem Tag auf den anderen ab – es wäre für Ihr Baby sehr belastend, wenn ihm seine wichtigste Trost- und Nahrungsquelle plötzlich entzogen wird. Es kann dabei außerdem zu einem Milchstau kommen. Reduzieren Sie stattdessen schrittweise die Anzahl der Stillmahlzeiten und ersetzen sie im Verlaufe mehrerer Wochen durch die Flasche. Sie können alle vier bis fünf Tage eine Mahlzeit ersetzen.

Vielleicht wollen Sie zunächst die Mahlzeit am frühen Abend durch die Flasche ersetzen. Am besten ist es, wenn Ihr Partner die Flasche in einem anderen Zimmer gibt, damit Ihr Baby Ihre Milch nicht riecht. Am längsten wird meist die letzte Abend- und die erste morgendliche Stillzeit beibehalten. Sie schenken Ihrem Baby damit viel Sicherheit und Zufriedenheit.

Wenn Sie plötzlich abstillen müssen und ein Milchstau entsteht, pumpen Sie eine kleine Menge Milch ab, um die Beschwerden zu lindern. Wenn Sie aber zu viel Milch abpumpen, wird die Milchbildung angeregt. Es kann einige Tage dauern, bis Sie keine Beschwerden mehr haben, und mehrere Wochen, bis die Milch vollständig eintrocknet. (Weitere Informationen zum Abstillen, s. S. 274f.).

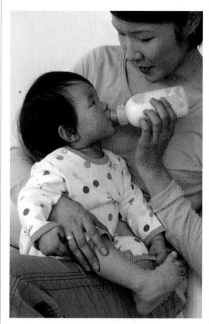

Neue Erfahrung Eine langsame Umstellung von der Brust zur Flasche ist wünschenswert.

26 Wochen

BABYS AUGENBEWEGUNGEN ERFOLGEN NUN SYNCHRON UND ES SIEHT DIE WELT DREIDIMENSIONAL.

Der Tagschlaf ist wichtiger als jemals zuvor – denn Babys Aktivität und Mobilität ist anstrengend und kostet eine Menge Energie! Vielleicht trägt Ihr Baby bereits einen Teil seines Körpergewichts auf seinen Beinen, wenn Sie es aufrecht halten. Drängen Sie es aber bitte nicht.

Auf die Plätze, fertig …

Ihr Baby setzt sich in Bewegung! Ob rollen, robben oder krabbeln, es hat ein neues Entwicklungsstadium – die Mobilität – erlangt.

FRAGEN SIE … EINEN KINDERARZT

Sind Spielgeräte, in die das Baby gesetzt wird, empfehlenswert?
Solche Activity-Center, in die das Baby gesetzt wird, fördern Feinmotorik, Problemlösetechniken, Kreativität und Selbstständigkeit. Das Baby ist umgeben von Drehscheiben, Klappen zum Anheben, Formen zum Sortieren und Knöpfen, die Geräusche erzeugen. Das bietet Unterhaltung und Anregung. Diese Spielgeräte sind geeignet, sobald das Baby frei sitzen kann; viele sind höhenverstellbar, damit es aufrecht sitzend spielen kann. Sobald ein Baby stehen oder gehen kann, sind diese Spielgeräte aber nicht mehr sicher.

Kann ich mein Krabbelbaby zur Sicherheit in ein Laufställchen setzen? Der Laufstall verhindert, dass Ihr mobiles Baby seinem inneren Antrieb, nämlich die Umwelt zu erkunden, nachkommen kann. Aus diesem Grunde protestiert es sicher lautstark, wenn es hineingesetzt wird. In diesem Entwicklungsstadium ist es sehr wichtig, dass ein Baby möglichst viel Freiraum hat, um seinem Forschungs- und Bewegungsdrang nachzukommen. Schaffen Sie daher einen babysicheren Bereich, in dem es frei umherkrabbeln kann (natürlich unter Ihrer Aufsicht). Natürlich können Sie Ihr Baby aber nicht ständig beaufsichtigen: Wenn Sie mit anderen Dingen, z.B. mit Telefonieren, beschäftigt sind, ist Ihr Baby im Laufstall sicher aufgehoben. Allerdings ist dafür genügend Platz erforderlich.

Unterwegs Sobald Ihr Baby erste Kriech- oder Krabbelversuche macht, bieten Teppiche oder Decken einen weichen Schutz.

Noch kann Ihr Baby weder robben noch krabbeln – manche Babys beginnen damit erst mit acht, neun Monaten oder noch später. Das gilt insbesondere für Frühgeborene und Mehrlinge. Doch es gibt auch Babys, die bereits jetzt mobil werden – bereiten Sie sich darauf vor!

Babys entwickeln unterschiedlichste Methoden der Fortbewegung. Zwar erfolgt die Entwicklung vom Sitzen zum Krabbeln, »Hangeln« und Laufen in einer bestimmten Abfolge, doch jedes Baby hat seinen eigenen Zeitplan und manches Baby findet eine sehr eigenwillige Bewegungsform.

Manche Babys schaukeln sich auf Händen und Knien vorwärts oder rückwärts, andere rutschen auf dem Po und krabbeln nie auf Händen und Knien. Manche Babys rollen sich quer über den Boden, kriechen auf dem Bauch oder robben nach vorne. Andere krabbeln rückwärts statt vorwärts und einige überspringen die Krabbelphase – sie ziehen sich an Möbeln hoch und

wollen schon laufen. Auch Zwillinge können sich unterschiedlich fortbewegen – natürlich auch in verschiedene Richtungen!

Selbstständig werden Wichtig ist nicht das Wie, sondern dass sich Ihr Baby überhaupt bewegt. Mobilität ebnet den Weg zu emotionaler und körperlicher Selbstständigkeit. Dieser Meilenstein muss erreicht werden, bevor ein Baby laufen kann. Mobilität ermöglicht dem Baby, seine Umgebung im eigenen Tempo zu erkunden, seine Neugierde zu befriedigen, sich selbst zu beschäftigen sowie Koordinationsvermögen, Gleichgewicht und Muskelkraft zu entwickeln. Mehr noch, sie trainiert Herz und Lunge, hebt seine Laune und fördert einen tiefen, erholsamen Schlaf.

Indem Sie Ihr Baby ermuntern, mobil zu werden, wird es Freude an körperlicher Betätigung entwickeln können und immer besser verstehen, wie sein eigener Körper funktioniert

Beikost essen

Wenn Sie Ihrem Baby Beikost geben, denken Sie bitte daran, dass es erst lernen muss, vom Löffel zu essen. Das erfordert Zeit und Geduld.

Geschmack und Konsistenz Es ist für Ihr Baby eine gänzliche neue Erfahrung, Beikost von einem Löffel zu essen. Geben Sie ihm Zeit, sich daran zu gewöhnen.

CHECKLISTE

Beikost ganz einfach

Bitte beachten Sie:

■ Bieten Sie Beikost dann an, wenn Ihr Baby weder müde noch sehr hungrig ist – Sie können auch zunächst ein wenig Milch geben.

■ Seien Sie selbst entspannt und fröhlich.

■ Stellen Sie sich auf unterschiedlichste Reaktionen ein. Lassen Sie sich nicht nervös machen.

■ Loben und ermutigen Sie Ihr Baby bei jedem Löffel.

Zunächst bekommt Ihr Baby sehr dünnflüssigen Gemüsebrei und weiches Obstmus. Diese Breie ähneln in ihrer Konsistenz noch stark der Milch und Ihr Baby wird sie vom Löffel saugen. Wenn es sich daran gewöhnt hat, können Sie den Brei etwas fester zubereiten, indem Sie weniger Kochflüssigkeit oder Milch beigeben. Statt reinem Gemüsebrei geben Sie als Nächstes Gemüse-Kartoffelbrei, den Sie bald mit püriertem Fleisch anreichern. Die Zugabe von Fleisch ist wichtig für die Eisenversorgung Ihres Babys.

Je nachdem, wann Sie beginnen und wie bereitwillig Ihr Baby die neue Kost akzeptiert, probiert es in den ersten Tagen vielleicht nur ein bis zwei Löffel. Wenn es sehr kooperativ ist, bieten Sie

ihm mehr an. Wenn es genug hat, dreht es den Kopf weg, wird unwillig oder verschließt den Mund. Verweigert es die Beikost und wehrt sich vehement dagegen, insistieren Sie nicht. Versuchen Sie es am nächsten Tag einfach noch mal.

Es ist wichtig, dass die Mahlzeiten in einer entspannten, fröhlichen Atmosphäre stattfinden. Ihr Baby wird sie dann von Anfang an mit positiven Gefühlen verbinden. Bieten Sie Ihrem Baby im Laufe der Zeit eine breite Vielfalt an Nahrungsmitteln an, auch solche, die Sie selbst nicht mögen. Setzen Sie den Breien auf keinen Fall Salz oder Zucker bei. Salz ist für Babys gefährlich und Zucker unnötig. Vertrauen Sie darauf, dass Ihrem Baby der natürliche Geschmack der Speisen schmeckt.

Gesunder Start Auch wenn diese ersten Mahlzeiten lediglich »Kostproben« sind, sollten sie dennoch nährstoffreich sein. Einer der wichtigsten Aspekte der Beikost ist, dass Ihr Baby an den Geschmack und die Konsistenz gesunder Nahrungsmittel herangeführt wird. Je früher es lernt, Gemüse zu essen, umso eher wird es Gemüse auch später mögen. Wenn Sie Ihrem Baby Apfelmus geben, weil es sein Brokkolipüree nicht anrührt, wird es den Brokkoli kaum jemals akzeptieren. Ihr Baby hat ein feines Gespür für Ihre Einstellung zu bestimmten Lebensmitteln. Es merkt schnell, wenn Sie z.B. selbst keinen Brokkoli mögen. Bieten Sie Ihrem Baby alle zwei, drei Tage ein neues Nahrungsmittel an. Falls es das nicht akzeptiert, versuchen Sie es am nächsten Tag noch mal. Manchmal erfordert es bis zu zehn Versuche, bis dem Baby ein Nahrungsmittel vertraut erscheint.

Ein eigenes Zimmer

Wenn Ihr Baby schon bald in ein eigenes Zimmer umziehen soll, gewöhnen Sie es nun langsam an die neue Umgebung.

Auch wenn allgemein empfohlen wird, dass Babys im ersten Lebensjahr im Schlafzimmer der Eltern schlafen, wünschen sich viele Eltern, dass ihr Baby schon im zweiten Lebenshalbjahr in sein eigenes Zimmer umzieht. Gewöhnen Sie Ihr Baby in diesem Fall sanft um. Lassen Sie es anfangs nur am Tag im eigenen Zimmer schlafen: So lernt es, in der neuen Umgebung einzuschlafen. Wenn es alle Schlafphasen am Tag dort verbringt, können Sie es auch abends hier schlafen legen.

Vielleicht schläft Ihr Baby in seinem eigenen Zimmer sogar besser, weil es nachts nicht durch Ihre Bewegungen und Ihren Husten gestört wird. Vielleicht wacht es aber auch häufiger auf, weil es Ihr rhythmisches Atmen vermisst und sich allein fühlt. Wenn es nachts weint, gehen Sie zu ihm und beruhigen es. So weiß es, dass Sie noch da sind und seine Bedürfnisse befriedigen.

Geben Sie ihm ein Trostobjekt, damit es sich selbst beruhigen kann (s. S. 345). Wenn Ihr Baby etwas Vertrautes sieht, fühlt und riecht, findet es besser in den Schlaf. Lassen Sie nachts aber keine Spielsachen in seinem Bett liegen.

Viele Eltern erleben schaflose Nächte, wenn ihr Baby die ersten Male in seinem eigenen Zimmer schläft. Vielleicht sind Sie unruhig und wollen nach Ihrem Baby schauen. Doch wenn Sie per Babyfon sein Rufen oder sein ruhiges Atmen hören, können Sie sicher bald unbesorgt schlafen. Über ein zweikanaliges Babyfon kann Ihr Baby auch Ihre Stimmen hören und lässt sich darüber beruhigen.

Neuer Blickwinkel

Ein vorsichtiges Drehen des Babys, ermöglicht ihm einen ganz neuen Blickwinkel auf die vertraute Umgebung.

Noch ist nicht die Zeit gekommen für wilde Tobespiele, doch können Sie Ihr Baby nun gern in unterschiedliche Körperpositionen bewegen. Das ermöglicht ihm wichtige neue Sinneserfahrungen. Stützen Sie Babys Nacken und Rücken ab und kippen es sanft nach hinten, damit es die Zimmerdecke betrachten kann. Legen Sie es rücklings über Ihre Knie und kitzeln oder pusten Sie auf seinen Bauch oder Hals, damit es den Kopf nach hinten neigt. Es mag vor Vergnügen zappeln oder stockstill sein, wenn es diese ungewohnte Haltung einnimmt. Solange

Neue Blickwinkel Halten Sie Ihr Baby so, dass sein Körper leicht geneigt ist. Dadurch gewinnt es ganz neue Sinneseindrücke.

Sie Bauch und Rücken festhalten, fühlt es sich sicher und geborgen. Wenn Sie draußen sind, können Sie seinen Sportwagen nach hinten kippen, damit es in den Himmel schauen kann.

Diese Spiele fördern den Gleichgewichtssinn Ihres Babys und die sogenannte Raum-Lage-Wahrnehmung. Es lernt, wie sich sein Körper in verschiedenen Positionen verhält. Um das Gleichgewicht zu halten und Kopf und Nacken stabil zu halten, muss es verschiedene Muskelbewegungen koordinieren.

Das Betrachten von bekannten Gegenständen aus einer neuen Perspektive in veränderter Körperposition fördert Babys Muskelarbeit sowie die neuronale Entwicklung.

Adleraugen

Das Sehvermögen hat sich nun stark verbessert. Ihr Baby bemerkt die kleinsten Veränderungen in der Umgebung.

Zwischen drei und fünf Monaten entwickelt sich die Tiefenschärfe; dabei bildet sich auch das Binokularsehen heraus: Die Augen richten sich beide auf ein gemeinsames Ziel. Da die Informationen von beiden Augen aufgenommen und im Gehirn zu einem dreidimensionalen Bild verarbeitet werden, kann das Baby nun die Umwelt richtig wahrnehmen und Entfernungen einschätzen.

Die Tiefenwahrnehmung erfordert visuelle Übung, gute Augen-Muskel-Kontrolle und eine ausreichende Reife der Nervenzellen in Augen und Gehirn. Das Sehvermögen des Babys gleicht sich dem des Erwachsenen an und ist mit etwa acht Monaten beinahe vollständig ausgebildet. Ihr Baby erkennt nun auch Dinge auf der anderen Zimmerseite. Es nimmt wahr, wie sich die Vorhangschnüre im Luftzug bewegen, es sieht ein Spielzeug unter dem Sofa – und will alles untersuchen. Unbekannte Dinge ziehen es nun magisch an, während es sich bislang vor allem für bekannte Gegenstände interessiert hat.

FAKTEN UND HINTERGRÜNDE

Die visuelle Klippe ist eine bekannte Versuchsanordnung zur Tiefenwahrnehmung. Babys werden dabei auf eine Glasplatte gesetzt, deren eine Seite mit einem Schachbrettmuster bemalt ist. Auf der anderen Seite wird das Muster am Boden fortgesetzt. Babys halten an der Stufe zwischen den Seiten an, weil sie die Simulation als reale Tiefe ansehen.

Sonnenschein und Vitamin D

Vitamin D ist wichtig für Mutter und Kind. Es wird für das Wachstum von Knochen und Zähnen sowie für das Immunsystem benötigt.

Sonnenlicht Täglich zehn Minuten im Schatten reichen, um genug Vitamin D zu bilden.

Auch die Verwendung von Sonnencreme und lichtschützender Kleidung führt dazu, dass heute mehr Menschen einen Vitamin-D-Mangel aufweisen als früher. Vitamin D wird vom Körper gebildet, wenn die Haut der Sonne ausgesetzt ist. Zehn Minuten Sonne am Tag reichen aus, damit genügend Vitamin D gebildet wird.

Doch was tun? Schließlich wollen Sie nicht, dass Ihr Baby einen Sonnenbrand bekommt. Doch das Sonnenlicht im Schatten (z.B. unter einem Baum) ist dabei ebenso wirksam wie direkte Sonneneinstrahlung. Spielen Sie im Sommer mit Ihrem Baby daher für kurze Zeit im Schatten, bevor Sie es eincremen. Meiden Sie aber die Zeit zwischen 10 und 15 Uhr, wenn die Sonne am intensivsten ist. Danach schützen Sie Babys Haut mit Sonnenschutzcreme mit LSF 30.

Viele Babys leiden wie die Erwachsenen im Winter an Vitamin-D-Mangel. Gehen Sie daher auch im Winter viel ins Freie. Vitamin D wird aber nicht nur unter dem Einfluss von Sonnenlicht vom Körper gebildet, sondern auch über die Nahrung aufgenommen. Vitamin-D-reiche Nahrungsmittel, wie Fettfische (Hering, Lachs), werden von Säuglingen kaum verzehrt, sodass die Deutsche Gesellschaft für Kinder- und Jugendheilkunde (DKG) die tägliche Gabe einer Vitamin-D-Tablette (s. S. 167) empfiehlt.

Sanfte Trennung

Wenn Sie bald wieder berufstätig sein wollen, gestalten Sie die Umstellung möglichst sanft, damit Ihr Baby sich sicher dabei fühlt.

Bis bald Erleichtern Sie sich die Trennung, indem Sie Ihr Baby früh mit dem neuen Umfeld und den betreuenden Personen vertraut machen.

Egal, wann Sie wieder arbeiten gehen, der Abschied wird zunächst Kummer und Unruhe verursachen. Wenn das Baby bereits in der Fremdelphase ist, etwa ab dem achten Monat (s. S. 283), können diese Ängste stärker sein. Die folgenden Strategien erleichtern Ihnen beiden den Abschied.

Machen Sie Ihr Baby langsam mit seiner Betreuerin vertraut. Sie soll sich zunächst in Ihrer Anwesenheit um Ihr Baby kümmern; dann lassen Sie die beiden kurze Zeit, etwa 15 Minuten lang, miteinander allein. Bei den ersten Kontakten sollte Ihr Baby weder müde, hungrig noch kränklich sein. Geben Sie ihm ruhig ein Trostobjekt (s. S. 345), mit dem es kuscheln kann, während Sie weg sind. Wählen Sie einen Gegenstand, der es an Sie und an zu Hause erinnert.

Entwickeln Sie ein Abschiedsritual, das den Ablauf der Trennung vorgibt und Ihrem Baby Sicherheit schenkt. Nehmen Sie es auf den Arm, geben Sie ihm einen Kuss und sagen Sie: »Auf Wiedersehen«. Sprechen Sie aufmunternd mit positivem Gesichtsausdruck. Wenn es weint, versichern Sie ihm, dass Sie es vermissen werden, aber bald wieder zurück sein werden. (Später können Sie Anhaltspunkte für Ihre Rückkehr geben, z.B. »nach dem Mittagessen«, »nach deinem Mittagsschlaf«). Sagen Sie noch einmal auf Wiedersehen und gehen Sie. Kehren Sie nicht um, wenn Ihr Baby weint. Gehen Sie außer Hörweite. Zur Beruhigung können Sie die Betreuerin nach 15 Minuten anrufen, um zu erfahren, ob sich Ihr Baby beruhigt hat – meist lassen sich Babys aber schnell ablenken.

Unser Baby mit 7 bis 9 Monaten

WOCHE 1 2 3 4 5 6 7 8 9 10 11 12 13 14 15 16 17 18 19 20 21 22 23 24 25

Beikost Sobald sich Ihr Baby an feste Nahrung gewöhnt hat, bekommt es schrittweise weniger Milchmahlzeiten.

Von einer Hand in die andere Es ist eine Kunst, einen Gegenstand von der einen in die andere Hand zu nehmen. Ihr Baby benötigt eine gute Hand-Auge-Koordination und muss seinen Griff lockern und verstärken können. Bald übt es diese Fähigkeit ausdauernd.

Frei sitzen Viele Babys können mit sechs bis acht Monaten frei sitzen und dabei vielleicht schon mit einem Spielzeug spielen.

> **Schon gewusst?** Babys schieben sich in der Regel zunächst mit den Armen in den Stand hoch. Erst später lernen Sie, dazu die Beine einzusetzen.

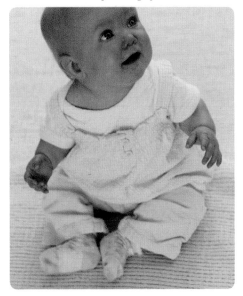

Nach Spielsachen greifen Es ist ziemlich schwer, sich aus dem Sitzen nach vorne zu beugen. Das erfordert ein gutes Gleichgewichtsgefühl.

In den Stand hochziehen Vielleicht kann sich Ihr Baby schon an einem Möbelstück in den Stand hochziehen.

Ihr Baby ist ganz beschäftigt: mit Sitzen und Stehen, mit einfachen Puzzles und dem Kosten neuer Speisen.

Probleme lösen Seine Problemlösekompetenzen und die Feinmotorik entwickeln sich schnell; Ihr Baby ist fasziniert von einfachen Greifpuzzles.

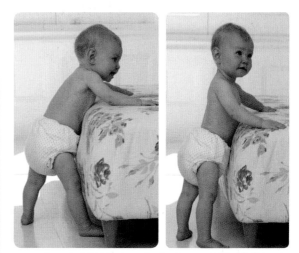

Trennungsangst Mit etwa acht Monaten haben viele Babys Angst vor unbekannten Menschen oder vor der Trennung von der Mutter. Es braucht besonderen Rückhalt.

Hangeln Sobald sich Ihr Baby in den Stand hochziehen kann, bewegt es abwechselnd seine Beine und macht erste Schritte, während es sich festhält.

Nachahmen Ihr Baby imitiert die Laute, die Sie bilden; seine Auffassungsgabe verbessert sich. Es lernt Mimik zu deuten, indem es Sie beobachtet.

Fingerfood Ihr Baby isst nun gern selber; gut geeignet ist einfaches Fingerfood. Damit kann es kauen lernen und in seinem eigenen Tempo neue Geschmacksrichtungen und Konsistenzen probieren.

Schon gewusst? Alles, was die Sinne Ihres Babys berührt, lässt Verknüpfungen zwischen den 100 Milliarden Nervenzellen im Gehirn entstehen.

27 Wochen

ABWECHSLUNGSREICHE NAHRUNG IM ERSTEN JAHR FÜHRT SPÄTER ZU GESÜNDERER ERNÄHRUNG.

Ihr Baby hat sein Geburtsgewicht in etwa verdoppelt und kann nun auch festere Nahrung zu sich nehmen. In der Nacht schläft das Baby acht bis zehn Stunden am Stück. Sollte es zwischendurch aufwachen, können Sie versuchen, seinen Schlafrhythmus zu verändern.

Volle sechs Monate

Ist es zu fassen, wie groß Ihr Baby geworden ist? Seine Bewegungen sind nun viel zielgerichteter und insgesamt wird es immer mobiler.

Ihr Baby hat nun schon die Hälfte seines ersten Lebensjahres hinter sich und wahrscheinlich kaum noch Ähnlichkeit mit dem Neugeborenen, das Sie auf die Welt brachten. Auch Sie haben sich verändert, sind in Ihre neue Rolle hineingewachsen und haben sich an die Verantwortung als Eltern gewöhnt. Können Sie sich noch vorstellen, was Sie mit Ihrer Zeit angefangen haben, bevor Ihr Baby geboren wurde?

Ihr sechs Monate altes Baby ist gern unter Menschen. Es lacht vergnügt in Gesellschaft, aber vielleicht ist es auch wählerischer darin geworden, mit wem es Umgang haben möchte. Nutzen Sie sein kontaktfreudiges Wesen und stellen Sie ihm alle möglichen Leute vor, wenn Sie mit ihm unterwegs sind. Ermutigen Sie es, zur Begrüßung zu winken.

Ihr Baby interessiert sich nun stark für seine Umgebung. Es ist neugierig und möchte alles erforschen. Es scheint sogar selbst zu entscheiden, mit welchem Spielzeug es spielen möchte, aber Sie sind immer noch sein liebster Spielgefährte. Es studiert gern Gesichter (auch das anderer Menschen), berührt sie, zupft und zieht daran – vor allem, um zu begreifen, dass der andere und es selbst getrennte Personen sind.

Wonneproppen Die meisten Babys haben mit sechs Monaten ihr Geburtsgewicht verdoppelt und sehen nun richtig niedlich und proper aus. Eine ausschließliche Ernährung mit Muttermilch ist nun nicht mehr nötig (s. S. 234 f. und 254 f.). Wenn Sie noch nicht damit angefangen haben, möchten Sie nun vielleicht ergänzend zu den Brustmahlzeiten Fläschchen oder extra abge-

Wo ist denn mein Kind? Ihr Baby liebt kleine, alberne Versteckspielchen. Legen Sie ein Tuch über seinen Kopf und entdecken Sie es »zufällig« darunter. Es wird davon nicht genug bekommen!

pumpte Muttermilch anbieten, ganz abstillen (s. S. 274 f.) oder auf Folgenahrung umstellen (s. S. 221).

Ihr Baby kann vielleicht schon alleine sitzen und drückt seine Beinchen durch, wenn man es aufrecht hält. Es kann noch nicht sein ganzes Körpergewicht tragen, aber es wird begeistert auf und ab hüpfen, während sie es halten. Es versucht, sich im Liegen herumzudrehen, und müht sich ab, um endlich mobiler zu werden.

Es bewegt seine Hand über einen kleinen Gegenstand, legt die Finger darum und hebt ihn auf. Es greift, schüttelt und schlägt Spielzeug wesentlich zielgerichteter. Das Loslassen von Gegenständen ist allerdings noch mehr oder weniger Zufall: Erst mit etwa neun Monaten wird diese Bewegung absichtlich ausgeführt werden können.

LAUFLERN- UND HÜPFGERÄTE

Verzichten Sie auf solche Geräte, denn sie können gefährlich sein. Von seinem erhöhten Sitz aus kann Ihr Baby nach Dingen greifen, die es noch nicht haben soll. Es kann umkippen, sich stoßen oder verletzen. Mit Lauflerngeräten passieren mehr Unfälle als mit anderen Spielsachen. Um laufen zu lernen, sollte Ihr Baby vorher ausreichend Gelegenheit haben, zu sitzen, zu rollen, zu krabbeln und auf dem Bauch liegend zu spielen. Das trainiert seine Muskeln; Lauflern- und Hüpfgeräte verhindern das eher. Abgesehen davon ist der Druck, der in solchen Geräten auf Knochen, Bänder und Gelenke ausgeübt wird, viel zu hoch.

Vorlieben

Ihr Baby wird sich seiner selbst und anderer Personen bewusst. Es zeigt vielleicht schon, von wem es gern umsorgt werden möchte.

Zwar spielen beide Elternteile eine Rolle im Leben eines Babys, doch wird es denjenigen bevorzugen, der sich am meisten um seine Bedürfnisse kümmert, wenn es sich unsicher fühlt. Ebenso wird der Elternteil, der nach Hause kommt und mit ihm spielt, einen besonderen Rang unter seinen Lieblingspersonen einnehmen. Teilen Sie sich die Babypflege möglichst gleich auf, wenn Sie beide zu Hause sind. Wechseln Sie sich z. B. mit dem Zubettbringen ab,

Fremdeln Vielleicht verhält sich Ihr Baby unbekannten Menschen gegenüber schüchtern und sucht bei Mama Schutz.

sodass sich das Baby bei Ihnen beiden gleich wohlfühlt.

Viele Eltern, die ihr Baby bei einer Tagesmutter lassen, haben Sorge, dass ihr Kind die fremde Person bald mehr lieben wird als sie selbst. Diese Angst ist unbegründet, denn Babys wissen instinktiv, wer ihre Eltern sind. Solange Sie sich in der Zeit, die Sie mit Ihrem Kind verbringen, viel mit ihm beschäftigen, wird es Ihnen seine Zuneigung ganz sicher nicht entziehen.

Freuen Sie sich, wenn Ihr Baby seine Tagesmutter liebt: Denn sonst würde es Ihnen wesentlich schwerer fallen, Ihr Baby bei ihr zu lassen.

Schlafen

Theoretisch sollte Ihr Baby nachts acht bis zehn Stunden selig schlummern. In der Praxis sieht das oft anders aus!

Babys haben ein unterschiedliches Schlafbedürfnis, doch die meisten verschlafen 12–14 Stunden von 24 Stunden. In der Nacht schlafen sie am Stück doppelt so lange wie am Tag: acht bis zehn Stunden. Sollte Ihr Baby nachts noch aufwachen und eine Mahlzeit verlangen, wäre jetzt ein guter Zeitpunkt, dieses Muster zu durchbrechen. Falls es noch mit Ihnen in einem Zimmer schläft, könnte es vielleicht sogar durch Ihre Geräusche beim Zubettgehen oder während der Nacht gestört werden. Der Umzug in ein eigenes Zimmer ist für das Baby zwar am Anfang gewöhnungs-

bedürftig, aber auf lange Sicht sicher das Beste für Sie beide.

Wenn Sie noch stillen und denken, das Baby wacht nachts auf, weil es Hunger hat, könnten Sie ihm am Abend vor dem Zubettgehen noch eine Extraportion geben. Vielleicht stillen Sie es auch noch einmal, wenn Sie selbst zu Bett gehen. Machen Sie dies möglichst ruhig, sodass Ihr Baby dabei gar nicht richtig wach wird. Eine späte Mahlzeit zwischen 22 und 24 Uhr kann auch einem Flaschenkind beim Durchschlafen helfen. Sie sollten dann aber eine Mahlzeit am Tag auslassen, damit Ihr

Kind nicht zu dick wird. Eine Garantie für den Erfolg dieser Maßnahmen gibt es zwar nicht, doch einen Versuch sind sie sicher wert.

Mit sechs Monaten kann Ihr Baby auch schon die ersten Anzeichen von Trennungsangst zeigen (meistens geschieht das jedoch erst mit etwa acht Monaten). Es wacht nachts plötzlich auf und bekommt Angst, dass Sie nicht mehr da sind. In solchen Fällen müssen Sie zu ihm gehen, es beruhigen und trösten, damit es sich wieder sicher genug fühlt, um einzuschlafen. (Weitere Tipps zum Thema Schlaf s.S. 352f.)

Die Rollenverteilung

Papa als Hausmann oder beide Eltern berufstätig: Die traditionelle Rollenverteilung zu durchbrechen, ist manchmal nicht leicht.

In Deutschland wird die Elternzeit um zwei Monate verlängert (insgesamt dann 14 Monate), wenn die Männer ihre sogenannten Partnermonate in Anspruch nehmen. Mittlerweile machen das rund ein Viertel der Männer in Deutschland. Allerdings beantragen die wenigsten Väter die volle Elternzeit, während ihre Partnerinnen arbeiten gehen. Fast alle Väter, die eine aktive Rolle in der Babypflege übernehmen, empfinden dies als extrem bereichernd, doch eine Änderung der traditionellen Rollenverteilung kann auch neue Probleme aufwerfen. Wenn die Frau zur Hauptverdienerin wird, können sie Schuldgefühle wegen der Trennung von ihrem Baby belasten. Der Vater als Hausmann dagegen kann unter der Isolation leiden, wenn er keine anderen Männer in derselben Situation kennt. Aber auch wenn beide Elternteile flexible Arbeitszeiten haben und sich die Babypflege teilen, haben die meisten Mütter dennoch das Gefühl, den Löwenanteil an der Hausarbeit zu schultern.

Wenn die Rollen nicht klar umrissen sind, geschieht es schnell, dass man sich ungerecht behandelt fühlt: Man denkt, der andere hätte weniger Arbeit als man selbst. Sprechen Sie daher über jedes Detail der Babypflege, sodass Sie beide genau wissen, was wann zu geschehen hat. Teilen Sie sich die Hausarbeit gerecht auf. Besprechen Sie, wann das Baby schlafen soll und was zu tun ist, wenn es sich nicht wohlfühlt oder sein Essen nicht mag. Regeln Sie im Vorfeld, wo Sie dem Baby aus Sicherheitsgründen Grenzen setzen möchten. Treffen Sie alle Entscheidungen gemeinsam. Solange das Baby liebevolle Pflege und verlässliche Rituale erlebt, ist es ihm egal, welcher Elternteil sich größtenteils um es kümmert.

Papa ist da Viele Väter verbringen mehr Zeit zu Hause, helfen bei der Babypflege und festigen die Bindung. Sie genießen es, mit ihrem Baby zu spielen und seiner Entwicklung zuzusehen.

FAKTEN UND HINTERGRÜNDE

Studien zeigen, dass Babys, die in den ersten fünf bis sieben Monaten reichlich Muße- und Spielstunden mit ihren Vätern verbringen durften, bessere Schulleistungen zeigen und leichter Beziehungen knüpfen. Dabei scheint nicht entscheidend zu sein, wie viel Zeit der Vater mit dem Baby verbringt, sondern wie intensiv er sich mit ihm beschäftigt.

Auch wenn Sie nur abends und an den Wochenenden Zeit für Ihr Baby haben, ihm dann aber Ihre ganze Aufmerksamkeit widmen, gewinnt Ihr Baby den Studien zufolge deutlich an Selbstvertrauen. Gemeinsames Spielen stärkt ihre Beziehung zueinander und Ihr Baby gewinnt größeres Selbstvertrauen in die eigenen Fähigkeiten. Jetzt sind schöne Bewegungsspiele angesagt. Sie fördern bei beiden Geschlechtern die geistige und körperliche Stärke.

233

1. Phase der Beikost

Mit sechs Monaten ist Ihr Baby bereit, auch etwas anderes als Milch zu sich zu nehmen. Vielleicht haben Sie auch schon früher damit begonnen, Ihrem Baby erste Geschmackskostproben zu geben. Nun können Sie seinen Speiseplan weiter ausbauen.

CHECKLISTE

Erste Löffelkost

Sobald Ihr Baby reine Breie akzeptiert, können Sie sie miteinander kombinieren und neue Geschmacksrichtungen kreieren. Probieren Sie:

Obst und Gemüse wie Karotten und Pastinaken, Erbsen und Blumenkohl, Pfirsich und Banane, Apfel und Birne, Avocado und Banane.

Gemüse und Fleisch/Fisch/Geflügel wie Karotte und Huhn, Brokkoli und Rind, Kartoffel und Seelachs, Lachs und Süßkartoffel.

Stärkehaltige Nahrung und/oder Gemüse mit Milch und Käse wie Blumenkohl mit Käse, Babybrei mit Milch, Kartoffelbrei mit Käse.

Stärkehaltige Nahrung mit Obst und/oder Milchprodukten wie Brei mit pürierten Aprikosen, zerdrückte Bananen mit Babykeksen.

Welche Konsistenz? Halbflüssige Breie, rasch gefolgt von dickeren Breien und zerdrückter Nahrung.

Wie oft? 1–2 Mahlzeiten pro Tag, später drei Mahlzeiten.

Wie viel? 4–6 Teelöffel (oder mehr, wenn Ihr Baby hungrig ist) oder 2–3 verschiedene Nahrungsmittel pro Mahlzeit.

Milch? Behalten Sie alle Milchmahlzeiten Ihres Babys wie gewohnt bei.

Ab sechs Monaten reicht die reine Milchernährung nicht mehr aus, um den Nährstoffbedarf des Babys zu erfüllen. Es braucht nun Kalorien und Nährstoffe aus anderen Nahrungsmitteln. Zudem ist die Akzeptanz von neuen Geschmäckern, Gerüchen und Konsistenzen im Alter zwischen fünf und sieben Monaten am größten. Wenn Sie mit der Beikost bis zum empfohlenen Alter von sechs Monaten gewartet haben, sollten Sie Ihr Baby, sobald es die Nahrung vom Löffel akzeptiert, schnell an eine größere Nahrungsvielfalt gewöhnen.

So geht's Anfangs bieten Sie dem Baby neben seinen normalen Milchmahlzeiten nur einfache, ungemischte Obst- und Gemüsebreie an. So finden Sie schnell heraus, welche Geschmacksrichtungen Ihr Baby bevorzugt. Sie brauchen keine allergische Reaktion zu befürchten, solange Sie keine potenziell allergieauslösenden Nahrungsmittel wie Eier, Kuhmilch, Weizen, Fisch, Nüsse oder Samen füttern. Diese gibt man am besten einzeln und wartet dann einen oder zwei Tage ab, ob eine allergische Reaktion erfolgt (nähere Informationen auf S. 241). Das Allergierisiko Ihres Babys ist erhöht, wenn in der Familie bereits Allergien vorliegen: z.B. wenn Sie oder Ihr Partner oder Geschwister des Babys an einer Nahrungsmittelallergie, an Neurodermitis oder Asthma leiden. In diesem Fall sollten Sie auch während der Entwöhnungszeit weiterhin stillen, da Muttermilch offenbar die Entstehung von Allergien verhindern kann. Liegen in Ihrer Familie Allergien vor und Ihr Baby erhält Milchnahrung, sollten Sie ihm keinesfalls früher als mit sechs Monaten potenziell allergieauslösende Nahrungsmittel geben.

Nächster Schritt Wenn Ihr Baby die einfachen Gemüse- und Obstbreie annimmt, können Sie nun ein wenig variieren: Mischen Sie Breie aus mehr als einer Sorte Obst oder Gemüse an. Je mehr unterschiedliche Geschmacksrichtungen Sie ihm in den ersten Wochen der Entwöhnung anbieten, desto besser entwickelt sich sein Geschmackssinn und es bekommt größeren Spaß an verschiedenartiger Nahrung.

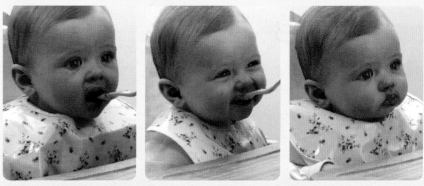

Erster Versuch Schieben Sie einen Löffel mit etwas Brei sanft in den Mund des Babys. Es kann etwas dauern, bis es sich an das Füttern mit dem Löffel gewöhnt hat. Anfangs wird es mehr wieder ausspucken als es bei sich behält. Bleiben Sie geduldig und probieren Sie es weiter..

BABY-LED-WEANING (BLW)

Baby-led-weaning (BLW) ist eine vom Baby geführte schrittweise Entwöhnung von Milch zu fester Nahrung. Es bedeutet, dass Sie Brei und Löffel vergessen können, da man dem Baby quasi selbst überlässt, sich zu füttern. Dazu werden geeignete Nahrungsmittel so zerteilt oder in Stücke geschnitten, dass kleine Babyfinger damit umgehen können.

Auf diese Weise sollen Babys leichter Zugang zu fester Nahrung finden. Da sie stets selbst aus einer gewissen Auswahl entscheiden dürfen, was sie essen möchten, gehen die Befürworter dieser Methode davon aus, dass die Babys den Vorgang des Essens mehr genießen als traditionell entwöhnte Babys und später selten mäkelige Essern werden.

Für den Anfang eignen sich Nahrungsmittel wie gekochte Kartoffelstücke, leicht angedünstete Karotten, Apfelstückchen, Bananenscheiben und Brokkoliröschen. Manche Babys spielen zunächst nur mit dem Essen, lutschen oder saugen daran. Doch wenn sie sich mit Geschmack und Konsistenz vertraut gemacht haben, werden Sie auch essen. Lassen Sie Ihr Baby beim Essen aber nie allein, denn es könnte sich verschlucken.

Selbstbedienung Zuerst spielt das Baby nur mit dem Essen, greift nach dem, was vor ihm liegt und saugt daran.

Kritiker der Methode bemängeln das Fehlen klinischer Studien, die eine ausreichende Versorgung mit Nährstoffen belegen oder bestätigen, dass Babys dadurch zu besseren Essern werden. Die Weltgesundheitsorganisation (WHO) empfiehlt, Babys zu Beginn der Entwöhnung gut zerdrückte oder pürierte Nahrung zu füttern und Fingerfood erst dann anzubieten, wenn das Baby danach greifen kann.

Das Baby mag keinen Brei Manche Babys tun sich zunächst sehr schwer mit neuer Nahrung, die ihnen auf einem Löffel serviert wird; vor allem, wenn sie noch keine sechs Monate alt sind. Wenn Sie glauben, dass Ihr Baby schon bereit für feste Nahrung ist, aber dennoch den Löffel ablehnt, bleiben Sie geduldig. Probieren Sie es einfach am nächsten Tag noch einmal. Tauchen Sie Ihren Finger in den Brei und lassen Sie das Baby daran lutschen. Bieten Sie ihm weiterhin regelmäßig unterschiedliche Nahrungsmittel an, aber zwingen Sie das Baby auf keinen Fall zum Essen.

Den Speiseplan erweitern Sobald Ihr Baby sich an Obst- und Gemüsebreie gewöhnt hat, können Sie ihm auch püriertes Fleisch, Geflügel oder Fisch anbieten. Weißer Fisch wie Seelachs, Kabeljau, Schellfisch oder Scholle eignet sich besonders, weil er mild schmeckt und leicht verdaulich ist. Dasselbe trifft auf Geflügelfleisch zu. Rotes Fleisch enthält viel Eisen und Zink, daher sollten Sie dem Baby auch davon etwas füttern. Versuchen Sie es auch mit pürierten Linsen, Erbsen, Kichererbsen oder mit Joghurt, Frisch- und Schnittkäse.

CHECKLISTE

Zu vermeiden

Manche Nahrungsmittel sind nicht für Babys unter 12 Monaten geeignet, wie z.B.

Manche Fischsorten Große Meeresfische wie Hai (Schillerlocken), Schwert- und Thunfisch können hohe Konzentrationen von Quecksilber enthalten, das dem Nervensystem des Babys schadet.

Salz Fügen Sie der Babynahrung kein Salz hinzu. Würzen Sie das Essen für die Familie erst, nachdem Sie eine Portion fürs Baby weggenommen haben. Meiden Sie salziges und konserviertes Essen wie Speck, Schinken, Oliven, Würstchen, Pizza und Fertiggerichte.

Honig Honig kann in seltenen Fällen Bakterien (*C. Botulinum*) enthalten, die den Darm Ihres Babys angreifen können. Daher sollten Babys unter einem Jahr keinen Honig erhalten.

Rohmilchprodukte Alle Milchprodukte sollten pasteurisiert sein, um das Risiko einer Bakterieninfektion auszuschließen.

Eier sollten wegen der Salmonellengefahr immer hart gekocht werden.

Süßstoffe und Lebensmittelfarben sind nicht für Babynahrung geeignet.

Essen für Erwachsene Vermeiden Sie Tiefgefrorenes, Pommes frites, Geröstetes, ölige Dressings, Zucker und Süßspeisen, Tee und Kaffee (Koffein behindert die Eisenaufnahme des Körpers), sowie fettreduzierte oder Diätnahrung (s. S. 214).

Nüsse Ganze Nüsse sind für Kinder unter fünf Jahren wegen der Erstickungsgefahr nicht geeignet; gemahlene dagegen schon.

27 Wochen

235

Neues aus der Windel

Während der Stillzeit war der Stuhlgang Ihres Babys weich und gelblich. Das ändert sich nach der Umstellung auf feste Nahrung.

Das Verdauungssystem des Babys ist noch nicht ausgereift, sodass es die Nahrung nicht völlig absorbieren kann. Dies zeigt sich auch an der Farbenvielfalt seines Stuhlgangs. Erhält das Baby Brokkoli, wird er sich vermutlich grünlich verfärben, bei Karotten sogar leuchtend orange. Das ist ganz normal und hört auf, sobald sich das Verdauungssystem voll entwickelt hat.

Konsistenz Auch wenn die erste »feste« Nahrung des Babys noch immer sehr flüssig ist, wird sich die Konsistenz seines Stuhlgangs nun langsam verändern.

Von jetzt an können Sie damit rechnen, weiche Klümpchen in der Windel zu finden. Sollten diese jedoch trocken und hart sein, bekommt das Baby vermutlich zu wenig Flüssigkeit und leidet an Verstopfung. Wenn Ihr Baby selbstständig isst, können Teile der Nahrung nahezu unverdaut in der Windel auftauchen.

Geruch Der Stuhlgang eines Babys, das feste Nahrung zu sich nimmt, riecht leider schon mehr wie der von Erwachsenen. Schütten Sie ihn, wenn möglich, in die Toilette und spülen Sie ihn hinunter. Wenn Sie noch keinen Windeleimer mit

Deckel besitzen, wird sich die Investition jetzt lohnen – oder aber Sie werfen die volle Windel gleich in die Mülltonne vor dem Haus.

Ungesunder Stuhlgang Zu harter oder zu weicher Stuhlgang kann auf Verstopfung beziehungsweise Durchfall hindeuten. Viele Eltern beobachten, dass ihre zahnenden Babys oft etwas weicheren Stuhlgang haben. Sollte jedoch Unwohlsein oder sogar Fieber dazukommen oder Sie finden Blut oder Schleim im Stuhl Ihres Babys, müssen Sie mit ihm zum Arzt gehen.

Spielspaß mit Spiegeln

Ihr Baby entwickelt seine sozialen Fähigkeiten. Sie werden feststellen, dass es oft versucht Ihren Gesichtsausdruck nachzuahmen.

Ihr Baby ist noch zu jung, um sich selbst im Spiegel zu erkennen; dies ist erst mit etwa 14 Monaten der Fall. Aber es liebt Gesichter – sein eigenes und Ihres – und reagiert auf Ihre unterschiedlichen Gesichtszüge, indem es versucht sie nachzuahmen. Dieses Verhalten gehört zu seiner sozialen Entwicklung. Es lernt, dass es die Interaktion mit Ihnen steigern kann, indem es mit eigener Mimik auf Ihre Mimik antwortet. Wenn es also auf Ihr Lächeln mit einem Lächeln

Wer ist das? Halten Sie das Baby so, dass es Sie beide sehen kann. Sagen Sie seinen Namen und zeigen Sie auf sein Gesicht.

reagiert, wird sich Ihres vertiefen und es erhält Ihre volle Aufmerksamkeit.

Fördern Sie diese Interaktion, indem Sie mit dem Baby auf dem Arm vor einem Spiegel Gesichter ziehen. Fröhliche, traurige, überraschte oder lustige, die es zum Lachen bringen. Übertreiben Sie dabei ruhig ein wenig, damit das Baby Ihre Emotionen besser erkennen kann. Heben Sie zum Beispiel beim Lächeln die Augenbrauen oder öffnen Sie den Mund, wenn Sie ein erstauntes Gesicht machen. Ihr Baby kann dabei ganz fasziniert nicht nur Sie beobachten, sondern auch die begeisterte Reaktion des Babys im Spiegel!

Vitamine für Babys

Vitamine sind wichtig für die gesunde Entwicklung Ihres Babys. Achten Sie auf eine ausreichende Versorgung mit Vitamin A, C und D.

Ihr Baby braucht Vitamine für das Wachstum von Knochen, Zähnen, Gehirn und für die Blutbildung. Da Vitamin D in der Muttermilch nicht enthalten ist, informiert in Deutschland der Arzt die Eltern bei der U2 über die Gabe von Vitamin D. Genauere Informationen über die unterschiedlichen Vitamine finden Sie im Standardwerk für Nährstoffempfehlungen im deutschsprachigen Raum: »D-A-CH-Referenzwerte für die Nährstoffzufuhr«. Ernährungswissenschaftliche Fachorganisationen der drei beteiligten Länder Deutschland (D), Österreich (A) und Schweiz (CH) haben diese Referenzwerte entwickelt. Für Deutschland ist das die Deutsche Gesellschaft für Ernährung (DGE).

Lassen Sie sich vom Kinderarzt oder der Hebamme zur Versorgung mit den Vitaminen C und A beraten. Die meisten fertigen Babyprodukte sind bereits damit angereichert, sodass keine zusätzlichen Gaben nötig sind. Bei selbst zubereiteten Breien reicht es eventuell aus, ein paar Löffel Karottensaft hinzuzufügen, doch dazu sollten Sie vorher den Rat eines Fachmanns einholen.

Vitamin A ist wichtig für das Wachstum von Zellen und Gewebe und das Reifen der Lunge. Ein Vitamin-A-Mangel kann zu erhöhter Infektanfälligkeit und mangelhafter Lungenfunktion führen. Gute Vitamin-A-Quellen sind Eigelb, Butter, fettreicher Fisch (z. B. Lachs), gelbe und orangefarbene Früchte sowie Blattgemüse.

Vitamin C stärkt die Gesundheit und das Immunsystem. Es trägt außerdem dazu bei, dass das Baby Eisen besser absorbieren kann. Gute Vitamin-C-Quellen sind unter anderem Orangen, Kiwi, Tomaten und Erdbeeren. Außerdem ist Vitamin C auch in Erbsen, Brokkoli, Süßkartoffeln, Grünen Bohnen enthalten.

Vitamin D ist wichtig für die Bildung von Knochen und Zähnen. Es wird vom Körper vor allem dann produziert, wenn Sonnenlicht auf die Haut fällt. Nur wenige Nahrungsmittel enthalten natürliches Vitamin D, wie fettreicher Fisch, Eier und Butter. In Europa dürfen nur wenige Lebensmittel, wie Margarine oder Öle, damit angereichert werden.

Eisen ist ein Grundbaustein für die Bildung roter Blutkörperchen und die Entwicklung des Nerven- und Immunsystems. Die besten Eisenquellen sind rotes Fleisch, fetthaltiger Fisch, Tofu, Hülsenfrüchte und Blattgemüse.

ENTWICKLUNG FÖRDERN

Spielen mit Wasser

Ihr Baby wird begeistert mit Wasser spielen und sich vermutlich dabei komplett nass machen. Lassen Sie es nicht aus den Augen und halten Sie es fest, damit es nicht nach vorne kippt. Füllen Sie eine große Schüssel zur Hälfte mit warmem Wasser, geben Sie Badespielzeug oder geeignete Küchenutensilien hinein. Ermuntern Sie Ihr Baby zum Spiel, also z.B. Tassen zu füllen und auszuleeren, das Entchen unterzutauchen, das Wasser mit dem Löffel zu rühren oder einfach mit den Händen darin zu planschen. Das Baby lernt, wie es durch sein Handeln Wasser zum Schäumen, Spritzen oder Auslaufen bringt, wie Dinge schwimmen oder untergehen. Das Spielen mit Wasser hilft ihm dabei, sein Vertrauen in das nasse Element zu stärken.

Wasserspiele Babys sind fasziniert von Wasser. Sie lieben es, mit den Händen darin zu planschen und zu sehen, wie sich Wasser verhält, wenn man es schüttet oder verspritzt.

28 Wochen

Ihr Baby kann nun vielleicht schon allein sitzen. Das heißt auch, dass es seine Hände frei hat und seine wachsende Geschicklichkeit unter Beweis stellen kann. Es möchte ständig spielen und erforscht begeistert alles, was in seiner Reichweite ist!

Von einer Hand zur anderen

Ihr Baby hat nun mehr Kontrolle über seine Hände. Ganz fasziniert bewegt es Dinge von einer Hand in die andere.

LIEBE ZU BÜCHERN WECKEN

Machen Sie Bücher zu einem Teil von Babys Lebens. Sie fördern damit die Entwicklung der Sprachfähigkeit und des Sprachverständnisses. Und vielleicht wecken Sie ein Interesse, dass eines Tages zur Leidenschaft werden könnte. Wählen Sie altersgerechte Bücher und lassen Sie Ihr Baby die Seiten selbst umblättern. Lesen Sie übertrieben ausdrucksvoll. Es macht nichts, wenn es immer wieder dasselbe Buch ist. Wiederholung hilft dem Baby beim Lernen. Kaufen Sie robuste Bücher, die es gut aushalten, wenn das Baby sie untersuchen will. Einfache Geschichten sind ideal. Bücher mit Gucklöchern regen seine Neugierde an. Legen Sie eine kleine Büchersammlung an und nehmen Sie immer einige davon als Zeitvertreib für unterwegs mit.

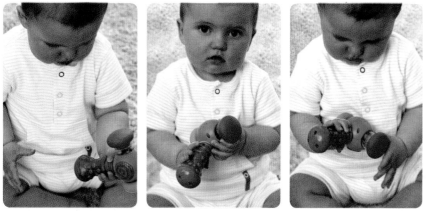

Verbesserter Griff Ihr Baby kann nun Dinge mit einer Hand hochheben und sie in die andere Hand legen. Geben Sie ihm gut greifbare Spielsachen, damit es diese Fähigkeit trainieren kann.

Lesespaß Ein tägliches Vorleseritual, auf das sich Ihr Baby freut, kann seine spätere Liebe zu Büchern wecken.

Ihr Baby beginnt, Dinge mit beiden Händen zu greifen und sie mit beiden Händen gleichzeitig zu halten. Es entwickelt auch die Fähigkeit, Gegenstände von einer Hand in die andere zu wechseln und sie in einen Behälter, der vor ihm steht, hineinzulegen. Es erkundet mit den Augen, was es da in Händen hält und wird dabei immer kreativer. Vielleicht hält es den Gegenstand zuerst weit weg von sich und wechselt ihn dann von einer Hand zur anderen. Auf diese Weise erfährt es etwas über die Eigenschaften der Dinge. Es lernt, dass die Objekte ihre Größe nicht verändern, wenn man sie von sich weghält oder zu sich hinbewegt, auch wenn sie dann größer oder kleiner aussehen.

Kontrollierte Bewegungen Geeignete Spielsachen und vielfältige Gelegenheiten fördern die Entwicklung von Babys Fähigkeit, Bewegungen kontrolliert auszuführen. Dazu zählen z. B. das Greifen, Öffnen und Schließen der Hände. Diese Fähigkeit wird nicht nur im ersten Lebensjahr, sondern während der gesamten Kindheit weiterentwickelt und schließt auch feinmotorische Bewegungen sowie die Hand-Auge-Koordination mit ein.

Geben Sie Ihrem Baby geeignete Objekte in unterschiedlicher Größe und von verschiedenartiger Textur, damit seine Hände und Augen viel zu erforschen haben. Kleinere Bauklötze sind ideal. Das Baby wird sie zwar noch nicht aufeinanderstapeln, aber es kann sie gut greifen, zwischen den Händen hin und her wechseln und die Unterschiede zwischen den definierten Kanten und den glatten Flächen erkunden. Irgendwann zwischen sieben und neun Monaten wird es auch anfangen, in die Hände zu klatschen – so wie Sie es tun, wenn es etwas gut gemacht hat oder Sie zusammen sein Lieblingslied hören.

Ihr Baby möchte nicht nur die Welt entdecken, es wird Sie auch weiterhin nachahmen. Ihm zu zeigen, was es tun soll, ist daher genauso wichtig, wie es Dinge selbstständig erkunden zu lassen.

Forscherdrang

Ihr Baby wird alles nachmachen wollen, was Sie tun, und alles untersuchen, was ihm interessant erscheint.

Seine Neugier kennt nun keine Grenzen mehr! Tiefenwahrnehmung und Sehfähigkeit Ihres Babys verbessern sich immer mehr, sodass es ständig neue Dinge entdeckt, die es gern haben möchte. Vielleicht ist es auf manche Dinge besonders fixiert, wie etwa die Topfpflanze, die Sie außer Reichweite gestellt haben, oder Ihre Autoschlüssel – lautstark brüllt es, um seinem Wunsch Ausdruck zu geben, an diese Objekte

Lernen durch Anfassen Durch Erforschen und Ausprobieren lernt Ihr Baby etwas über die Eigenschaften von Dingen.

heranzukommen. Unglaublich ist nun, wie beweglich es plötzlich sein kann, um an die Dinge heranzukommen: Achten Sie auf Ihre Kaffeetasse auf dem Tisch, auf Zerbrechliches und auf herumliegende Kleinteile von Spielsachen der älteren Geschwister.

Neugier ist jedoch die Quelle des Lernens und Babys finden einfach alles interessant. Sie reagieren auf Sinneserfahrungen mit dem Wunsch, mehr über die Welt herauszufinden. Geben Sie seinem Gehirn Nahrung, indem Sie es die verschiedensten Texturen, Aromen und Konsistenzen erforschen lassen.

Wann ist Zeit zu schlafen?

Sofern Ihr Baby genug Schlaf bekommt, können Sie seine Zubettgehzeit Ihrem eigenen Lebensrhythmus anpassen.

Viele Eltern finden es schade, dass ihre Babys schon schlafen, wenn sie von der Arbeit nach Hause kommen. Ihnen bleiben nur die Wochenenden, um mit ihnen zu spielen, sich um sie zu kümmern und gemeinsame Zeit zu verbringen. Muss das wirklich so sein?

Regelmäßige Schlafenszeiten sind für Ihr Baby wichtig, weil sich seine innere Uhr darauf einstellt und weil sie Teil seiner Schlafgewohnheiten sind. Dennoch ist es kein Problem, das Baby z.B. anstatt um 19 Uhr erst um 20 Uhr schlafen zu legen. So haben auch berufstätige Eltern die Chance, nach Feierabend noch etwas Zeit mit ihrem Baby zu verbringen. Sie

sollten dann jedoch das Kinderzimmer abdunkeln, damit Ihr Baby morgens etwas länger schlafen kann. Unabhängig davon, zu welcher Uhrzeit es zu Bett geht, braucht es etwa acht bis zehn Stunden Schlaf pro Nacht.

Vermeiden Sie Übermüdung Wenn Ihr Baby zu müde wird, überwindet es womöglich seinen »toten Punkt« und wird so aufgekratzt, dass Sie es nur schwer wieder zur Ruhe bringen. Ein kurzer Schlaf am späten Nachmittag kann dem vorbeugen. Sie müssen vielleicht etwas herumprobieren, wie viel Schlaf das Baby am Spätnachmit-

tag braucht, um durchzuhalten, bis Sie nach Hause kommen. Aber auch dann sollten Sie das Baby nicht mit aufregenden Spielen überreizen. Alle Aktivitäten kurz vor dem Zubettgehen sollten gemächlich und entspannend sein.

Früh zu Bett Wenn Sie abends gern etwas Zeit für sich hätten und das Baby gegen 18 oder 19 Uhr von selbst müde wird, legen Sie es ohne schlechtes Gewissen schlafen. Es ist kein Problem, solche Gewohnheiten später wieder zu ändern. Was die Schlafenszeiten angeht, sind Babys bis zum Alter von etwa 12 Monaten relativ flexibel.

Nahrungsmittelallergien

Durch das Umstellen auf feste Nahrung können Allergien auftreten. Sind die Symptome bekannt, lässt sich besser damit umgehen.

Nahrungsmittelallergien treten bei Babys relativ selten auf. Und falls doch, vergehen sie oft im Lauf der Kindheit von selbst wieder. Das Risiko ist für Ihr Baby aber höher, wenn in Ihrer Familie bereits jemand an Neurodermitis, Asthma, Heuschnupfen oder Nahrungsmittelallergien leidet. In diesem Fall sollten Sie bei der Einführung von Beikost (s. S. 234f.) bei Milch, Eiern, Weizen, Fisch und Krustentieren (den stärksten Allergieauslösern) auf mögliche Reaktionen achten. Wenn Sie stillen, können Sie diese Nahrungsmittel aber dennoch sofort anbieten. Wenn Sie nur Flaschennahrung füttern, sollten Sie damit warten, bis das Baby sechs Monate alt ist.

Manche Nahrungsmittelallergien sind leicht erkennbar, insbesondere wenn die Reaktion unmittelbar nach Verzehr der Nahrung auftritt. Wenn Sie an Ihrem Baby folgende Symptome bemerken, sollten Sie einen Kinderarzt aufsuchen:

■ Rotes Gesicht, Nesselsucht oder ein roter, juckender Ausschlag an Mund, Zunge oder Augen, der sich über den ganzen Körper ausbreiten kann.
■ Leichte Schwellung, vor allem von Lippen, Augen und Gesicht.
■ Laufende oder verstopfte Nase.
■ Gerötete, juckende Augen.
■ Übelkeit, Erbrechen, Bauchweh, Durchfall.

Sehr selten können Nahrungsmittel eine schwere allergische Reaktion auslösen, den sogenannten anaphylaktischen Schock (s. S. 404).

In manchen Fällen ist die Reaktion auf bestimmte Nahrungsmittel nicht so leicht zu erkennen, weil die Symptome weniger auffällig sind und erst etwa 48 Stunden nach Verzehr der Nahrung auftreten. Man nennt das Nahrungsmittelunverträglichkeit mit einer nicht immunologisch ausgelösten Reaktion. Meist sind dies angeborene oder erworbene Enzymdefekte. Hauptschuldige sind Milch, Soja, Eier und Weizen. Zu den Symptomen gehören Ekzeme, Kolik, Reflux, Durchfall und Verstopfung.

Bei Verdacht auf eine Allergie wird der Kinderarzt an Ihrem Baby einen Haut- oder Bluttest durchführen. Eventuell werden Sie auch gebeten, die verdächtigten Nahrungsmittel mindestens zwei Wochen lang nicht zu füttern, um zu überprüfen, ob die Symptome anhalten.

Bitte streichen Sie nie eigenmächtig Nahrungsmittel aus dem Ernährungsplan Ihres Babys; denn dies könnte seine Gesundheit gefährden (s. S. 261).

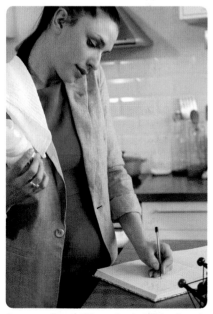

Genau notieren Führen Sie ein Tagebuch und tragen Sie ein, wann ein neues Nahrungsmittel eingeführt wurde und ob es Reaktionen gab.

DER ERNÄHRUNGSBERATER RÄT …

Ich mache mir Sorgen, dass mein Baby allergisch auf Erdnüsse ist. Soll ich ihm besser keine geben?
Es gibt keinen Grund, Essen zu vermeiden, das Erdnüsse oder andere Nüsse und Samen enthält, sofern das Baby älter als sechs Monate ist und es keine Allergien in der Familie gibt. Wurde aber bereits eine Allergie bei Ihrem Baby festgestellt oder leidet es an Neurodermitis, ist auch sein Risiko für eine Nussallergie erhöht. Besprechen Sie sich daher genau mit Ihrem Kinderarzt, bevor Sie Ihrem Baby zum ersten Mal nusshaltige Nahrung geben.

Kann ich mein Baby auch privat auf eine Allergie testen lassen?
Sie sollten alle medizinischen Maßnahmen mit Ihrem Kinderarzt absprechen, um andere Möglichkeiten für das Auftreten von Symptomen auszuschließen. Von alternativen Testverfahren, wie etwa dem Serum-igG-Test, ist abzuraten. Die Kosten dafür sind sehr hoch und nach Expertenansicht können damit weder Allergien noch Lebensmittelunverträglichkeiten festgestellt werden. Zudem besteht die Gefahr einer Mangelernährung, weil durch den Test viele Lebensmittel als »unverträglich« eingestuft werden.

Ähnliches gilt für kinesiologische Diagnostik. Sie kann als erste Orientierung zwar sinnvoll sein, doch sollten Sie die Ergebnisse stets schulmedizinisch bestätigen lassen.

28 Wochen

Der Kampf mit den Kilos

Kein Grund zur Panik, wenn Sie noch nicht wieder so schlank und fit sind wie vor der Schwangerschaft.

Bei diesem Thema muss man realistisch bleiben. Die meisten Frauen nehmen in der Schwangerschaft im Lauf von neun Monaten kontinuierlich zu. Da ist es klar, dass es auch etwas länger dauert, bis die überflüssigen Pfunde wieder verschwunden sind. Manche Frauen verlieren schon in der Stillzeit an Gewicht, andere dagegen fangen erst an abzunehmen, wenn die Stillzeit vorbei ist. Gewichtsverlust scheint auch vom Stoffwechsel und der individuellen Konstitution abzuhängen, daher gibt es dafür kein Patentrezept. Bei manchen Frauen verändert sich der Körper in der Schwangerschaft und wird nie wieder so wie davor. Sie können zum Beispiel an Gewicht verloren haben, aber dennoch ist Ihre Taille dicker, die Hüfte breiter und runder und die Brüste sind kleiner oder schwerer geworden. Das ist alles Teil (und Preis) der Mutterschaft.

Wenn Sie mit Gewicht und Figur sehr unzufrieden sind, überprüfen Sie Ihren Ernährungsplan auf Bereiche, in denen Sie sich etwas gesünder ernähren könnten. Essen Sie weniger Zucker und Fett, reduzieren Sie die Größe der Portionen und steigen Sie auf fettarme Milchprodukte um. Um nicht hungern zu müssen, erhöhen Sie bei Ihren Mahlzeiten einfach den Anteil an Obst und Gemüse.

Sport hilft ebenfalls bei der Gewichtskontrolle und strafft nebenbei noch Muskeln und Haut, sodass Sie sich in Ihrem Körper schnell wieder wohler fühlen. Wenn es Ihnen schwerfällt, sich allein zum Sport aufzuraffen, gehen Sie in einen Mutter-Kind-Gymnastikkurs oder machen Sie lange Spaziergänge mit dem Baby. Je aktiver Sie sind, desto mehr Kalorien verbrennt Ihr Körper.

Lautmalerei

Sprechen erfordert die exakte Koordination feinster Lippen- und Zungenbewegungen; deshalb ist es ein langwieriger Lernprozess.

Wenn wir sprechen, müssen wir viele Muskeln aus verschiedenen Körperbereichen benutzen, um den Kehlkopf mit den Stimmbändern, Zähnen, Lippen, der Zunge, dem Mund und den Atemwegen koordiniert einzusetzen.

Mit 28 Wochen besitzt das Baby bereits die Grundvoraussetzungen, um sprechen zu lernen. Noch benutzt es eine Kombination aus Vokalen, die in der Mitte des Mundes und mit flacher Zunge geformt werden, und Konsonanten, die entweder mit den Lippen gebildet werden (labial, z. B. »mama«) oder am oberen Zahndamm (alveolar, z. B. »dada«) oder aber am hinteren Gaumen artikuliert werden (velar, z. B. »gaga«).

Ihr Baby produziert auf diese Weise eine ganze Reihe interessanter Laute, die sich schon ein bisschen wie Sprache anhören. In diesem Stadium ist das allerdings reines Baby-Gebrabbel; die Laute haben noch keine wirkliche Bedeutung. Trotzdem sollten Sie darauf stets positiv und mit viel Interaktion reagieren, um das Baby in seinen Bemühungen zu bestärken. Wenn es etwas sagt, sollten Sie stets darauf antworten.

Worte des Lobes Sparen Sie nicht mit Lob und Aufmerksamkeit, wenn Ihr Baby mit seinen »Worten« mit Ihnen kommuniziert.

Nicht so stille Nächte …

Der Schlaf Ihres Babys kann sehr unruhig sein. Es schnarcht, atmet unregelmäßig, schlägt mit dem Kopf oder rollt sich hin und her.

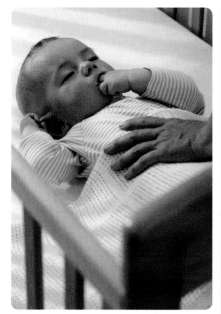

Tröstliche Gewohnheit Das beruhigende Saugen an Daumen oder Fingern kann Ihrem Baby beim Einschlafen helfen.

Wenn Ihnen die Redensweise »friedlich schlafen wie ein Baby« vorkommt wie blanker Hohn, gehört Ihr Baby vermutlich zu den Kindern, die die ganze Nacht schnarchen und schniefen, unregelmäßig atmen, mit dem Kopf schlagen oder sich selbst hin- und herschaukeln, um sich zu beruhigen. Diese seltsamen Angewohnheiten sind allerdings fast nie ein Grund zur Sorge, sondern verschwinden mit zunehmendem Alter von selbst. Vielleicht möchten Sie aber trotzdem etwas dagegen unternehmen.

Schnarchen und schniefen Babys schnarchen, schniefen und prusten häufig, weil sie erkältet sind oder eine verstopfte Nase haben. Stellen Sie im Babyzimmer einen Luftbefeuchter auf oder legen Sie ein feuchtes Handtuch auf die Heizung, denn bei erhöhter Luftfeuchtigkeit fällt das Atmen leichter. Fragen Sie Ihren Kinderarzt um Rat, wenn Sie eine auffällige Verhaltensänderung bei Ihrem Baby feststellen, etwa wenn es viel mehr schnieft als normal. Dasselbe gilt bei Atembeschwerden, Fieber, Unwohlsein oder wenn die verstopfte Nase das Trinken behindert.

Unregelmäßige Atmung Bei vielen Babys verändert sich der Atemrhythmus, wenn sie fest schlafen. So kann es sein, dass Ihr Baby eine Zeitlang sehr schnell atmet, dann langsamer wird und sogar einige Sekunden ganz aussetzt, bevor es wieder zu atmen beginnt. Die Atmung kann sich auch verändern, wenn das Baby träumt. Diese Atemaussetzer sollten allerdings inzwischen nicht mehr so häufig auftreten wie in den ersten Monaten. Wenn Sie sich jedoch Sorgen machen, fragen Sie den Kinderarzt um Rat. Läuft Ihr Baby blau an oder fühlt sich feuchtkalt an, rufen Sie sofort den Notarzt!

Sehr selten kann es sich beim Aussetzen der Atmung um eine Schlafapnoe handeln, die häufiger erst bei Kindern ab einem Jahr auftritt. Der Arzt wird eine Diagnose erstellen und eine entsprechende Behandlung vorschlagen.

Schaukeln und mit dem Kopf schlagen Nach dem sechsten Lebensmonat gewöhnen sich Babys manchmal rhythmische Aktivitäten an. Sie schlagen z.B. mit dem Kopf oder schaukeln sich hin und her, vorzugsweise vor dem Einschlafen und nachts. Aus der Zeit im Mutterleib sind sie an das Schaukeln gewöhnt, deshalb fühlen sie sich vielleicht dadurch getröstet. Solange sich Ihr Baby dabei nicht selbst verletzt, sollten Sie es auch nicht davon abhalten. Spätestens mit drei Jahren ist der Spuk aber vorbei.

Schaukeln und mit dem Kopf schlagen sind keine Anzeichen für eine seelische Störung. Vielleicht versucht sich Ihr Baby dadurch aber auch von den Schmerzen einer Halsentzündung, des Zahnens oder einer Mittelohrentzündung abzulenken. Wenn Sie vermuten, dass dies die Ursache für sein Verhalten ist, sollten Sie Ihr Baby bei längerem Auftreten dem Kinderarzt vorstellen.

FRAGEN SIE … EINEN KINDERARZT

Ich habe von einem Zustand gehört, der ALTE genannt wird. Was ist das? Die Abkürzung bezieht sich auf den englischen Ausdruck »apparently life-threatening event«. Im Deutschen ist auch der Ausdruck »Schlafapnoe im Säuglingsalter« gebräuchlich. Wenn bei einem Baby die Atmung für längere Zeit aussetzt, sinkt die Sauerstoffsättigung im Blut. Die Haut wird weiß oder bläulich, der Körper kann schlaff oder steif werden. Diesen Zustand nennt man ALTE. Er kann häufig durch eine Stimulation des Babys unterbrochen werden. Rufen Sie auf jeden Fall die Ambulanz und lassen Sie das Baby in die Klinik bringen. ALTE gilt als Risikofaktor für den plötzlichen Kindstod. Eine genaue Überwachung des Babys über mehrere Wochen nach einer ALTE-Episode ist daher unerlässlich.

243

29 Wochen

DAS BABY SIEHT JETZT SCHON FAST SO GUT WIE EIN ERWACHSENER.

Ihr Baby liebt Musik und wenn Sie ihm die richtigen Instrumente geben, macht es sie selbst! Allmählich entwickelt sich die Objektpermanenz – das Wissen, dass ein Objekt weiterexistiert, auch wenn es nicht sichtbar ist. Trennungsangst bewirkt, dass das Baby immer bei Ihnen sein möchte.

Wo ist es hin?

Ihr Baby lernt, dass Objekte weiterexistieren, auch wenn sie nicht sichtbar sind. Es liebt Versteckspiele und versteckt sich auch selbst.

Was ist in der Schachtel? Die Erkenntnis, dass Dinge weiterexistieren, auch wenn man sie nicht sieht, weckt die Neugier des Babys.

Die kognitive Entwicklung Ihres Babys schreitet voran. Es beginnt zu verstehen, dass Dinge nicht aufhören zu existieren, nur weil es sie nicht sehen kann. Sie erkennen dies daran, dass Ihr Baby weiter nach einem Spielzeug sucht, das unter einem Tuch versteckt oder außer Sichtweite ist. Ihr Baby liebt es, wenn Sie das Verschwinden und Wiederauftauchen von Dingen, Gesichtern oder Spielzeug in sein Spiel integrieren.

Bald wird es diese Erkenntnis auch auf andere Lebensbereiche übertragen, indem es Ihnen z. B. beim Schlafen die Decke wegzieht, um zu prüfen, ob Sie noch da sind.

Emotionale Auswirkungen Ihr Baby kommt allmählich in das Alter, in dem die Trennungsangst einsetzt (s. S. 283).

Objektpermanenz ist die kognitive Voraussetzung, überhaupt Trennungsangst entwickeln zu können. In Folge bewirkt dies, dass Ihr Baby anhänglicher wird. Hat es vor kurzem noch vergnügt allein gespielt und war zufrieden damit, wenn Sie bei der Hausarbeit ab und zu in sein Zimmer kamen, fragt es sich nun, wo Sie wohl sind, wenn es Sie weder sehen noch hören kann. Es weiß, dass Sie irgendwo sein müssen, und die Zeiten von »aus den Augen, aus dem Sinn« sind vorbei: Ihr Baby weint und schreit, damit Sie zu ihm kommen. Ignorieren Sie sein Rufen aber nicht. Es braucht die Bestätigung, dass Sie immer in der Nähe sind, auch wenn es Sie nicht sieht, und jederzeit herbeieilen, wenn es Sie braucht, um seine Wünsche und Bedürfnisse zu erfüllen.

ENTWICKLUNG FÖRDERN

Guck-guck?

Ihr Baby liebt Versteckspielen. Es ist begeistert, wenn Sie mit ihm spielen, und es kann auch selbst mitmachen! Es denkt nämlich, wenn es Sie nicht sieht, können Sie es auch nicht sehen. Ihr Baby amüsiert sich prächtig, wenn es wieder »auftaucht«, obwohl es eigentlich gar nicht weg war.

Versteckspiele fördern die Erkenntnis der Objektpermanenz. Das Baby erfährt dabei, dass Dinge nicht für immer verschwinden, sondern wieder zum Vorschein kommen. Wenn es dieses Prinzip versteht, wird es nach und nach auch leichter mit seinen Trennungsängsten fertig werden.

Überraschung! Das vertraute Versteckspiel wird für Ihr Baby noch lustiger, wenn Sie dabei alberne Grimassen schneiden.

FRAGEN SIE … EINEN KINDERARZT

Wie kann ich das Risiko minimieren, dass mein Baby Asthma bekommt? Wenn jemand in Ihrer Familie bereits Asthma hat, sollten Sie Ihr Baby so lange wie möglich stillen. Das Risiko verringert sich auch, wenn Sie und Ihr Partner schon während der Schwangerschaft auf das Rauchen verzichten. Ersetzen Sie alte, dicke Teppiche durch Laminat oder Parkett und tauschen Sie alte Bettdecken und Kissen gegen neue aus, um die Staubbildung zu reduzieren. Manche Kinder reagieren auf Haustiere mit Asthma: Schließen Sie dies bei Ihrem Kind zunächst garantiert aus, bevor Sie sich ein Tier anschaffen.

Wo ist Mama?

Ihr Baby erreicht nun das Alter, in dem die Trennungsangst einsetzt. Das kann nicht nur ihm, sondern auch Ihnen zu schaffen machen.

In den kommenden Wochen werden Sie feststellen, dass Ihr Baby ängstlich reagiert, wenn es von Ihnen getrennt ist. Ihr vergnügtes, unabhängiges Baby bricht plötzlich jedes Mal, wenn Sie den Raum verlassen, in Tränen aus. Es scheint mehr Zeit damit zu verbringen, nach Ihnen Ausschau zu halten, als mit seinen bisherigen Lieblingsaktivitäten.

Dieses Verhalten ist ganz normal, wenn auch etwas frustrierend. Das Baby will nicht ohne Sie sein und wird alles tun, um Ihr Fortgehen zu verhindern.

Ihr Baby lernt in diesem Alter, Vertrauen zu entwickeln, daher dürfen Sie seine Ängste keinesfalls ignorieren. Tun Sie stattdessen, was Sie können, um ihm Sicherheit zu geben.

Gehen Sie zu ihm, wenn es Sie ruft. Zeigen Sie ihm, dass Sie da sind, und knuddeln Sie es ein wenig, damit es sich geborgen fühlt. Sprechen Sie mit ihm, wenn Sie außer Sichtweite sind, und kehren Sie oft und regelmäßig zu ihm zurück, damit es lernt, dass Sie immer wieder zu ihm zurückkommen.

Gewiss ist es zeitaufwändig, ständig die Arbeit unterbrechen zu müssen, um dem Baby zu versichern, dass Sie noch da sind. Es ist aber unerlässlich, damit es lernt, dass es sich auf Sie verlassen kann. Die Geduld, die Sie jetzt aufbringen, bildet die Grundlage für das Vertrauen und die emotionale Sicherheit Ihres Babys. Die konstante Rückversicherung führt dazu, dass sich Ihr Baby zu einem unabhängigen, selbstständigen Menschen voller Selbstvertrauen entwickeln kann.

Hand in Hand

Ihr Baby merkt, dass beide Hände zu ihm gehören und dass es sie gleichzeitig benutzen kann.

Ihr Baby greift mit einer Hand nach einem Spielzeug, um es intensiv zu untersuchen oder um es in den Mund zu stecken. Plötzlich sieht es ein anderes Spielzeug. Es weiß, dass eine Hand beschäftigt ist, deshalb greift es mit der anderen nach dem neuen Objekt der Begierde. Es sieht sich beide Spielsachen genau an, vielleicht lässt es auch eines fallen, während es sich auf das andere konzentriert. Dann erregt ein anderes Spielzeug seine Aufmerksamkeit und alles beginnt von vorn. Es kann beide Hände benutzen, aber es weiß noch nicht genau, wie es sie am effektivsten einsetzen soll. Es nimmt Spielzeug von einer Hand in die andere oder schlägt zwei Objekte aneinander, um ein Geräusch zu produzieren; doch wirken seine Aktionen in diesem Alter noch relativ zufällig und unkoordiniert. Ihr Baby kann vielleicht ein Objekt mit beiden Händen ergreifen, hochheben und umdrehen, aber sobald es etwas anderes entdeckt, vergisst es meist, dass es schon etwas in Händen hält, und lässt es einfach fallen.

Geben Sie Ihrem Baby vielfältige Gelegenheiten, Dinge anzufassen, zu ergreifen und zu erforschen, damit es seine Hand- und Fingerfertigkeiten entwickeln und trainieren kann.

Starker Griff Ihr Baby hat nun mehr Kontrolle über seine Hände. Beide gleichzeitig zu benutzen, fällt ihm aber noch schwer.

Trinken

Ist Folgemilch gut für das Baby, und was sollte es in der zweiten Hälfte seines ersten Lebensjahres außerdem noch trinken?

Tasse im Griff Ermutigen Sie Ihr Baby ab etwa sechs Monaten aus der Tasse zu trinken.

Nachdem Ihr Baby die Sechs-Monats-Marke überschritten hat, fragen Sie sich vielleicht, ob die Milch, die es seit seiner Geburt bekommt, noch seinen Nährstoffbedürfnissen entspricht oder ob es nun Zeit für einen Wechsel ist. Vielleicht möchten Sie auch wissen, nachdem es jetzt schon feste zusätzlich Nahrung zu sich nimmt, was Sie ihm außer Muttermilch oder Milchnahrung noch geben können, um seinen Durst zu stillen.

Wenn Sie stillen, ist Muttermilch in den ersten sechs Monaten das ideale Getränk für Ihr Baby. Zusammen mit anderer Nahrung kann sie auch bis zum Ende des ersten Lebensjahres die Basis seiner Ernährung bilden.

Erhält das Baby Milchnahrung oder eine Mischung aus Muttermilch und Anfangsnahrung oder wenn Sie abstillen möchten, stellt sich Ihnen die Frage, welche Art von Folgemilch für Babys ab sechs Monaten geeignet ist.

Milchnahrung enthält zwei Arten von Eiweiß: Molke und Kasein. Anfangs- oder Premilch, die ab der Geburt geeignet ist, enthält mehr leichter verdauliche Molke. Folgemilch und Spezialmilch für » hungrige« Babys enthält oft einen höheren Kaseinanteil. Kasein ist schwerer verdaulich und das Baby bleibt länger satt. Von den Nährstoffen her gibt es aber keine signifikanten Unterschiede zwischen den unterschiedlichen Arten von Babymilch. Anfangsmilch ist durchaus während des gesamten ersten Lebensjahres geeignet.

Babys unter sechs Monaten sollten keine Sojamilch trinken. Danach ist eine Umstellung möglich, falls Sie nicht möchten, dass Ihr Baby tierisches Protein zu sich nimmt. Sojamilch wird oft als Alternative angeführt, wenn das Baby keine Kuhmilch verträgt, aber häufig sind solche Babys auch auf Sojamilch allergisch. Zudem enthält Soja Glukose, die den Zähnen des Babys schaden kann. Bei Milchallergie ist deshalb allergenarme, hydrolisierte Babymilch die bessere Wahl.

Ziegen-, Schafs- und Hafermilch sind nicht für Babys unter einem Jahr geeignet, da sie nicht genug Eisen und Nährstoffe enthalten. Ziegenmilch enthält außerdem Laktose und ist damit nicht wirklich allergenarm. Vollfette Kuhmilch sollte ebenfalls nicht unter einem Jahr gefüttert werden.

Den Durst stillen Bis jetzt erhielt Ihr Baby beim Stillen die benötigte Flüssigkeit durch die wässrige, dünne Vormilch. Bei der Flaschennahrung haben Sie ihm vermutlich zusätzlich ein wenig abgekühltes, abgekochtes Wasser angeboten, um es vor Dehydrierung zu bewahren.

Nachdem das Baby nun auch feste Nahrung zu sich nimmt, können Sie seine Mahlzeiten mit einem Getränk ergänzen. Am besten eignet sich Leitungswasser, das nach dem sechsten Monat auch nicht mehr abgekocht werden muss. Mineralwasser, das für die Zubereitung von Säuglingsnahrung geeignet ist, sollte höchstens 20 mg Natrium pro Liter enthalten. Fruchtsaft ist zwar gesund, enthält aber viel Zucker und sollte nur 1:10 verdünnt zu den Mahlzeiten gegeben werden.

Limonaden, koffeinhaltige Getränke sowie andere Getränke mit künstlichen Zusatzstoffen und Aromen gehören nicht zum Ernährungsplan von Babys.

FRAGEN SIE ... EINE MUTTER

Mein Baby will keine feste Nahrung probieren. Was soll ich tun? Bieten Sie ihm Muttermilch auf einem Löffel an, damit es sich erst einmal an den Löffel gewöhnt. Mischen Sie dann etwas Gemüsebrei in die Milch und reduzieren Sie nach und nach die Milchmenge. Geben Sie dem Baby einen eigenen Löffel, den es gut halten kann, und bieten Sie ihm etwas Brei in einer Schüssel an. Lassen Sie es ruhig auch mit den Händen hineinfassen. Das meiste vom Brei wird in seinen Haaren landen, aber es wird sich instinktiv auch etwas davon in den Mund schieben. So gewöhnt es sich leichter an die neuen Geschmacksrichtungen und Konsistenzen. Mag es noch immer nicht essen, probieren Sie es später noch einmal, wenn es hungriger ist.

247

Die richtigen Worte finden

Ihr Baby kann noch keine Anweisungen verstehen, dennoch sollten Sie es langsam an die Bedeutung von »ja« und »nein« heranführen.

Das Wort »Nein« wird bei Kindern häufig übermäßig oft benutzt. Sie gewöhnen sich so an das ständige Nein, dass sie es irgendwann einfach »überhören«. Auch wenn Ihr Baby die Bedeutung dieses wichtigen Wortes noch nicht versteht, sollten Sie es schon jetzt benutzen. Sagen Sie mit fester Stimme »nein« und schütteln Sie gleichzeitig den Kopf, wenn Ihr Baby in Gefahr ist, z.B. weil es an die heiße Heizung fassen will. Danach müssen Sie jedoch sofort eingreifen, weil Babys in diesem Alter auf »nein« noch nicht reagieren! Ein kindersicheres Haus sorgt übrigens dafür, dass Sie nur sehr selten »nein« sagen müssen. Wenn das Baby älter wird, empfiehlt es sich, ihm zu sagen, was es tun soll: »Halte den Teddy fest« wird besser wirken als »Nein, nicht fallen lassen«. Kinder reagieren schneller, wenn man ihnen sagt, was sie tun sollen, anstatt auszusprechen, was sie nicht tun sollen.

Wenn Sie möchten, dass Ihr Baby etwas unterlässt, z.B. auf dem Wickeltisch herumzuzappeln oder sich steif zu machen, wenn Sie es anziehen wollen, lenken Sie es am besten mit Spielzeug oder Grimassen ab. Oder warten Sie, bis es sich beruhigt. Jetzt ist noch nicht der Zeitpunkt, um Disziplin zu üben. Schimpfen verursacht in diesem Alter nur Stress und Unruhe und hat keine belehrende Wirkung.

Sparen Sie nicht mit einem positiven »Ja«, wenn das Baby etwas richtig macht. Ein Lächeln, ein Kopfnicken und ein freudiges »Ja« ermuntern es, seine Handlung zu wiederholen.

Die Liebe zur Musik wecken

Der beste Weg, Ihr Kind zur Musik hinzuführen, ist es, seine Welt mit Musik aller Art zu erfüllen und sie mit ihm zusammen zu genießen.

Ihr Baby zeigt vielleicht schon eine Vorliebe für bestimmte Musikarten. Es liebt die ruhige Melodie, bei der es sich immer beruhigt oder einschläft, aber auch fröhliche, schnelle Rhythmen, die es auch dann unterhalten und zum Lachen bringen, wenn es einmal quengelig und unzufrieden ist.

Musik fördert die Sprachentwicklung: Studien ergaben, dass Babys, die viel Musik hören, die Muster von Sprache und Grammatik schneller verstehen und auch schneller sprechen lernen. Sie zeigten auch, dass beruhigende Musik das Stresshormon Cortisol reduziert, während lebhafte Musik das Baby zwar mitreißt, es aber auch überreizen kann, wenn es müde ist. Eine weitere Studie über die Wirkung von Musik auf kleine Kinder fand heraus, dass leise Musik (in diesem Fall Wiegenlieder) ruhelose Kinder entspannt. Ihrem Baby wird es sicher gefallen, wenn Sie ihm in Zukunft beim Zubettgehen ein Schlaflied vorsingen

Unabhängig von den Langzeiteffekten hat Ihr Baby sicher großen Spaß daran, Musik zu hören und zu machen. Singen Sie ihm vor, während Sie es auf dem Arm halten und sich zur Musik bewegen. Übrigens wirkt nicht nur klassische Musik auf die neuronalen Netze im Gehirn, sondern jede Art von Musik.

Musik machen Geben Sie Ihrem Baby ein Instrument und machen Sie mit ihm Musik. Tanzen Sie, während es die Rassel schlägt.

Praktische Kleidung

Da Ihr Baby inzwischen viel größer und mobiler ist, sollten Sie ihm bequeme Kleidung anziehen, in der es sich frei bewegen kann.

FRAGEN SIE ... EINEN KINDERARZT

Bisher habe ich mein Baby immer auf dem Rücken schlafen lassen, um das Risiko des plötzlichen Kindstods zu reduzieren. Aber jetzt dreht es sich im Schlaf von selbst auf den Bauch. Soll ich es wieder auf den Rücken drehen?
Da das Baby gelernt hat, sich selbst zu drehen, macht es keinen Sinn, es zurückzudrehen, wenn die Bauchlage seine bevorzugte Schlafhaltung ist. Man kann jedoch davon ausgehen, dass die gefährlichste Zeit für den plötzlichen Kindstod vorüber ist, sobald das Baby sich von allein drehen kann. Halten Sie sich aber an die vorbeugenden Maßnahmen (s. S. 31) und verzichten Sie auf Kopfkissen und voluminöse Zudecken im Kinderbettchen.

Mein Baby hat nachts immer kalte Hände und Füße, schläft aber sehr gut. Muss ich es wärmer anziehen? Hände und Füße eines Babys sind immer kälter als der Rest des Körpers. Wenn sich Gesicht und Nacken warm (nicht feucht!) anfühlen, ist es richtig angezogen. Sind sie kalt, legen Sie noch eine dünne Decke auf das Bett oder ziehen Sie ihm wärmere Socken an. Schweiß an Kopf, Gesicht oder Hals ist ein Zeichen für Überhitzung, was unbedingt vermieden werden sollte. Bei einer Zimmertemperatur zwischen 16–20 °Celsius – idealerweise 18 °Celsius – sollte es dem Baby weder zu warm noch zu kalt sein.

Lockere Kleidung Wählen Sie Kleidung, die das Baby nicht einengt (links).
Druckknöpfe Praktische Druckknöpfe machen das An- und Ausziehen zum Kinderspiel (rechts).

Komfort vor Schönheit Locker sitzende Kleidung bietet Ihrem Baby ausreichend Bewegungsfreiheit. Hosen mit Flicken auf den Knien sind besonders praktisch. Da Ihr Baby oft auf Händen und Knien unterwegs ist, verlängern sie die Lebensdauer der Hose enorm. Langärmlige Shirts schützen Unterarme und Ellbogen, wenn das Baby über den Boden rutscht. Komfort sollte daher stets Vorrang vor Schönheit haben!

Lang- oder kurzärmlige Bodys mit Druckknöpfen im Schritt halten alles schön an seinem Platz. Wahrscheinlich ist Ihr Baby jetzt beim Windelwechsel ziemlich ungeduldig, weil es doch so viel zu tun und zu entdecken gibt. Kleidung mit Druckknöpfen und Gummizug in der Taille ist schnell an- und ausgezogen und erspart Ihnen beiden lästiges, zeitraubendes Herumfummeln.

Austauschbar Das Umstellen auf feste Nahrung wird Spuren auf der Kleidung hinterlassen, egal wie viele Lätzchen Sie haben. Rechnen Sie damit, das Baby mehrmals täglich umzuziehen, während es versucht, mehr Nahrung in den Mund als auf seine Kleidung zu bringen. Ideal für diese Zeit sind Baby-Kombinationen, bei denen alle Unter- und Oberteile miteinander austauschbar sind. Auf jeden Fall sollte die Kleidung leicht waschbar, hautfreundlich und bügelfrei sein. Geben Sie in dieser Phase nicht zu viel Geld für teure Babykleidung aus: Sie wird im Nu fleckig und verwaschen sein und – ehe Sie sich versehen – dem Baby auch schon nicht mehr passen.

Füße zuerst Ihr Baby wird versuchen, sich robbend, rutschend oder krabbelnd vorwärts zu bewegen, deshalb braucht es Grip an den Füßen. Ziehen Sie ihm Socken mit Gumminoppen auf der Sohle an oder lassen Sie es barfuß krabbeln, wenn es warm genug ist. Kein Baby braucht Schuhe zum Laufenlernen; es sollte sie erst dann tragen, wenn es schon sicher laufen kann.

30 Wochen

IHR BABY REAGIERT MEHR AUF IHREN TONFALL ALS AUF DIE BEDEUTUNG IHRER WORTE.

Ihr Baby beginnt zu verstehen, was Sie sagen, indem es auf Ihre Mimik und Ihren Tonfall achtet. Es ist sehr sensibel für die emotionale Atmosphäre in seinem Umfeld, daher sollten Sie häusliche Streitigkeiten niemals in seiner Anwesenheit austragen.

Zeichensprache

Ihr Baby entdeckt, dass es sich mit Gesten verständlich machen kann. Sie können es aktiv dabei unterstützen.

Vormachen Zeigen Sie Ihrem Baby einfache Gebärden wie »hungrig« oder »müde«, indem Sie die Worte mit Gesten untermalen.

BITTE BEACHTEN

Tasse statt Flasche

Sobald Ihr Baby Dinge festhält und mit den Fingern isst, können Sie es mit dem Trinken aus der Tasse vertraut machen. Verwenden Sie dazu eine Tasse mit (vorzugsweise weichem) Schnabel und großem Griff. Der Deckel sollte nicht aufgehen, wenn die Tasse herunterfällt! Die Umstellung auf eine Schnabeltasse mit Deckel hilft Ihrem Baby, allmählich von den Flaschensaugern Abschied zu nehmen. Wenn Sie verdünnten Fruchtsaft geben, verhindert sie außerdem, dass die durchbrechenden Zähne unnötig lange in Zucker gebadet werden (Mischungsverhältnis s. S. 247).

Ihr Baby beginnt vielleicht schon, Gesten zu benutzen, um seine Wünsche auszudrücken, etwa indem es die ganze Hand ausstreckt, wenn es etwas haben will. In den kommenden Monaten wird sich das perfektionieren und auch Sie werden lernen, die Gesten richtig zu interpretieren. Es kann sein, dass Sie erst einmal ein Spielzeug nach dem anderen hochheben, ehe Ihnen klar wird, dass Ihr Baby auf Sie zeigt, weil es von Ihnen in den Arm genommen werden möchte!

Ermuntern Sie Ihr Baby, auf Dinge in einem Buch zu zeigen, indem Sie es z. B. fragen »Wo ist der Hund?« und dann zunächst selbst darauf deuten. Wenn es sein Lieblingsspielzeug anschaut oder die Hand danach ausstreckt, geben Sie es ihm. Damit zeigen Sie, dass sein Signal bei Ihnen angekommen ist.

Bis das Baby lernt, mit dem Finger zu zeigen, wird es die Hand zur Faust ballen und den Arm ausstrecken. Erst mit etwa neun Monaten wird es kontrolliert auf etwas zeigen können, indem es den Zeigefinger ausstreckt.

Gesten nachahmen Ihr Baby kann nun vielleicht schon ein paar Handbewegungen seiner Lieblingskinderreime oder -lieder nachmachen. Sagen Sie »Tschüss«, wenn Sie zum Abschied winken, oder »Kuss«, wenn Sie ihm eine Kusshand zuwerfen. Dadurch begreift es, dass Handlungen und Gesten mit Worten verbunden sind.

Studien in den USA belegen, dass Babys, die dazu ermutigt wurden, zunächst ohne und dann in Verbindung mit Worten Gebärden zu benutzen, schneller sprechen lernten und auch die kognitive Entwicklung davon profitierte.

FRAGEN SIE ... EINEN KINDERARZT

Mein Baby hat ständig tränende Augen. Wann hört das auf? Wenn die Tränenproduktion mit etwa einem Monat einsetzt, sollten die Tränen über die winzigen Tränenkanäle in den Augenwinkeln abfließen. Manchmal kommt es jedoch vor, dass diese noch blockiert sind. Das ist kein Grund zur Sorge, meistens löst sich das Problem bis zum Ende des ersten Lebensjahres von allein. Der Kinderarzt kann Ihnen zeigen, wie Sie die Kanäle massieren können, um die Blockierung zu lösen. Reinigen Sie die Augen mit Wattepads und abgekochtem, abgekühltem Wasser. Bei Rötung der Augen oder gelblichem Ausfluss sollten Sie den Kinderarzt aufsuchen, denn vielleicht benötigt Ihr Baby dann antibiotische Augentropfen.

Soll ich mein Baby gegen Grippe impfen lassen? Ist das Baby gesund, braucht es keine Impfung gegen irgendeine Form von Grippe. Die Grippeimpfung wird nur für Babys über sechs Monate mit chronischer Erkrankung empfohlen.

Ist es normal, dass mein Baby die Beine anhebt und Grimassen zieht, wenn es in die Windeln macht? Das Anziehen der Beine bringt es in Hockstellung, was das Absetzen von Stuhl erleichtert. Es heißt nicht, dass Ihr Baby Probleme oder Schmerzen hat. Solange seine Verdauung regelmäßig und kein Blut in seinem Stuhl zu finden ist, ist alles in Ordnung.

Seelische Empfindsamkeit

Ihr Baby hat feine Antennen für sein Umfeld. Es registriert Ärger und Disharmonie und fühlt sich davon eingeschüchtert.

Die Forschung weiß viel darüber, wie und warum Babys Stress erleben. Es kann geschehen, wenn sie hungrig sind und nicht gefüttert werden oder wenn sie schreien und niemand kommt, um sie zu trösten. Da Babys weder körperlich noch seelisch dafür ausgerüstet sind, mit großem Stress umzugehen, kann ihr physisches und psychisches Wohlbefinden schwer darunter leiden. Ihr Baby braucht Sie, um seinen Stress zu mindern, indem Sie es füttern, ihm Wärme und Liebe geben und es trösten, wenn es von seinen Emotionen überwältigt wird. Wenn Sie schnell reagieren und es gleich beruhigen, lernt es, dass Gefühle nicht übermächtig werden müssen. Daraus entwickelt sich ein Gefühl von Vertrauen und Sicherheit, das dem Baby hilft, sich in Stresssituationen selbst zu beruhigen.

Studien haben gezeigt, dass Babys ein feines Gespür für ihr soziales Umfeld haben. Sie merken sofort, wenn es zu Streit oder Spannungen zwischen den Eltern kommt und reagieren darauf mit Unsicherheit, Angst oder sogar körperlichem Unwohlsein. Ein lauter Streit in seiner Nähe erschreckt Ihr Baby zutiefst. Wenn es nicht möglich ist, einen Streit in Abwesenheit des Babys auszutragen, sorgen Sie dafür, dass er möglichst ruhig und gesittet abläuft. Erhitzen sich die Gemüter zu sehr, brechen Sie ab, um sich wieder abzukühlen. Wird Ihr Kind älter, zeigen Sie ihm, wie man Differenzen friedlich löst, damit es lernt, dass Streitigkeiten auch auf ruhige, vernünftige Weise beigelegt werden können.

Sanfte Führung

Ihr Baby hat seinen eigenen Kopf. Steuert es jedoch in eine unpassende Richtung, müssen Sie es sanft auf einen anderen Weg lenken.

Alle Eltern müssen sich Techniken aneignen, mit denen sie ihr Baby dazu bringen, von unerwünschten Objekten, Aktivitäten und Verhaltensweisen abzulassen. Babys sind zwar sehr dickköpfig, aber auch leicht abzulenken, da ihr Gedächtnis noch sehr kurz und ihr Interesse an neuen Dingen extrem groß ist.

Wenn Ihr Baby beim Anziehen wild umherzappelt, zum x-ten Mal hintereinander die Topfpflanze ansteuert oder seinen empörten Geschwistern die Kekse wegessen will, ist es Zeit für ein paar Ablenkungsmanöver. Legen Sie überall im Haus Spielzeugverstecke an, damit Sie immer eines griffbereit haben, um das Baby abzulenken. Tauschen Sie das Spielzeug oft aus, sodass es immer wieder »neu« ist. Stimmen Sie ein Lied oder ein Gedicht an, bei dem sich Ihr Baby aktiv beteiligen kann. Heben Sie es hoch und tragen Sie es in ein anderes Zimmer, kitzeln Sie seine Füße oder zeigen Sie ihm ein Flugzeug am Himmel.

Schimpfen hilft nichts, denn Ihr Baby versteht noch nicht, wieso es manches nicht tun oder haben darf. Ablenkung ist der einzige Weg, unerwünschtes Verhalten zu unterbrechen. Das Baby merkt bald von selbst, dass manches verboten ist – was es aber wahrscheinlich nicht davon abhalten wird, es zu probieren!

Schau mal! Tut Ihr Baby etwas Unerwünschtes, halten Sie es davon ab, indem Sie es mit einem Spielzeug ablenken.

Spielzeug ab 7 Monate

Mit sieben Monaten ist Ihr Baby bereit für Spielzeug, das Koordination, Verstand und Grob- sowie Feinmotorik trainiert.

Tüfteln Spielzeug zum Formensortieren findet Ihr Baby interessant, auch wenn es noch längst nicht die richtigen Löcher findet.

Spielzeug muss nicht teuer sein, um Ihr Baby zu unterhalten und seine Entwicklung zu unterstützen. Viele Haushaltsgegenstände sind sehr gut dafür geeignet. Aber es gibt auch ein paar tolle Spielsachen für diese Altersstufe.

Bälle und Spielzeug auf Rädern ermuntern zur Mobilität und fördern die Hand-Auge-Koordination, etwa wenn das Baby einen Ball vor und zurück rollt. Ideal ist ein Spielzeug auf Rädern mit einer dicken Schnur; Ihr Baby kann es daran hinter sich herziehen.

Spielsachen, die Ihr Baby zum Nachdenken bringen, schärfen seine geistigen Fähigkeiten. Kaufen Sie Spielzeug, in dessen Innerem sich andere Teile verstecken, oder einfache Puzzles, deren große Einzelteile mit Griffen versehen sind. Sie dürfen jedoch nicht zu schwierig sein, sonst wird das Baby schnell aufgeben.

Spielzeug, mit dem Ihr Baby verschiedene Formen und Geräusche oder das Ursache-Wirkung-Prinzip entdecken kann, regen es zum Nachdenken an und trainieren seine motorischen Fähigkeiten. Dazu eignen sich Formensortierer, Spielsachen, die Geräusche machen, sowie stapelbares Spielzeug, dessen Einzelteile ineinander passen. Altersgerechte Musikinstrumente, etwa eine Regenprassel, üben ebenfalls eine große Faszination auf Babys aus.

Mit einem Activity-Spielbrett, das am Kinderbett oder am Stuhl befestigt wird, kann das Baby seine Koordinationsfähigkeit üben. Es wird begeistert daran drehen, drücken oder ziehen, um eine Reaktion zu provozieren. Bauklötze zum Stapeln, Umwerfen oder Sortieren sind ebenfalls eine gute Investition, weil sie lange Zeit interessant bleiben.

Vergessen Sie aber keinesfalls die Kinderbücher und initiieren Sie Ihr tägliches Leseritual mit Ihrem Baby! Bücher leisten einen enormen Beitrag zur Entwicklung von Sprache und Vokabular.

DER KINDERPSYCHOLOGE RÄT ...

Ist es schlimm, dass sich mein Sohn stark für Mädchenspielzeug interessiert? Spielzeug ist Spielzeug und man sollte es völlig geschlechtsneutral betrachten, auch wenn es in Prinzessinnenpink oder Matrosenblau daherkommt! Jungen können ebenso Gefallen am Spiel mit Puppen finden wie Mädchen an Autos oder Bällen. Spielzeug soll die Entwicklung fördern und unterhalten. Bis zum Alter von drei oder vier Jahren haben Kinder noch keine Vorstellung von Geschlechtsunterschieden, weder was sie selbst noch was die Wahl ihres Spielzeugs angeht. Sie können daher Ihr Baby ganz beruhigt mit dem Spielzeug spielen lassen, das es gerade am meisten interessiert.

ENTWICKLUNG FÖRDERN

Schatzkiste

Füllen Sie einen Korb oder eine Kiste mit babyfreundlichen Gegenständen, die Ihr Baby der Reihe nach untersuchen darf. Das muss nicht unbedingt alles Spielzeug sein, auch Alltagsobjekte, wie eine Zitrone oder eine saubere Spülbürste sind ideal. Ihr Baby kann sich durch die Sachen wühlen und alles anfassen, schmecken und erkunden. Das macht ihm einen Riesenspaß und fördert obendrein die Hand-Auge-Koordination, seine Fantasie und die Sprachentwicklung.

Spaßbox Ein Korb voll mit kindersicheren Objekten, die Ihr Baby untersuchen kann.

253

2. Phase der Beikost

Sobald Ihr Baby an pürierter Nahrung Geschmack gefunden hat, können Sie ihm auch etwas gröbere Nahrung und solche, die es mit den Fingern essen kann, anbieten.

BABYS SPEISEPLAN

Der folgende Speiseplan zeigt Ihnen exemplarisch, was ein Baby zwischen sechs und sieben Monaten pro Tag zu sich nehmen sollte. In diesem Alter braucht es täglich noch immer etwa 720 ml Milch. Die meisten Eltern geben ihrem Baby zunächst nur morgens und mittags feste Nahrung, damit das Baby Zeit zum Verdauen hat. Später ergänzt ein einfaches, leicht verdauliches Abendessen den Speiseplan.

■ **Morgens** Muttermilch oder Milchnahrung; Vollkornzerealien mit Milch oder etwas vollfetter Kuhmilch mit zerdrücktem Obst; oder Joghurt oder Haferbrei mit zerdrücktem Obst; oder Rührei und leicht gebutterte Toaststreifen.

■ **Mittags** Fleisch, Geflügel, Fisch oder Hülsenfrüchte mit Gemüse und Kartoffelbrei oder babygerechte große Nudeln; weiche Obststücke; Wasser zum Trinken.

■ **Früher Nachmittag** Muttermilch oder Milchnahrung.

■ **Spätnachmittag** Gemüse mit Käse oder stärkehaltige Nahrung, z.B. zerdrückte Ofenkartoffel mit Käse oder Käsemakkaroni mit Dosentomaten; reiner Vollmilchjoghurt mit Obst; Wasser zum Trinken.

■ **Vorm Schlafengehen** Muttermilch oder Milchnahrung.

Mehr Abwechslung Ist das Baby an feste Nahrung gewöhnt, machen Sie es mit neuen Konsistenzen und Aromen vertraut.

In dieser zweiten Phase der Beikosteinführung lernt Ihr Baby gröbere Nahrung kennen, die aber dennoch schön weich sein sollte. Ihr Baby braucht für die weichen Brocken zwar noch keine Zähne, aber es muss lernen, die kleinen Stücke vor dem Schlucken zu kauen. Dazu lernt es zunächst, die Nahrung im Mund zu bewegen. Für das Baby ist dies eine völlig neue Erfahrung, deshalb sollten Sie ihm Nahrung in unterschiedlichen Konsistenzen anbieten, damit es sich an das Herumschieben und Kauen gewöhnt. Nebenbei werden dadurch auch die Muskeln trainiert, die für das Sprechen wichtig sind.

Abwandlung erwünscht Ihr Baby kennt den Geschmack und die Konsistenz seiner üblichen Breie bereits zur Genüge, daher sollten Sie nun die Struktur seiner Nahrung ändern. Das kann ganz schnell geschehen, wenn Sie

mit dem Entwöhnen bis zum empfohlenen Alter von sechs Monaten gewartet haben: Sie mischen ab sofort fein gehackte, zerdrückte oder zerstampfte Nahrung unter den Brei. So verschaffen Sie dem Baby neue Geschmacks- und Konsistenzsensationen und erhöhen obendrein noch den Nährwert des Breis.

Zu Beginn geben Sie nur extrem kleine, weiche Brocken in den vertrauten Brei. Wahrscheinlich wird das Baby sie zuerst ausspucken. Mischen Sie sie einfach wieder unter und versuchen Sie es mit dem nächsten Löffel Brei erneut. Probieren Sie es mit weich gekochten kleinen Nudelstückchen, Kartoffelbrei oder gedämpftem Gemüse, das Sie mit der Gabel zerdrücken können.

Bieten Sie dem Baby auch Nahrung an, die es mit den Fingern selbst essen kann, z.B. Streifen von weich gekochten Karotten oder Kartoffeln, Birnen, Melonen, Papaya oder Avocado. Nach eingehender Untersuchung wird Ihr Baby die Nahrung irgendwann in den Mund schieben, daran saugen und schließlich lernen, sie zu kauen und zu schlucken. Lassen Sie das Baby dabei niemals allein, denn es könnte sich verschlucken.

Größere Brocken Danach sollten Sie Ihrem Baby etwas größere Brocken und neue Nahrungsmittel anbieten. Pürieren Sie gekochte Hühnerbrust oder Fisch nur kurz, damit es noch etwas Festigkeit behält. Beides können Sie zusammen mit etwas Erbsenpüree und Kartoffelbrei verrühren. Oder mengen Sie zerdrückte Bananen in den Babybrei.

Soll das Baby vegetarisch ernährt werden, mischen Sie gemahlene Nüsse in Joghurt oder Obstbrei oder dicken Sie damit Karottenpüree an.

Die Grundidee ist, das Baby im Lauf der folgenden Wochen mit einer größeren Auswahl an Nahrungsmitteln vertraut zu machen und es dabei langsam an Nahrung zu gewöhnen, die von der Konsistenz her dem Essen der restlichen Familie ähnelt. Die Atmosphäre beim Füttern spielt dabei eine große Rolle. Ermuntern und loben Sie Ihr Baby überschwänglich, aber zwingen Sie es niemals, etwas zu essen, was es nicht essen möchte.

Wie viel? Zu Beginn dieser Phase essen Babys meistens nicht mehr als einen oder zwei Löffel Brei. Dies wird sich in dem Maße steigern, wie Sie die Milchmahlzeiten verringern. Ihr Baby braucht Eiweiß, Kohlenhydrate und Fett

sowie eine Reihe von Vitaminen und Mineralien. Daher benötigt es Nahrung aus allen vier Nahrungsmittelgruppen (s. S. 207), verteilt auf zwei oder drei Mahlzeiten täglich.

Auf Reaktionen achten Wenn Ihr Baby bis jetzt noch nicht allergisch auf Nahrung reagiert hat, können Sie einfach aufschreiben, was es mag, und immer wieder auch das Essen probieren, das ihm bisher nicht zu schmecken schien. Trat bereits eine allergische Reaktion auf, haben Sie sicher schon mit dem Kinderarzt darüber gesprochen, welche potenziell allergenen Nahrungsmittel Sie weiter einführen können.

IDEALES FINGERFOOD

- Weich gekochtes oder gedämpftes Gemüse wie Karotten, Süßkartoffeln, Babymais, Grüne Bohnen, Brokkoli oder Blumenkohlröschen.
- Gekochte, in Teile geschnittene Kartoffeln, gedämpfte neue Kartoffeln, Zucchini oder Pastinaken.
- Kleine Stücke weißer Fisch mit Gemüsepüree zum Dippen.
- In Streifen geschnittener Toast, eventuell mit Hartkäse überbacken.
- Kleine, ungesalzene und ungewürzte Reiskräcker.
- Hartkäse in dickeren Streifen.

- Streifen von Brot (aus fein ausgemahlenem Vollkorn) mit Streichkäse.
- Hart gekochte, mundgerecht zerteilte Eier.
- Weiches, reifes Obst in Scheiben, wie Birne, Melone, Banane, Avocado, Pfirsich, Nektarine und Beeren.
- Gekochte Nudeln mit oder ohne etwas Soße oder Olivenöl.
- Trockenobst, in Stücke geschnitten, wie Aprikosen oder Feigen; große Rosinen oder Sultaninen (in etwas Wasser eingeweicht sind sie für Ihr Baby leichter zu handhaben.)

Klotzen statt kleckern! Babys lieben es, Essen anzufassen und es sich selbst in den Mund zu stecken. Dies ist ein großer Schritt in der körperlichen und geistigen Entwicklung Ihres Babys. Ermutigen Sie es auf jeden Fall dazu – auch wenn es eine große Kleckerei anstellt!

Neue Aromen und Konsistenzen

Es wird Zeit, neue Geschmacksrichtungen und gröbere Nahrung einzuführen, indem Sie dem Brei zerdrückte oder grob gehackte Zutaten untermischen.

- **Fleisch, Geflügel, Fisch, Eier und Hülsenfrüchte** Wenn Ihr Baby bereits dickere Breie akzeptiert, fügen Sie klein gehackte Brocken Geflügel, Fleisch oder Fisch hinzu. Hülsenfrüchte können Gemüseauflauf eine neue Konsistenz verleihen. Rühren Sie Couscous oder kleine Nudeln unter den Kartoffelbrei.

- **Obst und Gemüse** Machen Sie Ihr Baby auch mit Beeren und Trockenobst vertraut. Bieten Sie ihm grünes Gemüse wie Spinat oder Brokkoli an.

- **Kohlenhydrate** Ungesüßte Frühstückszerealien können in Milch eingeweicht und als Fingerfood angeboten werden. Probieren Sie auch Pasta, Couscous, Süßkartoffeln, Reis, Toast oder weiches Brot.

- **Milchprodukte** Verwenden Sie Vollmilch als Soße und geben Sie geriebenen Hartkäse hinein. Bestreichen Sie Toaststreifen mit Schmelzkäse. Vollmilchjoghurt oder Frischkäse mit Obst gemischt ist ein toller Nachtisch.

- **Konsistenz** Zerdrückte Nahrung mit winzigen Brocken, später auch größere, weiche Brocken.

- **Wie oft?** 2–3 Mahlzeiten täglich.

- **Wie viel?** 4–6 TL (mehr, wenn das Baby hungrig ist), 2–3 verschiedene Nahrungsmittel pro Mahlzeit. Täglich mindestens 2–3 Gemüse und 1 Obst plus Nahrungsmittel aus den anderen Gruppen (s. S. 270).

Wachstum in Windeseile

Das Aussehen Ihres Babys verändert sich. Sie werden vielleicht feststellen, dass seine kleinen Speckröllchen allmählich verschwinden.

Unwiderstehlich Ihr Baby hat jetzt vier bis acht Zähne oder nur zwei oder keinen, aber sein Lächeln ist zum Dahinschmelzen!

Manche Babys werden mit zunehmender Mobilität etwas dünner. Sie verbrennen mehr Fett, sodass die kleinen Speckröllchen und Grübchen nun schon wieder verschwinden.

Die Fontanelle oben am Kopf wächst allmählich zu; und wenn Ihr Baby anfängt zu laufen, wird sich sein Fußgewölbe etwas abflachen. Zwar hopst es noch auf und ab, wenn man es aufrecht hält, aber es streckt die Knie nun viel länger durch. Sein Kopf wird runder, weil es nun nicht mehr so viel auf dem Rücken liegt, und durch das Wachstum des ganzen Körpers sieht er im Verhältnis zum Rest nun nicht mehr ganz so groß aus. Ihr Baby hat inzwischen einen üppigen Haarschopf oder vielleicht wächst ihm auch nach wie vor nur ein zarter Flaum.

Ihr Baby wird bis zu seinem ersten Geburtstag weiterhin rasend schnell wachsen, doch jetzt verringert sich das Tempo ein wenig. Es wird wahrscheinlich 450–600 g pro Monat zunehmen und bis es ein Jahr alt ist noch etwa 6 cm wachsen. Seine endgültige Augenfarbe bildet sich zwischen sechs und neun Monaten aus. Leichte Veränderungen sind jedoch noch bis drei Jahre möglich.

Hygiene in der Küche

Sein unreifes Immunsystem macht Ihr Baby anfällig für Lebensmittelvergiftungen; achten Sie daher in der Küche auf Hygiene.

Hygiene ist sehr wichtig für das Wohlbefinden Ihres Babys. Um eine Kreuzkontamination zu verhindern, verwenden Sie für Fleisch ein anderes Schneidebrett und Messer als für Obst und Gemüse. Bewahren Sie rohe und zubereitete Lebensmittel getrennt (und in unterschiedlichen Fächern im Kühlschrank) auf. Kochen Sie Fleisch und Geflügel immer gut durch. Obst und Gemüse sollte vor dem Pürieren stets gewaschen und geschält werden.

Servieren Sie die Babynahrung sofort oder frieren Sie sie ein. Im Kühlschrank sollte sie nicht länger als zwei bis drei Tage aufbewahrt werden. Wenn Sie schon vorher wissen, dass das Baby nur einen Teil der Mahlzeit essen wird, servieren Sie nur eine kleine Menge und stellen Sie den Rest in den Kühlschrank.

Spülen Sie Geschirr und Besteck des Babys in heißem Wasser oder in der Spülmaschine, um alle Keime abzutöten. Sterilisation ist nicht nötig, denn das Baby ist inzwischen an viele Keime gewöhnt. Flaschen und vor allem die Sauger sollten nach wie vor sterilisiert werden, weil warme Milch die perfekte Brutstätte für Bakterien ist. Waschen Sie Ihre Hände und die des Babys, reinigen Sie häufig die Oberflächen und wechseln Sie regelmäßig die Küchenhandtücher.

DER ESSPLATZ IHRES BABYS

Reinigen Sie den Hochstuhl Ihres Babys nach jeder Mahlzeit mit heißem Seifenwasser und, wenn Sie möchten, mit etwas Desinfektionsmittel. Vergessen Sie die Spalten und Ritzen auf Tablett und Sitz nicht, in denen oft Essen landet. Wischen Sie rund um den Stuhl und sammeln Sie Essensreste vom Boden auf. Wenn das Baby umherkrabbelt, wird es sich nämlich alles in den Mund stecken, was es am Boden findet – sogar ein altes Fleischklößchen.

Dem Chaos Herr werden

Babys verbreiten Chaos! Ihre Küche sieht aus wie ein Schlachtfeld und im Wohnzimmer scheint ein Tornado gewütet zu haben.

Spielecke Ein Korb mit Spielzeug in einer Ecke lässt sich schnell wieder aufräumen.

Lassen Sie sich nicht vom Chaos überwältigen. Rechnen Sie aber damit, dass es nicht mehr so ordentlich bei Ihnen sein wird wie vor der Ankunft des Babys und dass Sie Ihre Ansprüche etwas zurückschrauben müssen. Die Zeit mit Ihrem Baby ist kostbar. Vergeuden Sie sie also nicht damit, hinter Ihrem spielenden Baby herzuräumen!

Ein paar neue Gewohnheiten können jedoch für mehr Ordnung sorgen. Räumen Sie am besten nach jeder Spielstunde mit dem Baby alle Spielsachen wieder auf. Das geht ganz einfach in Schachteln oder Körben, die Sie in offenen Regalen unterbringen.

Schaffen Sie in mehreren Zimmern Spielecken, jede mit einem großen Korb oder einem Regal, in dem alle Spielsachen Platz finden. Machen Sie am Ende des Tages einen Rundgang und sammeln Sie alle einzelnen Socken, heruntergefallenen Spielsachen, Lätzchen, feuchten Handtücher und Bücher auf. Legen Sie sie wieder an ihren Platz oder in die Wäsche. Füllen Sie die Wickeltasche auf, damit Sie jederzeit spontan das Haus verlassen können. Das sieht zunächst nach zusätzlicher Arbeit aus, aber Sie werden abends wesentlich entspannter sein, wenn alles für den nächsten Tag vorbereitet ist.

Wenn Sie abspülen, stellen Sie dem Baby eine eigene kleine Schüssel mit Wasser hin, in der es planschen kann. Verwenden Sie aber eine Schüssel mit Saugnapf, die nicht umfallen kann, und breiten Sie rund um den Hochstuhl ein Handtuch aus.

Wenn Sie sich eine Putzhilfe leisten können, suchen Sie sich eine für die regelmäßigen größeren Reinigungsarbeiten. Oder nehmen Sie sich am Wochenende gemeinsam mit Ihrem Partner ein wenig Zeit zum Aufräumen, wenn das Baby schläft.

ENTWICKLUNG FÖRDERN

Zeit zum Aufräumen

Ermuntern Sie das Baby nach dem Spielen dazu, seine Spielsachen selbst aufzuräumen. So entwickelt sich eine gute Angewohnheit, die für Ihr Baby bald zur Routine werden wird. Zeigen Sie ihm, wie es Spielsachen zurück in den Korb legen und Bücher in das unterste Regalfach stellen kann. Demonstrieren Sie ihm, wie hübsch es aussieht, wenn alle Kuscheltiere in einer Reihe stehen. Erklären Sie dabei, was Sie gerade tun, und wiederholen Sie immer wieder, dass Sie alles »schön sauber« machen. Dadurch wecken Sie positive Assoziationen. Loben Sie es, wenn es Spielzeug in den Korb legt. Ihr Baby wird Spaß daran haben, weil Sie bei ihm sind. Es sieht auch Ihre Freude und wird das nächste Mal wieder gerne mithelfen.

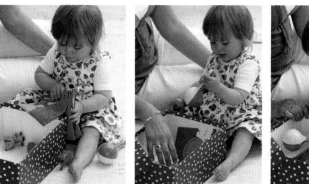

Das Aufräumspiel Machen Sie ein Spiel aus dem Zurücklegen des Spielzeugs in die Kiste. So erfährt Ihr Baby ganz nebenbei und zwanglos, dass auch Aufräumen Spaß machen kann.

31 Wochen

DISZIPLIN IST UNANGEBRACHT, DENN DAS BABY VERSTEHT »JA« UND »NEIN« NOCH NICHT.

Wenn Ihr Baby noch nicht krabbelt, sollten Sie es oft zum Spielen auf den Bauch legen, damit es die nötige Kraft und Koordination entwickelt. Seine Neugier ist grenzenlos: Geben Sie ihm also viel zu tun, achten Sie aber auf seine Sicherheit. Sein Geplapper klingt fast schon wie richtige Wörter.

Starke Gefühle

Ihr Baby kann seine Gefühle noch nicht steuern. Es bricht in Tränen aus, wenn es enttäuscht ist oder wenn Sie aus dem Zimmer gehen.

Bei einem Baby wechseln die Emotionen sehr schnell. In der einen Minute quietscht es noch vor Vergnügen, in der anderen ist es wütend und frustriert. Diese Wechsel sind schwer vorherzusagen und können sehr anstrengend für Sie sein. Ihr Baby teilt Ihnen auf diese Weise seine Wünsche und Bedürfnisse mit. Denken Sie stets daran: Ihr Baby kommuniziert durch seine Stimmungswechsel mit Ihnen – und das ist ein gutes Zeichen.

Im ersten Lebensjahr sind starke Emotionen für Ihr Baby körperlich spürbar. Es muss nun lernen, psychische von physischen Empfindungen zu trennen und dies mit Ihrer Anleitung auch auszudrücken. Starke Gefühle können Ihr Baby beängstigen. Es braucht Ihre Hilfe, um sie auszuhalten und sich wieder zu beruhigen. Nach den Ergebnissen der Bindungsforschung, die die Beziehung zwischen Kindern und ihren Bezugspersonen in den ersten Lebensjahren untersucht, sollten Sie Ihrem Kind zeigen, dass Sie seine Gefühle annehmen, aber sich davon nicht ängstigen oder überwältigen lassen. So lernt Ihr Baby, dass es seinen Emotionen nicht ausgeliefert ist und keine Angst haben muss.

Wie machen Sie das? Sie können die Gefühle des Babys »spiegeln«, möglichst jedoch in einer stark abgemilderten Form. Halten Sie dabei z. B. den Kopf geneigt, um Ihr Verständnis zu signalisieren. Oder halten Sie Ihr Baby fest im Arm, während es von seinen Gefühlen überwältigt wird; auch das gibt ihm Sicherheit. Das beständige Spiegeln seiner Emotionen (egal, wie klein es noch ist) gibt Ihrem Baby das Selbstvertrauen, dass Gefühle kontrollierbar sind.

Trost und Beruhigung Ihr Baby ist seinen Gefühlen hilflos ausgeliefert. Es braucht Sie, um sich wieder zu beruhigen, wenn es frustriert oder wütend ist.

Helfen Sie Ihrem Baby auch, seine Gefühle zu benennen. Wenn Sie z. B. sagen »Du siehst wütend aus« oder »Ist das ein trauriges Gesicht?«, ermöglichen Sie ihm, seine Emotionen zu unterscheiden und ihnen einen Namen zu geben.

Vorbildfunktion Ihre eigenen Reaktionen beeinflussen den Umgang Ihres Babys mit seinen Emotionen. Seien Sie ihm ein gutes Vorbild, indem Sie ihm zeigen, wie Sie Ihre eigenen starken Gefühle bewusst bewältigen.

Wenn Sie jedoch feststellen, dass Sie der Umgang mit Ihrem emotionsgeschüttelten Baby über einen längeren Zeitraum stark stresst, sollten Sie unbedingt Ihren Partner oder jemand anderen aus der Familie bitten, das Beruhigen und Trösten zu übernehmen. Gönnen Sie sich selbst eine Auszeit, um Ihre Geduld und Ihr Gleichgewicht wiederzufinden. Es ist wichtig zu erkennen, wo Ihre eigenen Grenzen sind und wann Sie Zeit für sich selbst brauchen.

FRAGEN SIE … EINEN KINDERARZT

Warum hat mein Baby plötzlich Durchfall, obwohl es nicht krank zu sein scheint? Änderungen im Speiseplan können Durchfall oder Verstopfung verursachen; dies ist auch beim Umstellen auf feste Nahrung der Fall. Manchmal tauchen die festen Nahrungsbrocken zusammen mit flüssigem Stuhl nahezu unverdaut wieder in der Windel auf. Man nennt dies auch »unspezifischen Kleinkinddurchfall« oder „Toddler-Diarrhö". Geht es Ihrem Baby sonst gut, besteht kein Grund zur Sorge. Der Stuhl wird wieder fester, wenn sich das Verdauungssystem auf die geänderte Nahrung umgestellt hat. Geben Sie Ihrem Baby viel Flüssigkeit, etwa in Form von abgekühltem, abgekochten Wasser zu jeder Milchmahlzeit. Obstsaft sollte immer mit Wasser verdünnt werden.

Krabbeln oder rutschen?

Nicht alle Babys krabbeln. Manche entscheiden sich, diese Phase auf dem Po rutschend hinter sich zu bringen.

Die Welt zu erkunden und mobil zu werden, kann mühsam sein; jedes Baby muss selbst herausfinden, wie das am besten geht. Manche krabbeln, bevor sie laufen; andere krabbeln erst, nachdem sie laufen können; und wieder andere krabbeln überhaupt nicht, sondern rutschen stattdessen auf dem Po über den Boden. Weil das Baby für diese Art der Fortbewegung frei sitzen können muss, entwickelt sie sich meist erst etwa zwei bis drei Monate, nachdem es das freie Sitzen erlernt hat.

Rund neun Prozent aller Babys sind Po-Rutscher. Wenn Sie oder Ihr Partner selbst auf dem Po gerutscht sind, ist die Wahrscheinlichkeit groß, dass Ihr Baby dies auch tun. Manchmal verzögert sich dadurch das Laufenlernen, weil Ihr Baby so rasch und effektiv vorankommt, dass es gar keinen Anreiz zum Aufstehen hat. Wichtig ist aber vor allem, dass sich Ihr Baby bewegt – egal wie.

Spezielle Technik Babys, die auf dem Po rutschen, sind oft erstaunlich schnell unterwegs.

Ich will nur dich!

Ein Baby hat Phasen, in denen es ein Elternteil bevorzugt, vielleicht sogar weint oder sich vor dem anderen versteckt. Wie kommt das?

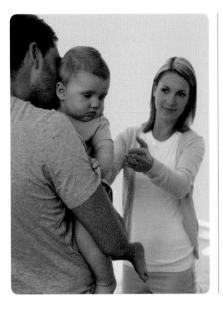

Zeitweise kann es vorkommen, dass Ihr Baby ein Elternteil bevorzugt. Bleiben Sie aber gelassen, wenn Sie gerade der „veschmähte" Teil sind. Sie haben keinen Fehler gemacht, es ist auch kein Bindungsproblem: Babys Verhalten ist einfach Teil seiner Entwicklung. Meistens zeigt das Baby eine gewisse Vorliebe für die Person, die am stärksten auf seine Bedürfnisse eingeht, am häufigsten mit ihm kommuniziert und die besten Wege kennt, es zu beruhigen. Fast immer ist das der Elternteil, der die meiste Zeit mit ihm verbringt und

Mein Liebling Viele Babys durchleben eine Phase, in der sie ein Elternteil dem anderen vorziehen. Nehmen Sie das keinesfalls persönlich!

daher reichlich Gelegenheit hat, Babys »Signale« deuten zu lernen.

Manchmal trifft aber auch das genaue Gegenteil zu. Ihr Baby wünscht sich dann, am Ende des Tages ein anderes Gesicht zu sehen. Wenn Sie dann von der Arbeit nach Hause kommen, werden Sie begeistert begrüßt und das Baby will nur noch bei Ihnen sein.

Sorgen Sie für ein gutes Gleichgewicht, indem Sie sich abwechselnd um das Baby kümmern und jeder seine eigenen Aktivitäten mit dem Baby pflegt. Nehmen Sie es auch mit Humor, wenn Ihr Baby ungeniert das andere Elternteil bevorzugt. Es weiß nicht, dass es damit Gefühle verletzen könnte – und will Ihnen auch nicht absichtlich weh tun!

Nahrungsmittelallergie

Hat Ihr Baby eine Allergie, sind spezielle Maßnahmen erforderlich. Zum Glück verschwinden viele Allergien dadurch später wieder.

Egal, ob Ihr Baby nach bestimmten Mahlzeiten nur etwas Unbehagen zeigt oder sogar die Gefahr eines anaphylaktischen Schocks (s.S. 404) besteht: Es ist unerlässlich, alle Nahrungsmittel zu meiden, die Probleme verursachen. Wenn der Verdacht auf eine Nahrungsmittelallergie noch nicht offiziell bestätigt wurde, fragen Sie Ihren Arzt nach einem Prick- oder Bluttest, um genau herauszufinden, worauf Ihr Baby allergisch reagiert.

Vielleicht haben Sie festgestellt, dass Ihr Baby Eiweiß zwar gut verträgt, aber beim Eigelb Probleme auftreten. Vielleicht hat sich ein Verdacht aber auch nicht bestätigt, etwa weil der Ausschlag, den Sie zunächst auf den Verzehr von Erdnüssen zurückgeführt haben, in Wirklichkeit von den Körnern im Brot ausgelöst wurde.

Wenn Sie noch stillen, müssen Sie die allergieauslösenden Nahrungsmittel von Ihrem eigenen Speiseplan streichen. Das Stillen sollten Sie aber dennoch nicht aufgeben, denn die in der Muttermilch enthaltenen Antikörper unterstützen das unreife Immunsystem Ihres Babys. Weil Babys mit Allergien oft einen stark eingeschränkten Speiseplan haben, ist Muttermilch ein wichtiger zusätzlicher Nährstofflieferant.

Besprechen Sie mit Ihrem Arzt, ob Ihr Baby mit einem speziell für Kinder geeigneten Antihistaminikum behandelt werden muss. In besonders schweren Fällen sollten Sie immer einen sogenannten Autoinjektor bei sich tragen. Mit ihm können Sie Ihrem Baby zur Notfallbehandlung einer akuten allergischen Reaktion, z.B. bei einem anaphylaktischen Schock, sofort Medikamente verabreichen. Alle Personen im Umfeld des Babys sollten über die Allergie und alle erforderlichen Maßnahmen genau informiert und damit vertraut gemacht werden.

Alle Personen, die Ihr Baby füttern, müssen über seine Allergie Bescheid wissen. Achten Sie in der Küche auf Hygiene, um etwaige Kreuzkontaminationen zu vermeiden.

Genau notieren Legen Sie ein Tagebuch an, in dem Sie alles notieren, was Ihr Baby gegessen hat und ob es dabei zu allergischen Reaktionen kam. Streichen Sie aber nie eigenmächtig ganze Nahrungsmittelgruppen von Babys Speiseplan. Besprechen Sie Ihren Verdacht vorher mit einem Arzt, um eine Mangelernährung auszuschließen.

Übertragen Sie Ihre Ängste vor allergischen Reaktionen aber bitte nicht auf Ihr Baby. Es soll Nahrung nicht als »Feind« sehen, sondern als eine Bereicherung seines Lebens.

ENTWICKLUNG FÖRDERN

Spaß mit Wasser

Babys ahmen liebend gern die Aktivitäten Ihrer Eltern nach. Wenn Sie selbst gerade den Abwasch machen, setzen Sie das Baby auf ein dickes Handtuch vor eine große Schüssel mit warmem Wasser und erlauben ihm, mit einem dicken Schwamm und einem sauberen Lappen sein eigenes Geschirr »abzuspülen«. Ihrem Baby macht es großen Spaß, in den Alltag einbezogen zu werden und dasselbe tun zu können wie Sie. Nebenbei trainiert es auch die überaus wichtige Hand-Auge-Koordination.

Spülhilfe Setzen Sie Ihr Baby vor eine große Schüssel mit warmem Wasser, einem Schwamm und etwas »Geschirr«. So kann es Ihnen prima beim »Spülen« helfen.

31 Wochen

Ein eigenes Bett

Schläft Ihr Baby noch in Ihrem Bett? Vielleicht ist es nun an der Zeit, es an sein eigenes zu gewöhnen.

Die meisten Eltern geben zu, dass sie ihr Baby zu sich ins Bett nehmen, wenn es nachts aufwacht. Es ist scheinbar die einfachste und bequemste Methode, es wieder zur Ruhe zu bringen. Kurzfristig spricht nichts dagegen, aber auf lange Sicht kann das Schlafen im Elternbett eine Gewohnheit werden, die Ihr Baby dann nur ungern wieder aufgibt. Wenn Sie es nicht auf unbestimmte Zeit als Mit-Schläfer in Ihrem Bett akzeptieren möchten, sollten Sie es besser wieder an sein eigenes Bett gewöhnen.

Widerstehen Sie daher der Versuchung, Ihr Baby zu sich ins Bett zu nehmen, wenn es nachts aufwacht. Streicheln Sie es stattdessen, decken es kuschelig zu und gehen Sie aus dem Zimmer. Kommen Sie zurück, so oft es nach Ihnen ruft. Wenn Sie es schreien lassen, wird es sich noch unsicherer fühlen.

Führen Sie diese neue Verhaltensweise möglichst in einer Nacht ein, nach der Sie nicht frühmorgens aufstehen müssen. Bleiben Sie ruhig und geduldig. Selbst wenn es eine Stunde oder länger dauert, bis Ihr Baby endlich einschläft, nur um eine Stunde später schon wieder aufzuwachen, sollten Sie daran denken, dass dies die Mühe wert ist, um langfristig besser schlafen zu können.

In den folgenden Nächten wird das Nörgeln und Klagen Ihres Babys, wenn Sie es allein lassen, langsam immer weniger und kürzer werden, bis es schließlich versteht, dass sein Schreien ihm keinen Platz mehr in Ihrem Bett verschaffen wird. (Weitere Tipps für einen besseren Schlaf s. S. 352f.)

So sparen Sie Zeit

Für die meisten Mütter hat der Tag zu wenig Stunden. Es gibt aber Wege, um Zeit zu sparen und sich etwas Freiraum zu verschaffen.

Sicher ist in Ihrem Leben mit dem Baby schon etwas Routine eingekehrt – und vielleicht sehnen Sie sich nach ein wenig mehr Freizeit, um Ihrem Hobby nachzugehen. Oder Sie möchten einfach nur auf dem Sofa liegen, während das Baby schläft, ohne an die noch anstehende Hausarbeit denken zu müssen. Wie können Sie sich aber etwas mehr Freiraum verschaffen? Überprüfen Sie zunächst Ihre täglichen Prioritäten und wie viel Zeit jede Aktivität einnimmt. So können Sie besser abschätzen, wo Sie zu viel Zeit an unwichtige Dinge

Online gehen Viele Alltagsdinge, wie Lebensmittel einkaufen oder Rechnungen zahlen, können Sie zeitsparend im Internet erledigen.

verschenken und wo Sie zu wenig Zeit für Wichtiges einplanen, wie Freunde, Partner oder Gesundheit. Versuchen Sie herauszufinden, wie Sie Zeit bei weniger geliebten Aufgaben einsparen können, z. B. bei der Hausarbeit. Wenn Sie frisch gewaschene Wäsche schon beim Aufhängen glattstreichen und noch ganz leicht feucht zusammenlegen, sparen Sie sich z. B. das Bügeln. Wenn Sie für Ihre Familie kochen, bereiten Sie am besten gleich doppelte Portionen zu und frieren eine Hälfte ein. Finanzsachen erledigen und Rechnungen bezahlen geht auch online im Internet. Dasselbe gilt für Einkäufe aller Art – und Sie bekommen die Ware obendrein noch bis an die Haustür geliefert.

Die ersten Stehversuche

Ihr Baby versucht schon eifrig, sich an den Möbeln hochzuziehen.
Nur das Hinsetzen klappt noch nicht sofort!

Aufwärts geht's Das Lieblingsspielzeug auf der Armlehne lockt Ihr Baby, sich am Sessel hochzuziehen. Bald wird es beginnen, sich von dort an den Möbeln entlangzuhangeln.

In den folgenden Wochen oder Monaten wird Ihr Baby sich an allem, was ihm Halt gibt, zum Stehen hochziehen, seien es die Stäbe des Kinderbetts, der Wohnzimmertisch, ein Stuhl oder Ihr Bein. Zunächst braucht es dabei vielleicht noch etwas Hilfe, aber bald wird es verstehen, wie leicht es sich hochhangeln kann. Der neue Blickwinkel wird ihm viele aufregende neue Orte offenbaren – und zugleich seine Motivation, mobil zu werden, noch verstärken.

Wer sich nach oben bewegen kann, kommt aber dummerweise nicht ebenso leicht wieder nach unten. Ihr Baby steht zwar, weiß aber nicht, wie es mit dem Po sicher wieder auf dem Boden landen soll. Vielleicht bleibt es zwischendrin auch einmal stecken, weil es noch keine Technik hat, sich um eine Möbelecke zu hangeln. Vermutlich wird es irgendwann lauthals nach Ihnen schreien, wenn es gar nicht mehr vorwärts geht. Helfen Sie Ihrem Baby dann dabei, sich sanft wieder hinzusetzen. Möglicherweise

müssen Sie das oft wiederholen, bis es sich sicher genug fühlt, das Hinplumpsen auch einmal allein zu probieren. Sobald es jedoch merkt, dass ihm dabei nichts geschieht, findet es vermutlich großen Spaß daran, sich immer wieder auf den Po plumpsen zu lassen.

Indem sich Ihr Baby stehend an den Möbeln festhält, übt es, das Gleichgewicht zu halten, sein Gewicht zu tragen und von einem Bein auf das andere zu verlagern, damit es den Fuß hochheben kann. Sobald es diese Aufgabe gemeistert hat, wird es irgendwann den ersten Schritt wagen; sich dabei aber weiterhin an dem Gegenstand festhalten, an dem es sich vorher hochgezogen hat. Das Entlanghangeln an Möbeln ist daher eine wichtige Vorübung für das Laufenlernen und sollte intensiv von Ihnen gefördert werden (s. S. 269).

Sicherheitsmaßnahmen Sobald Ihr Baby beginnt, sich an Möbeln hochzuziehen und daran entlangzuhangeln,

(s. S. 269)

Die Füße meines Babys drehen sich nach innen. Ist das normal?
Wenn Ihr Baby zur Welt kommt, sind seine Füße nach innen gerichtet und seine Beine leicht gebeugt, weil es viele Monate in Ihrem Bauch auf engem Raum leben musste. Sobald es größer wird, werden die Beine gerader und die Füße platter. Die Fußgewölbe entwickeln sich erst mit etwa drei Jahren.

Mit etwa 31 Wochen sollten die Füße Ihres Babys relativ flach auf dem Boden aufliegen, wenn Sie es aufrecht halten. Vielleicht balanciert es hin und wieder auf den Außenrändern, um das Gleichgewicht zu halten. Manchmal sind die Füße oder sogar die Unterschenkel leicht nach innen gedreht, man spricht dann von einem Sichelfuß. Ihr Kinderarzt kann Ihnen sagen, ob bei Ihrem Baby eine solche Fehlstellung vorliegt, und ob eine Therapie nötig ist. Häufig bildet sich ein Sichelfuß nämlich später von selbst zurück.

sollten Sie einmal komplett durch Ihre Wohnung schauen: Was kann Ihr Baby nun in seiner aufrechten Position alles erreichen? Achten Sie auf harte und scharfe Möbelkanten, an denen es sich stoßen könnte. Gibt es Kissen oder einen weichen Teppich, die Babys Fall eventuell bremsen könnten? Und ist das Regal an der Wand festgeschraubt? Ihr Baby ist neugierig, unerschrocken und schneller, als Sie denken. Seien Sie also wachsam, damit ihm nichts passiert.

32 Wochen

SPIELZEUGE IN UNTERSCHIEDLICHSTEN FORMEN REGEN DAS GEHIRN DES BABYS AN.

Formensortierer und Stapelspielzeuge trainieren sowohl Motorik, Wahrnehmung als auch die Fähigkeit, Probleme zu lösen. Spielen Sie mit Ihrem Baby und demonstrieren Sie, was es mit Reihenfolgen und Größen auf sich hat. Das Baby ahmt nun bereits den Tonfall Ihrer Sprache nach.

Babys und Antibiotika

Antibiotika sind keine Allheilmittel. Sie sollten wissen, wann es Sinn macht, sie einzusetzen und wann nicht.

Wenn Ihr Baby krank wird, ist daran wahrscheinlich einer von zwei Grundtypen von Krankheitskeimen schuld: Bakterien oder Viren. Bakterien sind Organismen, die innen und außen am Körper (etwa auf der Haut) zu finden sind und Infektionen wie die eitrige Mandelentzündung (Streptokokken-Infektion) oder eine Mittelohrentzündung hervorrufen können. Doch nicht alle Bakterien sind schlecht: Manche leisten einen Beitrag zur Körperfunktion, wie etwa die Darmbakterien zur Verwertung der Nährstoffe in der Nahrung.

Viren sind Organismen, die Krankheiten auslösen, indem sie in gesunde Wirtszellen im Körper eindringen. Viren verursachen unter anderem Masern, die echte Grippe und Windpocken.

Mit Antibiotika lassen sich nur bakterielle Infektionen bekämpfen. Auf Viren haben sie keinerlei Effekt, d.h. Antibiotika sind weder bei Husten noch bei Schnupfen oder Halsweh (sofern keine Streptokokken-Infektion vorliegt) wirksam. Werden sie trotzdem eingenommen, erhöht sich das Risiko, resistente Bakterien heranzuzüchten. Häufiger und unangebrachter Einsatz von Antibiotika kann Bakterien hervorbringen, die unempfindlich gegen Medikamente werden und somit immer höhere Dosierungen und stärkere Antibiotika erforderlich machen. Mittlerweile gibt es schon Bakterien, die gegen einige der effektivsten Antibiotika resistent sind.

Inzwischen haben die meisten Ärzte die Gefahr erkannt und verschreiben Antibiotika nicht mehr so leichtfertig wie früher. Sollten Sie Bedenken wegen der Medikation Ihres Babys haben, sprechen Sie darüber mit dem Kinderarzt.

Wortschöpfungen

Das Geplapper Ihres Babys verändert sich. Es verfügt nun über eine größere Auswahl an Lauten als in den ersten sechs Monaten.

Durch die Umstellung auf feste Nahrung hat Ihr Baby schon mehr Kontrolle über seine Lippen und seine Zunge gewonnen. Beim Kauen wird die Zunge trainiert und die Lippen müssen dabei geschlossen bleiben, damit das Essen nicht herausfällt. Diese Entwicklung führt dazu, dass Ihr Baby nun auch kompliziertere Lautfolgen bilden kann.

Das Geplapper Ihres Babys besteht jetzt aus mehreren Silben mit verschiedenen Konsonanten und Vokalen. Silben werden nun nicht mehr einfach wiederholt (wie in »mamama«), sondern auch kombiniert. Das Baby kreiert ganz neue Kunstwörter wie »digabu«, »apaba« oder »bamado«.

Ihr Baby lernt nun auch, Tonfall und Tonhöhe der Sprache, die es um sich herum hört, nachzuahmen. In einer lebhaften Runde wird es daher lauter und mit höherer Stimme plappern, als wenn Sie ihm abends vorlesen und es ebenso leise dazu brabbelt. Man nennt dies Echosprache: Anstatt nur den Tonfall und die Vokallaute Ihrer gesprochene Worte zu imitieren, wie es in den vergangenen Monaten geschah, achtet das Baby vermehrt auf die Lautstärke des Gesagten und ahmt sie nach.

Sprechversuche Ansatzweise kann Ihr Baby nun schon einfache vorgesprochene Wörter imitieren. Ihre Kommunikation wird einfacher!

Verzogen von den Großeltern?

Großeltern sind ein wunderbarer Teil im Leben Ihres Kindes. Oft überschütten sie es aber regelrecht mit ihrer Liebe und Geschenken.

Es ist völlig normal, dass Großeltern ihre Enkel verwöhnen möchten. Oft macht es ihnen große Freude, wenn sie dem Baby Dinge schenken dürfen, die Sie sich vielleicht nicht leisten können.

Teure Geschenke sind gut gemeint und können durchaus willkommen sein; vielleicht fühlen Sie sich aber dadurch auch in Ihrem Wunsch nach Unabhängigkeit gestört. In extremen Fällen befürchten Sie womöglich, dass Ihr Baby dadurch so verzogen wird, dass es später nur noch teure Geschenke erwartet. Vielleicht ahnen Sie auch, dass

es zu Unstimmigkeiten kommen kann, weil nicht beide Großelternpaare in der finanziellen Lage sind, teure Geschenke zu machen.

Großeltern sind oft auch nicht so streng, wenn es um das Einhalten von Regeln und Verhaltensweisen geht; und das kann für Babys oder Kleinkinder ziemlich verwirrend sein.

Am besten sprechen Sie mit den Großeltern Ihres Babys ganz offen über Ihre Befürchtungen. Erklären Sie ihnen, dass Sie zwar die Großzügigkeit sehr schätzen, aber dass es Ihnen lieber

wäre, sie würden teure Geschenke zunächst mit Ihnen absprechen. Zeigen Sie Verständnis dafür, dass sie als Großeltern dem Kind gern etwas schenken wollen, und danken Sie ihnen dafür. Machen Sie aber auch klar, wie wichtig es Ihnen ist, dass Ihr Kind, wenn es größer wird, die Liebe von Oma und Opa höher einschätzt als deren Geschenke.

Erklären Sie, welchen Grundsätzen Sie bei der Erziehung Ihres Kindes folgen wollen; setzen Sie Regeln auf, die Sie gemeinsam mit den Großeltern in Zukunft durchsetzen wollen.

Sich abwechseln

Es wird Zeit, Ihrem Baby ein Gefühl für das Miteinander zu geben: Wechseln Sie sich im Spiel mit ihm ab.

Ich bin dran Wechseln Sie sich beim Spielen regelmäßig ab. Ihr Baby lernt dabei, wie Kommunikation und Interaktion funktionieren.

Rollen Sie Ihrem Baby einen Ball zu und fordern Sie es auf, ihn zurückzurollen. Drücken Sie z. B. den Knopf auf seinem Spielzeugtelefon (»Ich bin dran«) und lassen Sie dann Ihr Baby agieren (»Du bist dran"). Es gibt unendlich viele Gelegenheiten, sich abzuwechseln: Erst blättern Sie die Buchseiten um, dann Ihr Baby; erst wäscht sich Ihr Baby das Gesicht, dann nehmen Sie den Waschlappen zur Hand – oder Sie kuscheln abwechselnd mit dem Teddy.

Nebenbei ist dies auch ein guter Weg, Ihrem Baby zu zeigen, wie man etwas macht. Danach bekommt es die Chance, es selbst zu probieren. Ihr Baby liebt es, wenn es herumexperimentie-

ren und an Aktivitäten teilhaben darf; langfristig gesehen stärkt dies auch sein Selbstvertrauen.

Auch wenn Sie sich nun immer wieder einmal im Spiel abwechseln, versteht Ihr Baby dadurch noch nicht das Prinzip des Teilens. Dies wird es erst zwischen drei und fünf Jahren in die Praxis umsetzen können.

Zwillingen sollten Sie daher jedem seine eigene Auswahl an Spielzeug zur Verfügung stellen. Allerdings können Sie die beiden durchaus animieren, »zusammen« zu spielen und sich mit den Spielsachen abzuwechseln. Allerdings wird dies nur funktionieren, wenn Sie das Ganze überwachen.

Gesunde Snacks

Neben den Hauptmahlzeiten sollten Sie stets ein paar gesunde Snacks und Getränke zur Hand haben.

Gesund und lecker Bananen sind die ideale Zwischenmahlzeit – zu Hause oder unterwegs. Sie sind schnell serviert, leicht verdaulich und enthalten viele Vitamine.

Ideal ist es, wenn Sie Ihrem Baby zusätzlich zu den drei Hauptmahlzeiten morgens und nachmittags noch einen kleinen gesunden Snack sowie ein Getränk anbieten. Das verhindert, dass es den ganzen Tag über nascht und dann keinen Hunger mehr hat, wenn es die großen Mahlzeiten gibt.

Achten Sie vor allem darauf, wie viel Ihr Baby trinkt. Wenn Sie Milchnahrung füttern, sollten Sie ihm nur die empfohlene Menge geben. Benutzen Sie einen Sauger mit schnellem Durchfluss oder eine Tasse, damit Ihr Baby zügig trinkt und nicht stundenlang herumnuckelt; dies könnte ihm seinen Appetit auf anderes Essen nehmen. Das Einführen guter und gesunder Essgewohnheiten ist im ersten Lebensjahr extrem wichtig und prägend für Babys weiteres Leben!

Eine Zwischenmahlzeit kann den Speiseplan Ihres Babys mit wichtigen Nährstoffen ergänzen. Anstelle von Fruchtsaft und einem süßen Keks, die hauptsächlich Zucker, Fett und viele Kalorien enthalten, sollten Sie besser zu einem Stück Käse, einem Stück Brot und ein paar Trauben greifen, die Ihrem Baby ergänzend auch wichtiges Kalzium und Vitamin C liefern.

Für Ausflüge und Unternehmungen sollten Sie stets ein paar wichtige Lebensmittel auf Vorrat zu Hause haben, die Sie durch frische Nahrung ergänzen können. Gut geeignet sind z.B. Mini-Reiswaffeln,Dinkelstangen, Rosinen und getrocknete Aprikosen. Packen Sie dazu noch Bananen, hart gekochte Eier, Käse, Tomaten oder Apfel sowie eine Flasche Wasser ein.

Wird mein Baby von den regelmäßigen Snacks nicht zu dick?
Nahrhafte Zwischenmahlzeiten sind Teil einer gesunden Ernährung des Babys, weil es so mit allen wichtigen Nährstoffen versorgt wird. Geben Sie Ihrem Baby Snacks aber nicht zur Ablenkung, wenn es traurig oder gelangweilt ist. Vermitteln Sie ihm nicht das Gefühl, sich mit Essen trösten zu können, denn dies könnte später zu Übergewicht führen. Bieten Sie Ihrem Baby in regelmäßigen Abständen Snacks an, wenn es hungrig zu sein scheint; halten Sie aber einen gewissen Abstand zu den Hauptmahlzeiten ein, damit es dafür auch Appetit entwickeln kann. Beachten Sie, dass Snacks oder Zwischenmahlzeiten nicht aus Naschereien wie Schokolade, Chips oder Keksen bestehen sollten! Als Getränk empfiehlt sich Wasser als beste Alternative zur Milch (s. S. 247).

Essen zum Mitnehmen Wenn eine der Hauptmahlzeiten außer Haus stattfinden soll, packen Sie für Ihr Baby einen geeigneten Brei (selbst gekocht oder als Gläschen) in die Kühltasche. Erkundigen Sie sich vorher, ob es eine Möglichkeit gibt, die Mahlzeit vor Ort zu wärmen. Wenn nicht, können Sie ihn vorher erhitzen und in einer Thermosflasche warm halten. Oder Sie entscheiden sich für Nahrungsmittel, die man auch kalt essen kann, wie Bananen, reife Birnen oder Pfirsiche, Melonen, Avocados, Karotten oder Fladenbrot.

Und...Action!

Ihr Baby mag nicht mehr nur dasitzen und die Welt um sich herum beobachten. Geben Sie ihm mehr Gelegenheiten, aktiv zu werden.

DER ERNÄHRUNGSBERATER RÄT ...

Bei fester Nahrung fängt mein Baby an zu würgen. Was soll ich tun? Anstatt wieder auf Püriertes zurückzugreifen, geben Sie Ihrem Baby etwas, das es selbst mit den Fingern essen kann, sodass es mehr Kontrolle über den Essvorgang hat. Oder Sie lassen es das Essen mit den Fingern erkunden, bevor Sie es mit dem Löffel füttern. Hilft alles nichts, geben Sie einige Zeit Brei mit kleinen Brocken zerdrückter Nahrung.

Da Ihr Baby nun älter und viel mobiler geworden ist, mag es nicht mehr so gern ruhig im Autositz oder Kinderwagen sitzen; selbst wenn das nur für kurze Zeit ist. Hat es früher das Einkaufen im Supermarkt oder Ihren Kaffeeklatsch mit anderen Müttern einfach verschlafen, zappelt es jetzt unruhig herum und kann richtig aufsässig werden, wenn es zu lange still sitzen soll.

Vielleicht trifft es Sie etwas unerwartet, dass von jetzt an Ihr Baby den Tagesplan aufzustellen scheint, bzw. dass Ihr Leben auf andere Weise als vorher rund um seine Bedürfnisse geplant werden muss. Das ist jedoch völlig normal und funktioniert am besten, wenn Sie einfach Ihren Tagesablauf etwas anpassen. Sie könnten z.B. Ihre Freundinnen an einem Ort treffen, an dem Ihre Babys sicher umherkrabbeln und alles erkunden können. Vielleicht halten Sie Ihre Treffen reihum bei sich zu Hause ab oder im Sommer bei einem Picknick im Park. Wenn Sie keine Lust auf eine Shoppingtour mit einem quengelnden Baby haben, gehen Sie allein, während Ihr Partner auf das Kind aufpasst. Ein paar kleine Veränderungen bringen Ihnen schon viel mehr Ruhe.

Nächtliche Akrobatik

Ihr Baby ist nicht nur tagsüber aktiv; auch im Schlaf dreht es sich häufig um oder es rollt sich auf den Bauch.

Rolle seitwärts Auch wenn sich Ihr Baby im Schlaf umdreht, sollten Sie es zum Einschlafen immer auf den Rücken legen.

Der Schlaf von Babys kann sehr ruhelos sein. Wenn Sie bisher den Ratschlägen zur Vermeidung des plötzlichen Kindstods (s. S. 31) gefolgt sind und Ihr Baby immer auf den Rücken schlafen gelegt haben, macht es Ihnen vielleicht Sorgen, dass es sich nun im Schlaf manchmal auf den Bauch dreht. Wenn Ihr Baby kräftig genug ist, um sich von selbst auf den Bauch zu rollen, darf es auch auf dem Bauch schlafen. In diesem Alter ist die Gefahr des plötzlichen Kindstods nur noch sehr gering; etwa 90 Prozent der Fälle treten innerhalb der ersten sechs Lebensmonate auf. Sie sollten die nächtliche Bewegungsfreiheit Ihres Kindes daher nicht einschränken; stellen Sie auch das Pucken ein und lassen Sie Ihr Baby unbeeinflusst schlafen. Es soll Schlafen keinesfalls mit etwas Negativem assoziieren!

Wenn sich Ihr Baby nachts viel bewegt, sodass seine Bettdecke verrutscht, sollten Sie sie abends am Fußende fest einschlagen. Am besten schaffen Sie gleich einen Babyschlafsack an, der Alter und Größe des Babys angemessen ist. Legen Sie Ihr Baby abends immer auf dem Rücken ins Bett, verzichten Sie weiterhin auf Kopfkissen und bauschige Bettdecken sowie auf Stofftiere im Kinderbett.

Laufen lernen

Vom ersten Hochziehen und Entlanghangeln an den Möbeln ist es nun nur noch ein kleiner Schritt bis zum Laufen, der jederzeit passieren könnte. Bereiten Sie sich daher rechtzeitig darauf vor!

Alle Babys lernen irgendwann laufen, manche schon mit neun Monaten, andere erst mit eineinhalb Jahren. Wenn Ihr Baby also noch keine Anstalten dazu macht, ist das kein Grund zur Sorge. Helfen Sie ihm, seine Beinmuskeln zu kräftigen, indem Sie es halten und dabei auf und ab hüpfen lassen. Legen Sie Ihr Baby nach wie vor manchmal zum Spielen auf den Bauch, um seine Nacken- und Rückenmuskulatur zu trainieren. Bevor Ihr Baby laufen kann, muss es erst lernen, sich stehend an etwas fest-zuhalten, seine Knie zu beugen und sich wieder hinzusetzen. Das Erlernen dieser Techniken kann einige Monate dauern oder aber rasend schnell vonstattengehen. Jedes Baby hat hier seinen eigenen Rhythmus. Sobald das Baby kurze Zeit ohne Festhalten stehen kann, ist es bereit, die ersten Schritte zu machen.

Erste Schritte Die ersten Schritte sind ein immenser Meilenstein in der körperlichen Entwicklung eines Babys: Gleichgewichtssinn, grobmotorische Fähigkeiten, Kontrolle, Koordination und vor allem Mut spielen dabei zusammen!

Um bei seinen ersten Gehversuchen besser das Gleichgewicht halten zu können, wird Ihr Baby die Füße etwas auswärts drehen, was ihm einen leicht watschelnden Gang beschert. Es wird sicher versuchen, etwas Stabiles (wie den Couchtisch oder einen Sessel) anzusteuern. Wahrscheinlich streckt es dabei die Arme nach vorne – ideal, um die unvermeidlichen Stürze etwas abzudämpfen.

Anfangs wird Ihr Baby immer nur einen Schritt machen und dann anhalten, um sich zu stabilisieren. Danach erst folgt der nächste Schritt und dann wieder der nächste. Es hat noch keine Kontrolle über seine Geschwindigkeit, deshalb wird es zunächst zu schnell vorwärts laufen, sich dann zu weit nach hinten beugen, um die Balance zu halten, und letztlich auf seinem Hinterteil landen. Doch es wird aus seinen Fehlern und Stürzen lernen und bald erkennen, dass vor dem Rennen erst einmal das Laufenlernen kommt.

Auf eigenen Füßen Barfuß hat Ihr Baby den besten Grip zum Laufen; zugleich fällt es ihm so viel leichter, sein Gleichgewicht zu halten.

Sicherheitscheck

Achten Sie vor allem auf eine sichere Umgebung, wenn Ihr Baby mit dem Laufenlernen beginnt. Sie können einiges tun, um seine unvermeidlichen Stürze abzumildern.

■ Kleben Sie lose Teppiche fest, damit Ihr Baby nicht über die Ränder stolpert.

■ Entfernen Sie Hindernisse, die Ihrem Baby im Weg stehen könnten. Ihr Baby ist voll darauf konzentriert, sein Gleichgewicht zu halten und aufrecht stehen zu bleiben.

■ Bringen Sie oben und unten an der Treppe Schutzgitter an.

■ Sichern Sie alle Fenster, die Ihr Baby erreichen kann.

■ Entfernen oder sichern Sie Möbel, die umfallen könnten, wenn sich das Baby daran festhält.

■ Bringen Sie an scharfen oder spitzen Ecken einen Eckenschutz an.

■ Ersetzen Sie eventuell die gläserne Platte Ihres Wohnzimmertisches dauerhaft durch Acrylglas.

■ Offene Schubladen laden Ihr Baby ein, daran hochzuklettern, daher sollten sie immer geschlossen sein.

■ Verkleiden Sie heiße Heizkörper.

■ Bringen Sie eventuell eine Kindersicherung am Toilettendeckel an.

■ Richten Sie Pfannen auf dem Herd immer mit dem Griff nach hinten.

■ Halten Sie sämtliche Elektrokabel außer Reichweite des Babys.

33 Wochen

BABYS, DIE VIEL GESTIKULIEREN, ENTWICKELN AUCH EINEN GRÖSSEREN WORTSCHATZ.

Ihr Baby kann sich immer besser verständlich machen, denn es benutzt mehr Gesten und sein Geplapper wird zunehmend komplexer. Sein Brei muss nun nicht mehr so fein püriert werden, und Sie können ihm auch Nahrung anbieten, die es mit den Fingern selbst essen kann.

Ist frisch immer am besten?

Eine Kombination aus selbst gekochter und gekaufter Babynahrung spart Zeit und erweitert die Geschmackspalette Ihres Babys.

Sie wollen nur das Beste für Ihr Baby, insbesondere wenn es um Ernährung geht. Viele Eltern denken deshalb, sie dürfen ihrem Baby ausschließlich selbst zubereitete Nahrung anbieten. Es gibt jedoch keinen Grund, Schuldgefühle zu entwickeln, wenn Sie hin und wieder auf gekaufte Babynahrung zurückgreifen. Babynahrung aus der Packung oder dem Gläschen unterliegt strengen Qualitätskontrollen und ist genau auf den Nährstoffbedarf des jeweiligen Alters abgestimmt.

Die Vorteile der gekauften Babynahrung liegen auf der Hand. Vor allem, wenn Sie unterwegs sind oder einmal wenig Zeit zum Kochen bleibt, ist es überaus praktisch, ein Gläschen zur Verfügung zu haben. Darüber hinaus erweitert die große Auswahl an unterschiedlichen Gerichten und Breien auch die Geschmackspalette Ihres Babys.

Die gekauften Babymahlzeiten unterliegen sehr strengen Kontrollen und dürfen aufgrund der gesetzlichen Vorgaben nur minimale Rückstände an Pflanzenschutz-, Schädlingsbekämpfungs- oder Vorratsschutzmitteln enthalten. Darüber hinaus gelten ebenso strenge Grenzwerte für Nitrat, die bei Selbstgekochtem nicht immer leicht eingehalten werden können.

Achten Sie aber auch auf die Inhaltsstoffe und Nährwertangaben der gekauften Nahrung. Fertigbreie enthalten häufig zu viele Bestandteile, z.B. mehrere Getreide- und Obstsorten. Tests ergeben auch immer wieder, dass der Fett- und Proteinanteil im Gläschen zu niedrig ist. Für ein gesundes Wachstum sind beide Inhaltsstoffe sehr wichtig. Gekaufte Gemüse- oder Gemüse-Fleisch-Gläschen können Sie deshalb mit einem Teelöffel Pflanzenöl (verwenden Sie raffiniertes Öl, kein kalt gepresstes) anreichern. Ein zu geringer Fleischgehalt im Gemüse-Fleisch-Gläschen kann die Eisenversorgung Ihres Babys gefährden. Wichtig ist Vitamin C, das die Eisenaufnahme verbessert.

Bei Obstbreien oder Babybreien zum Selbstanrühren sollten Sie auf den Zuckergehalt achten, der häufig sehr hoch ist. Selbst wenn die Nahrung keinen Kristallzucker enthält, verbirgt sich hinter Bezeichnungen wie Fruktose, Glukose, Maltose, Saccharose oder Dicksaft zusätzliche Süße, die dem Baby mehr schadet als nützt.

Bedenken Sie auch, dass Gläschenkost anders schmeckt als Selbstgekochtes. Wird sie zu häufig gefüttert, lehnt Ihr Baby unter Umständen später die selbst zubereitete Nahrung ab.

DER ERNÄHRUNGSBERATER RÄT …

Was ist teurer – fertige oder selbst zubereitete Babynahrung?
Industriell hergestellte Babynahrung ist relativ teuer. Wenn Sie Babynahrung selbst zubereiten, können Sie aus nur ein oder zwei Zutaten eine größere Menge herstellen und portionsweise einfrieren. Sie können dem Baby durchaus auch von Ihrem Essen abgeben, allerdings müssen Sie seine Portion schon vor dem Würzen wegnehmen und bis zur gewünschten Konsistenz pürieren. Fertignahrung ist bequem, jedoch im Vergleich zur selbst gekochten Nahrung wesentlich teurer.

CHECKLISTE

Fertige Babynahrung

■ Für unterwegs ist ein Gläschen Babynahrung, das nicht gekühlt werden muss, extrem praktisch. Weitere Tipps für gesunde Babynahrung zum Mitnehmen s.S. 267.

■ Wenn Sie Gläschennahrung geben, achten Sie darauf, dass Sie das Baby nicht zu lange nur mit dünnem Brei füttern. Wie bei Selbstgekochtem sollte es mit zunehmendem Alter gröbere und abwechslungsreichere Nahrung erhalten.

■ Wenn Ihr eigener Speiseplan aus gesundheitlichen oder ethischen Gründen stark eingeschränkt ist, bietet fertige Babynahrung eine gute Möglichkeit, Ihrem Kind Gerichte anzubieten, die Sie selbst nicht essen. Kochen Sie aber dennoch auch Nahrung speziell für Ihr Baby, damit es sich nicht zu sehr an Gläschennahrung gewöhnt und womöglich Aversionen gegen Selbstgekochtes entwickelt. Es ist wichtig, dass Ihr Baby so viele Geschmacksrichtungen wie möglich kennenlernt.

Frisch zubereitet Babys Nahrung selbst zu kochen hat den Vorteil, dass Sie genau wissen, welche Zutaten verwendet werden und wie diese verarbeitet wurden. Dämpfen oder kochen Sie Gemüse nicht zu lange, um Nährstoffe und Vitamine zu erhalten. Reagiert Ihr Kind allergisch auf einzelne Zutaten, können Sie diese problemlos weglassen.

Familienähnlichkeiten

Ihr Baby entwickelt seine Persönlichkeit. Einige Züge werden Ihnen vertraut vorkommen, aber es kommen auch ein paar neue dazu.

Individuum Respektieren und fördern Sie die Persönlichkeit Ihres Babys.

Ihr Baby ist eine eigene kleine Persönlichkeit mit Vorlieben und Abneigungen, die Sie akzeptieren sollten, auch wenn Sie nicht den Ihren entsprechen. Die Versuchung ist groß, das eigene Baby als Miniaturausgabe von sich selbst zu betrachten. Seien Sie aber nicht enttäuscht, wenn es sich nicht so verhält, wie Sie es erwarten. Entpuppt es sich z. B. als sehr extrovertiert (was sich allerdings schnell wieder ändern kann, sobald die Trennungsangst einsetzt, s. S. 283), während Sie und Ihr Partner eher zurückhaltend sind, sollten Sie ihm häufig die Gelegenheit bieten, mit anderen zu spielen und zu agieren. Ist Ihr Baby eher schüchtern, die restliche Familie jedoch sehr extrovertiert, sollten Sie es nicht zur Geselligkeit zwingen. Lassen Sie es auf Ihrem Schoß spielen, während Sie sich mit anderen unterhalten. Wenn ihm langweilig wird, wird es seine Umgebung in seinem ganz eigenen Tempo erkunden.

Auch wenn Sie eher jemand sind, der Routine verabscheut, sollten Sie dennoch dem Tagesablauf Ihres Babys Struktur geben, denn daraus schöpft es Sicherheit und Geborgenheit.

Haarpflege

Wenn Ihr Baby aktiver wird und sich beim Essen häufig bekleckert, ist regelmäßiges Haarewaschen Pflicht!

Kam Ihr Baby bereits mit einem üppigen Schopf zur Welt, ist nun vielleicht schon Zeit für den ersten Haarschnitt. Falls Sie selbst zur Schere greifen, kämmen Sie sein Haar gut durch und achten darauf, dass die abgeschnittenen Spitzen nicht in seine Augen oder Ohren gelangen.

Babyhaar muss nicht täglich gewaschen werden, zweimal die Woche reicht völlig aus. Sobald Ihr Baby aber anfängt, sich aktiver am Essen zu beteiligen bzw. manches schon selbstständig isst, finden Sie sicher häufig Nahrungsreste in seinen Haaren. Mit einem feuchten Schwamm können Sie sie zwischendurch entfernen. Kämmen Sie das Babyhaar vor dem Waschen vorsichtig durch; ist es verknotet, arbeiten Sie sich sanft von den Spitzen zur Kopfhaut vor. Verwenden Sie nur Babyshampoo, denn es enthält keine scharfen Chemikalien, die in den Augen brennen. Bei sehr lockigem Haar können Sie etwas Conditioner benutzen. Danach vorsichtig mit klarem Wasser ausspülen.

Haarwäsche Mit einem Schwamm können Sie das Shampoo vorsichtig abspülen, damit nichts in Babys Augen gerät.

Muntere Geräuschkulisse

Wörter, die Ihr Baby häufig hört, werden ihm vertraut und regen es dazu an, noch mehr mitzuplappern.

Lustiger Lärm Spielzeug, das Geräusche macht, regt Babys Sprachentwicklung an. »Wie macht der Zug? Tschu-tschu!« **Wo ist der Ball?** Kommentieren Sie laufend das Spiel mit Ihrem Baby.

Studien haben gezeigt, dass sich Babys mit ihrem Geplapper an der Art und Weise orientieren, wie wir Erwachsenen sprechen. So setzen sie z.B. die rechte Mundhälfte häufiger ein als die linke – genauso wie Erwachsene das tun (schauen Sie ruhig in den Spiegel!). Die linke Gehirnhälfte, die für Verstehen und Sprache zuständig ist, initiiert das Babygeplapper, dessen Bedeutung für die Sprachentwicklung enorm wichtig ist. Einige Psychologen glauben, dass Babygeplapper schon ab etwa acht bis zehn Monaten eine Bedeutung hat, wir den Sinn aber erst viel später verstehen.

Die meisten Babys sprechen zwar erst mit frühestens einem Jahr ihre ersten verständlichen Worte, doch sie saugen bereits in den Monaten davor jeden Laut quasi wie ein Schwamm in sich auf. Sie fördern die Sprachentwicklung Ihres Babys, indem Sie sich zu ihm drehen, sodass es Ihren Mund beim Sprechen sehen kann. Dasselbe gilt für Spiele, in denen Geräusche vorkommen. Deuten Sie auf die Tiere im Bilderbuch und fragen Sie »Wie macht die Kuh? Die Kuh macht muh!« Auch wenn Ihr Baby den Laut noch nicht nachspricht, imitiert es vielleicht die Form Ihres Mundes. Spielen Sie viele Geräuschspiele und sprechen Sie beim Erledigen von Alltagsaufgaben, etwa beim Anziehen oder Baden, fortwährend mit dem Baby. Benennen Sie alles, was Sie sehen, und benutzen Sie häufig den Namen Ihres Babys. Es wird ihn erst mit etwa neun Monaten erkennen, doch spricht vieles dafür, dass Babys Wörter schon viel früher assoziieren.

Falls Ihr Baby bis jetzt noch nicht plappert oder auf laute Geräusche reagiert, sollten Sie Ihren Arzt fragen, um eine Hörstörung auszuschließen.

Singen und sprechen

Studien weisen darauf hin, dass Babys, denen oft vorgesungen wird, schneller sprechen lernen. Beim Singen werden Wörter oft in Silben unterteilt, sodass sie leichter auszusprechen sind, und durch das Zuhören verbessert sich die Aufmerksamkeitsspanne des Babys. Es gibt viele Musik- und Gesangsgruppen für Eltern und Kinder, doch es reicht auch, wenn Sie ihm zu Hause vorsingen. Ihrem Baby ist es völlig egal, wenn Sie die Töne nicht richtig treffen. Ihm gefällt es, wenn Sie es halten und zur Musik herumwirbeln. Singen Sie viele Kinder- und Bewegungslieder, bei denen das Baby mitmachen kann. Sie dürfen aber auch Ihre eigenen Lieblingslieder singen. Das Baby ist nicht wählerisch, ihm gefällt, was Ihnen gefällt.

Vorsingen Vorsingen kann Babys Sprachentwicklung beschleunigen und seine Liebe zur Musik wecken.

Abstillen

Viele Mütter stillen während des gesamten ersten Lebensjahres – und länger. Wenn Sie jetzt damit aufhören möchten, sollten Sie zunächst nur eine Mahlzeit ersetzen, um das Abstillen für Sie und das Baby so schmerzlos wie möglich zu gestalten.

DER ERNÄHRUNGSBERATER RÄT …

In unserer Familie gibt es Allergien. Soll ich meinem Baby nach dem Abstillen vorsichtshalber Soja- oder Ziegenmilch statt Kuhmilch geben? Haben Sie Bedenken, dass Ihr Baby auf Kuhmilch allergisch reagieren könnte, sollten Sie dies mit dem Kinderarzt besprechen. Er wird Sie über Alternativen aufklären können.

Ziegenmilch ist bei einem bestehenden Allergierisiko keine Alternative zu Kuhmilch, da die Allergieanfälligkeit für beide Milchsorten ähnlich hoch ist. Zudem konnte man bei Kindern mit Kuhmilchallergie eine hohe Kreuzallergenität von Kuhmilch und Ziegenmilch beobachten. Die Ernährungskommission der Deutschen Gesellschaft für Kinder- und Jugendmedizin (DGKJ) rät daher von der Verwendung der auf Ziegenmilch basierenden Nahrungen generell ab.

Soja wird manchmal als Alternative empfohlen, wenn Babys allergisch auf Kuhmilch reagieren. Allerdings kann auch Sojamilch allergische Reaktionen auslösen und ist somit nicht zu empfehlen.

Wenn Sie nach dem Abstillen feststellen, dass Ihr Baby einen Ausschlag bekommt oder Verdauungsbeschwerden hat, sollten Sie den Kinderarzt aufsuchen. Er wird Ihnen allergenarme, hydrolisierte Babymilch empfehlen (s. S. 247).

Manche Babys verlieren von selbst das Interesse daran, gestillt zu werden. Sie trinken ihre Milch (abgepumpte Muttermilch oder Milchnahrung) lieber aus der Flasche oder Tasse, weil das viel einfacher geht. Wenn Ihr Baby die Milchnahrung mag, fällt das Abstillen nicht allzu schwer. Andere Babys möchten weiterhin an der Mutterbrust saugen, auch wenn ihre Mutter schon längst genug davon hat. Hier kann das Abstillen eine deutlich schwerere Aufgabe sein.

Wie lange Sie stillen möchten, ist Ihre ganz persönliche Entscheidung. Häufige Gründe für das Abstillen sind u. a., dass auch andere Pflegepersonen das Baby füttern sollen oder Sie vielleicht schon wieder anfangen zu arbeiten (Sie können jedoch noch abpumpen, wenn Sie möchten). Um das Wohlbefinden des Babys zu wahren und um Ihren Körper zu schonen, sollten Sie beim Abstillen aber langsam vorgehen und zunächst nur eine Brustmilchmahlzeit durch eine andere ersetzen.

Erfolgreiches Abstillen erfordert etwas Vorausplanung und ein gutes Timing. Fangen Sie damit nicht ausgerechnet dann an, wenn Ihr Baby aufgewühlt ist, etwa weil es gerade in sein eigenes Zimmer umgezogen ist, oder wenn es sich unwohl fühlt. Sie wollen ihm in dieser Zeit sicher nicht noch mehr Stress durch den Wechsel seiner Mahlzeiten zumuten.

Vergessen Sie nicht, dass Milch, egal ob Mutter- oder Folgemilch, im ersten Lebensjahr Ihres Kindes die wichtigste

Mutterersatz Wenn Sie nicht mehr nur stillen, kann Ihr Partner das Baby füttern, Sie dadurch entlasten und gleichzeitig die Bindung zum Baby stärken.

Nahrungsquelle ist. Auch wenn irgendwann einige seiner Milchmahlzeiten durch feste Nahrung ersetzt werden, sollte der Großteil an Kalorien noch immer von der Milch stammen. Wichtig zu wissen: Ein Entwöhnen von der Muttermilch im ersten Lebensjahr bedeutet, sie muss durch Milchnahrung (keine Kuhmilch!) ersetzt werden.

Zu Beginn können Sie eine Brustmahlzeit durch eine Mahlzeit mit Folgemilch in der Flasche oder Tasse ersetzen. Sie sollten dabei jede Woche immer nur eine Mahlzeit ersetzen, um Ihren Brüsten und dem Baby Zeit zu geben, sich auf die neue Situation einzustellen. Wählen Sie für die erste Umstellung einen Zeitpunkt, zu dem Ihr Baby nicht gerade vor Hunger brüllt. Gut geeignet ist z. B. die Nachmittagsmahlzeit.

Viele Mütter halten lange am abendlichen Stillen fest, weil es zu ihrem Einschlafritual gehört und das Baby beruhigt. Möglicherweise wird sich auch das Baby am stärksten gegen den Verlust dieser Mahlzeit wehren. Es spricht aber auch überhaupt nichts dagegen, dass Sie ein oder zwei Brustmahlzeiten pro Tag beibehalten, solange Sie und das Baby dies möchten.

Umstellungsschwierigkeiten Wenn Ihrem Baby die Umstellung sehr schwer fällt, bitten Sie Ihren Partner, ihm die Milch in der Flasche oder Tasse zu geben. Dies wird das Baby nicht so durcheinanderbringen und Sie erliegen nicht der Versuchung, es doch wieder zu stillen. Ändern Sie Ihren Tagesablauf ein wenig, damit Ihr Baby nicht merkt, dass seine rituelle Einschlafmahlzeit entfällt. Versuchen Sie auch, die letzte Mahlzeit an einem anderen Ort zu geben. Lenken Sie Ihr Baby mit einem Buch ab und bieten ihm schon vor statt nach dem Vorlesen sein Fläschchen an (oder umgekehrt). In dieser ersten Zeit könnte auch Ihr Partner oder ein Großelternteil das Baby ins Bett bringen.

Versuchen Sie das Baby von Ihren Brüsten fernzuhalten. Ziehen Sie sich

nicht vor ihm um. Das Baby wird nicht nur durch den Anblick Ihrer Brüste daran erinnert, dass es gern gestillt werden möchte, sondern vor allem auch durch den Geruch Ihrer Milch. Bei großen Umstellproblemen können Sie dem Baby zunächst auch abgepumpte Muttermilch in der Flasche geben.

Probleme vermeiden Ein langsames Abstillen verhindert, dass Ihre Brüste zu stark anschwellen oder ständig tropfen (s. S. 59). Ein kühler Waschlappen und ein gut stützender BH lindern Schmerzen. Wenn Ihre Brüste sehr voll sind und die Milch nicht von selbst abfließt (etwa unter der Dusche) können Sie eine kleine Menge davon abpumpen (aber nur zu den Fütterungszeiten!). Wenn Sie die Menge der entnommenen Milch reduzieren, passt sich Ihr Körper an und reduziert die Milchproduktion. Wenn Sie dabei Fieber oder eine Mastitis (s. S. 59) bekommen, sollten Sie Ihren Arzt aufsuchen.

Gemeinsames Kuscheln Ausgedehntes Kuscheln vor dem Zubettgehen ersetzt die körperliche Nähe während des Stillens.

FRAGEN SIE … EINE STILLBERATERIN

Meine Freundinnen hören auf zu stillen, aber ich möchte damit noch weitermachen. Ist das falsch? Es spricht überhaupt nichts dagegen, dass Sie so lange stillen, wie Sie und Ihr Baby das möchten. Sie können während des gesamten ersten Lebensjahres stillen – oder noch länger. Studien bestätigen, dass Muttermilch noch bis ins Kleinkindalter Antikörper liefert, die vor Infektionen schützen. Darüber hinaus enthält sie Eiweiß, essentielle Fettsäuren, Vitamine und Mineralien. Auch für die Mutter hat langes Stillen gewisse Vorzüge; so reduziert sich dadurch z. B. das Risiko, an einigen Krebsarten zu erkranken.

Stillen liefert Ihrem Baby nicht nur Nahrung, sondern auch Zuwendung; daher kann es eine wichtige Rolle in Ihrer Mutter-Kind-Beziehung spielen. Sie brauchen sich auch keine Sorgen

machen, das Stillen aufgeben zu müssen, weil Sie wieder anfangen zu arbeiten. Mit etwas Organisation ist das Stillen weiterhin problemlos möglich (s. S. 179). Sie können die Milch abpumpen und einfrieren, damit das Baby auch in Ihrer Abwesenheit damit gefüttert werden kann. Ihr Baby fühlt sich dadurch getröstet und Sie halten damit Ihre Milchproduktion aktiv. Viele berufstätige Mütter behalten auch das abendliche Stillen bei, um ihre Beziehung zum Baby zu stärken.

Richten Sie sich einfach danach, was Ihnen und dem Baby gut tut, ohne sich von anderen Meinungen beeinflussen zu lassen. Folgen Sie Ihrem Instinkt und genießen Sie dieses besondere Band zwischen Ihnen und Ihrem Baby solange Sie möchten. Mehr über verlängertes Stillen erfahren Sie auf S. 361.

Gutes Benehmen fördern

Auch wenn Ihr Baby noch klein ist, können Sie schon jetzt einiges dafür tun, dass aus ihm ein freundliches, hilfsbereites Kind wird.

DAS FRUSTRIERTE BABY

Ihr Baby wird sich seiner Bedürfnisse immer stärker bewusst – und zugleich seiner beschränkten Möglichkeiten, sie zu erfüllen; Geduld ist noch ein Fremdwort. Helfen Sie ihm, wenn es frustriert ist, und kommunizieren Sie mit ihm. Reagieren Sie auf sein Geplapper und Geschrei, indem Sie aussprechen, was ihm Ihrer Meinung nach fehlt: »Bist du müde?« Ihre Aufmerksamkeit hilft dem Baby, sich wieder zu beruhigen.

Ihr Baby ist extrem wissbegierig, was dazu führt, dass es manchmal Dinge tut, die es lieber nicht tun sollte. Es versteht noch nicht, was »gut« und »böse« bedeutet; doch beginnen Sie schon jetzt, ihm Grenzen zu setzen als Grundlage für ein späteres gutes Benehmen. Ihr Baby realisiert all Ihre Reaktionen; bestätigen Sie es also mit positiven Worten und Gesten, wenn es etwas gut gemacht hat. Wenn es etwas Unerwünschtes tut, beachten Sie es besser nur wenig. Reicht es Ihnen ein Spielzeug oder gibt Ihnen von seinem Essen ab, loben Sie es. Lässt es sich ohne Murren waschen und anziehen, sagen Sie »gut gemacht!« und liebkosen es, weil es so gut mitgeholfen hat.

Babys sind niemals absichtlich frech, deshalb ist es wichtig, dass Sie nicht überreagieren. So ist es z. B. ganz normal, dass Babys sich in diesem Alter gegenseitig das Spielzeug wegnehmen. Eine sanfte Ermahnung reicht dann schon aus: Nehmen Sie seine Hände, halten Sie Augenkontakt und sagen Sie »Nein, du darfst nichts wegnehmen«. Wenn es dennoch nicht hört, setzen Sie es sanft woandershin, damit es merkt, dass seine Handlung unerwünscht ist.

Regelmäßige »Auszeit«

Sie und Ihr Baby sind inzwischen ein eingespieltes Team. Reservieren Sie aber dennoch regelmäßig etwas Zeit für sich selbst.

Freizeit Geben Sie sich etwas Freiraum – sei es beim Yogakurs, beim Jogging oder in der Badewanne. Sie haben es sich verdient!

Die Pflege des Babys und die ständige Sorge, dass es gut unterhalten, angeregt und zufrieden ist, lassen Ihnen nur wenig Zeit zur Entspannung. Doch inzwischen haben Sie beide sich gut eingespielt und Sie sollten wieder mehr Gelegenheit finden, regelmäßig etwas nur für sich zu tun.

Quälen Sie sich nicht mit dem Gedanken, wie das Baby wohl ohne Sie auskommt. Denken Sie lieber daran, dass regelmäßige Auszeiten Ihre Batterien wieder aufladen und Sie so viel besser in der Lage sein werden, die Herausforderungen der Mutterschaft gelassen zu meistern.

Bitten Sie Ihren Partner oder die Großeltern, sich ein oder zwei Stunden um das Baby zu kümmern. Buchen Sie am besten einen Kurs, den Sie regelmäßig besuchen. Doch auch schon ein Cafébesuch, eine Runde schwimmen gehen oder sich ungestört in ein Buch vertiefen, sind wunderbare Möglichkeiten, etwas für sich selbst zu tun. Zugleich haben Sie die beruhigende Gewissheit, dass Ihr Baby in guten Händen ist und gut versorgt wird.

Ihr Monatszyklus

Wenn Sie kürzlich mit dem Stillen aufgehört haben, wird auch bald schon Ihre Periode wieder einsetzen.

Die hormonellen Veränderungen in Schwangerschaft und Stillzeit können Ihren Körper in vielerlei Hinsicht beeinflusst haben.

So stellen Sie vielleicht fest, dass Ihnen das prämenstruelle Syndrom (PMS) nicht mehr so extrem zusetzt wie vor der Schwangerschaft; doch dafür haben sich womöglich andere Beschwerden verstärkt. Ihr ehemals so regelmäßig funktionierender Zyklus kann nun völlig unregelmäßig sein – oder umgekehrt.

Wenn Sie den Eindruck haben, Ihre Periode sei nach der Schwangerschaft viel stärker oder schmerzhafter geworden, sollten Sie darüber mit Ihrem Frauenarzt sprechen. Er wird Ihre Eisenwerte überprüfen und falls nötig Medikamente gegen die Schmerzen oder die schwere Blutung verschreiben.

Während der Stillzeit Es kann sein, dass Ihre Periode schon wieder einsetzt, während Sie noch stillen, das Baby aber schon langsam auf feste Nahrung umgestellt wird und sich daher die Milchproduktion verringert. Ihr Zyklus kann dann etwas unregelmäßig sein. Vielleicht überspringt die Periode ein oder zwei Monate oder es kommt ganz wenig Blut.

Möglicherweise werden Ihre Brüste kurz vor Einsetzen der Periode etwas empfindlich, was das Stillen sehr unangenehm machen kann. Versuchen Sie aber, sich möglichst gut zu entspannen. Je mehr Sie sich verkrampfen, desto schmerzhafter wird das Stillen. Etwas Linderung bringt ein warmes Handtuch an der Brust, an der das Baby gerade trinkt sowie sanftes Abwärtsmassieren der Milch. Wenn das nichts hilft,

FAMILIENPLANUNG

Auch wenn Sie stillen und Ihre Periode noch nicht wieder eingesetzt hat, können Sie schwanger werden. Vielleicht möchten Sie sogar gleich das nächste Baby haben, etwa weil Ihre biologische Uhr tickt oder es sehr lange gedauert hat, bis Sie das erste Mal schwanger wurden.

Aber Sie sollten wissen, dass zwei Babys im Alter von unter zwei Jahren extrem anstrengend sein können. Sich im schwangeren Zustand um ein Baby kümmern zu müssen, ist ebenfalls keine leichte Aufgabe. Besonders, wenn Ihr Kleinkind gerade anfängt zu rennen und zu klettern! Wenn Sie zudem jetzt noch ziemlich ausgelaugt von der Schwangerschaft und der ersten Zeit mit dem Baby sind, sollten Sie mit dem zweiten Kind besser noch warten, bis das erste etwas älter und selbstständiger ist.

Zu den Vorzügen einer baldigen erneuten Schwangerschaft gehört es aber, dass Ihr Kind von einem fast gleichaltrigen Geschwisterchen sehr profitieren würde, aber auch, dass Sie und Ihr Partner die wunderbaren,

Vorausplanen Nur Sie und Ihr Partner wissen, wann es Zeit für ein weiteres Baby ist.

aber auch anstrengenden ersten Jahre in einem Rutsch hinter sich bringen könnten – ohne sozusagen immer wieder von Neuem in den Windelwechsel-Modus zurückschalten zu müssen.

versuchen Sie es mit einem leichten Schmerzmittel.

Vorsicht, fruchtbar Ihr Eisprung kann bereits stattfinden, noch bevor Ihre Periode wieder einsetzt. Auch volles Stillen bietet – entgegen der landläufigen Annahme – keinen zuverlässigen Schutz vor einer Schwangerschaft, da sich der Zyklus bereits durch kurze Stillpausen

ändert. Solange Sie stillen, ist eine östrogenhaltige Pille nicht zu empfehlen, da hohe Östrogenkonzentrationen die Milchbildung hemmen können. Die Minipille ist durch die geringe Toleranz bei Einnahmefehlern im stressigen Alltag mit Baby nicht optimal geeignet. Beraten Sie sich mit Ihrem Frauenarzt. Mögliche Alternativen zur Pille sind Kondome sowie Pessar und Spirale.

34 Wochen

Ihr Baby entwickelt immer mehr Selbstbewusstsein – und damit auch mehr Vorlieben und Abneigungen, die es ohne zu zögern zum Ausdruck bringt! Das neue Bewusstsein geht jedoch mit einer stärkeren Verlustangst einher, wenn Sie nicht in seiner Nähe sind.

Neue Höhen erklimmen

Sobald Ihr Baby anfängt herumzuwandern, sollten Sie zu Hause einiges ändern, denn Ihr Kind will jetzt hoch hinaus!

Sobald sich Ihr Baby ab etwa acht Monaten zum Stehen hochziehen kann, stellt es schnell fest, dass sich diese neue Fähigkeit prima zum Klettern einsetzen lässt. Den ersten Versuch wagen Babys häufig an der Treppe. Sie zu bewältigen, erfordert einiges an Muskelkraft und Köpfchen, daher ist dies ein wichtiger Schritt in der Entwicklung Ihres Babys. Das Gehirn muss Hände, Beine und Füße so koordinieren und synchronisieren, dass das Baby bei der Aufwärtsbewegung nicht das Gleichgewicht verliert. Der Schwung für die Aufwärtsbewegung kommt durch die koordinierte Bewegung eines Arms und des entgegengesetzten Beines, die bei jedem Schritt im Wechsel mit dem anderen Arm und Bein ausgeführt wird. Zum Klettern ist daher eine sehr gute Kontrolle aller Glieder sowie eine beträchtliche Muskelkraft erforderlich.

Babys erkennen Gefahr nur, wenn wir sie darauf hinweisen. Treppensteigen ist zwar riskant, aber unter ständiger Aufsicht ausgeführt hilft es dem Baby, sein Selbstvertrauen zu stärken. Manche Babys fangen an zu weinen, wenn sie zum ersten Mal oben an der Treppe angelangt sind und sehen, welche Höhe sie erreicht haben. Doch viele kommen stolz oben an der Treppe an und wollen es gleich noch einmal probieren!

Erlauben Sie Ihrem Baby, sich in die Gefahrenzone der Treppe zu begeben; aber bleiben Sie dicht hinter ihm. Sein Selbstvertrauen wird einen großen Schub bekommen, vor allem, wenn Sie es für seine Anstrengungen loben.

Sicherheitsmaßnahmen Lassen Sie Ihr Baby aber nie unbeaufsichtigt an

Nach oben Möbel aller Art laden Ihr Baby nicht nur dazu ein, sich hochzuziehen, sondern auch daran hochzuklettern.

der Treppe spielen. Nach oben steigen ist zwar relativ ungefährlich, aber auch dabei kann Ihr Baby ausrutschen und die Stufen hinabfallen. Bringen Sie dem Baby bei, die Treppe auf die sicherste Art und Weise hinabzusteigen: nämlich rückwärts auf dem Bauch und mit den Füßen voran.

Installieren Sie Schutzgitter an Kopf und Fuß der Treppe und halten Sie sie geschlossen, wenn Sie nicht in der Nähe des Babys sind. Ein Treppengeländer mit großen Zwischenräumen sichern Sie besser durch ein Netz. Überprüfen Sie regelmäßig alle Räume Ihrer Wohnung, um zu prüfen, ob die Sicherheit des Babys noch überall gewährleistet ist.

Aufwärts Ihr Baby will aber nicht nur die Treppe erklimmen. Auch Sofas, Stühle, Betten und niedrige Tische sind interessante Kletterobjekte für Ihr unerschrockenes Entdecker-Baby. Versuchen Sie, alles so sicher wie möglich zu machen. Sofas sollten z.B. direkt an der Wand stehen, damit das Baby nicht über die Lehne hinabplumpsen kann. Halten Sie es auch sanft von Mobiliar fern, das leicht umfallen könnte, wenn es sich daran hochzieht.

Sobald das Baby versucht, aus seinem Bett zu klettern, sollten Sie den Lattenrost auf die unterste Stufe legen und alles aus dem Bett nehmen, was dem Baby als Steighilfe dienen könnte.

Routinen anpassen

Spontane Ereignisse können den Tagesablauf des Babys durcheinanderbringen. Vertraute Signale helfen ihm dann, sich anzupassen.

Ein gewisses Maß an Vorhersehbarkeit trägt dazu bei, dass sich das Baby sicher fühlt. Die meisten Babys reagieren auf eine tägliche Routine positiv, doch sie darf nicht mit einem Stunden- oder Terminplan verwechselt werden. Betrachten Sie sie stattdessen als eine Abfolge von Ereignissen.

Wenn es Ihnen also hin und wieder besser passt, den Mittagsschlaf des Babys um eine halbe Stunde zu verschieben, ist das kein Problem. Das Baby erwartet den Mittagsschlaf erst dann, wenn Sie ihm die gewohnten Signale dazu geben, etwa indem Sie ihm den Schlafanzug anziehen und es ins Bett legen. Es wird vermutlich nicht mehr oder weniger Widerstand leisten, als wenn Sie es zur üblichen Zeit schlafen gelegt hätten.

Den Tagesablauf als eine Abfolge von Ereignissen zu sehen, macht Sie flexibler. Führen Sie auch auswärts oder auf Reisen vertraute Rituale durch, wie etwa dem Baby vor dem Schlafengehen vorzulesen und noch ein Schlaflied zu singen, und halten Sie dabei die gewohnte Reihenfolge ein. Das Baby weiß dann, was als nächstes geschehen wird, egal zu welcher Zeit und an welchem Ort.

FAKTEN UND HINTERGRÜNDE

Häufig wird darüber diskutiert, wie streng der Tagesablauf des Babys eingehalten werden sollte. Experten empfehlen einen gewissen Grad an Routine, etwa mit regelmäßigen Zeiten zum Essen, Schlafen und Spielen. Passen Sie den Tagesablauf aber ganz individuell Ihren Bedürfnissen an. Ein Stundenplan sollte Sie vor allem nicht daran hindern, sich sofort um die Bedürfnisse Ihres Babys zu kümmern.

Fragestunde

Ihr Baby lernt allmählich, dass Dinge und Personen Namen haben. Kleine Fragespiele machen Spaß und unterstützen den Lernprozess.

Wo ist Papas Nase? Stellen Sie eine einfache Frage wie diese und zeigen Sie dann auf Papas Nase. Ihr Baby wird bald selbst darauf zeigen!

Je öfter Sie Ihrem Baby vorlesen, vorsingen und mit ihm sprechen, desto schneller lernt es auch, dass alle Dinge einen Namen haben. Bunte Bilderbücher mit einfachen Abbildungen helfen Ihnen dabei, Ihrem Baby die Namen von Objekten beizubringen. Fragen Sie »Wo ist der Ball?« und führen Sie seine Hand zu dem Bild. In ein paar Monaten wird Ihr Baby Sie damit überraschen, dass es von selbst auf das Bild zeigt. Wenn Papa nach Hause kommt, fragen Sie »Wo ist Papa?« und Ihr Baby wird eventuell schon den Kopf nach ihm drehen.

Singen ist eine der schönsten Möglichkeiten, Ihrem Baby Namen beizubringen. Singen Sie das Lied »Kopf und Schulter, Knie und Fuß« und deuten Sie dabei auf die einzelnen Körperteile. Oder fragen Sie »Wo ist (Name des Babys) Nase?« Berühren Sie sie dann selbst und sagen Sie »Hier ist sie«, dann führen Sie die Hand des Babys dorthin. Sprechen Sie dabei in der dritten Person, denn Ihr Baby versteht Possessivpronomen (besitzanzeigende Fürwörter) noch nicht (wie dein, mein, sein, ihr).

Ihr Baby kann nun auch lernen, auf Fragen zu reagieren. Bitten Sie es zunächst um ganz einfache Dinge, wie »bring mir das Buch«. Dem Baby wird es sicher Spaß machen, es für Sie zu holen.

Babysitter gesucht

Sie und Ihr Partner möchten ausgehen und Ihr Baby einem Baby-sitter anvertrauen. Aber wie finden Sie den richtigen?

Kennenlernen Ihr Baby sollte den Babysitter auf jeden Fall kennenlernen, bevor Sie beide zum ersten Mal miteinander allein lassen. Das gibt Ihnen mehr Sicherheit.

Familie und Freunde, die Ihr Kind bereits kennt, sind meistens die erste Wahl, wenn es ums Babysitten geht. Aber nicht immer ist das möglich. Wo findet man also eine andere vertrauenswürdige Person für das Baby?

Wenn Sie berufstätig sind, könnten Sie vielleicht die Tagesmutter Ihres Babys bitten, zusätzlich abends für ein paar Stunden auf Ihr Kind aufzupassen. Dies hätte den Vorteil, dass sie und Ihr Baby einander bereits gut kennen. Außerdem weiß eine qualifizierte Tagesmutter, wie man mit einem schreienden Baby umgeht und was bei einem Notfall zu tun ist.

Sie könnten auch bei einer Agentur nachfragen, die sich auf Babysitter spezialisiert hat. Entsprechende Adressen finden Sie im Internet oder in Tageszeitungen. Vielleicht können Ihnen Freunde auch ihren Babysitter empfehlen. Oder gibt es eine Elterngruppe in Ihrer Nähe, der Sie sich anschließen könnten und die wechselseitig das Babysitten übernimmt? Wenn nicht, wie wäre es, selbst eine zu gründen?

Häufig bieten auch Teenager und Kinder aus der Nachbarschaft ihre Babysitter-Dienste an. Es gibt zwar kein Mindestalter, aber Sie sollten bedenken, dass Sie vor dem Gesetz die Verantwortung für alle Folgen tragen, wenn der Babysitter noch keine 16 Jahre alt ist.

Am wichtigsten ist aber, dass Sie dem Babysitter vertrauen. Klären Sie ab, wie er das Baby beruhigen oder im Notfall handeln soll. Am besten hilft er beim Zubettgehen, damit Ihr Baby sich nicht erschreckt, wenn es nachts aufwacht.

CHECKLISTE

Babysitter-ABC

■ Hinterlassen Sie dem Babysitter eine Liste mit Telefonnummern: Ihre Handynummer, eine Festnetznummer, unter der Sie an dem Abend erreichbar sind, sowie die Nummer des Kinder- oder Notarztes.

■ Informieren Sie den Babysitter umfassend, falls Ihr Baby auf bestimmte Lebensmittel oder Medikamente allergisch reagiert.

■ Informieren Sie den Babysitter über den aktuellen Gesundheits- und Gemützustand Ihres Babys, etwa ob es gerade zahnt oder tagsüber griesgrämig war oder das Essen verweigert hat.

■ Erklären Sie Ihrem Babysitter die üblichen Schlafrituale, falls er das Baby ins Bett bringen soll. Geben Sie Tipps, wie Ihr Baby beruhigt werden kann, wenn es nachts aufwacht.

■ Zeigen Sie dem Babysitter, was Ihr Baby essen und trinken darf und wie es erwärmt wird.

■ Teilen Sie dem Babysitter mit, ob er ans Telefon oder an die Tür gehen soll, wenn es klingelt, oder nicht.

■ Zeigen Sie Ihrem Babysitter das Lieblingsspielzeug des Babys.

■ Sagen Sie dem Babysitter, dass er Sie jederzeit anrufen kann, und stellen Sie sich darauf ein, überstürzt nach Hause fahren zu müssen.

Spaß mit Kreativität

Zeit für künstlerische Betätigungen! Ihrem Baby wird die neue Aktivität Spaß machen und vielleicht entsteht ein schönes Andenken.

Leiten Sie Ihr Baby an, seine kreative Seite auszuleben. Sie können viel Spaß dabei haben. Erwarten Sie jedoch keine Meisterwerke, auch wenn sich seine Malversuche an der Wand, am Kühlschrank oder in einem Skizzenbuch sicherlich gut machen werden.

Am besten eignen sich ganz einfache Malmethoden, bei denen Ihr Baby keinen Pinsel halten oder saubere Linien zeichnen muss. Wenn Sie den Malplatz entsprechend vorbereiten, muss das auch nicht in Dreck und Unordnung enden. An warmen Tagen ist ein Platz im Freien, etwa auf dem Rasen, ideal. Alternativ bereiten Sie einen Platz auf dem Boden vor oder an einem niedrigen Tisch. Legen Sie alte Handtücher oder Zeitungen unter, die Verschüttetes aufsaugen. Halten Sie Wasser und Tücher bereit, um das Baby später sauber zu machen.

Kaufen Sie nur ungiftige, fertig gemischte Farben. Prüfen Sie vorher, ob sie auch keine Flecken auf Haut oder Kleidung hinterlassen. Ziehen Sie Ihrem Baby alte Sachen an oder auch nur eine Windel. Sie brauchen große Bögen Papier oder eine Tapetenrolle. Breiten Sie das Papier auf dem Boden aus und geben Sie etwas Farbe in eine alte Schüssel. Tauchen Sie die Hand oder den Fuß Ihres Babys in die Farbe (falls es das nicht schon von selbst tut) und helfen Sie ihm, sie auf das Papier zu drücken, sodass ein Abdruck entsteht. Den schönsten können Sie später ausschneiden und als Erinnerungsstück einrahmen oder in ein Babybuch kleben. Vergessen Sie aber das Datum nicht!

Ärger zur Schlafenszeit

Widerstand beim Schlafengehen müssen Sie mit Vorsicht betrachten, denn leicht entstehen schlechte Gewohnheiten.

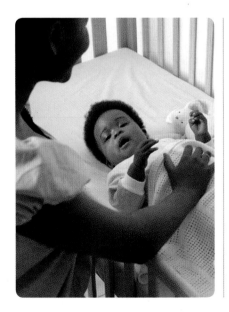

Ihr Baby, das abends stets zufrieden zu Bett ging, veranstaltet plötzlich großes Theater, wenn es schlafen gehen soll. Viele Eltern finden das beunruhigend, aber nicht selten durchleben Babys in diesem Alter eine Phase, in der sie sich urplötzlich weigern, ins Bett zu gehen. Sie haben nämlich erkannt, dass Dinge in einer bestimmten Reihenfolge passieren, und können voraussehen, was als nächstes geschehen wird. Ihr Baby weiß somit auch, dass es während der Schlafenszeit von Ihnen getrennt sein wird. Machen Sie sich bewusst:

Ich will nicht schlafen! Ein konsequent durchgeführtes Bettgehritual hilft dem unwilligen Baby, sich auf die Nacht einzustimmen.

Trennungsangst ist ein normales Entwicklungsstadium, das eben manchmal dazu führt, dass sich Ihr Baby in Tränen auflöst, wenn es abends allein in seinem Bett einschlafen soll. Von Ihrer Reaktion hängt nun die zukünftige Routine ab – versuchen Sie daher, Ihr Baby schnell zu beruhigen und in den Schlaf zu bringen.

Aktivitäten bei Tage machen Ihr Baby abends schön müde. Gehen Sie mit ihm viel spazieren oder auf den Spielplatz. Sie sollten ein Schlafritual beibehalten, das dem Kind Sicherheit gibt. Machen Sie deutlich, wann Schlafenszeit ist, und legen Sie Ihr Baby ins Bett. Kehren Sie zurück, wenn es nach Ihnen ruft, aber nehmen Sie es nicht aus dem Bett. Es wird sich auch so bald beruhigen.

Trennungsangst

Einerseits wird das Baby immer selbstständiger, andererseits wächst seine Angst, von Ihnen getrennt zu sein.

Bis später! Strahlen Sie bei der Übergabe des Babys Ruhe und Zuversicht aus – ganz egal, wie Sie sich innerlich fühlen.

Um den achten Lebensmonat herum entwickelt Ihr Baby wahrscheinlich Trennungsangst. Dieser Meilenstein in seiner Entwicklung signalisiert seine tiefe Verbundenheit mit Ihnen und zugleich seine Erkenntnis, dass Sie seine wichtigste Bezugsperson sind. Zur selben Zeit wird ihm bewusst, dass Sie gegangen sind, wenn es Sie nicht mehr sehen kann; aber es kann noch nicht verstehen, dass Sie zu ihm zurückkehren werden. Ihr Baby erlebt echten Stress und drückt seine Gefühle durch Weinen, Schreien und Trotzanfälle aus.

Ihr Baby beruhigen Wenn Sie den Raum verlassen, sprechen Sie mit ruhiger, positiver Stimme zu Ihrem Baby: Sagen Sie ihm, dass Sie gleich wieder da sein werden. Lassen Sie Ihr Baby zu Beginn möglichst nur für kurze Zeit allein, damit es merkt, dass Sie immer wieder zurückkehren. Erzählen Sie ihm, was Sie gerade tun, während Sie es zu seiner Tagesmutter bringen: »Mama setzt dich jetzt in den Autositz und legt dir den Gurt an«. Ihr Tonfall sollte munter und optimistisch klingen. Verlieren Sie nie die Geduld – Ihr Baby beruhigt sich schneller, wenn Sie selbst ruhig bleiben, auch wenn Sie es eilig haben. Eine Decke, ein Stofftier oder ein Tuch, das nach Ihnen riecht, werden es trösten, während Sie nicht bei ihm sind.

Wenn Sie das Baby schließlich abgeben, sollten Sie es nicht übermäßig lang halten und davon sprechen, dass Sie es nicht verlassen möchten. Damit senden Sie nur widersprüchliche Signale, die am Ergebnis nichts ändern. Übergeben Sie das Baby, sagen Sie ihm, dass Sie bald zurückkommen werden, küssen Sie es, winken und lächeln Sie ihm zu – und dann gehen Sie. Warten Sie, bis Sie außer Sicht- und Hörweite sind, sollten Sie selbst weinen müssen!

Falls Sie den Eindruck haben, Ihr Baby sei wirklich unglücklich mit seiner Tagesmutter, sollten Sie einen Wechsel in Betracht ziehen. Stellen Sie sich darauf ein, dass sich dadurch vielleicht aber auch nichts ändert, und beruhigen Sie sich, denn diese Phase wird auch irgendwann vorbei sein. Stärken Sie das Selbstvertrauen Ihres Babys, indem Sie häufig mit ihm die Gesellschaft anderer suchen; Spielplätze sind dafür ideal.

ENTWICKLUNG FÖRDERN

Kitzelreime

Ihr Baby kann Situationen nun immer besser vorausahnen und wird während eines Kitzelspiels schon lange, bevor Sie es tatsächlich kitzeln, vor Freude und Aufregung kichern. Zu den beliebtesten Fingerspielen und Kitzelreimen gehören »Geht ein Mann die Treppe hoch«, bei dem Sie mit Ihren Fingern den Arm des Babys hochlaufen, oder »Der Daumen schüttelt die Pflaumen«, bei dem Sie die Finger des Babys einen nach dem anderen abzählen und es am Bauch kitzeln, nachdem Sie beim kleinen Finger angekommen sind. Anleitungen für Kitzel- und Fingerspiele finden Sie in Büchern oder im Internet.

Bauchkitzeln Ihr Baby wird vor Vergnügen quietschen, wenn Sie es kitzeln. Wetten, dass Sie selbst auch mitlachen müssen?

35 Wochen

MIT ETWA 8–10 MONATEN LERNEN BABYS DAS HINWEISEN MIT DEM ZEIGEFINGER.

Ihr Baby perfektioniert nun auch seinen Pinzettengriff, durch den es kleine Objekte zwischen Daumen und Zeigefinger aufheben kann. Geben Sie ihm Spielsachen oder Haushaltsgegenstände in allen Größen und Formen, damit es die neue Technik üben kann.

Sinnvoll abnehmen

Normalerweise dauert es nach der Geburt mindestens sechs Monate, bis Sie wieder Ihr altes Gewicht erreicht haben.

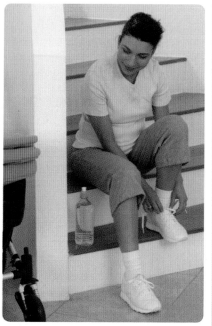

Sich selbst motivieren Aktiv zu sein, wird schnell zur Gewohnheit; allerdings müssen Sie sich zunächst einmal dazu motivieren.

Wenn Sie sich wohl in Ihrer Haut fühlen, wirkt sich das auch positiv auf die Beziehung zu Ihrem Baby aus. Der Verlust von ein paar überflüssigen Pfunden kann Ihr Selbstwertgefühl steigern. Achten Sie aber bei einer Diät darauf, alle wichtigen Vitamine und Mineralien zu erhalten; vor allem, wenn Sie schon bald wieder schwanger werden möchten. Falls Sie noch stillen, ist Ihr Kalorien- und Nährstoffbedarf erhöht und eine Diät nicht zu empfehlen; außer Ihr Arzt rät Ihnen dazu. Es ist aber sehr sinnvoll, sich körperlich fit zu halten, denn Mutterschaft kann richtig anstrengend sein.

Aktiv werden Der Schlüssel, um Ihr Wunschgewicht zu erreichen, liegt in der Selbstmotivation für Ihr Sportprogramm. Selbst wenn Sie das Gefühl haben, Ihr Baby hält Sie bereits den ganzen Tag auf Trab, kann es sein, dass Sie etwas mehr tun müssen, um Ihre Fettverbrennung anzukurbeln. Lassen Sie so oft es geht das Auto stehen und ziehen Sie mit dem Kinderwagen los. Wenn Sie zügig gehen (sodass Ihr Herz etwas schneller schlägt), schaffen Sie in 15 Minuten etwa eineinhalb bis zwei Kilometer. Suchen Sie sich ein Fitnessstudio mit Kinderbetreuung oder melden Sie sich für einen Gymnastikkurs an.

Versuchungen widerstehen Fingerfood hat etwas Unwiderstehliches an sich. Ihrer Figur zuliebe sollten Sie aber der Verlockung widerstehen, ständig die Reste aufzuessen, die Ihr Baby übrig lässt. Essen Sie am besten auch zu Mittag, wenn Ihr Baby isst; dann ist Ihr Appetit auf seine Essensreste nicht so groß. Wenn eine gemeinsame Mahlzeit nicht möglich ist, nehmen Sie aber einen gesunden Snack zu sich, während das Baby isst. So können Sie ihm Gesellschaft leisten, ohne von seinem Essen naschen zu müssen.

GESUNDE ERNÄHRUNG

Auch wenn Sie Ihre überflüssigen Pfunde möglichst schnell loswerden möchten, sollten Sie einseitige und sogenannte Crash-Diäten vermeiden. Ernähren Sie sich abwechslungsreich, aber reduzieren Sie die Portionen. So verlieren Sie stetig an Gewicht und Sie gewöhnen sich eine gesunde Ernährungsweise an, die Ihnen helfen wird, Ihr neues Gewicht auch zu halten.

■ **Regelmäßige Mahlzeiten** Essen Sie drei Mahlzeiten pro Tag, wobei jede Mahlzeit mindestens eine Portion Gemüse und Obst enthalten sollte.

■ **Längeres Sättigungsgefühl** Wählen Sie Nahrung, die die Energie nur langsam freisetzt, denn das hält Sie länger satt, sodass Sie zwischendurch nicht naschen. Essen Sie z.B. Müsli und Vollkorntoast mit etwas Obst zum Frühstück. Mittag- und Abendessen sollten aus Vollkornprodukten, magerem Fleisch oder Fisch und idealerweise zwei Portionen Gemüse bestehen.

■ **Keine vollfetten Milchprodukte** Fett enthält zweimal so viel Energie wie Kohlenhydrate und Eiweiß. Milch, Aufstriche, Joghurt und Käse sollten daher immer fettreduziert sein. Messen Sie Öl, Mayonnaise und Salatdressing immer mit dem Löffel ab. Verzichten Sie aber nicht gänzlich auf Milchprodukte, denn sie sind wichtig für eine gesunde Ernährung. Zudem spielt Kalzium vermutlich eine Rolle bei der Gewichtsabnahme.

■ **Eiweißzufuhr** Alle Mahlzeiten sollten auch Eiweiß enthalten, denn es sättigt und verringert dadurch das Hungergefühl.

■ **Mehr Flüssigkeit** Trinken Sie regelmäßig Wasser. So dehydrieren Sie nicht und Sie verwechseln auch nicht Durst mit Hunger.

■ **Gesunde Snacks** Halten Sie zum Naschen einen Vorrat geschnittener Karotten, Stangensellerie und Gurken im Kühlschrank bereit.

Ein wenig Ruhe

Das Gehirn Ihres Babys ist noch nicht in der Lage, die Umweltreize zu filtern. Dies hat Auswirkungen auf seine Konzentrationsfähigkeit.

Erwachsene können störende Hintergrundgeräusche ausblenden, wenn sie jemandem aufmerksam beim Sprechen zuhören möchten. Babys gelingt dies noch nicht, deshalb werden Sie auch manchmal von all den Geräuschen rundum überwältigt oder verlieren ihre Konzentration. Aus diesem Grund erschrecken sie auch so leicht: Sie hören jedes Geräusch in ihrer Umgebung ungefiltert und in voller Lautstärke.

Sorgen Sie deshalb hin und wieder für Ruhe, damit sich Ihr Baby auf seine Aktivität oder auf Ihre Stimme konzentrieren kann. Konstanter Hintergrundlärm kann die Lernfähigkeit des Babys stark herabsetzen. Das heißt aber nicht, dass in Ihrem Haus ständig Grabesstille herrschen muss. Sie sollten aber wissen, dass plärrende Fernseher und Radios, laute Unterhaltungen und der voll aufgedrehte Mixer Ihr Baby von dem, was es gerade tut, ablenken. Schalten Sie daher alle Geräte ab, wenn Sie ihm vorlesen oder mit ihm spielen. Reduzieren Sie vor allem auch den Geräuschpegel, wenn es Schlafenszeit ist. Völlige Stille ist unnötig, denn ein paar leise Geräusche während des Einschlafens verringern die Wahrscheinlichkeit, dass das Baby durch gelegentliche abendliche Geräusche wieder aufgeweckt wird.

Gerade wenn es darum geht, wichtige Entwicklungsmeilensteine zu erreichen, sollten Sie Ihr Baby in Ruhe üben lassen. Es fällt ihm schwerer, neue Fertigkeiten zu meistern, wenn es dabei ständig durch Lärm und Geräusche abgelenkt wird. Ihr Baby wird regelmäßige »Ruhezeiten« schätzen und sich darauf freuen, völlig ungestört entspannen oder mit Ihnen spielen zu können.

Probleme lösen

Im Spiel entwickelt Ihr Baby die Fertigkeit, ein Problem zu erkennen und ganz allein eine Lösung dafür zu finden.

Studien zufolge ist das kognitive Bewusstsein eines Babys mit etwa acht Monaten so weit entwickelt, dass es das Prinzip von Ursache und Wirkung versteht. Ebenso begreift es, dass ein Problem mehrere Lösungen haben kann.

Um diese wichtigen Fähigkeiten zu fördern, müssen Sie nicht viel mehr tun, als Ihrem Baby Spielzeug zu geben, bei dem es Dinge bewegen oder einen Knopf drücken und dann zuschauen kann, was passiert. Sortierspielzeug aller Art oder Bauklötze – die Sie aufeinander stapeln und das Baby umschmeißen lassen – sowie Spielsachen mit Deckeln – die man abnehmen kann, um im Inneren etwas zu entdecken – sind ideal, damit Ihr Baby lernt, Probleme zu erkennen und dann zu lösen.

Beobachten Sie, wie Ihr Baby seine Fantasie benutzt, um an ein Spielzeug außerhalb seiner Reichweite zu gelangen: Es krabbelt hin oder es protestiert so lange, bis Sie es ihm geben, und ab etwa neun Monaten wird es mit dem Finger darauf zeigen! All das zeigt, dass sich seine kognitiven Fähigkeiten entwickeln. Loben Sie Ihr Baby überschwänglich für seine großen Leistungen und freuen Sie sich an seinen Fortschritten.

Das passt! Spielzeug, bei dem Ihr Baby Formen in die richtige Öffnung schieben muss, trainieren seine Fähigkeit, Probleme zu lösen.

Fernsehen für Babys

Darf Ihr Baby kurze Zeit fernsehen oder schadet das schon seiner Entwicklung? Eine Frage, die immer wieder diskutiert wird.

Babys kommen auf vielfältige Weise schon früh mit dem Fernsehen in Kontakt. Vielleicht läuft das Gerät im Nebenzimmer oder es ist an, wenn Sie mit dem Baby ins Zimmer treten. Vielleicht lassen Sie auch manchmal das Gerät laufen, wenn Sie stillen. Anfangs reagiert Ihr Baby womöglich gar nicht auf die Geräusche und Bilder. Später ist es sicher ganz neugierig und läuft auf das Gerät zu, schaut auf den Bildschirm und versucht die vielen Knöpfe zu drücken. Machen Sie sich aber nichts vor: Ihr Baby kann in diesem Alter mit dem Fernsehen noch nicht wirklich etwas anfangen. Und denken Sie auch daran, dass Babys sehr sensibel auf Stimmungen reagieren; dramatische Szenen und laute Musik lassen es erschrecken oder bringen es sogar zum Weinen.

Interaktion ist wichtig Ihr Baby braucht noch lange Zeit die direkte Zuwendung und Interaktion, um aus einem gemeinsamen Spiel zu lernen. Fernsehen dagegen verkürzt automatisch die Zeit, in der Ihr Baby die reale Welt erkunden und beobachten kann. Die Forschung bestätigt, dass Fernsehen nicht denselben erzieherischen Wert hat wie die Zeit, die das Baby mit Ihnen verbringt. So wird z. B. Sprache am effektivsten von Angesicht zu Angesicht erworben und weniger durch passives Fernsehen.

Fernsehen ist kein Babysitter Sicher lassen sich bereits Babys von dem Geflimmer fesseln. Ihre Aufmerksamkeit ist schnell geweckt, aber sie findet kein sinnvolles Ventil. Ihr Baby wird auf den Bildschirm starren und ganz ruhig sein. Lassen Sie sich aber nicht davon verleiten, Ihr Baby vor den Fernseher zu setzen. Es braucht Ihre Anregungen, um seine Umwelt aktiv zu entdecken. Zudem gibt es Studien, die den direkten Zusammenhang zwischen Fernsehen in früher Kindheit und einer erhöhten Neigung zu Aufmerksamkeitsstörungen wie ADHS sowie Fettleibigkeit ziehen.

Informationen Das Bundesminsterin für Familie, Senioren, Frauen und Jugend in Deutschland hat eine sehr lesenswerte Broschüre herausgebracht: »Geflimmer im Zimmer«. Dort werden Empfehlungen zum Fernsehkonsum von Kleinkindern und Kindern gegeben. Eltern wird geraten, Kinder frühestens ab etwa eineinhalb bis drei Jahren einzelne Fernsehsendungen ansehen zu lassen.

AUSREICHEND TRINKEN

Babys können sich sehr an ihre Flasche gewöhnen. Wenn Sie zu lange damit warten, Ihr Baby mit einer Schnabeltasse vertraut zu machen, wird es sich nur schwer wieder von seinem geliebten Fläschchen lösen. Fangen Sie damit an, Ihrem Baby nach den Mahlzeiten eine Tasse mit Wasser, wahlweise auch mit verdünntem Fruchtsaft (1 Teil Saft auf 10 Teile Wasser) oder Milch anzubieten. Fruchtsaft enthält Vitamin C, das für die Eisenaufnahme wichtig ist; aber zum Schutz der Zähne sollte er nur zu den Mahlzeiten getrunken werden. Von unverdünntem Fruchtsaft ist auf jeden Fall abzuraten, weil er zu viel Fruchtzucker enthält und bei Ihrem Baby die Gier auf Süßes weckt.

Arbeit macht durstig Wasser oder verdünnter Saft nach dem Essen stillen den Durst.

FAKTEN UND HINTERGRÜNDE

Achten Sie darauf, dass Fertigprodukte, die Sie für Ihre Familie kaufen, nicht zu viele gehärtete Fette (auch hydrierte Öle oder Transfettsäuren genannt) enthalten. Dies betrifft sowohl Fastfood wie Pommes frites und Tiefkühlpizza, aber auch Gebäck. Diese Fette können die Entstehung von Diabetes, Krebs und Herz- und Gefäßerkrankungen fördern. In Deutschland müssen die Fette deklariert werden. Einen Grenzwert für Transfettsäuren in Fetten und Ölen gibt es in der Europäischen Union und der Schweiz für Säuglingsnahrung und Olivenöl.

Ihre Reaktionen testen

Während Ihr Baby eine Handlung zum wiederholten Mal ausführt, beobachtet es ganz genau, wie Sie darauf reagieren.

Machen Sie sich bewusst, dass Ihr Zuschauen verstärkend auf die Handlungen Ihres Babys wirkt. Solange es etwas macht, auf das Sie mit Lob oder einer Umarmung reagieren, ist das sicher in Ihrem Sinne. Bekommt Ihr Baby jedoch viel Aufmerksamkeit für etwas, was es nicht tun sollte, fühlt es sich unter Umständen dadurch ermuntert, es gleich noch einmal zu tun.

Ihr Baby ist aber nicht absichtlich unartig, sondern es will lediglich Ihre Aufmerksamkeit wecken. Es weiß noch nicht, dass es nicht grob mit der Katze umgehen darf oder dass es Ihnen weh tut, wenn es Sie in den Arm zwickt. Sie sollten ihm aber klar machen, was Sie an seinem Verhalten nicht mögen. Sagen Sie in ruhigem Tonfall »Stopp, das tut weh« und drücken Sie auch durch Ihre Mimik aus, wenn etwas schmerzhaft ist. Nehmen Sie seine Hand, fahren Sie damit sanft über Ihren Arm und sagen Sie dabei »Ganz sanft streicheln«.

Ihr Baby braucht viel Aufmerksamkeit, die Sie ihm vor allem dann geben sollten, wenn es brav spielt, sanft und liebevoll ist oder seine neu erworbenen Fähigkeiten zeigt. Verhält es sich dagegen nicht so, wie Sie es wünschen, bleiben Sie möglichst ruhig. Denken Sie daran, dass es Sie nicht vorsätzlich ärgern will. Völliges Ignorieren seines Verhaltens ist in diesem Alter aber auch nicht zu empfehlen. Sie müssen Ihr Baby aufhalten, wenn es sich selbst oder anderen wehtun könnte. Reagieren sie gelassen und erklären Sie ihm freundlich, was es nicht tun soll.

Wenn Sie das korrekte Verhalten Ihres Babys mit viel Aufmerksamkeit belohnen, wird es diese Dinge gern wiederholen. Machen Sie ihm aber deutlich klar, wo die Grenzen des akzeptablen Verhaltens liegen.

Kommunikation

Ihr Baby ist sehr wissbegierig. Erklären Sie ihm alles und reagieren Sie auf seine Kommunikation, um seine Entwicklung zu fördern.

Sprechen Sie viel mit Ihrem Baby und beschreiben Sie ihm, was Sie gerade tun, damit es ein Verständnis von der Welt entwickelt. Alles ist neu und aufregend für ein Baby, bleiben Sie daher geduldig stehen und betrachten Sie mit ihm die Risse im Asphalt oder den Schmetterling auf der Blüte. Legen Sie sich mit ihm ins Gras und zeigen Sie ihm die Wolken oder die Blätter der Bäume.

Reagieren Sie auf alle Kommunikationsversuche Ihres Babys, als würden

Kommentator Erklären Sie Ihrem Baby ganz genau, was Sie jetzt gerade tun und was Sie als nächstes tun werden..

Sie eine Konversation mit ihm führen. Zeigen Sie Interesse für sein Geplapper, ahmen Sie seine Laute und den Tonfall nach, reagieren Sie, wenn es ruft, lacht, gluckst oder gestikuliert. Es ist oft nicht leicht herauszufinden, was es möchte, aber durch Ihre Aufmerksamkeit entwickelt es das Selbstvertrauen, sich auszudrücken. Es bekommt einen Eindruck von den Feinheiten sozialer Interaktion. Sie sind der erste Lehrer Ihres Kindes: Alles, was Sie ihm in diesen ersten wichtigen Monaten beibringen, bildet die Basis für seine Neugier, sein Selbstvertrauen, seinen Wortschatz, seine Fantasie und vieles mehr.

Schwimmen gehen

Schwimmen macht Babys großen Spaß. Sie lernen einen respektvollen Umgang mit Wasser und zugleich fördert es ihre Entwicklung.

Das Wasser trägt das Gewicht Ihres Babys, sodass es sich darin frei bewegen kann, selbst wenn es auf dem Trockenen noch nicht übermäßig mobil ist. Das gibt ihm ein großartiges Gefühl der Freiheit und Selbstständigkeit, es verliert die Angst vor dem Wasser und durch das Herumplanschen trainiert es obendrein noch seine Muskeln.

Vorbereitungen Um unerwünschte Zwischenfälle im Wasser zu vermeiden, sollten Sie eine Schwimmwindel für Ihr Baby kaufen (normale Windeln lösen sich im Wasser auf). Sie haben auch hier die Wahl zwischen Einweg- und Mehrwegwindeln. Wenn Sie möchten, können Sie auch aufblasbare Babyschwimmflügel oder eine Schwimmweste für Babys kaufen, die es über Wasser halten.

Wenn Sie in ein öffentliches Schwimmbad gehen möchten, sollten Sie sich vorher über die Wassertemperatur informieren. Temperaturen unter 30 °C könnten für Ihr Baby zu kühl sein. Es sollte auch nicht allzu viel Trubel herrschen, denn die hallenden Geräusche könnten das Baby erschrecken.

Füttern Sie Ihr Baby mindestens eine Stunde vorher – gehen Sie nie direkt nach dem Essen schwimmen – und packen Sie für danach etwas zu essen und zu trinken ein.

Beim ersten Besuch Machen Sie Ihr Baby langsam und ganz vorsichtig mit dem Wasser vertraut, um es nicht zu erschrecken und zu überfordern. Halten Sie es dicht bei sich und lassen Sie ihm ausreichend Zeit, sich an die neue Umgebung und das nasse Element zu gewöhnen, bevor Sie anfangen, mit ihm

Bewegungsfreiheit Sobald Ihr Baby gelernt hat, mit den Beinen zu strampeln und herumzuplanschen, wird es diese neue Beweglichkeit im Wasser lieben.

zu spielen. Fühlt es sich wohl, zeigen Sie ihm, wie es sich im Wasser bewegen kann; bewegen Sie dazu seine Beinchen und Ärmchen. Sie können mit Wasser spritzen und Blubberblasen-Übungen mit ihm machen – Blubbern ist eine wichtige Fähigkeit, denn beim Ausatmen (blubbern) kann Ihr Baby kein Wasser inhalieren.

Bleiben Sie beim ersten Mal nicht zu lang im Wasser, etwa zwanzig Minuten reichen. Wenn Sie merken, dass es friert oder seine Augen oder seine Haut vom Chlorwasser gerötet sind, sollten Sie selbstverständlich schon früher aus dem Becken steigen.

Es versteht sich von selbst, dass Sie Ihr Baby im Wasser keine Sekunde aus den Augen lassen dürfen. Duschen Sie es danach warm ab und ziehen Sie es an, bevor Sie sich selbst umziehen.

36 Wochen

RUND 12 PROZENT DER BABYS KÖNNEN MIT NEUN MONATEN SCHON LAUFEN.

Da Ihr Baby nun tagsüber immer aktiver und munterer wird, sollte es nachts müde genug sein, um bis zum Morgen durchzuschlafen. Diese Veränderung im Schlafmuster wirkt sich auch auf seinen Tagesschlaf aus. Spielend lernt es weiter die aufregende Welt kennen.

Kleiner Wanderer

Hat Ihr Baby gelernt, sich zum Stehen hochzuziehen, folgt als nächster Schritt das Entlanghangeln an denMöbeln.

Kleine Schritte Ihr Baby verbringt vielleicht Wochen damit, sich hochzuziehen, ehe es anfängt, auch an den Möbeln entlangzulaufen. Lassen Sie es sein eigenes Tempo bestimmen.

FRAGEN SIE ... EINEN KINDERARZT

Wie viele Milchmahlzeiten braucht mein Baby jetzt noch? Mit neun Monaten brauchen die meisten Babys täglich 2–3 Milchmahlzeiten zusätzlich zu den 2–3 Mahlzeiten mit Beikost. Die empfohlene tägliche Menge liegt bei 600 ml Muttermilch oder Milchnahrung. Ab etwa einem Jahr darf es auch Kuhmilch sein. Sollten Sie Angst vor Allergien haben, informieren Sie sich vorher besser bei Ihrem Kinderarzt.

Mein Baby läuft meist auf den Zehenspitzen. Ist das normal? Machen Sie sich deshalb keine Sorgen. Viele Babys laufen anfangs auf den Zehenspitzen und belasten erst später auch den ganzen Fuß. Falls Ihr Baby weiterhin nur auf dem Vorderfuß läuft, sollten Sie darüber mit Ihrem Kinderarzt sprechen.

In den folgenden Wochen oder Monaten wird Ihr Baby mit seinen neuen Fähigkeiten experimentieren. Es kann sich bereits an den Möbeln hochziehen und erste Schritte machen; schon bald wird es sich auch von einem Möbelstück zum nächsten hangeln.

Stellen Sie Ihre Möbel so, dass sich Ihr Baby daran festhalten kann, wenn es von einem Stück zum anderen wechselt. Um es ihm einfacher zu machen, können Sie kleinere Möbelstücke zwischen Sofa und Sessel stellen, damit es nur wenige Schritte dazwischen braucht.

Achten Sie darauf, dass die Möbel robust genug sind, um das Gewicht des Babys zu tragen, und entfernen Sie alles, was scharfe Kanten oder spitze Ecken hat. Ihr Baby wird bald mit erstaunlicher Geschwindigkeit an den Möbeln entlanglaufen. Dabei sollten Sie es nie unbeaufsichtigt lassen.

Das Entlanghangeln an Möbeln ist ein Meilenstein in der Entwicklung Ihres Babys. Sicher wird es dabei auch ein paar Stürze, blaue Flecken und Tränen geben, jedoch verbunden mit viel Freude und Lob über seine neuen Fähigkeiten. Sie sollten jedoch wissen, dass manche Babys diese Phase komplett auslassen und stattdessen lange Zeit nur auf dem Po rutschen (s. S. 260).

Das Entlanglaufen an Möbeln entwickelt sich in mehreren Stufen. Zuerst benutzt Ihr Baby beide Hände, um sich festzuhalten, dabei hält es den Körper dicht an den Möbeln. Später braucht es nur noch eine Hand zum Festhalten und es muss auch nicht mehr so nah an den Möbeln stehen. Ganz plötzlich kommt dann auch der Punkt, an dem Ihr Baby die Hände loslässt. Sobald es einigermaßen das Gleichgewicht halten kann, möchte es vielleicht auch an Ihren Händen laufen, oder es probiert sogar schon ein oder zwei Schritte ohne Festhalten. Barfuß hat es übrigens einen besseren Halt und kann auch besser balancieren.

Ich weine, wenn du weinst

Wenn Ihr Baby Tränen sieht und ebenfalls zu weinen anfängt, ist diese Reaktion ein Vorbote für sein späteres Einfühlungsvermögen.

Sicher ist Ihnen inzwischen aufgefallen, dass Ihr Baby Ihre Mimik und Ihren Tonfall nachahmt und sich auch gern durch Laute und Geplapper austauscht. Ihr Baby reagiert aber auch auf die emotionalen Reaktionen anderer Personen und zeigt manchmal sogar dieselben Stresssymptome. Sie kennen das vielleicht: Eben noch lag Ihr Baby friedlich in seinem Wagen, doch plötzlich fängt es an zu schreien, weil es ein anderes Baby weinen hört. Man spricht auch vom mitfühlenden, »reflexiven«, Weinen.

Vielleicht streckt Ihr Baby auch seine Arme nach Ihnen aus, wenn es Sie weinen sieht. Diese Trostgeste hat es von Ihnen kopiert, sie ist noch nicht empathisch; mit der Zeit lernt Ihr Baby, ihr diese Bedeutung zuzuordnen.

Die Entwicklung von Mitgefühl ist extrem wichtig für die Beziehungsfähigkeit Ihres Babys. Es wird aber noch bis ins Kleinkindalter dauern, ehe das Baby anfängt, Emotionen zu identifizieren. Es entwickelt erst im Lauf der Jahre ein Verständnis für die Perspektive anderer Personen und erkennt die Wirkung seines Verhaltens. Damit Ihr Baby Emotionen verstehen lernt, sollten Sie Ihre eigenen Gefühle nicht vor ihm verbergen. Handelt es sich dabei jedoch um sehr starke Gefühle, sollte Ihr Baby vor allem auch erleben, dass Sie sich nicht davon überwältigen lassen.

Wenn Sie Ihr Baby beruhigen, geben Sie ihm zugleich eine wichtige Lektion für sein späteres Leben. Es wird Ihre Methode kopieren, um anderen Personen sein Mitgefühl zu zeigen.

Verändertes Schlafmuster

Schläft Ihr Baby nachts schon durch, braucht es vielleicht keinen Vormittagsschlaf mehr und bleibt den ganzen Morgen munter.

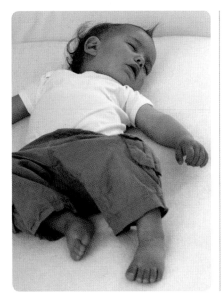

Nicht alle Babys werden in diesem Alter schon auf den Vormittagsschlaf verzichten können. Manche behalten ihn bis weit ins zweite Lebensjahr bei, andere brauchen ihn nur noch in Phasen des Wachstums und verstärkter Aktivität. Ist Ihr Baby jedoch den ganzen Morgen über vergnügt und munter und widersteht dabei allen Versuchen, es hinzulegen, ist es vielleicht an der Zeit, einen Tagesschlaf wegzulassen. Verfahren Sie dabei nach Gehör: Wenn Sie Ihr Baby vormittags hinlegen und es spielt friedlich anstatt zu schreien oder einzuschlafen, braucht es morgens nur noch ein bisschen Ruhe von seinem geschäftigen Treiben. Irgendwann wird es dann gar kein Anzeichen von Müdigkeit mehr zeigen und sich auch gar nicht mehr hinlegen lassen.

Für eine sanfte Umstellung lassen Sie Ihr Baby etwas zeitiger zu Mittag essen, sodass es etwa eine Stunde früher mit dem Nachmittagsschlaf beginnt. Achten Sie darauf, dass es seinen »toten Punkt« nicht überwindet und quengelig wird. Wahrscheinlich wird es nachmittags nun länger schlafen. Wecken Sie es trotzdem nach ein paar Stunden auf, sonst will es abends nicht ins Bett.

Bleiben Sie aber flexibel: Wirkt Ihr Baby am nächsten Tag müde, legen Sie es einfach wieder zweimal schlafen.

Müde Babys Mittagsschlaf wird länger dauern, wenn Sie den Morgenschlaf weglassen.

Die Liebe lebendig halten

Ein Baby zu versorgen, scheint alle Energien aufzuzehren. Dennoch sollten Sie die intime Beziehung zu Ihrem Partner nicht aufgeben.

Lange vor dem Partner ins Bett fallen (und sofort einschlafen); sich darüber ärgern, dass man selbst den ganzen Tag mit dem Baby zu Hause sitzt; so viel zu tun haben, dass keine Zeit für den Partner bleibt – dies sind die häufigsten Gründe, warum Sex bei jungen Eltern oft ins Hintertreffen gerät. Die körperliche Nähe zu Ihrem Baby und die ständige Zuwendung, die Sie ihm schenken, kann in Ihnen eher den Wunsch nach Distanz und Freiraum wecken; und wenn Sie noch stillen, haben Sie vielleicht ohnehin das Gefühl, Ihr Körper gehöre nicht mehr Ihnen.

Es ist völlig normal, wenn Sie zurzeit keine große Lust auf Sex haben, selbst wenn Sie Ihren Partner noch so sehr lieben. Das kann übrigens nicht nur den Frauen, sondern auch den frisch gebackenen Vätern so gehen. Eine gesunde Beziehung übersteht einen längeren Zeitraum ohne Sex zwar unbeschadet, aber bedenken Sie auch, dass Sex ein kraftvoller Weg ist, um seine Gefühle auszudrücken. Obendrein kann Sex die Stimmung heben und für Entspannung sorgen; irgendwann sollte er deshalb wieder eine größere Rolle in Ihrem Leben spielen. Ein liebevoller Umgang miteinander reicht aber in dieser Phase aus, um die körperliche Komponente Ihrer Beziehung am Leben zu erhalten.

Romantische Momente Verabreden Sie sich, um Zeit miteinander zu verbringen; selbst wenn Sie nur zusammen auf der Couch kuscheln. Zünden Sie ein paar Kerzen an und massieren Sie sich gegenseitig. Legen Sie sich zusammen ins Bett, um gemütlich miteinander zu plaudern. Möglicherweise werden Sie

Einander nah bleiben Selbst wenn körperliche Nähe nicht zum Sex führt, trägt sie dazu bei, dass Sie und Ihr Partner sich wieder enger miteinander verbunden fühlen.

beide einschlafen, bevor es zum Sex kommt, aber den Körper des Partners zu spüren, ist bereits ein Schritt in die richtige Richtung.

Auch wenn Sie noch keine Lust auf Sex haben, wird eine positive Reaktion auf zärtliche Gesten Ihnen beiden das Gefühl geben, begehrt und attraktiv zu sein. Ein kleines Vorspiel oder auch nur leidenschaftliches Küssen kann dabei Ihre Erregung spürbar anheizen.

Sollte Sex in Ihrer beider Leben derzeit absolut keine Priorität haben, können Sie Ihre Zuneigung auch auf andere Art ausdrücken. Haben Sie jedoch beide unterschiedliche sexuelle Bedürfnisse, was dazu führt, dass sich einer der Partner sexuell unter Druck gesetzt fühlt – oder einsam, frustriert und isoliert – sollten Sie einen Kompromiss eingehen, der beide zufriedenstellt. Wichtig ist, dass Sie Ihre Zuneigung zueinander ausdrücken: mit Worten oder Taten.

FRAGEN SIE ... EINEN ARZT

Ich habe nach der Geburt immer noch Schmerzen beim Sex. Ist das normal? Nach einer schweren Geburt brauchen Körper und Seele Zeit, um sich davon zu erholen. Dammrisse und -schnitte können noch lange nach der Geburt Schmerzen verursachen. Allein die Angst vor Schmerzen kann schon dazu führen, dass Sie sich verkrampfen und nicht erregt werden. In diesem Fall könnte ein Gleitmittel helfen. Beckenbodenübungen (s.S.65) festigen das Gewebe und fördern die Durchblutung. Probieren Sie aber auch verschiedene Stellungen aus. Bestehen die Schmerzen weiterhin, könnte vielleicht eine Infektion dahinterstecken und Sie sollten Ihren Frauenarzt aufsuchen.

Die richtige Mischung

Die Versuchung ist groß, dem Baby nur das zu füttern, was es mag. Es ist aber wichtig, Babys Speisenangebot regelmäßig zu erweitern.

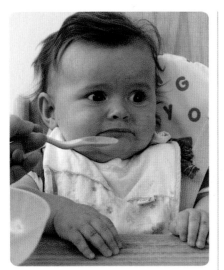

Mäkelige Esser Verweigert Ihr Baby konsequent ihm unbekannte Nahrung, gibt es ein paar Tricks, um es zu überlisten.

Geben Sie nicht auf, den Speisezettel Ihres Babys ständig zu erweitern, auch wenn es unbekannte Nahrung erst einmal nicht probieren will. Bieten Sie ihm die neuen Lebensmittel in unterschiedlichen Kombinationen an, durch die Geschmack, Aussehen und Konsistenz der Mahlzeit verändert werden.

Kochen Sie Gerichte, die Ihr Baby mag, in einer größeren Menge und frieren Sie sie dann ein. So haben Sie immer ein oder zwei Grundgerichte parat, die Sie mit den neuen Zutaten anreichern können. Mag Ihr Baby z.B. gern zerdrückte Süßkartoffeln, können Sie etwas gehacktes Hühnchenfleisch daruntermischen oder auch Hühnchen und Erbsen. Sie erhalten problemlos eine nährstoffreiche Mischung, die nach dem Lieblingsessen des Babys schmeckt. Ist Ihr Baby ein Fan von Kartoffeln, mischen Sie sie mit fein gehacktem Fisch, etwas geriebenem Käse und Spinat zu einem gesunden »Fischauflauf«. Mag es pürierte Karotten, rühren Sie ähnlich süßes Gemüse, wie Süßkartoffeln, Zuckerschoten oder Kürbis, hinein.

Dippen ist ebenfalls eine tolle Option, dem Baby neue Geschmacks- und Konsistenzmischungen vertraut zu machen. Zeigen Sie ihm, wie es Fingerfood, also Karotten, Gurken oder kleine Brotstangen, in sein Lieblingspüree tauchen kann. Liebt es Karotten, mischen Sie etwas Spinat unter. Zum Eintauchen eignen sich auch größere Nudelstückchen, die Sie mit etwas Butter bestreichen können, damit sie besser rutschen.

Kleidung anziehen

Ihr Baby ist viel zu beschäftigt für so alltägliche Dinge wie Kleidung an- und auszuziehen. Da kann nur ein Ablenkungsmanöver helfen.

Ziehen Sie Ihr Baby in einem Moment an, in dem es nicht damit rechnet! Ist das Anziehen Teil einer immer gleichbleibenden täglichen Routine, weiß es schon, was ihm als nächstes bevorsteht, und leistet entsprechenden Widerstand. Falls Ihr Baby aber die tägliche Routine für seinen Seelenfrieden braucht, sollten Sie sie auch beim Anziehen beibehalten. Babys mit dieser Persönlichkeitsstruktur widersetzen sich weniger, wenn Sie wissen, was auf sie zukommt.

Probieren Sie aus, ob Sie Ihr Baby nicht besser anziehen können, wenn Sie zur Abwechslung einmal auf die Knie gehen. Sie können es so gut festhalten und in seiner Überraschung kooperiert Ihr Baby vielleicht sogar.

Ist es warm genug, können Sie Ihr Baby auch in mehreren Schritten anziehen und zwischendurch immer wieder spielen lassen. Es widersetzt sich vielleicht nicht, wenn es immer nur ein einziges Kleidungsstück übergestreift bekommt. Machen Sie aus dem Anziehen ein Spiel oder lenken Sie das Baby mit Ihren Kommentaren ab: »Das ist deine schöne rote Strumpfhose, die ziehen wir jetzt die Beine hinauf und bis zum Bauch hoch. Hier kommt dein gestreiftes T-Shirt. Arme hoch, das machst du prima!« Kitzeln Sie das Baby, fordern Sie es auf, Ihnen zu helfen, wenn Sie ihm die Socken anziehen, oder singen Sie sein Lieblingslied. Mit Spaß ist das Anziehen dann im Nu erledigt.

In fremden Händen

Sie sollten eine gute Beziehung zu allen Personen pflegen, die sich um Ihr Kind kümmern – egal ob Tagesmutter oder Verwandtschaft.

Vertrauen, Verständnis und gegenseitiger Respekt sind die Schlüsselwörter, wenn Sie Ihr Kind den ganzen Tag oder stundenweise in die Hände anderer Personen geben; seien es eine professionelle Tagesmutter oder Familienmitglieder, die sich netterweise um Ihr Baby kümmern. Wenn Sie jemanden dafür bezahlen, ist das Arrangement natürlich etwas formeller, aber wer auch immer sich Ihres Kindes annimmt – eine positive wechselseitige Kommunikation macht vieles einfacher.

Bezahlte Betreuung Wenn Sie ein Kindermädchen oder eine Tagesmutter beschäftigen, sollten Sie auf eine gute und professionelle Beziehung achten.

Sie müssen nicht beste Freundinnen werden, sondern Sie sollten eine gute Chefin sein. Hören Sie sich eventuelle Klagen an, zahlen Sie pünktlich, halten Sie sich an die vereinbarten Stunden und nehmen Sie es hin, wenn Sie ab und zu flexibel sein müssen. Sie erwarten dasselbe ja auch von ihr.

Denken Sie daran, dass sie nicht nur eine Angestellte ist, auch wenn Sie sie bezahlen: Sie ist die wichtigste »andere« Person im Leben Ihres Kindes. Nehmen Sie sich also die Zeit, sie kennenzulernen, denken Sie an ihren Geburtstag und interessieren Sie sich für sie.

Wichtig ist vor allem die regelmäßige Kommunikation mit der Tagesmutter. Enthalten Sie ihr wichtige Informationen nicht vor, etwa, wenn Ihr Baby die halbe Nacht wach war, weil es zahnt. Oder wenn das Baby ohne seine Schmusedecke weint. Die Tagesmutter muss so etwas wissen. Im Gegenzug muss sie Ihnen alles erzählen, was tagsüber passiert, damit Sie immer auf dem Laufenden bleiben, was Ihr Baby angeht.

Teilen Sie Ihre Philosophie der Kinderpflege anstatt Regeln aufzustellen, die blind befolgt werden müssen. Erklären Sie, warum Sie möchten, dass das Baby bestimmte Nahrung isst oder nicht isst, warum Sie nicht wollen, dass es fernsieht, und wie der Tagesablauf Ihres Babys zu Hause aussieht. Zeigen Sie Respekt vor der Erfahrung Ihrer Tagesmutter in Sachen Kinderpflege und seien Sie offen für neue Ideen. Vielleicht können Sie auch etwas Neues von ihr lernen.

Eine Zusammenarbeit als Team ist stets der beste Ansatz. Tauschen Sie sich regelmäßig aus und schaffen Sie kleine Probleme sofort aus der Welt, ehe sie riesig werden.

Familienhilfe Wenn sich Ihre Mutter oder Schwiegermutter um Ihr Baby kümmert, zeigen Sie ihr immer wieder, wie sehr Sie das schätzen. Stellen Sie sich darauf ein, gewisse Pflichten zu übernehmen, die sie nicht bewältigen kann. Jeder, der kleine Kinder beaufsichtigt, braucht ab und zu eine Pause und die Gesellschaft von Erwachsenen! Lassen Sie sie auch wissen, dass sie ihr großartiges familiäres Engagement nicht für selbstverständlich halten.

Harmonisches Miteinander Übernehmen die Großeltern die Beaufsichtigung des Babys, zeigen Sie ihnen, wie dankbar Sie dafür sind.

37 Wochen

DAS WIEDERHOLEN VON ERFAHRUNGEN FESTIGT DIE NERVENVERBINDUNGEN IM GEHIRN.

Ihr Baby erkundet Dinge weiterhin gern mit dem Mund und es knüpft ständig neue Verbindungen zwischen Wörtern und Objekten. Weil es immer mobiler wird, sollte Ihr Zuhause möglichst kindersicher sein. Stellen Sie sich trotzdem darauf ein, die eine oder andere Beule zu verarzten.

Selbstgespräche

Ihr Baby plappert vergnügt vor sich hin, ob Sie zuhören oder nicht, und es experimentiert mit der Lautstärke seiner Selbstgespräche.

Stimmwunder Beim Spielen produziert Ihr Baby vielerlei Geräusche: Es brummt, prustet, quietscht oder kreischt – und lacht vergnügt über die eigenen Töne.

Mit 37 Wochen übt Ihr Baby Sprachmuster und Tonfall durch Plappern, Singen und Schreien. Dies ist ein wichtiger Schritt in der Entwicklung seiner Sprachfertigkeiten und sein Repertoire an Lauten und Wörtern wird dabei fast täglich größer. Es kann gut sein, dass Ihr Baby einen bestimmten Laut lange Zeit einzeln einübt, ehe es ihn mit einem anderen verbindet. Ihr Baby experimentiert nun auch mit der Lautstärke seiner Äußerungen. Es produziert erstaunlich laute, hohe Schreie und muss häufig selbst über seine eigenen Fähigkeiten lachen. Hören Sie zu, wie es prustet und andere lustige Geräusche macht, während es seine Stimmreichweite trainiert.

Ihr Baby ist es gewöhnt, dass Sie viel mit ihm erzählen, und beginnt nun damit, seine täglichen Aktivitäten selbst zu »kommentieren«. Mit neun Monaten ahmt Ihr Baby die Laute nach, die es von Ihnen hört – inklusive Tonfall und Tonhöhe. Dadurch prägt sich sein Gehirn Sprachrhythmus und -melodie ein. Vielleicht erkennen Sie in seinem Geplapper Ihre eigene Sprechweise wieder und stellen fest, dass es manche Sätze mit einem höheren Ton, wie bei einer Frage oder einem Ausruf, beendet. Ihr Baby beobachtet zwar Ihren Mund und versucht zu verstehen, was Sie sagen; allerdings entwickelt sich sein Sprachverständnis durch Assoziationen. Auch deshalb ist es sehr wichtig, dass Sie immer wieder auf Dinge zeigen und diese benennen oder dem Baby erklären, was Sie gerade tun.

Tschüss und Adieu!

Das Winken zum Abschied ist eine unserer gebräuchlichsten Gesten, die Babys gerne beobachten und nachahmen. Das erste bedeutungsvolle Winken Ihres Babys erfolgt jedoch erst mit 10–12 Monaten.

Wenn Ihr Baby diese Geste nicht von selbst macht, können Sie sie ihm zeigen, indem Sie sich selbst so verabschieden. Nach häufigen Wiederholungen wird es darauf reagieren: Sie werden eines Tages verblüfft feststellen, dass es automatisch die Hand hebt und winkt, wenn Sie sich von Freunden verabschieden oder ein Geschäft verlassen!

Winke, winke Mit 37 Wochen verbindet Ihr Baby vielleicht schon ein Abschiedswort wie »Tschüss« mit dem Winken.

Weniger Gewichtszunahme

Ihr Baby zeigt gesunden Appetit, nimmt aber kaum zu, weil es durch seine vielen Aktivitäten mehr Kalorien verbrennt.

Vielleicht fragen Sie sich beim Betrachten der dicken Beinchen und Ärmchen Ihres Babys, ob es vielleicht zu dick ist. Oder Sie sorgen sich, dass Ihr schlankes Baby, an dem scheinbar kein Gramm Fett zu finden ist, vielleicht doch schon an der Grenze zum Untergewicht steht.

Liegt das Gewicht des Babys immer auf demselben Perzentil der Wachstumskurve (was während der regelmäßigen Untersuchungen beim Kinderarzt erfasst wird) ist alles in Ordnung. Lassen Sie Ihr Baby weiterhin etwa alle zwei Monate wiegen, um den Gewichtsverlauf zu kontrollieren.

Die Gewichtszunahme des Babys verlangsamt sich gegen Ende des ersten Lebensjahres und erreicht dann eine Plateauphase, in der das Gewicht erst einmal stabil bleibt. Muttermilch und Milchnahrung sind viel kalorienreicher als die feste Nahrung, die Ihr Baby jetzt bekommt. Zu Beginn nimmt es vielleicht noch nicht genug davon zu sich, um den Kalorienunterschied auszugleichen. Da Milch aber nach wie vor die Grundlage seiner Ernährung bildet, müssen Sie sich keine Sorgen machen, dass Ihr Baby während der Umstellungsphase nicht genug Nährstoffe zu sich nimmt.

FRAGEN SIE ... EINEN KINDERARZT

Ist es normal, dass die Fontanelle meines Babys noch immer weich ist? Es kann 18 Monate dauern, bis die Schädelknochen miteinander verwachsen sind. Normalerweise hat sich die kleine Fontanelle am Hinterkopf mit 11 Monaten geschlossen, die große am Oberkopf ist aber noch weich. Sie brauchen sich also keine Sorgen zu machen. Ist sie aber eingesunken oder geschwollen, sollten Sie den Kinderarzt aufsuchen.

In den Mund

Ihr Baby kann nun Spielsachen längere Zeit festhalten. Es steckt sie in den Mund, um deren Beschaffenheit und Textur zu erkunden.

Kiefer und Zunge des Babys arbeiten schon relativ koordiniert zusammen, ebenso ist die sensorische Wahrnehmung in der Mundhöhle nun so gut ausgebildet, dass Ihr Baby alles, was es interessant findet, in den Mund steckt. Mit Zunge, Lippen und Kiefer sammelt es Informationen über Größe, Form, Textur und Gewicht des Gegenstandes. Dasselbe gilt auch für die Nahrung, die es zu sich nimmt.

Ihr Baby wird ebenfalls Dinge in den Mund nehmen und sogar darauf herumbeißen, weil dies den Schmerz des Zahnens lindert. Sie können es unterstützen, indem Sie ihm einen gekühlten, PVC-freien Beißring anbieten.

Das In-den-Mund-Stecken ist eine gute Vorbereitung auf das Kauen und Schlucken fester Nahrung. Obendrein trainiert es auch die Muskeln, die zum Sprechen benötigt werden.

Da Ihr Baby immer mobiler wird und allmählich auch den Pinzettengriff (s. S. 339) beherrscht, sollten Sie keine kleinen Gegenstände herumliegen lassen, die das Baby verschlucken könnte. Am besten schließen Sie alles weg, was für Ihr Baby gefährlich oder giftig ist.

Untersuchung Interessante Objekte werden oft als erstes mit dem Mund untersucht.

Sicheres Kinderbett

Sobald Ihr Baby im Kinderbett aufstehen kann, sollten Sie einige Dinge überprüfen, um es vor potentiellen Gefahren zu schützen.

Sichere Höhe Die Matratze Ihres Babys sollte auf der untersten Stufe liegen. Idealerweise reichen die Gitterstäbe auch im Stehen noch bis weit über seine Brust.

Sobald Ihr Baby sitzen kann (spätestens, sobald es stehen kann), sollten Lattenrost und Matratze des Babys auf der tiefsten Stufe des Kinderbetts liegen. Andernfalls besteht die Gefahr, dass es über das Gitter in die Tiefe purzelt.

Die Wahrscheinlichkeit ist groß, dass Ihr zahnendes Baby – sobald es im Bett stehen kann – an den Gitterstäben oder an der Reling nagt. Ein Holzgitter sollte daher nie mit bleihaltiger Farbe gestrichen werden. Im Handel sind aber auch sogenannte Beißschienen erhältlich, die auf eine vorhandene Holzreling gesteckt werden, um das Baby vor Splittern und Farbe zu schützen.

Entfernen Sie vorsichtshalber alles bewegliche Mobiliar, an das Ihr Baby vom Bett aus heranreichen könnte, und schrauben Sie alle umliegenden Regale fest, an denen es sich festhalten könnte, um aus dem Bett zu klettern. Schnüre, Stäbe und Kordeln für Lampen, Vorhänge und Jalousien sollten ebenfalls außer Reichweite gehalten werden.

Achten Sie darauf, dass die Matratze richtig ins Bett passt. Das Baby dreht sich jetzt im Bett herum und könnte mit dem Fuß in einer Lücke stecken bleiben. Ebenso sollten Sie auch alle Dekoartikel mit Ausschnitten und Löchern entfernen, in denen sich Arme oder Beine Ihres Kindes verfangen könnten. Ist Ihr Kinderbett schon alt, überprüfen Sie den Abstand zwischen den Gitterstäben, der nicht mehr als 5 cm betragen darf.

Als letzte Vorsichtsmaßnahme sollten Sie einen dicken Teppich vors Bett legen, der einen Sturz mildert. Wenn sich ein Baby erst in den Kopf gesetzt hat, aus seinem Bett zu klettern, gibt es kaum etwas, das es davon abhalten könnte!

DER KINDERPSYCHOLOGE RÄT ...

Mein Baby will ständig hochgenommen werden. Sobald ich es auch nur für wenige Minuten hinlege, fängt es an zu weinen. Was soll ich tun? Manche Babys fühlen sich unsicherer als andere (vielleicht eine Folge der Trennungsangst, s. S. 283). Ihr Baby fühlt sich in Ihren Armen sicher und möchte dort bleiben. Es rund um die Uhr mit sich herumzutragen, behindert aber nicht nur Ihren Alltag, sondern Ihr Baby kann neue Fähigkeiten wie Krabbeln und Kriechen nicht üben, die ja im Endeffekt dazu führen würden, dass es nicht mehr von Ihnen herumgetragen werden muss. Ebenso lernt es dabei auch nicht, sich kurze Zeit selbst zu beschäftigen.

Babys wollen häufig auch hochgehoben werden, weil sie etwas brauchen oder Trost und Aufmerksamkeit haben möchten. Wenn Sie sicher sind, dass Ihr Baby weder Hunger noch eine schmutzige Windel hat und Sie ihm täglich genug Zeit widmen, versuchen Sie die Abstände zwischen dem Hochheben zu verlängern. Geben Sie ihm Spielzeug, mit dem es sich selbst beschäftigen kann. Regt es sich auf, kommen Sie zurück, spielen ein paar Minuten mit ihm und gehen dann wieder weg. Wenn es schreit, weil es hochgehoben werden will, versuchen Sie, es mit einer Aktivität abzulenken. Sobald Ihr Baby mit dem Krabbeln anfängt, wird es nicht mehr so stark in Ihre Arme drängen.

Gehirnleistung

Das Gehirn Ihres Babys entwickelt sich zur Zeit schneller als in jeder anderen Phase seines Lebens. Was geht in ihm vor?

Stimulation und Wiederholung Das wiederholte Erleben von Reizen fördert die Bildung neuronaler Netze und damit das Speichern von Informationen.

SOFTPLAY-SPIELECKE ZU HAUSE

Sie haben keine Lust oder keine Zeit, um auf einen Hallenspielplatz zu gehen, oder es befindet sich schlichtweg keiner in erreichbarer Nähe? Sie können auch eine tolle Softplay-Ecke bei sich zu Hause einrichten! Legen Sie so viele dicke Decken aus wie möglich, um Ihrem Baby eine weiche Landung zu garantieren, wenn es hinfällt. Bauen Sie aus Kissen und umgedrehten Plastikboxen Hindernisse, die es überwinden kann, und aus einem beidseitig offenen großen Karton einen Tunnel zum Hindurchkrabbeln. Lassen Sie Ihr Baby beim Erkunden dieses faszinierenden Spielbereichs nie unbeaufsichtigt. Wenn es Hilfe braucht, assistieren Sie ihm bei seinem Weg durch die Höhen und Tiefen Ihres selbstgebauten Abenteuerspielplatzes.

Im ersten Lebensjahr wächst das Gehirn Ihres Babys mehr als in jeder anderen Lebensphase. Mit zwölf Monaten hat das Gehirn sein Volumen verdoppelt und bereits sechzig Prozent der Größe eines Erwachsenengehirns erreicht. Ihr Baby wurde mit der vollen Anzahl an Nervenzellen (den sogenannten Neuronen) geboren, doch während des Wachstums entwickeln sich die Neuronen stärker, die am häufigsten gebraucht werden. Sie verzweigen und vernetzen sich und Ihr Baby lernt neue Fähigkeiten. Zum Ende des ersten Lebensjahres hat das Gehirn Ihres Babys Millionen neuer Verknüpfungen hergestellt – je mehr, desto weiter ist es in seiner mentalen Entwicklung. Jedes Neuron besitzt eine Umhüllung, die es schützt und Botschaften schneller weitergeben lässt.

Wiederholung Neuronale Netze entstehen, wenn das Gehirn Ihres Babys Erfahrungen verarbeitet. Wiederholungen in Form von Worten, Handlungen oder Spielen sind dabei extrem wichtig, denn nur dadurch festigen sich diese neu entstandenen Verknüpfungen. Einmalige Erfahrungen bewirken dies nicht.

Fähigkeiten ausbilden Die Entwicklung Ihres Babys vollzieht sich in logischen Stufen. Jeder wichtige Entwicklungsschritt, der von ihm bewältigt wurde, bildet gleichzeitig die Basis für den nächsthöheren, komplizierteren Entwicklungsschritt. So ist z. B. das Heben des Kopfes und die Fähigkeit, sich hochzustemmen, die Voraussetzung, um sich schließlich komplett herumdrehen zu können. Gleichzeitig kann Ihr Baby dadurch die Bewegungen üben, die es zum Krabbeln braucht. Kommen noch Muskelkraft und die Fähigkeit, die Balance zu halten, dazu, ist in der Kombination auch das Krabbeln möglich.

Die Sinne anregen Die Entwicklung des Gehirns hängt davon ab, wie sehr es von den Sinnen mit Informationen gefüttert wird. Alle sinnlichen Erfahrungen – was das Baby sieht, riecht, schmeckt, hört und fühlt – werden im Gehirn quasi in ein Neuronenfeuer »umgewandelt«, das wiederum Verknüpfungen zwischen den Zellen schmiedet und so einen Lerneffekt herbeiführt.

Das Gehirn »stutzt« sich selbst zurecht, indem es nur wichtige, häufig benutzte Verknüpfungen behält und unwichtige, selten benutzte wieder auflöst. Sie können Ihr Baby unterstützen, indem Sie ihm viel Anregung und unterschiedliche Erfahrungen bieten, die sich oft wiederholen lassen, sodass seine neuronalen Netze stark werden.

Testphase

Ihr abenteuerlustiges Baby lotet zur Zeit die Grenzen seiner Fähigkeiten aus – und nicht selten stößt es sich an ihnen!

Voller Neugier schafft es Ihr Baby zwar, sich zum Stehen hochzuziehen, es weiß dann aber nicht, wie es sich wieder hinsetzen soll. Es klettert unternehmungslustig die Treppe hoch, aber wenn es sich umdreht und erkennt, in welcher Höhe es sich befindet, hat es keinerlei Ahnung, wie es wieder herunterkommen soll. Es fängt an zu weinen, wenn ein Hund bellt, und hat abends plötzlich Angst vor seinem dunklen Kinderzimmer. Diese Reaktionen sind eine Art Selbstschutz, denn sie veranlassen Ihr Baby zur Vorsicht. Allerdings muss diese nicht selten hinter der Neugier zurücktreten! Früher oder später kommt aber der Moment, an dem Ihr Baby erkennt, dass es sich selbst überschätzt hat. Spätestens dann braucht es Ihre Hilfe.

Zeigen Sie Ihrem Baby, wie es die Treppe sicher hinauf- und hinabklettern kann und wie es sich aus dem Stand wieder hinsetzt. Ermuntern Sie es, diese Aktivitäten so oft zu wiederholen, bis es vor neu gewonnenem Selbstvertrauen strotzt. Erklären Sie ihm, dass das laute Geräusch nur ein dummes Hündchen war und singen Sie ihm ein Schlaflied, bevor Sie das Licht ausmachen. Bewahren Sie Ruhe, egal in welche Lage es sich gebracht hat. Helfen Sie ihm und lassen Sie es erneut probieren. Zeigen Sie ihm nicht, dass Sie selbst Angst vor Hunden haben, strahlen Sie auch in neuen Situationen Selbstvertrauen aus und loben Sie es, wenn es etwas gut gemacht hat.

Kleine Unfälle

Kein Baby übersteht diese Phase, in der es immer mobiler wird und Dinge gerne selbst machen möchte, ohne Beulen und blaue Flecken.

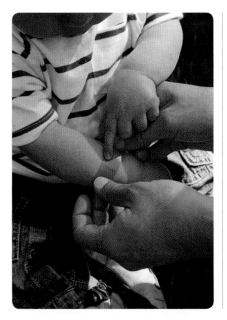

Zeigen Sie keine Überreaktion, wenn Ihr Baby ins Stolpern kommt, selbst wenn es sich dabei wehtut. Sieht es nämlich, dass Sie in Panik oder Angst geraten, wird es sich auch erschrecken. Besser, Sie stellen Ihr Kind mit einer aufmunternden Bemerkung wieder auf die Füße und ermutigen es zu einem neuen Versuch. Ihr Baby sollte keine Angst vor neuen Erfahrungen bekommen – also machen Sie kein großes Aufheben darum, damit es seine Misserfolge nicht als Sich-Wehtun assoziiert. Wenn Sie Ihrem Kind stattdessen beibringen, dass Fehler – ebenso wie Beulen und Stürze –

Aua! Kleine Schnitte und Stürze tun gleich weniger weh, wenn Sie sie mit einem lustigen Pflaster und viel Liebe verarzten.

ganz normal sind und zum Leben dazugehören, wird es ganz locker damit umgehen und es einfach noch einmal versuchen.

Das bedeutet jedoch nicht, dass Sie Ihr Kind ignorieren sollen, wenn es nach einem Unfall Trost braucht. Selbstverständlich muss es auch verarztet werden, etwa indem Sie ein kaltes Tuch auf Beulen oder Schwellungen legen und es genau untersuchen. Ein Sturz auf den Kopf sowie eine Schnittwunde, die länger als ein paar Minuten blutet, sollten Sie einem Arzt zeigen; vor allem dann, wenn Ihr Baby verwirrt oder sehr aufgeregt wirkt. Denken Sie darüber nach, einen Kurs in Erster Hilfe zu machen (s. S. 417), um im Ernstfall richtig handeln zu können.

38 Wochen

BABYS SPIELEN GERN NEBEN ANDEREN BABYS – MITEINANDER SPIELEN SIE ERST AB ZWEI JAHREN.

Ihr Baby liebt es, selbst Musik zu machen. Sein Gedächtnis verbessert sich, sodass es vertraute Objekte und Personen öfter und viel schneller erkennt. Es spielt gern neben anderen Babys und beobachtet, was sie tun; beim Zuschauen lernt es eine Menge.

Lass uns Musik machen…

…und tanzen! Regen Sie das natürliche Rhythmusgefühl Ihres Babys an und fördern Sie seine Liebe zur Musik.

Mit Musik durch den Tag Musik hören und selbst machen sollte zum Alltag Ihres Babys gehören, denn es regt all seine Sinne an.

Musik kann großen Einfluss auf Ihr Baby ausüben. Sanfte Musik kann es beruhigen, lebhafte Musik macht es munter. Musik hebt die Stimmung und hilft auf langen Autofahrten gegen die Langeweile. Beides, Musik hören und selber machen, unterstützt die Entwicklung der sensorischen Koordination sowie des Gedächtnisses. Das Singen von Kinderreimen fördert die Sprachentwicklung und das Rhythmusgefühl.

Spielzeuginstrumente können einen Beitrag zur Entwicklung der feinmotorischen Fähigkeiten leisten. Ideal für Babys sind Keyboard, Xylophon und Tamburin, denn sie sind leicht zu bedienen und machen interessante Geräusche. Sicher macht es Ihrem Baby auch großen Spaß, auf eine Trommel zu klopfen oder eine Rassel zu schütteln.

Tanzen Vielleicht steht Ihr Baby mit Ihrer Hilfe schon selbst oder es sitzt lieber auf Ihrem Schoß, während Sie es dazu ermuntern, sich im Takt der Musik zu bewegen. Dies verbessert seine Koordination und hilft ihm, ein Gefühl für den Rhythmus und für seinen Körper zu entwickeln. Obendrein lernt es dadurch, sich kreativ auszudrücken. Wenn kleine Babys ein Lied hören, das ihnen gefällt, bewegen sie instinktiv Arme und Beine zur Musik oder hopsen; wenn sie etwas älter sind, wiegen sie sich hin und her.

Halten Sie die Hände des Babys und »tanzen« Sie mit ihm. Schwingen Sie es zur Musik durch die Luft oder wirbeln Sie mit ihm zu einem Walzer durch den Raum. Ihr Baby wird es lieben!

FAKTEN UND HINTERGRÜNDE

Babys reagieren schon früh mit rhythmischen Bewegungen auf Musik. Bei einer Studie wurden 120 Babys zwischen fünf Monaten und zwei Jahren gefilmt, denen man klassische Musik, Rhythmen und Sprachaufnahmen vorspielte. Es zeigte sich, dass die Babys Arme, Hände, Beine, Füße, den Körper und Kopf viel stärker zur Musik als zur Sprache bewegten. Warum das so ist, weiß man nicht, nimmt aber an, dass Tanz und Musik schon bei unseren Vorfahren den sozialen Zusammenhalt stärkten.

ENTWICKLUNG FÖRDERN

Hausmusik

Ihrem Baby macht es Spaß, mit ganz normalen Haushaltsgegenständen Geräusche zu produzieren. Vewandeln Sie z. B. eine mit ungekochtem Reis oder Nudeln gefüllte Plastikflasche in eine Rassel. Achten Sie darauf, dass der Deckel fest verschlossen ist, damit sich Ihr Baby nicht am Inhalt verschluckt. Umgedrehte Töpfe, Pfannen, Plastikschüsseln und andere Behälter geben prima Trommeln ab, auf die das Baby mit einem Kochlöffel schlagen kann. Machen Sie gemeinsam Musik, aber lassen Sie Ihrem Baby Freiraum, um eigene Töne zu produzieren. Spielen Sie ganz langsam und dann wieder schnell – und achten Sie darauf, ob Ihr Baby seinen Rhythmus anpasst.

Improvisierte Instrumente Alles eignet sich als Musikinstrument, solange Ihr Baby damit jede Menge Geräusche machen kann.

Trostspender

Vielleicht hängt Ihr Baby ganz besonders an einem bestimmten Stofftier oder an einer Decke, ohne die es abends nicht einschlafen kann.

Wenn in dieser Lebensphase die Trennungsangst einsetzt (s. S. 246 und S. 283), kann ein vertrautes Spielzeug Ihrem Baby in unbekannten Situationen tröstend zur Seite stehen. Sein Kuscheltier hilft ihm, bei Oma einzuschlafen oder bei einer fremden Person auf dem Schoß zu sitzen. Wenn Sie wieder berufstätig sind, kann Ihre Tagesmutter das Baby mit seinem Lieblingsspielzeug beruhigen und trösten.

Seelentröster Das Lieblingsspielzeug gibt dem Baby Geborgenheit, wenn Sie nicht da sind.

Wenn Ihr Baby noch kein Trostspielzeug hat, können Sie es jetzt noch an eines gewöhnen. Das Spielzeug sollte weich sein, damit Ihr Baby sich anschmiegen und ankuscheln kann. Es kann auch eine leichte Decke sein, die Ihr Baby selbst tragen kann. Außerdem muss es waschbar und eventuell auch leicht ersetzbar sein, falls es verloren geht. Stecken Sie es Ihrem Baby unter den Arm, wenn Sie es füttern und ins Bett bringen. Beruhigen Sie es damit, wenn es quengelt, damit es lernt, das Spielzeug mit Trost zu assoziieren.

Geselliges Baby

Ihr Baby ist ganz fasziniert von anderen Babys. Es plappert mit ihnen, imitiert ihre Handlungen und spielt gern neben ihnen.

Mit 38 Wochen wird Ihr Baby im »Parallelspiel« beschäftigt sein: Es sitzt dabei zwar neben einem anderen Baby, doch beide beschäftigen sich scheinbar jeder nur mit dem eigenen Spiel. Vielleicht plappern Sie miteinander und beobachten, was der andere tut. Sie balgen sich um dasselbe Spielzeug oder imitieren das Verhalten des anderen, aber größtenteils interessieren sie sich nur für ihre eigenen Aktivitäten.

Für Ihr Baby ist das andere Baby wie ein Spielzeug oder ein interessantes Objekt. Es hat großen Spaß daran, Babys im eigenen Alter zu sehen. Diese ersten Interaktionen gewöhnen es an die Gesellschaft anderer Kinder. Es lernt, indem es sie beobachtet. Eine »Freundschaft« in diesem Alter bedeutet, dass es z. B. in einer Spielgruppe die Babys bevorzugt, die es schon kennt.

Seien Sie darauf gefasst, dass Ihr Baby seinen Gefährten ganz genau untersuchen möchte: Vielleicht zieht es ihn an den Haaren oder fasst ihm ins Gesicht; fast, wie bei einem Spielzeug. Bleiben Sie geduldig, denn dies ist nur Neugier und Experimentierfreude, keine Aggression. Zeigen Sie Ihrem Baby, dass man mit anderen Personen sanft umgeht, und lenken Sie es notfalls ab.

Nebeneinander Ihr Baby spielt gern neben anderen Babys. Teilen lernt es erst viel später.

Fallen lassen macht Spaß!

Sie werden sich in nächster Zeit oft bücken müssen, denn Ihr Baby entdeckt, welchen Spaß es macht, Dinge fallen zu lassen.

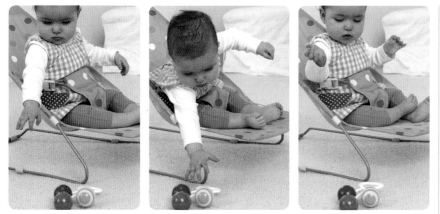

Aufheben und fallen lassen Ihr Baby findet, dass es großen Spaß macht, Dinge fallen zu lassen. Das kann es unermüdlich wiederholen – doch nur, wenn Sie ihm helfen!

Bisher fehlte es Ihrem Baby noch an der motorischen Koordination, um seine Hände zu öffnen und ein Objekt, das es damit festhielt, bewusst loszulassen. Diese Fähigkeit entwickelt sich erst ganz allmählich ab einem Alter von etwa sieben Monaten. Es beginnt damit, dass Ihr Baby Dinge von einer Hand in die andere wechseln möchte; dabei muss es den Gegenstand fast mit Gewalt selbst aus der gebenden Hand reißen. Das willentliche Lockern der Muskeln funktioniert noch nicht, daher hat es Probleme mit dem Loslassen. Mit der Zeit lernt das Baby, Finger und Daumen zu strecken, um das Objekt freizugeben. Für uns ganz einfach, aber Ihr Baby wird diese faszinierende neue Fähigkeit erst einmal ausgiebig üben wollen.

Etwa um dieselbe Zeit wächst das Verständnis Ihres Babys für die Objektpermanenz (s. S. 245). Es begreift, dass ein Gegenstand, den es über den Rand seines Hochstuhls schiebt, nicht verschwindet, sondern auf dem Fußboden liegt. Dazu passt ganz wunderbar, dass es gerade lernt, wie man auf etwas zeigt. Es kann ihnen also mitteilen, dass etwas am Boden liegt, das Sie doch bitte aufheben – was Sie natürlich gerne tun.

Das Fallenlassen von Objekten gibt Ihrem Baby zugleich auch eine wichtige Lektion zu Ursache und Wirkung. Wenn etwas auf den Boden fällt, macht es ein Geräusch. Ihr Baby möchte dieses Geräusch immer wieder hören, weil es nun ganz begeistert die Handlung mit dem Geräusch verbindet. Durch das verzögerte Eintreten des Geräuschs lernt es gleichzeitig etwas über Zeit und Raum.

Dinge fallenzulassen, ihnen nachzuschauen und dann darauf zu zeigen, sind wichtige Meilensteine in der Entwicklung Ihres Kindes. Es will Sie nicht ärgern, also nehmen Sie es am besten mit Humor, dass Sie sich ständig bücken sollen. Sobald Ihr Baby ein wenig älter ist, können Sie die »Dreier-Regel« einführen: Wenn das Spielzeug auf den Boden fällt und Sie haben es bereits dreimal aufgehoben, bleibt es dort liegen und Sie bücken sich nicht mehr.

Wurfspiele

Ihr Baby liebt es, sein Spielzeug fallen zu lassen, und ist sehr damit beschäftigt herauszufinden, wie man etwas wirft. Es lernt nun auch, Dinge loszulassen. Spielen Sie daher am besten ein paar Wurfspiele mit ihm: Setzen Sie es dazu in den Hochstuhl und werfen Sie einen weichen Stoffball auf sein Tischchen. Es wird ihn vielleicht nehmen und, mit etwas Glück, vom Stuhl werfen. Fangen Sie den Ball auf und legen Sie ihn wieder auf das Tischchen. Ihr Baby wird bald begreifen, dass es ihn aufheben und hinabwerfen soll. Sie können auch einen Ball am Boden zu ihm hinrollen. Wenn es Dinge schon bewusst loslassen kann, wird es bald lernen, wie es den Ball zurückschubsen oder -rollen kann.

Ballspiele Rollen Sie Ihrem Baby einen Stoffball zu, den es aufheben und zurückrollen oder zurückkicken kann.

Tagesschlaf

Der Tagesschlaf ist für das Wohlbefinden Ihres Babys nach wie vor sehr wichtig, auch wenn es selbst ganz anderer Meinung sein sollte!

Inzwischen kann es ziemlich schwierig geworden sein, Ihr Baby tagsüber schlafen zu legen. Es möchte nichts Aufregendes verpassen und widersetzt sich allen Versuchen, es zu beruhigen. Das bedeutet aber nicht, dass es keinen Schlaf mehr nötig hat. Seine rasche Entwicklung und seine vielen Aktivitäten machen es sehr müde, auch wenn es das nicht zulassen kann.

Wenn Ihr Baby partout nicht schlafen möchte, legen Sie es etwas früher hin als gewohnt. Initiieren Sie ein kleines Vor-dem-Tagesschlaf-Ritual, auf das sich Ihr Baby täglich freut und das z.B. aus einer Milchmahlzeit und einem Schlaflied bestehen kann. Manche Babys schlafen gern bei Tageslicht, andere brauchen strikte Ruhe und Dunkelheit. Sorgen Sie dafür, dass möglichst alle Bedürfnisse Ihres Babys erfüllt sind.

Wenn das Baby sichtlich müde ist, aber sich dennoch standhaft gegen das Einschlafen wehrt, geben Sie ihm Zeit zum Ausruhen. Machen Sie mit ihm einen langen Spaziergang im Kinderwagen oder kuscheln Sie mit ihm auf dem Sofa, während Sie aus einem Buch vorlesen, damit es sich entspannen und seine Batterien wieder aufladen kann. Stellen Sie einen Tagesplan auf, in den Sie alle wichtigen Tagesschläfchen eintragen. Verlegen Sie Einkäufe oder Besuche bei Freunden auf Zeiten, in denen das Baby fit und munter ist.

Vielleicht schläft Ihr Baby besonders leicht im Auto oder im Kinderwagen ein, sodass Sie es dann nur noch in sein Bettchen zu legen brauchen. Jede Methode, die das Baby zum Einschlafen bringt, ist gut. Nutzen Sie die Ruhezeit Ihres Babys selbst für eine kleine Pause.

Wiedererkennen

Das Gedächtnis des Babys wird immer besser. Es dreht den Kopf, wenn Sie es rufen, und erkennt vertraute Dinge, die Sie benennen.

Ihr Baby zeigt nun auf Dinge, die es haben möchte. Es erkennt vertraute Orte wie den Park wieder; vielleicht wird es sogar ganz aufgeregt, wenn es merkt, dass es auf dem Weg dorthin ist.

Es erkennt sogar Leute wieder, die es mehrere Wochen nicht gesehen hat, und wird sich daher bei einem Babysitter, den es bereits kennt, schneller beruhigen. Ihr Baby erkennt sein Lieblingsspielzeug wieder und verlangt vielleicht auch ganz eindringlich mit ausgestrecktem Zeigefinger und lauten Tönen, dass man es ihm geben soll.

Das kenne ich! Ihr Baby zeigt in seinem Lieblingsbuch auf Dinge, die Sie benennen.

Unterstützen Sie seine Kommunikationsversuche, indem Sie zu erraten versuchen, was es möchte. Vielleicht müssen Sie dazu eine Menge Gegenstände hochhalten und fragen »Dieses hier?«. Ihr Baby wird Ihre Bemühungen sehr schätzen und Sie mit einem breiten Lächeln belohnen, wenn Sie endlich das richtige Spielzeug hochhalten.

Wenn Sie sich weitestgehend an einen Tagesplan halten, wird Ihr Baby bald die einzelnen Abläufe kennen. Es versteht mehr von dem, was Sie sagen, und liebt es, bei allem einbezogen zu werden. Es kann sein, dass es sogar ein breites Grinsen aufsetzt, wenn es eine Kamera in Ihrer Hand sieht.

Zahnschäden vorbeugen

Der Zahnschmelz des Babys ist dünner als Ihrer. Selbst ganz wenig Zucker oder falsche Zahnpflege erhöhen die Gefahr von Zahnschäden.

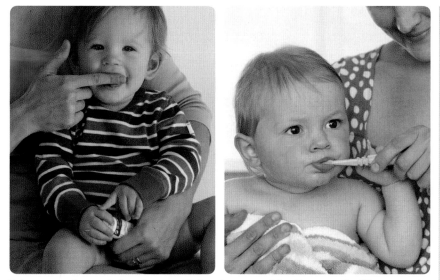

Zahnpasta auftragen Reiben Sie etwas Kinderzahnpasta auf die Zähne, um die Bildung von Bakterien zu verhindern (links). **Zähne putzen** Ihr Baby kann beim Zähneputzen mithelfen (rechts).

Bedenken Sie, dass Ihr Baby noch nicht völlig auf feste Nahrung umgestellt ist, und daher weniger Speichel hat, der sonst später beim Essen gebildet wird und die Zähne schützt und stärkt. Sie müssen daher schon selbst etwas dafür tun, um Zahnschäden zu verhindern, und dafür zu sorgen, dass die Zähne Ihres Babys kräftig und gesund werden.

Das Baby sollte viel kalziumreiche Nahrung erhalten, damit sich sowohl die Milchzähne als auch später die bleibenden Zähne gesund entwickeln können. Grünes Blattgemüse, Mandeln, Milchprodukte und Soja sind dafür die besten Quellen, daher sollten Sie täglich auf dem Speiseplan stehen. Natürlich liefern auch die täglichen Milchmahlzeiten reichlich Kalzium, aber es empfiehlt sich, bereits jetzt den Grundstein für eine gesunde, abwechslungsreiche Ernährung zu legen.

Sie sollten die Zähne Ihres Babys bereits jetzt regelmäßig und gründlich reinigen (s. S. 212), auch wenn es noch nicht viele davon hat. Tragen Sie mit dem Finger oder der Zahnbürste etwas kindgerechte Fluoridzahnpasta auf und lassen Sie Ihr Baby bereits beim Putzen mithelfen. Dadurch bleiben die Zähne sauber, der Zahnschmelz wird gestärkt und es bilden sich keine unliebsamen Bakterien.

Wenn Ihr Baby gelegentlich Süßes naschen darf, sollte dies zu den Mahlzeiten geschehen, wenn sich genügend Speichel zum Schutz der Zähne gebildet hat, und niemals zwischendurch. Dasselbe gilt für Fruchtsäfte sowie für alle anderen Lebensmittel, die raffinierten oder natürlichen Zucker enthalten. Zu Zwischenmahlzeiten sollten Sie immer Wasser oder noch besser Milch reichen, da deren Eiweiß- und Kalziumgehalt die Zähne Ihres Babys gesund erhält.

BABYS UND FLUORID

Fluorid ist ein natürliches Mineral, das in vielen Nahrungsmitteln und auch im Trinkwasser enthalten ist. Fluorid hält die Zähne gesund, weil es den Zahnschmelz stärkt und widerstandsfähig gegen Schäden macht. Es reduziert die Menge an Säure, die von den Bakterien auf den Zähnen produziert wird, und kann verhindern, dass Risse in den Zähnen entstehen, in denen sich Plaque sammeln könnte. Aus diesen Gründen werden die meisten Zahnpastasorten mit Fluorid angereichert.

Fluorid ist ein Spurenelement und deshalb in sehr geringen Mengen auch im Trinkwasser enthalten. In den meisten europäischen Staaten ist die künstliche Anreicherung des Trinkwassers mit Fluor verboten, allerdings wird außer der Zahnpasta häufig Speisesalz mit Fluor versetzt.

Die Deutsche Gesellschaft für Zahn-, Mund- und Kieferheilkunde (DGZMK) empfiehlt, ab dem 6. Lebensmonat bzw. spätestens mit dem Durchbruch des ersten Milchzahns einmal täglich eine erbsgroße Menge kindgerechter Fluoridzahnpasta (0,05 % oder 500 ppm) zu verwenden. Eine zusätzliche Gabe von Fluoridtabletten, wie lange Zeit üblich, wird nach neueren wissenschaftlichen Erkenntnissen nicht mehr empfohlen. Studien haben eindeutig belegt, dass die äußere Anwendungen von Fluorid am wirksamsten ist. Fragen Sie jedoch Ihren Kinderarzt, wenn Sie unsicher sind.

39 Wochen

DAS ZAHNFLEISCH DES BABYS IST ZIEMLICH HART, DESHALB KANN ES AUCH OHNE ZÄHNE GUT KAUEN.

Ihr cleveres Baby reagiert manchmal schon auf Ihre Anweisungen, solange sie einfach und ihm vertraut sind. Es versteht viel von dem, was Sie sagen, und kommuniziert auf seine eigene Weise. Seine neue Fähigkeit, etwas zu kategorisieren erlaubt ihm, Vergleiche mit bereits Erlebtem anzustellen.

Schnelles Wachstum

In neun Monaten wurde aus Ihrem hilflosen Neugeborenen ein aktives, neugieriges Kind, das bald sein erstes Wort sprechen wird.

Ihr Baby ist nun etwa zwei- bis dreimal größer als bei der Geburt und es hat seine körperlichen und geistigen Fähigkeiten enorm erweitert. Die reine Milchernährung ist einer Vielzahl von Gerichten gewichen, die es immer besser auch allein essen kann. Seine Selbstständigkeit wächst von Tag zu Tag und manchmal kann es sich schon selbst beschäftigen, wobei es durch seine vielen Experimente und Erkundungen ständig dazulernt. Es kommuniziert eifrig und liebt nichts mehr als kleine »Plaudereien« mit Mama oder Papa – oder mit jedem anderen, der ihm zuhört. Früher konnte es sich nur durch Weinen und Schreien ausdrücken, inzwischen besteht sein Repertoire aus Gestik, Mimik und dem ein oder anderen »echten« Wort. Seine Fähigkeit, mit anderen Personen zu interagieren und auf sie zu reagieren, ist ein großer Schritt auf dem Weg zur Entwicklung sozialer Kompetenz.

Die Grobmotorik Ihres Babys ist inzwischen so weit entwickelt, dass es seinen Kopf hochhalten, frei sitzen, sich umdrehen, vielleicht bereits krabbeln und sich zum Stehen hochziehen kann. Die Hand-Auge-Koordination verbessert sich im Gleichschritt mit der Feinmotorik, die Ihrem Baby erlaubt, Dinge mit zwei Händen zu bewegen und seine Finger effektiv einzusetzen.

Vielleicht machen Sie sich Sorgen, dass Ihr Baby sich nicht richtig entwickelt, weil es die viel besprochenen Meilensteine nur langsam erreicht. Sollte es bisher noch nicht dieselben sozialen, sprachlichen, kognitiven, grob- oder feinmotorischen Fähigkeiten besitzen wie seine Altersgenossen in der Krabbelgruppe, ist das kein Grund zur Panik. Jedes Baby entwickelt sich in seinem eigenen Tempo. Falls es aber die Meilensteine überhaupt nicht erreicht, sollten Sie Ihren Kinderarzt fragen.

Bei einem zu früh geborenen Baby tauchen später häufiger motorische und kognitive Entwicklungsverzögerungen auf. Sie sollten es daher nicht an termingerecht geborenen Babys messen. Auch hier gilt: Fragen Sie im Zweifel Ihren Kinderarzt um Rat.

ENTWICKLUNG FÖRDERN

Handpuppen

Bestimmt liebt Ihr Baby Puppentheater mit einfachen Handpuppen und möchte auch selbst dabei mitmachen. Dies geht ganz einfach, indem Sie aus einer Socke eine kleine Handpuppe basteln oder eine im Spielzeugladen kaufen. Am besten spielen Sie mit der Puppe hinter einem Kissen – mal versteckt sie sich und mal taucht sie unter Ihrem fröhlichen Gelächter wieder auf. Kitzeln Sie Ihr Baby damit und zeigen Sie ihm, wie es damit spielen kann. Lassen Sie die Puppe flüstern, kichern, rufen, tanzen und springen – Ihr Baby wird fasziniert sein. Handpuppen fördern das kreative und fantasievolle Spiel, aber auch visuelle Fähigkeiten sowie die Konzentration.

War das ein Quak? Eine Handpuppe ist für Ihr Baby ein großartiger Spaß und es wird ihm sicher nicht auffallen, dass es mit Ihren Künsten als Bauchredner nicht weit her ist.

3. Phase der Beikost

Sobald sich Ihr Baby an die pürierte Nahrung gewöhnt hat, können Sie seinen Speiseplan noch etwas mehr erweitern. Machen Sie es mit einer größeren Auswahl an Gerichten, Konsistenzen und Fingerfood vertraut.

CHECKLISTE

Drei Mahlzeiten

Bieten Sie Ihrem Baby Gerichte mit neuen Konsistenzen, Formen und unterschiedlichen Geschmacksrichtungen zum Essen an.

■ **Protein** Ihr Baby braucht mindestens dreimal täglich eine Portion Eiweiß von etwa 40 g in Form von Eiern, Fleisch, Fisch (auf Gräten aufpassen), Milchprodukten, Tofu, Hülsenfrüchten und Samen.

■ **Fett** Die Hälfte der Kalorien sollte aus Fett stammen, ein Teil von der Milch. Gesundes Fett steckt in Avocados, Olivenöl und Vollmilchprodukten.

■ **Obst und Gemüse** Etwa fünf Portionen pro Tag sind ideal.

■ **Kohlehydrate** Drei Portionen pro Tag in Form von Cerealien, Brot, Pasta, Couscous, Kartoffeln, Reis oder Brot.

■ **Konsistenz** Zerdrückt, gehackt oder klein geschnitten, mit größeren Stücken dazwischen.

■ **Wie oft?** Drei Mahlzeiten täglich plus Zwischenmahlzeiten.

■ **Wie viel?** Lassen Sie Ihr Baby selbst entscheiden. Beachten Sie aber, dass Ihr Baby bei mehr als zwei Milchmahlzeiten pro Tag kaum hungrig werden wird (s. S. 291).

Erweiterter Speiseplan Sobald Ihr Baby feste Nahrung gewöhnt ist, sollten Sie ihm neue Aromen und Konsistenzen vorstellen.

Die dritte und letzte Stufe der Beikosteinführung besteht im Wesentlichen darin, so weiterzumachen wie bisher, aber zugleich die Geschmackspalette zu erweitern sowie den Gerichten noch etwas mehr Struktur zu geben, was in Form von größeren Stücken und Gerichten geschehen kann, die Ihr Baby stärker kauen muss.

Ihr Baby wird inzwischen schon eine Reihe von Aromen kennen und sowohl Fingerfood als auch zerdrückte Nahrung zu sich nehmen. Außerdem kann es sicher auch schon Wasser aus einer Schnabeltasse trinken.

In dieser dritten Stufe, die mit etwa neun Monaten anfängt, können Sie dem Baby fein gehacktes oder geschnittenes Essen anbieten, aber auch härteres Fingerfood, da es nun viel besser abbeißen und kauen kann. Manche Babys haben in dieser Phase großen Spaß daran, ihre Mahlzeiten selbstständig zu essen, auch wenn das Ergebnis manchmal im Chaos endet: Das Baby kann zwar schon einen Löffel halten, aber damit den Mund zu finden, ohne auf dem Weg den größten Teil des Inhalts zu verschütten, wird ihm erst im zweiten Lebensjahr gelingen. Weil es aber eine so wichtige Fertigkeit ist, sollten Sie alles mit Humor nehmen und Ihr Baby immer wieder mit dem Löffel experimentieren lassen.

Ihr Baby sollte jetzt täglich drei Hauptmahlzeiten plus Zwischenmahlzeiten essen und dabei viele verschiedene Gerichte kennenlernen. Wenn Sie hauptsächlich mit dem Löffel füttern, brauchen Sie das Essen lediglich grob mit der Gabel zu zerdrücken. Mit neun Monaten reicht es, wenn Sie nur die großen Stücke etwas zerkleinern.

Ob Sie mit dem Löffel füttern oder Ihr Baby selbstständig essen lassen, Sie können jetzt den neu erworbenen Pinzettengriff (das Zusammenbringen von Daumen und Zeigefinger, um etwas aufzuheben) des Babys nutzen, um ihm kleinere Dinge wie Rosinen, Beeren, Erbsen und halbierte Kirschtomaten oder Weintrauben anzubieten.

Essgewohnheiten fürs Leben In dieser Phase ist es wichtig, dem Baby vielschichtigere Gerichte anzubieten, die aus mehr als einer Zutat bestehen und mit Kräutern oder Gewürzen verfeinert sind. Eine Prise Kräutermischung kann z. B. aus einfachen Nudeln ein aufregendes neues Gericht machen. Auf scharfe Gewürze sollten Sie jedoch verzichten und stattdessen lieber auf Kräuter wie Thymian, Basilikum, Petersilie oder

Koriander zurückgreifen. Wenn Sie jetzt die Geschmackspalette Ihres Babys erweitern, wird es später wahrscheinlich weniger mäkelig mit dem Essen sein.

Aufläufe mit Kartoffeln und Hackfleisch, Fischpfannen oder Gemüseeintöpfe bieten genau wie gut gemischte Obstsalate eine große Geschmacksvielfalt. Sie bereichern den Speiseplan Ihres Babys und helfen mit, seine Geschmacksknospen zu trainieren.

Wenn Sie damit beginnen, Ihrem Baby vielschichtigere Menüs anzubieten, vielleicht auch schon von Ihren Familienmahlzeiten etwas abnehmen wollen, sollten Sie aber beachten, dass ein Baby ganz andere Nährstoffbedürfnisse hat als Erwachsene. Ihr Baby braucht z. B. viel mehr Fett als Sie, weil es so schnell wächst und Fett nun einmal eine hoch konzentrierte Energiequelle ist. Dafür sollte es nicht so viele Ballaststoffe erhalten, da diese zwar den Magen füllen, aber ihm nicht die benötigte Menge an Kalorien liefern. Weitere Informationen über gesunde Ernährung s. S. 207.

Vorbild sein Am besten lernt Ihr Baby durch Ihr Vorbild, gerade wenn es um neue und ihm unbekannte Speisen geht. Fangen Sie daher schon früh damit an, als Familie gemeinsam am Tisch zu essen. So können Sie ein gutes Beispiel geben und gleichzeitig kostbare Zeit miteinander verbringen. Ihr Baby wird viel geneigter sein, ein neues Gericht zu probieren, wenn es sieht, dass auch seine Geschwister es essen. Ganz nebenbei lernt es etwas über Tischmanieren und spürt den sozialen Aspekt des gemeinsamen Essens. Zwingen Sie Ihr Baby aber nicht, etwas zu essen, wenn es dies absolut nicht möchte. Loben Sie es, selbst wenn es nur eine winzige Menge davon gegessen hat, und räumen Sie den Rest kommentarlos ab.

Studien belegen, dass Kinder, die regelmäßig mit den Eltern essen, sich besser mit gesunden Nahrungsmitteln auskennen und neuen Gerichten gegenüber aufgeschlossener sind.

SPEISEPLAN FÜR ÄLTERE BABYS

Frühstück
■ Haferbrei oder ungesüßte Cerealien mit Kuhmilch und Banane
■ Toaststreifen mit hart gekochtem Ei und Obstspalten (etwa Birnen oder Pfirsiche).
■ Apfelmus, Naturjoghurt und ungesüßte Cerealien.
■ Brot mit Frischkäse und einigen Blaubeeren.

Mittagessen
■ Ofenkartoffel mit Thunfisch oder Käse.
■ Nudeln mit Tomatensoße.

■ Mundgerechte Stücke zum Dippen: z. B. Käsesticks, Kirschtomaten, Gurkensticks mit Hummus.
■ Mini-Sandwiches mit Schmelzkäse oder hart gekochtem Ei oder Hähnchenstreifen und etwas Mayonnaise.
■ Selbst gemachte Tomatensuppe mit gebutterten Toaststreifen.
■ Einfache Minestrone mit frischem Gemüse.
■ Fischstückchen (ohne Gräten) oder Hähnchenstreifen mit Möhren und Tomatensoße.
■ Brot- und Gemüsestreifen mit frischen Dips.

Abendessen
■ Hackfleisch, Kartoffelbrei und Möhren.
■ Fischstückchen, Erbsen und Kartoffelbrei.
■ Hühnertopf mit Reis.
■ Lasagne mit Brokkoli.
■ Gemüserisotto mit Käse überbacken.
■ Hackfleisch- oder Sojabratling, Zucchini, Tomaten und gekochte Kartoffeln.
■ Fleischbällchen mit Brokkoli und Möhren.
■ Pochierter Lachs mit Reis und Gemüse.

Guten Appetit! Haferbrei mit Milch, Joghurt und Banane (links), Fleisch- oder Fischfilet mit Käse und Gemüsesoße (Mitte) und Nudeln mit Hackfleischsoße (rechts) liefern alle Proteine, Kohlehydrate, Fette, Vitamine und Mineralstoffe, die Ihr Baby täglich braucht.

Sich zurückgesetzt fühlen

Manchmal sind berufstätige Eltern neidisch, weil die Tagesmutter die Entwicklungsfortschritte ihres Babys als Erste miterlebt.

Eine gutes Verhältnis zwischen Ihnen und der Tagesmutter Ihres Babys ist wichtig; und Sie sollten es pflegen, egal wie Sie über ihre Beziehung zu Ihrem Baby denken (s. S. 295). Eine erfahrene und professionelle Tagesmutter weiß, dass Sie manchmal mit widersprüchlichen Gefühlen kämpfen; sprechen Sie sie also stets an, wenn Sie etwas bedrückt. Um den Kontakt zum Baby zu halten, können Sie vereinbaren, dass die Tagesmutter Sie stets auf dem Laufenden hält, selbst wenn Sie sie im Büro anrufen muss, um Ihnen neu erworbene Fähigkeiten des Babys mitzuteilen. Machen Sie deutlich, dass Sie alle Bemühungen der Tagesmutter respektieren, und äußern Sie sich positiv über Dinge, die sie dem Baby beigebracht hat. Auch wenn Sie sich zurückgesetzt fühlen, wissen Sie doch, dass Ihr Baby insgesamt viel mehr Zeit mit Ihnen als mit der Tagesmutter verbringt.

Stellen Sie sich darauf ein, dass das Baby vielleicht sogar zu weinen anfängt, wenn Sie es abholen möchten. Der Wechsel von der Tagesmutter zu Ihnen kann für Ihr Baby Stress bedeuten, auch wenn Sie es immer zur gleichen Zeit abholen. Vielleicht wird sein Spiel oder sein Schlaf unterbrochen oder es fühlt sich dort gerade einfach wohl und will gar nicht weggebracht werden. Lassen Sie sich Zeit für die Übergabe, halten Sie das Baby auf dem Arm, während Sie mit der Tagesmutter sprechen, und winken Sie ihr zum Abschied.

Versuchen Sie, nachdem Sie Ihr Baby abgeholt haben, etwas Zeit mit ihm allein zu verbringen, auch wenn die Hausarbeit ruft. Ihr Baby wird das zu schätzen wissen.

Wie heißt das?

Babys geben Dingen manchmal ganz eigene Namen. Zeigen Sie z.B. auf sein Schmusetier und fragen Sie, wie es heißt.

Was ist das dort oben? Fragen Sie Ihr Baby nach den Namen von alltäglichen Dingen.

Wiederholt Ihr Baby immer denselben Laut, wenn Sie ihm einen Gegenstand zeigen, hat es ihm wahrscheinlich einen eigenen Namen gegeben. Oft besteht er aus Lauten, die auch im »echten« Namen des Objekts vorkommen, wie »mi-mi« für Milch, »la-la« für Flasche oder »un« für Hund. Ermuntern Sie Ihr Baby, Dinge zu benennen, und loben Sie es für seine Bemühungen. Achten Sie auf bestimmte Muster in der Sprechweise Ihres Babys. Tauchen immer wieder dieselben »Wörter« auf? Was möchte es Ihnen damit sagen?

Für Ihr Baby kann die Kommunikation mit seiner Umwelt manchmal noch ziemlich frustierend sein, denn es muss immer wieder auf etwas zeigen und seine Worte wiederholen, um sich verständlich zu machen. Helfen Sie ihm, indem Sie vertraute Objekte wie seinen Teller oder sein Kuscheltier hochhalten und fragen, wie es diese Dinge nennt. Wiederholen Sie die Wörter, aber nennen Sie auch den richtigen Namen. Sagen Sie z.B.: »Ja! Un! Das ist der Hund!«.

Schauen Sie Bilderbücher gemeinsam mit Ihrem Baby an. Lassen Sie es auf die Bilder zeigen und benennen Sie dann die Gegenstände mit Namen. Ihr Baby wird diese Wörter wiederholen und einüben. Oft wird es den Laut, den ein Tier macht, als Namen verwenden. Es verbindet Wörter und Laute mit Dingen.

Familienurlaub

Urlaub mit dem Baby ist unproblematisch, wenn Sie sich gut darauf vorbereiten. Ihr Baby hat sicher Spaß am Familienabenteuer.

Alles dabei Packen Sie alle Babyutensilien in die Wickeltasche, die Sie bei sich tragen.

Viele Babys fühlen sich in einer neuen Umgebung unsicher, deshalb sollten Sie ein paar seiner vertrauten Spielsachen mit in den Urlaub nehmen, die es trösten und beschäftigen. Packen Sie auch Spielzeug und Bücher ins Handgepäck, falls es Ihrem Baby auf der Fahrt langweilig wird. Das Kinderbett am Urlaubsort ist mit dem vertrauten Schlafsack oder der Lieblingsdecke darin gleich weniger fremd und das Einschlafen fällt dem Baby leichter. Lassen Sie es eine Weile in dem neuen Bett spielen, ehe Sie es schlafen legen, damit es weiß, wo es sich befindet, wenn es nachts aufwacht.

Milch und Nahrung Wenn Sie ins Ausland reisen und das Baby noch mit der Flasche füttern, sollten Sie einen Vorrat an Milchnahrung mitnehmen; denn es kann sein, dass diese Marke am Urlaubs-

ort nicht erhältlich ist. Überlegen Sie sich auch, welche Art von fester Nahrung Ihr Baby im Urlaub essen kann. Ist es an Gläschennahrung gewöhnt, packen Sie ein paar davon ein, damit es vertraute Gerichte genießen kann, während es sich an den neuen Ort und an andere Nahrung gewöhnt. Die Gläschen eignen sich auch prima als Notfallration. Obstpürees schmecken fast allen Babys und wenn Sie am Urlaubsort einen Kühlschrank haben, können Sie auch Joghurt und Käse mitnehmen.

Packen Sie auch ein paar Lieblingssnacks wie Rosinen, Brotstangen und Reiskräcker ein. Kleine Packungen mit Babycerealien können ebenfalls sehr nützlich sein.

Normalerweise sind Brot, Obst und Gemüse überall erhältlich, ebenso wie in fast allen Restaurants der Welt Nudeln oder Reis aufgetischt werden. Supermarkt, Wochenmarkt, Papas oder Mamas Teller sollten im Urlaub genügend Möglichkeiten bieten, um Ihr Baby satt zu bekommen. Frisches Obst und Gemüse, direkt im Ursprungsland gekauft, schmecken oft besonders lecker, sodass Sie nebenbei vielleicht sogar noch die Geschmackspalette Ihres mäkeligen Babys erweitern können.

Vorsichtsmaßnahmen Waschen Sie Obst und Gemüse im Urlaub aber sehr sorgfältig und schälen Sie es nach Möglichkeit ab. Wasser in Flaschen sollte immer natriumarm sein. Wenn Ihr Baby im Restaurant Fleisch oder Geflügel essen soll, müssen diese gut durchgekocht sein.

Prüfen Sie Ihr Zimmer oder die Wohnung gleich nach der Ankunft auf

mögliche Gefahren. Krabbelt oder läuft Ihr Baby schon an Möbeln entlang, dürfen keine Stufen, Kabel, instabile Gegenstände im Weg sein, die zu einem Unfall führen könnten. Besprechen Sie alle Fragen zur Sicherheit Ihres Babys am Urlaubsort mit jemandem, der dafür zuständig ist. Vergessen Sie auch nicht, alle relevanten Daten und Unterlagen Ihrer Reiseversicherung mitzunehmen. Dasselbe gilt auch für Telefonnummern für Notfälle sowie Reisepässe, Impfpässe und andere wichtige Reisedokumente.

CHECKLISTE

Nützliche Extras

Auf S. 131 finden Sie eine Liste mit Dingen, die Sie für die Reise mit Ihrem Baby einpacken sollten. Da es nun älter ist, sollten Sie auch an Folgendes denken:

- Sonnenschutz für das Auto und für den Strand.

- Erste-Hilfe-Box mit wichtigen Medikamenten und Zahngel.

- Babyfon und Nachtlicht.

- Sonnenschirm für den Kinderwagen.

- Rückentrage für Babys.

- Spielzeug und kleine Bücher für den Buggy.

- Universalstöpsel, um aus der Dusch- eine Badewanne zu machen.

- Handwaschmittel zum Säubern von Lätzchen und Kleidung.

39 Wochen

313

Glänzende Haarpracht

Vom feinen Flaum bis zur üppigen Mähne: Das Haar von Babys ist sehr unterschiedlich und braucht entsprechende Pflege.

Die meisten Babys tauschen im ersten Lebensjahr den weichen Haarflaum gegen neues, dickeres Haar ein. Doch auch hier gibt es Unterschiede: Manchen Babys wächst noch mit neun oder sogar zwölf Monaten nur wenig Haar, andere dagegen haben einen wilden Lockenkopf oder sogar Haare bis auf die Schultern. Keine Sorge, wenn sich bisher auf dem Kopf Ihres Babys noch nicht viel getan hat; sein Haar wird wachsen und ist zumindest jetzt noch leicht zu

So kämmen wir... unser Haar. Die tägliche Pflege macht Ihrem Baby mehr Spaß, wenn es selbst auch mitmachen darf.

pflegen. Es muss nur ab und zu mit einer weichen Babybürste gebürstet und einmal die Woche mit mildem Babyshampoo gewaschen werden.

Eine üppige Haarpracht, besonders wenn sie lockig ist, stellt dagegen eine größere Herausforderung dar. Geben Sie nach dem Waschen etwas Conditioner in Babys Haar, spülen es gut und entwirren dann die Knoten mit einem grobzinkigem Kamm.

Zu häufiges Waschen kann das Haar zu stark entfetten, sodass es schließlich spröde und brüchig wird. Aus diesem Grund sollte Babyhaar nicht öfter als einmal pro Woche gewaschen werden.

Heiss und kalt

Das Baby kann seine Körpertemperatur nun besser regeln; achten Sie aber darauf, dass ihm nicht zu warm oder zu kalt ist.

Mit 39 Wochen kann Ihr Baby Ihnen bereits mitteilen, wenn es sich unwohl fühlt. Es zerrt an seiner Kleidung oder es wird quengelig, wenn ihm zu warm ist, oder es kuschelt sich in seine Decke, wenn es friert.

Kleiden Sie Ihr Baby bei kaltem Wetter ebenso wie sich selbst, nämlich in Schichten. Im Kinderwagen bewegt es sich nicht viel und friert daher schneller als Sie, deshalb braucht es noch eine Mütze und eine Decke. Gefütterte Stoffschuhe oder zwei Paar Socken übereinander halten seine Füße warm. Fäustlinge werden Ihrem Baby vermut-

lich nicht gefallen, weil es die ganze Zeit über seine Hände benutzen möchte. Bei kalter Witterung empfiehlt sich daher eine Jacke mit anknöpfbaren Handschuhen, die es nicht selbst ausziehen kann.

Ist es heiß, sollte Ihr Baby nur mit Hut, Hemd und Windel draußen spielen. Wenn es gut vor der Sonne geschützt ist, muss es nicht vollständig angezogen sein. Fühlt es sich feucht und schwitzig an, hat es ein rotes Gesicht und streckt es oft die Zunge heraus, ist ihm zu heiß. Geben Sie ihm etwas zu trinken und ziehen Sie ihm eine Schicht Kleidung aus, passend zu den Temperaturen.

FAKTEN UND HINTERGRÜNDE

Temperatur-Check

Die Temperatur im Schlafzimmer Ihres Babys sollte zwischen 16 und 20 °C liegen, die seines Badewassers bei etwa 37 °C. Die normale Körpertemperatur eines gesunden Babys liegt etwa zwischen 36,5 und 37,9 °C. Ohrthermometer sind sehr praktisch zum Messen. Als erhöhte Temperatur gelten Werte über 38 °C, erst ab 38,5 °C sprechen Ärzte von Fieber.

Das Gedächtnis Ihres Babys

Ihr Baby erinnert sich an viele Dinge und kann sich Informationen immer länger merken – sein Gedächtnis hat sich sehr entwickelt.

Ich kenne dich! Das Gesicht Ihres Babys hellt sich auf, wenn es etwas sieht, das es kennt – vor allem, wenn es jemand ist, den es mag!

Ihr Neugeborenes agierte in erster Linie reflexgesteuert. Es erkannte Geruch, Berührung und Stimme – aber »aus den Augen« bedeutete im wahrsten Sinne des Wortes auch »aus dem Sinn«. Seitdem hat sich das Gedächtnis Ihres Babys jedoch stetig entwickelt.

Eines der ersten Dinge, an die sich Ihr Baby erinnerte, war Ihr Gesicht, denn nur so konnte es eine starke Bindung zu Ihnen herstellen. Noch bevor es sechs Monate alt war, begann es, sich an Dinge zu erinnern, die kurzfristig wichtig waren. Dies wurde offenkundig in der Fähigkeit, Handlungen oder Ereignisse vorherzuahnen, die es schon im Gedächtnis gespeichert hatte. So wusste es zum Beispiel, was als nächstes geschehen würde, wenn Sie es zum Essen in seinen Hochstuhl setzten, und es zeigte Anzeichen von Freude, wenn es sein Lieblingsspielzeug sah.

Mit sechs Monaten erkannte das Baby schon Sie und Ihren Partner als die wichtigsten Menschen in seinem Leben. Inzwischen dreht es sich um, wenn Sie seinen Namen sagen, denn es weiß, dass dieser Laut etwas mit ihm zu tun hat. Es erkennt bekannte Objekte, Gesichter und täglich wiederkehrende Handlungen; ebenso erinnert es sich, wo sein Spielzeug oder seine Snacks aufbewahrt werden.

Leider bringt die Entwicklung des Erinnerungsvermögens auch gewisse Nachteile mit sich. So erinnert sich Ihr Baby vielleicht ganz genau daran, dass es Haarewaschen beim letzten Mal nicht mochte; und schon fängt es an sich aufzuregen, wenn es nur hört, wie das Badewasser eingelassen wird.

Langzeitgedächtnis Die Entwicklung des Gedächtnisses bedeutet, dass das Gehirn Ihres Babys immer besser in der Lage ist, Informationen zu verarbeiten und zu speichern. Je öfter es etwas sieht oder erlebt, desto eher wird dies in seinem Gedächtnis haften bleiben.

Zudem erhöht sich auch allmählich die Dauer, für die eine Erinnerung gespeichert wird. Sieht Ihr Baby beispielsweise seine Großeltern nur selten, erkennt es sie sofort wieder, wenn das Wiedersehen innerhalb eines Monats stattfindet; aber bei einem längeren Zeitraum dazwischen braucht es etwas Zeit und/oder eine Erinnerungshilfe. An wie viel sich ein Baby erinnert, hängt unter anderem vom Grad der Vertrautheit und den Erinnerungshilfen ab, die es erhält.

ENTWICKLUNG FÖRDERN

Kleiner Schmutzfink

Ihr Baby interessiert sich für die Struktur und Beschaffenheit von Dingen – und ganz allgemein dafür, sich die Hände schmutzig zu machen. Es patscht fröhlich mit den Fingern ins Essen und schmiert sich alles ungeniert auf Haare und Kleidung. So schlimm das auch aussieht, Ihrem Baby hilft es dabei, die Eigenschaften von Dingen in seiner nächsten Umgebung kennenzulernen und im Gedächtnis abzuspeichern. Schimpfen Sie daher nicht, wenn es das nächste Mal mit dem Wackelpudding spielt oder die Röschen vom Blumenkohl zupft: Ihr Baby ist gar nicht unartig, sondern es leistet kognitive Schwerstarbeit!

Im Mehl malen Mit Nahrungsmitteln herumzuspielen macht nicht nur Spaß, Ihr Baby lernt viel über Form und Textur.

Unser Baby mit 10 bis 12 Monaten

WOCHE	1	2	3	4	5	6	7	8	9	10	11	12	13	14	15	16	17	18	19	20	21	22	23	24	25

Auf den Punkt Ihr Baby verfeinert seine Handbewegungen und nutzt immer öfter den Finger als den Arm, um auf etwas zu zeigen.

Selber essen Noch hat Ihr Baby nicht die Geschicklichkeit, selbst mit dem Löffel zu essen; es liebt es aber, damit zu probieren.

Erste Worte Sagt Ihr Baby ein Wort regelmäßig, egal wie es sich anhört, hat es eine Bedeutung (etwa »La« für Flasche). Auch »Dada« und »Mama« haben jetzt eine Bedeutung.

Hoppla Ihr Baby kann mit Ihrer Hilfe stehen, plumpst aber hin, sobald Sie loslassen. Wenn sich sein Gleichgewichtsgefühl entwickelt, steht es kurze Zeit allein.

> **Wussten Sie das?** Ihr Baby erkennt seinen Namen, aber es dauert noch eine Weile, bis es ihn selber sagen kann.

Gefühlsausbrüche Ihr Baby weint oft aus Enttäuschung, weil ihm etwas nicht gelingt. Bleiben Sie ruhig und geduldig, wenn es von seinen Gefühlen übermannt wird.

Umblättern Ihr Baby kann nun vielleicht schon die dicken Seiten eines Kinderbuchs umblättern. Es sieht sich gern einfache Bilder an und hebt Klappen hoch.

Ihr Baby ist nun eine gesellige kleine Person mit vielen neuen Fähigkeiten und verbesserter Körperkontrolle.

Einen Stift benutzen Mit Ihrer Hilfe kann das Baby einen dicken Stift halten und die ersten Linien auf ein Blatt Papier kritzeln.

Komplexes Spiel Durch Aktivitäten, wie stapeln, sortieren und öffnen, lernen Babys viel darüber, wie Dinge fallen, sich bewegen und miteinander in Beziehung stehen.

»Nein« Ihr Baby realisiert allmählich, was »Nein« bedeutet – gehorcht aber nicht immer. Es hält das wahrscheinlich noch für ein Spiel!

Wussten Sie das? Nur wenige Babys fangen im ersten Lebensjahr an zu laufen. Die meisten warten damit bis nach dem ersten Geburtstag.

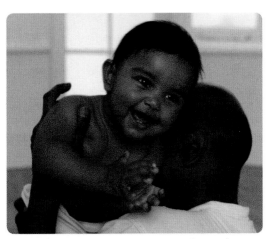

Klatschen Die Koordination von Händen und Armen erlaubt Ihrem Baby, in die Hände zu klatschen, um seine Freude auszudrücken.

Geselligkeit Ihr Baby sieht andere Babys als Objekte an und will wissen, wie sie sich anfühlen.

Allein stehen Einen Moment lang frei zu stehen, ist für Ihr Baby ein großer Durchbruch!

40 Wochen

DIE TRENNUNGSANGST IST MEISTENS ZWISCHEN DEM 10. UND 18. LEBENSMONAT AM GRÖSSTEN.

Ihr Baby kann beide Hände gleichzeitig benutzen und führt Ihnen stolz seine Fähigkeit vor. Loben Sie es überschwänglich für seine Leistung. Es isst eine größere Auswahl an fester Nahrung und da es von Natur aus gesellig ist, machen ihm gemeinsame Familienmahlzeiten großen Spaß.

Kleiner Dickkopf

Ihr Baby zeigt sich bei vielen Gelegenheiten weniger kooperativ als Ihnen lieb ist. Ihre Geduld ist nun gefragt…

Weg mit dem Hut! Sie setzen Ihrem Baby einen Hut auf, das Baby zieht ihn wieder herunter. Das ist ein großer Spaß für Ihr Baby – und eine Geduldsprobe für Sie, wenn Sie es eilig haben!

Die Zeiten, in denen Ihr Baby mehr oder weniger ein Teil von Ihnen war und sich den ganzen Tag herumtragen ließ oder fest schlafend im Kinderwagen lag, sind endgültig vorüber. Es hat nun seinen eigenen Kopf und auch wenn es noch nicht nach völliger Unabhängigkeit strebt, es ist durchaus in der Lage, heftigen Widerstand zu leisten, wenn ihm etwas nicht passt. Plötzlich läuft nicht mehr alles so reibungslos und Sie werden manchmal zornig, wenn das Baby nicht so möchte wie Sie.

Sie wollen vielleicht, dass es seine Mütze/Socken/Schuhe trägt, doch es zieht sie ständig wieder aus. Oder es weigert sich, die Jacke oder eine frische Windel anzuziehen. Oder es wirft immer wieder seine Schüssel mit Essen auf den Boden. Es gibt immer wieder Tage, an denen Ihre Geduld auf eine harte Probe gestellt wird. Da hilft nur, sich immer wieder vor Augen zu halten, dass Ihr Baby, auch wenn es sich plötzlich so sehr weiterentwickelt hat, noch immer ein Baby ist und Ihnen nicht bewusst Ärger machen will.

Zusätzliche Zeit einplanen Versuchen Sie, den Tagesablauf nicht allzu eng zu planen, sodass Sie nicht in Zeitnot geraten, wenn Ihr Baby mal wieder seinen eigenen Kopf hat.

Versuchen Sie, wenn möglich, seine Wünsche zu respektieren. Wenn es die Söckchen absolut nicht tragen will und Sie seine Füße auch mit einer Decke warm halten können, lassen Sie ihm seinen Willen. Schubst es Sie weg, weil es etwas allein probieren will, lassen Sie es in Ruhe experimentieren.

Am wichtigsten ist, dass Sie nicht mit ihm schimpfen. Nehmen Sie alles mit Humor und erwarten Sie nicht zu viel von Ihrem Baby; schließlich ist es gerade mal neun Monate alt.

ENTWICKLUNG FÖRDERN

Dinge aufheben

Mit etwa zehn Monaten ist der Pinzettengriff Ihres Babys (s. S. 339) voll entwickelt. Wenn es Dinge halten will, wird es sie so lange herumschieben, bis es sie zwischen Daumen und Zeigefinger nehmen und hochheben kann. Die täglichen Mahlzeiten sind eine tolle Möglichkeit zum Üben: Eine Rosine auf dem Teller oder kleine Stücke Obst kann es nun schon allein aufheben. Legen Sie ein oder zwei Stücke davon auf den Teller – Ihr Baby wird sie selbst aufheben und in den Mund stecken. Ihr Baby hat auch großen Spaß daran, von seinem Hochsitz herab alles auf den Boden zu werfen. Denken Sie daran, dass es Sie nicht ärgern will, sondern dass dies eine wichtige Entwicklungsphase ist.

Pinzettengriff Ihr Baby kann nun kleine Objekte zwischen Daumen und Zeigefinger nehmen und hochheben.

Konsequenter Tagesschlaf

Ihr Baby schläft nachts besser durch, wenn Sie es auch tagsüber regelmäßig schlafen lassen.

Hin und wieder eine kleine Abweichungen im Tagesablauf ist für ein Baby mit zehn Monaten kein Problem; achten Sie aber darauf, dass es im Großen und Ganzen ausreichend Gelegenheit für einen qualitativ hochwertigen Tagesschlaf erhält. Ihr übermüdetes Baby kann sonst äußerst verdrießlich und quengelig werden.

Die meisten Babys in diesem Alter brauchen mindestens einen langen Schlaf am Tag, meistens nach dem Mittagessen, oder zwei – einen kürzeren am Vormittag und einen längeren am Nachmittag. Sind diese Schlafpausen gut geplant, indem sie mit den Müdigkeitssignalen Ihres Babys zusammenfallen, und auch ausreichend lang (insgesamt 2–3 Stunden), hält Ihr Baby sicher bis abends ohne Übermüdung durch und wird auch nachts gut schlafen.

Das Ritual für den Tagesschlaf sollte ähnlich – aber nicht identisch – mit dem abendlichen Schlafritual sein. Dämpfen Sie z.B. das Licht und singen Sie ein Schlaflied, aber heben Sie sich die Gutenachtgeschichte besser für abends auf. So versteht Ihr Baby, dass die Schlafenszeit bevorsteht, und wird schnell und zufrieden einschlafen.

Kleines Nickerchen Ihr Baby braucht auch tagsüber seinen Schlaf.

Nackte Tatsachen

Ist es warm genug, tut es Ihrem Baby gut, hin und wieder auch einmal ganz ohne Kleidung zu sein.

FAKTEN UND HINTERGRÜNDE

In früheren Jahrhunderten trugen Babys nur wenig am Leib. Im Mittelalter war Stoff z.B. ein reiner Luxusartikel. Babys wurden in Leinenstreifen gewickelt, bis sie alt genug zum Sitzen waren. Danach blieben sie oft nackt oder wurden nur gegen die Kälte in Decken gewickelt. Später zog man ihnen einfache Gewänder an. Erst im 18. Jahrhundert kleidete man männliche Babys in einteilige Knabenanzüge und weibliche Babys in einfache Hängerkleidchen.

Ihrem Baby wird es gefallen, jeden Tag für eine Weile ohne Kleidung und Windeln sein zu dürfen. Dazu bietet sich natürlich vor allem der Sommer an, aber zu jeder anderen Jahreszeit tut es auch ein gut geheiztes Badezimmer. Wenn Sie überall Teppich haben, lohnt sich vielleicht die Anschaffung einer wasserfesten Unterlage. Breiten Sie darauf Handtücher aus, die kleine Malheure schnell aufsaugen.

Wenn Sie Ihrem Baby 2–3-mal täglich eine windelfreie Zeit bieten, kann das Windelausschlag verhindern oder schneller zum Abklingen bringen. Zudem erfährt Ihr Baby, wie es sich anfühlt, zu urinieren oder Stuhlgang zu haben, und begreift später schneller, dass es rechtzeitig vorher zur Toilette gehen muss. Es wird ihm gefallen, sich völlig frei bewegen zu können, ohne durch seine Kleidung oder Windel beengt zu werden.

Fachleute nehmen an, dass die tägliche windelfreie Zeit den Prozess des Sauberwerdens beschleunigt. Das sollte aber nicht Ihr Hauptgrund dafür sein, denn das Toilettentraining kommt noch früh genug. Bis dahin sollte die windelfreie Zeit für Ihr Baby nichts anderes sein als die Gelegenheit, seinen Körper zu spüren und etwas Luft an seinen Po zu bringen.

Essen mit der Familie

Ihr Baby profitiert von gemeinsamen Mahlzeiten; sie fördern gute Essgewohnheiten und die Bereitschaft, neue Gerichte zu probieren.

Es ist sicher nicht möglich, alle Mahlzeiten im Kreis der gesamten Familie einzunehmen. Es ist aber wünschenswert, dies wenigstens ein paar Mal unter der Woche und vielleicht etwas öfter an den Wochenenden zu praktizieren. Babys sind sehr gesellig und beim Essen generell weniger wählerisch, wenn die ganze Familie am Tisch sitzt. Ihr Baby wird sicher interessierter ein neues Gericht probieren, wenn es sieht, dass alle anderen es auch essen. Bieten Sie Ihrem Baby geeignete Lebensmittel von Ihrem Teller an oder kochen Sie gleich ein Gericht, das alle Familienmitglieder essen können.

Ihr Baby sieht, wie Sie Besteck und Servietten benutzen oder aus dem Glas oder der Tasse trinken. Es stellt fest, dass Sie Ihren Teller nicht quer durch den Raum schleudern, dass seine Geschwister fragen, ob Sie aufstehen dürfen, und dass alle helfen, den Tisch abzuräumen. Es wird zwar noch dauern, bis es all diese sozialen Fähigkeiten selbst gelernt hat, aber Sie bieten ihm ein hervorragendes Beispiel dafür, wie Menschen zusammen essen und welches Verhalten dabei erwartet wird. Das Essen sollte deshalb auch in einer fröhlichen Runde und ohne hitzige Streitereien stattfinden.

Lassen Sie Ihr Baby auch bei Einladungen oder größeren Familienfesten am Tisch mitessen, selbst wenn es Fremden gegenüber eher misstrauisch ist. Je mehr Gelegenheiten Sie ihm bieten, neue Leute und Umgebungen kennenzulernen, desto mehr Selbstvertrauen wird es in dieser Hinsicht entwickeln. Ein Essen in großer Runde macht jedem Spaß, auch Ihrem Baby.

Geselligkeit Gemeinsame Mahlzeiten bieten Gelegenheit zur Interaktion. Das Baby beobachtet Ihre Tischmanieren und wenn es sieht, dass Sie etwas essen, wird es auch davon probieren wollen.

CHECKLISTE

Familiengerichte

Viele Ihrer normalen Familiengerichte eignen sich auch für Ihr Baby. Denken Sie aber daran, dass es weder Salz und Zucker noch scharfe Gewürze in seiner Portion haben sollte. Manche Zutaten, wie Senf oder Essig, könnten zudem seinen Magen reizen. Sorgen Sie dafür, dass das Essen die richtige Konsistenz für Ihr Baby hat, indem Sie es pürieren, hacken oder zerdrücken. Babyfreundliche Familiengerichte sind:

■ Hühnertopf mit Gemüse und Kartoffelbrei.

■ Dicke Gemüse- oder Linsensuppe mit gebutterten Toaststreifen.

■ Seelachs oder Kabeljau mit Spinat, Erbsen und Kartoffeln.

■ Fleischklopse in Tomatensoße mit Nudeln oder Reis (sind die Hackfleischbällchen klein genug, kann Ihr Baby sie mit den Fingern essen).

■ Brokkoli, Lauch oder Blumenkohl mit Käse überbacken.

■ Thunfisch-Nudelauflauf mit Tomatensoße.

■ Fischfrikadellen mit Avocado (für das Baby kleinere Bällchen statt Frikadellen und zerdrückte oder in Scheiben geschnittene Avocado).

■ Gemüseauflauf mit Fleisch oder Fisch (auf den Salzgehalt achten).

40 Wochen

»Fremdeln«

Selbst die geselligsten Babys werden in diesem Alter Fremden gegenüber plötzlich schüchtern und ängstlich.

Die Angst Ihres Babys vor fremden Personen und davor, von Ihnen getrennt zu sein, wird nun stärker. Es empfindet, dass seine Beziehung zu Ihnen ganz besonders ist und dass man andere Menschen besser mit Vorsicht behandeln sollte. Dies ist ein völlig normaler Teil seiner sozialen Entwicklung. Anstatt wie bisher vor Freude zu strahlen, wenn ihm die Dame im Supermarkt zuwinkt, fängt es nun an zu weinen und klammert sich an Sie.

Für Verwandte und enge Freunde können nun schwere Zeiten anbrechen, wenn das Baby sich plötzlich weigert, mit ihnen Kontakt zu haben. Dieses Verhalten muss Ihnen aber nicht peinlich sein. Erklären Sie stattdessen, dass es eine normale Entwicklungsphase im Leben eines Babys ist, die sich Trennungsangst (s. S. 283) nennt und in unterschiedlicher Ausprägung bis zum dritten Lebensjahr anhalten kann.

Lassen Sie Ihr Baby in geselligen Situationen nach seinem eigenen Tempo vorgehen. Geben Sie ihm Zeit, mit fremden Personen warm zu werden. Zwingen Sie es nicht, sich Fremden zuzuwenden, wenn es dies absolut nicht möchte. Erklären Sie notfalls, dass es nicht persönlich gemeint ist, sondern dass das Baby Fremden gegenüber derzeit nicht sehr aufgeschlossen ist. Zeigen Sie Freunden ein paar Tricks, wie sie Ihr Baby zum Lachen bringen können. Auch wenn Ihr Baby nur von Ihnen gehalten werden möchte, sollten Sie es weiterhin mit fremden Menschen bekannt machen. Es wird sich zuerst unwohl fühlen, aber es muss sich an neue Gesichter und Umgebungen gewöhnen. Zeigen Sie sich selbst gesellig und locker im Umgang mit anderen. Sieht das Baby, dass Sie Spaß haben, merkt es bald, dass es keine Angst zu haben braucht.

Herzhaftes Lachen

Lachen ist ein Meilenstein in der Entwicklung. Ihr Baby reagiert dabei positiv auf Außenreize und entwickelt Sinn für Humor.

Die Sozialisation Ihres Babys hängt von seiner Fähigkeit ab, mit anderen zu interagieren. Findet es etwas komisch, ist dies ein deutliches Zeichen dafür, dass sich Ihr Baby in seiner momentanen Situation und Umgebung wohlfühlt. Vermutlich lässt es schon seit seinem dritten Lebensmonat hin und wieder ein kleines Kichern erklingen (manche Babys zeigen Ihr erstes Lachen schon mit acht Wochen), aber mit nun 40 Wochen ist aus dem leisen Kichern bestimmt schon ein herzhaftes, lautes Lachen geworden.

Jede Albernheit kann Ihr Baby zum Lachen bringen: auf seinen Bauch prusten, seine Beinchen kitzeln oder so tun, als ob seine Füße riechen. Da Ihr Baby Mimik nun viel besser deuten kann, wird es ganz begeistert davon sein, dass seine Füße Sie dazu bringen, eine Grimasse zu ziehen und laut aufzustöhnen. Es wird seine Füße in Ihr Gesicht strecken, damit Sie dieses herrliche Spiel tausendmal wiederholen. Und das werden Sie sicher gern, denn für Eltern gibt es kein schöneres Geräusch als das Lachen ihres Babys.

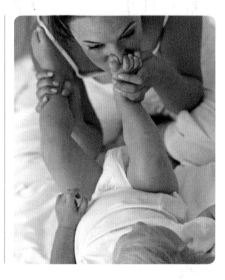

Käsefüße! Ihr Baby wird vor Vergnügen kreischen, wenn Sie so tun, als ob seine Füße nach Käse riechen!

Was soll mein Baby essen?

Die Gerichte Ihres Babys werden Ihren eigenen immer ähnlicher. Es erhält pro Tag drei Hauptmahlzeiten plus Zwischenmahlzeiten.

Jetzt ist der perfekte Zeitpunkt gekommen, um den Speiseplan Ihres Babys mit weiteren Fingerfood-Nahrungsmitteln zu bereichern. Abgesehen von dem, was es mit den Fingern gut essen kann, sollte seine Nahrung zerdrückt und/oder zerkleinert werden (s. S. 310f., 3. Phase der Beikost).

Ihr Baby hat inzwischen sicher schon ein paar Zähne. Sein Kiefer und seine Zunge sind schon weit genug entwickelt, um Nahrung effizient zu kauen und zu schlucken. Gerichte mit vielen unterschiedlichen Konsistenzen verringern die Wahrscheinlichkeit, dass aus ihm später ein mäkeliger Esser wird.

Sie brauchen Gemüse nicht mehr mit dem Mixer zu pürieren; es reicht meist aus, es nur zu zerdrücken oder zu zerstampfen. Am meisten lieben Babys offenbar zerstampftes Wurzelgemüse. Sie können auch gekochtes und ungekochtes Obst und/oder Gemüse zusammenmischen. Fein gehacktes Fleisch bietet ebenfalls etwas »Biss«, ist aber trotzdem so weich, dass Ihr Baby es gut kauen und schlucken kann.

Sobald Ihr Baby zerdrücktes und gestampftes Essen akzeptiert, beginnen Sie, es ganz fein zu schneiden und zu hobeln. Danach können Sie allmählich die Größe der einzelnen Stücke steigern. Manche Babys ziehen sogar große, leicht identifizierbare Brocken den kleineren Stücken vor.

Vielfalt an Konsistenzen Ihr Ziel sollte sein, Ihrem Baby bald Mahlzeiten anbieten zu können, die alle möglichen Konsistenzen enthalten. Ein Gericht könnte z. B. aus gehacktem Geflügelfleisch sowie zerstampften Kartoffeln und Karotten bestehen. Dazu reichen Sie Babymais als Fingerfood. Oder Sie rühren etwas Sahne und Muskatnuss unter den Spinat und servieren ihn mit Thunfischstückchen (frisch gekocht oder aus der Dose), Nudeln und kurz gedämpften grünen Bohnen oder Brokkoliröschen, die das Baby auch mit den Fingern nehmen kann.

Am Ende des ersten Lebensjahres isst Ihr Baby drei Mahlzeiten täglich, wobei die Menge an aufgenommener Nahrung bei jeder Mahlzeit beträchtlich variieren kann. Bekommt das Baby tagsüber noch eine Milchmahlzeit, geben Sie sie am besten erst nach dem Essen und nicht davor, sonst hat es zu wenig Hunger.

Machen Sie sich keine Sorgen, wenn Ihr Baby nicht jede Mahlzeit aufisst. Solange Sie ihm den ganzen Tag über eine ausgewogene Mischung an Gerichten und Zwischenmahlzeiten anbieten, erhält es alle Nährstoffe, die es für seine Entwicklung braucht.

Umstellung Feste Nahrung nimmt bei der Ernährung des Babys einen immer wichtigeren Platz ein.

FRAGEN SIE … EINE STILLBERATERIN

Mein Baby trinkt nicht mehr richtig an der Brust. Was soll ich tun? Wenn das Baby älter wird, lässt es sich beim Stillen leichter durch die Vorgänge um sich herum ablenken und manchmal dauert ihm das Trinken an der Brust auch schlicht und einfach zu lange. Probieren Sie folgende Tricks, um Ihr Baby wieder stärker für Ihre Muttermilch zu begeistern: Füttern Sie es nur an einem ruhigen Ort, ohne jegliche Ablenkung; füttern Sie es, wenn es schon etwas schläfrig ist; bieten Sie ihm ein wenig Hautkontakt, um es an die intensiven und schönen Zeiten als Säugling zu erinnern; füttern Sie es, wenn es entspannt ist, und, wenn möglich, an einem Ort, den es besonders mag. Bieten Sie ihm weiterhin Milchmahlzeiten zu den üblichen Zeiten an. Streichen Sie ihm zu Beginn etwas Muttermilch auf die Lippen, um zu zeigen, wie lecker sie schmeckt. Wenn das alles nichts hilft, bieten Sie ihm die Muttermilch in einer Tasse oder Flasche an und pumpen sie regelmäßig ab, damit Ihre Milch nicht schon jetzt versiegt.

41 Wochen

Ihr Baby kann sich für längere Zeit selbst beschäftigen, was für Sie eine willkommene Pause bedeutet. Es wird aber auch immer selbstständiger und möchte seine Grenzen austesten. Bleiben Sie konsequent in dem, was es darf und was es nicht darf, und loben Sie es für erwünschtes Verhalten.

Stillen und Ihr Busen

Nicht das Stillen verändert den Busen, sondern bereits die Schwangerschaft. Beunruhigen Sie sich aber nicht um Ihr Dekolleté!

Mit Stolz betrachten Akzeptieren Sie die Veränderungen Ihres Körpers – und achten Sie Ihn dafür, dass er Ihr Baby ernährt hat.

Während der Schwangerschaft wird der Körper von Hormonen überschwemmt, durch die sich die Brüste vergrößern. Ein Zustand, der auch während der ganzen Stillzeit anhält. (Wenn Sie nicht stillen, verkleinern sich die Brüste innerhalb weniger Wochen wieder auf ihre Normalgröße.)

Ihre Brüste enthalten selbst keine Muskeln, aber sie sind mit dünnen Bändern an den Muskeln Ihres Brustkorbs befestigt. Vergrößern sie sich, dehnen sich die Bänder (egal, ob Sie stillen oder nicht). Sie sollten daher während der Stillzeit unbedingt einen gut sitzenden BH tragen, der Ihre Brüste stützt.

Wenn Sie in der Schwangerschaft viel Gewicht zugelegt haben und es jetzt wieder verlieren, wirkt sich das auch auf die Brüste aus. Sie bestehen aus Fettgewebe, deshalb werden Sie größer, wenn Sie zunehmen, und kleiner, wenn Sie abnehmen. Sollten Sie nach der Schwangerschaft weniger wiegen als vorher, ist es sehr wahrscheinlich, dass auch Ihre Brüste kleiner sind als davor.

Wenn Sie mit dem Stillen aufhören, werden Ihre Brüste etwas weniger fest sein – doch keine Sorge: Etwa sechs Monate nach dem Abstillen wird das Milch produzierende Gewebe allmählich wieder durch Fettgewebe ersetzt, sodass sich Ihre Brüste danach voller anfühlen. Ein trainierter Brustmuskel (s. Kasten unten) kann bewirken, dass Ihre Brüste sich festigen und nicht so stark hängen. Eine gut hydrierte Haut wirkt glatter und ist elastischer, deshalb sollten Sie viel trinken und Ihr Dekolleté mit Feuchtigkeitscreme pflegen.

Nach der Stillzeit sollten Sie in einem Fachgeschäft Ihre BH-Größe neu vermessen lassen, falls sich Ihre Brüste verändert haben.

KRÄFTIGUNG DER BRUSTMUSKELN FÜR EIN SCHÖNES DEKOLLETÉ

Einige der Übungen haben einen größeren Effekt, wenn Sie sie mit einem Paar kleiner Hanteln oder zwei gefüllten Wasserflaschen ausführen.

Liegestütze Legen Sie die Hände vor sich auf den Boden, strecken Sie die Beine nach hinten und stützen Sie die Knie auf dem Boden ab. Kreuzen Sie die Knöchel. Stützen Sie sich nun auf die Arme, der Rücken bleibt gerade. Beugen Sie die Ellbogen und senken Sie den Oberkörper, bis Sie mit der Nasenspitze den Boden berühren. Drücken Sie sich mit den Armen wieder nach oben. 10-mal wieder-

holen, kurz ausruhen, weitere 10-mal wiederholen. Wenn Sie damit Probleme haben, führen Sie die Übung alternativ im Stehen aus: Stützen Sie sich mit in Schulterhöhe ausgestreckten Armen an einer Wand ab. Beugen Sie die Ellbogen und nähern Sie sich mit dem Oberkörper der Wand. Drücken Sie die Arme wieder durch und kehren Sie zurück in die Startposition.

Brustpresse Legen Sie sich auf den Rücken, nehmen Sie ein Gewicht in jede Hand und heben Sie die Arme mit leicht gebeugten Ellbogen hoch. Senken Sie sie langsam wieder zu beiden Seiten Ihres

Körpers ab (Ellbogen bleiben gebeugt!), bis Ihre Fäuste dicht über dem Boden schweben. Heben Sie die Arme wieder nach oben. 15-mal wiederholen, ausruhen, weitere 15-mal wiederholen.

Überzüge Gleiche Startposition wie bei der Brustpresse, die Gewichte werden aber hinter dem Kopf abgesenkt. 15-mal wiederholen, ausruhen, weitere 15-mal wiederholen.

Stretching Führen Sie Ihre Hände hinter dem Rücken zusammen, um den Brustraum zu weiten. Die Dehnung zehn Sekunden halten.

Einkaufen mit Baby

Mit diesen Tipps schaffen Sie es, mit Ihrem Baby im Supermarkt ohne Tränen und Geschrei durch die Regalreihen zu navigieren.

Schreiben Sie eine Einkaufsliste, bevor Sie aus dem Haus gehen. Wenn Sie den Supermarkt gut kennen, sollten Sie die Liste gleich in der Reihenfolge erstellen, in der die Waren in den Regalen untergebracht sind; das erspart lästiges Hin- und Herlaufen.

Planen Sie Ihren Einkauf nach den Essens- und Tagesschlafzeiten Ihres Babys, denn dann ist es weder hungrig noch quengelig. Meiden Sie Stoßzeiten, damit Sie nicht zu lange in der Schlange an der Kasse stehen müssen. Geben Sie Ihrem Baby einen Snack, etwa einen Reiskräcker, den es während des Einkaufs knabbern kann. Nehmen Sie ein paar Spielsachen mit, die Sie am Einkaufswagen befestigen, um Ihr Baby zu beschäftigen. Parken Sie möglichst nah zum Eingang, damit Sie später nicht so weite Strecken zurücklegen müssen, um den Einkaufswagen zurückzubringen.

Sorgen Sie dafür, dass der Einkauf für Ihr Baby eine vergnügliche und interessante Erfahrung wird, indem Sie es in alles einbeziehen. Heben Sie z.B. eine Ananas hoch, erklären dabei, was das für eine Frucht ist, und lassen Sie das Baby einmal anfassen, bevor Sie sie in den Wagen legen. Sprechen Sie während Ihres Rundgangs durch den Supermarkt viel mit dem Baby, loben Sie es, berühren Sie seine Hand und halten Sie Augenkontakt mit ihm, um ihm zu zeigen, wie sehr Sie es schätzen, dass es so brav im Einkaufswagen sitzt.

Du kannst mich loslassen…

Hat sich Ihr Baby bisher nur vorsichtig an den Möbeln entlanggehangelt, entwickelt es nun rasch mehr Selbstvertrauen.

Lange bevor Ihr Baby in der Lage ist, ganz allein seine wichtigen ersten Schritte zu tun, muss es lernen, sicher zu stehen. Erst wenn es ohne Festhalten stehen kann, wird es selbstsicher genug sein, schließlich einen Fuß vor den anderen zu setzen.

Das Durchschnittsalter für die ersten Schritte liegt bei etwa 13 Monaten. Davor verbringt Ihr Baby seine Zeit vor allem damit, sich an allen möglichen Dingen zum Stehen hochzuziehen und mit zunehmender Routine an den Möbeln entlangzulaufen. Inzwischen ist es so weit, dass es an den Möbeln entlang geschickt durch den ganzen Raum wandert. Kleine Lücken dazwischen werden ohne Probleme überwunden und manchmal lässt das Baby sogar schon beide Hände gleichzeitig los und steht für einen kurzen Augenblick frei.

Ihr Baby braucht noch kein richtiges festes Schuhwerk, aber weiche Stoffschuhe können sich jetzt als hilfreich erweisen, vor allem, wenn es draußen unterwegs ist (s. S. 328).

Seien Sie unbesorgt, wenn Ihr Baby andere Methoden der Fortbewegung bevorzugt. Solange es Spaß an der Bewegung hat, ist das völlig in Ordnung. Manche Babys rutschen so erfolgreich auf dem Po, dass sie an anderen Möglichkeiten der Fortbewegung wie dem Laufen noch gar kein Interesse haben.

Gleich kann ich's! Die ersten Schritte bewältigt Ihr Baby ziemlich schwankend, weil es so besser die Balance halten kann.

Sicherheitsprüfung

Mit zunehmender Mobilität Ihres Babys sollten Sie überprüfen, ob zu Hause weitere Sicherheitsvorkehrungen zu treffen sind.

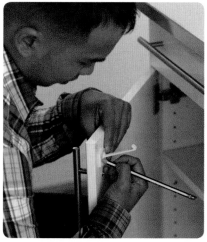

Sicherheit Schranksicherungen halten kleine Entdecker von gefährlichen Substanzen fern.

Der einfachste Weg, Ihr Zuhause auf die Kindersicherheit zu überprüfen, ist es, sich auf alle Viere niederzulassen und die Umgebung aus der Perspektive des Babys zu betrachten. Lose Kabel sollten entfernt oder befestigt werden und die Steckdosen benötigen eine Kindersicherung. Halten Sie Ausschau nach scharfen Ecken und Kanten in Kopfhöhe, an denen sich Ihr Baby verletzen könnte. Babys halten sich oft an dem schmalen Spalt zwischen Tür und Rahmen fest, weil ihre Finger so klein sind, dass sie in die Lücke passen. Fällt die Tür zu, werden die Finger eingequetscht. Investieren Sie deshalb in Türstopper, damit dies nicht passieren kann.

Vielleicht wollen Sie für eine gewisse Zeit lose Teppiche und vielleicht sogar Ihren Couchtisch entfernen. Diese Tische besitzen meist scharfe Kanten und nicht selten bleiben darauf Getränke stehen, die Ihr Baby verschütten könnte. Vor allem bei Heißgetränken

ist große Vorsicht geboten, weil sie schnell zu ernsthaften Verletzungen führen können.

Kaufen Sie ein Schutzgitter für den Kamin oder Ofen und sichern Sie Schranktüren mit gefährlichen Inhalten durch Schlösser. Lassen Sie Ihren Fön nicht zum Abkühlen herumliegen.

Halten Sie die Türen von Geschirrspüler, Waschmaschine und Wäschetrockner immer fest geschlossen, damit Ihr Baby nicht versehentlich hineinklettern kann. Futter und Wasser für Haustiere sollten für Ihr Baby ebenfalls nicht zugänglich sein, am besten füttern Sie die Tiere, wenn Ihr Baby nicht im Raum ist.

ENTWICKLUNG FÖRDERN

Grimassen ziehen

Ihr Baby wurde mit der Fähigkeit geboren, Sie nachzuahmen. Wenn Sie ihm eine Grimasse schneiden, wird es sie sofort erwidern. Grimassen schneiden ist wichtig für die soziale Entwicklung: Ihr Baby spiegelt Ihren Ausdruck und Sie spiegeln dies zurück. Es lernt, dass man sich abwechseln muss. Irgendwann wird es auch anfangen, eine erhobene Augenbraue mit einer Frage zu verbinden und eine gerunzelte Stirn mit Ärger. Indem Sie bestimmte Gesichtsausdrücke etikettieren, etwa mit »glücklich« oder «böse«, schaffen Sie die Grundlage für das spätere Benennen von Emotionen. Ihr Baby ist dazu zwar jetzt noch nicht in der Lage, Sie können ihm dies aber schon jetzt vorleben.

Grimassen ziehen hilft dem Baby auch, die Gesichtsmuskeln zu trainieren, die es zum Sprechen braucht.

Gesichter nachmachen Ihr Baby kann viel lernen, wenn es die Grimassen nachahmt, die Sie ihm vormachen. Gleichzeitig hat es dabei noch jede Menge Spaß..

Leckermäulchen

Ihr Baby liebt Süßes, aber Sie sollten ihm keine gezuckerten Gerichte vorsetzen. Zucker schädigt die durchbrechenden Zähne.

Natürliche Süße Obst ist süß und lecker und wird von kleinen Naschkatzen gern gegessen.

Viele Studien legen den Schluss nahe, dass die Vorliebe für Süßes erlernt wird. Zwar bevorzugen kleine Babys süße Nahrung, aber bei älteren Babys können Sie das Bedürfnis nach Süßem leicht mit gesundem Essen stillen.

Viele Nahrungsmittel, wie etwa Obst, Gemüse und Milch, enthalten von Natur aus Zucker. Natürlicher Zucker schadet den Zähnen allerdings weitaus weniger als extrahierter, raffinierter Zucker. Achten Sie aber auch darauf, Ihrem Kind nicht zu viel Fruchtsaft zu geben, denn Säfte enthalten ebenso Zucker und Fruchtsäure, die den Milchzähnen schaden können. Da Ihr Baby gerade

zahnt, sollte sein Zuckerkonsum kontrolliert werden. Geben Sie ihm also keine Produkte mit raffiniertem Zucker, wie Kuchen, Kekse und Schokolade. Ein geriebener Apfel oder eine zerdrückte Banane sind süß genug. Klebriges Trockenobst sollte auf die Mahlzeiten beschränkt werden, weil es ebenfalls zahnschädigend sein kann. Bieten Sie zum Trinken vor allem Wasser an, Saft sollten Sie stets 1:10 damit verdünnen.

Bieten Sie Ihrem Baby immer wieder gesunde Produkte an, auch wenn es sie zunächst ablehnt. Babys gewöhnen sich irgendwann auch an Nahrung, die sie zuvor abgelehnt haben.

Jetzt schon feste Schuhe?

Da Ihr Baby nun auf eigenen Beinen steht, fragen Sie sich vielleicht, ob es schon feste Schuhe benötigt?

Sobald Ihr Baby sich an den Möbeln entlanghangelt oder später auch selbstständig läuft, kann es ohne Schuhe und Socken am besten herausfinden, wie es die Zehen einsetzen muss, um sein Gleichgewicht zu halten. Aus diesem Grund sollten Sie es so oft wie möglich barfuß laufen lassen; obendrein fördert dies auch die Entwicklung der Fußgewölbe und kräftigt die Knöchel.

Vielleicht machen Sie sich Gedanken, ob die Füße eines stehenden Babys nicht mehr Schutz brauchen; vor allem, wenn es draußen auf rutschigem Boden unterwegs ist. Viele Fachgeschäfte

verkaufen spezielle »Lauflernschuhe« für Babys, über deren Sinn und Nutzen seit Jahren diskutiert wird. Richtig ist, dass sie Zehen und Fersen Halt geben und das Baby dadurch sicherer auf den Füßen steht, wenn es sie auch nicht zwingend braucht. Am wichtigsten ist die flexible und weiche Sohle. Sie sollten sie einfach mit einer Hand ohne großen Kraftaufwand biegen können. Nur so lernt Ihr Kind das Abrollen über den Ballen. Bevorzugen Sie solche aus Naturmaterialien wie Leder und lassen Sie sie im Schuhgeschäft von einer ausgebildeten Fachkraft anpassen.

FRAGEN SIE ... EINE MUTTER

Lauflernschuhe sind teuer. Kann ich ein gebrauchtes Paar nehmen? Schuhe passen sich der Fußform ihres Besitzers an. Da sich die Füße Ihres Babys gerade entwickeln, ist es nicht ratsam, ihnen bereits getragene Schuhe anzuziehen. Wenn Ihr Baby die Schuhe regelmäßig trägt, lohnt sich die Anschaffung eines neuen Paars. Sollen die Schuhe jedoch nur für eine besondere Gelegenheit sein, ist eine Ausnahme möglich.

Eine echte Persönlichkeit

Die Persönlichkeit Ihres Babys tritt deutlicher zutage: Es kann sich nun besser ausdrücken und zeigt ausgeprägte Verhaltensmuster.

Dufter Typ Versuchen Sie die Persönlichkeit Ihres Babys in die richtige Bahn zu lenken.

Ihr Baby hat Ihnen bereits viele Seiten seiner späteren Persönlichkeit gezeigt – erfahrene Eltern wissen z.B., dass ein fröhliches, gelassenes Baby diese Eigenschaften auch in die Kindheit und in sein späteres Erwachsenenleben mitnehmen wird. Im Laufe seines Heranwachsens werden Sie weitere Charakterzüge erkennen. Ihr Baby kann willensstark oder anspruchslos, ruhig oder albern oder auch etwas zarter besaitet und sehr sensibel sein.

Verzichten Sie aber dennoch darauf, Ihrem Baby schon jetzt ein Etikett zu verpassen. Es immer wieder »schwierig« oder »einfach« zu nennen, kann Einfluss auf seine Persönlichkeit haben; aus Ihrem Etikett wird schnell eine sich selbst erfüllende Prophezeiung. Wächst Ihr Baby in dem Glauben auf, es sei »störrisch«, wird es sich wahrscheinlich auch selbst so definieren und entsprechend verhalten. Besonders wichtig ist dies auch bei Zwillingen, die leicht zu vergleichen sind.

Freuen Sie sich an den individuellen Charaktereigenschaften Ihres Babys, selbst wenn sie nicht perfekt mit den Ihren übereinstimmen oder sogar manchmal ein wenig frustrierend für Sie sind. Ein permanent energiegeladenes Baby kann für frisch gebackene Eltern eine ziemliche Herausforderung sein, aber in späteren Jahren wird man es für diese Eigenschaften loben.

Manche Charaktereigenschaften sind allerdings sehr extrem und sollten in diesen ersten prägenden Monaten kanalisiert werden. Ist Ihr Baby z.B. so entspannt, dass es kaum auf seine Umgebung reagiert, spielen Sie ihm häufig lebhafte Musik vor und ermuntern es, körperlich aktiv zu werden. Ist es schnell frustriert, wenn etwas nicht klappt, zeigen Sie ihm geduldig, wie etwas geht, oder lenken Sie es mit etwas anderem ab. Sein Temperament wird sich dadurch nicht ändern, aber es lernt, mit Frustrationen umzugehen.

Achten Sie darauf, die Persönlichkeit des Babys nicht mit Ihrer eigenen zu ersticken, etwa indem Sie als ruhige, schüchterne Person alle Gelegenheiten meiden, in denen sich Ihr lautes, temperamentvolles Baby austoben kann.

Glauben Sie daran: Mit etwas Anleitung und einem liebevollen Zuhause werden auch aus schwierigen Babys zufriedene, freundliche Kinder und Erwachsene, deren Persönlichkeiten die Einzigartigkeit ihres Wesens, aber auch die Erziehung widerspiegelt, die sie in jungen Jahren erhalten haben.

ENTWICKLUNG FÖRDERN

Tanzen

Sich wiegen, hopsen, klatschen, schaukeln – dies sind alles Tanzbewegungen, die Ihr zehn Monate altes Baby mit wenig Anstrengung schnell lernen kann. Legen Sie Musik auf, halten Sie seine Hände oder fassen Sie es leicht um die Taille, damit es nicht umfällt, und tanzen Sie mit ihm. Durch das spielerische Strecken und Beugen der Beine trainiert und stärkt es seine Muskeln und macht einen weiteren wichtigen Schritt auf dem Weg zum freien Laufen.

Darf ich bitten? Ein Bett als Tanzfläche garantiert eine weiche Landung, wenn alles außer Kontrolle gerät.

42 Wochen

IHR BABY SCHEINT GERADE EINE ERKÄLTUNG NACH DER ANDEREN ZU BEKOMMEN.

Die Feinmotorik Ihres Babys verbessert sich laufend. Geschickt kann es Objekte nun schon viel präziser manipulieren als früher. Es interessiert sich auch stärker dafür, wie und wozu man Dinge, wie z. B. einen Löffel oder ein Telefon, benutzen kann.

Ständiger Schnupfen

Ihr aktives, geselliges Baby schnappt jede Menge Keime von anderen Leuten und aus der Umgebung auf, sodass seine Nase ständig läuft.

Gefahrensignale

Hat Ihr Baby eine Erkältung und zeigt eines oder mehrere der folgenden Symptome, sollten Sie den Kinderarzt kontaktieren.

Fieber Eine Temperatur von 39 °C oder höher oder eine über 37 °C, die zwei Tage lang anhält, sollte ärztlich geprüft werden.

Benommenheit Ist Ihr Baby nur schwer zu wecken oder ganz lethargisch, sollten Sie zum Arzt gehen.

Dehydrierung Babys brauchen Flüssigkeit im Kampf gegen Infektionen. Verweigert es länger als acht Stunden jede Form von Flüssigkeit, gehen Sie zum Arzt (Anzeichen von Dehydrierung s. S. 395).

Ausschlag Ausschläge können harmlose Begleiterscheinungen einer Viruserkrankung sein; dennoch sollte jede Art von Ausschlag dem Arzt gezeigt werden.

Ohren reiben Reibt Ihr Baby am Ohr und wirkt sehr quengelig, hat es vielleicht eine Mittelohrentzündung.

Anhaltender Husten Dauert Husten länger als eine Woche, kann es sich um eine Infektion im Brustraum handeln, vor allem, wenn noch Atemprobleme dazukommen.

Angestrengtes Atmen Sollte Ihr Baby jemals um Atem ringen, gehen Sie sofort zum Arzt.

Schniefen und Niesen Babys leiden im ersten Jahr oft unter Erkältungen. Doch jede kleine Erkrankung stärkt das Immunsystem, sodass ähnliche Viren später bekämpft werden können.

Das Immunsystem Ihres Babys muss erst Abwehrkräfte gegen bestimmte Infektionskrankheiten aufbauen, deshalb ist es auch noch besonders anfällig für Erkältungsviren. Ein Schnupfen ist zwar lästig, aber der Kampf gegen relativ harmlose Viren ist wichtig, um das Immunsystem zu stärken. Ihr Baby wird durch Spielzeug daheim, bei Freunden oder in der Spielgruppe immer wieder mit Krankheitserregern in Berührung kommen, vor allem, weil es alles in den Mund nimmt. Das ist jedoch völlig in Ordnung und kein Grund für Sie, mit Desinfektionsspray herumzulaufen. Dennoch sollten Sie kranke Kinder meiden, vor allem, wenn sie an Pseudokrupp oder Bronchitis leiden, denn Ihr Baby sollte sich wirklich nichts Schlimmeres einfangen als einen Schnupfen.

Behandlung Für die meisten viralen Infekte gibt es kein wirkliches Gegenmittel. Ist die Erkältung da, geht es vor allem darum, die Beschwerden zu lindern. Hat Ihr Baby Fieber, können Sie ihm nach Rücksprache mit dem Arzt Paracetamol für Kinder in der empfohlenen Menge geben. Ist seine Nase verstopft, können Sie seine Brust mit Erkältungssalbe einreiben oder ein paar Tropfen Eukalyptusöl auf ein Tuch geben und in seinem Zimmer aufhängen (nicht ins Bett legen, denn das Baby könnte sein Gesicht hineindrücken).

Geben Sie Ihrem Baby vor allem viel Flüssigkeit und sorgen Sie für Ruhe. Zwingen Sie es nicht zum Essen; Babys verlieren oft den Appetit, wenn Sie sich nicht wohlfühlen. Bieten Sie aber immer wieder kleine Mengen Essen an.

Hieß das »Papa«?

Studien zeigen, dass die meisten Babys um den zehnten oder elften Lebensmonat ihr erstes Wort sagen. Doch welches wird das sein?

Bereits mit zwei Monaten machte Ihr Baby gurrende Geräusche, die man als erste Sprechversuche werten kann. Nun ist es sogar schon in der Lage, bestimmte Laute kontrolliert zu bilden und auszusprechen. Sie und Ihr Partner werden sicher in den Wettstreit treten, ob Ihr Baby zuerst »Mama« oder »Papa« sagen wird. Dies kommt wiederum der Entwicklung des Babys zugute, weil Sie sich beide darauf konzentrieren,Ihr Baby zum Sprechen zu bringen.

Tatsächlich ist »Papa«, manchmal auch als »Dada« gesprochen, das häu-

Papa! Babys sagen häufig zuerst »Papa«, dann »Mama«, doch das hat mit der Sprachentwicklung und nichts mit der Beziehung zu tun.

figste erste Wort, gefolgt von »Mama«. Das liegt vermutlich daran, dass D und P leichter zu sprechen sind als M. Es kann aber auch gut sein, dass Ihr Baby zuerst »Ball«, »Auto« (was meistens eher wie »Ato« klingt) oder »Flasche« (oft nur unvollständig wie »Sasse« ausgesprochen) sagen wird.

Als Basis für die ersten Worte werden in der Regel leicht zu bildende Konsonanten (p, b, m, n, s oder sch, g usw.) hergenommen. Wörter mit schwierigeren Lauten, wie k, l oder t, kommen erst später. Doch egal, welches Wort Ihr Baby als erstes sagt, hören Sie nicht auf, mit ihm zu sprechen, zu singen und zu lesen – denn weitere Wörter werden nun schnell folgen.

So wächst Ihr Baby

Kaum zu glauben, dass Ihr Kind einmal ein kleiner Säugling war. Sehen Sie nur, wie es inzwischen gewachsen ist!

Zwischen zehn und zwölf Monaten sollte Ihr Baby etwa zwei- bis dreimal so viel wiegen wie bei der Geburt. Es sollte außerdem bis zu seinem ersten Geburtstag um rund 25 cm gewachsen sein. Diese Zahlen sind jedoch nur Richtlinien, denn jedes Baby wächst und gedeiht nach seinem eigenen Tempo.

Sollten Sie feststellen, dass Ihr Baby nur langsam wächst oder an Gewicht verliert, könnte eine Erkrankung daran schuld sein. Durch Appetitverlust, Durchfall oder Erbrechen nehmen Babys

schnell an Gewicht ab, allerdings auch wieder zu, wenn die Krankheit vorüber ist. Auch verstärkte Aktivität, etwa Krabbeln oder Laufen, kann dazu führen, dass Ihr Baby mehr Kalorien verbrennt und an Gewicht verliert. Solange es jedoch einen gesunden Appetit hat und der Inhalt seiner Windel normal aussieht, ist vermutlich alles in Ordnung. Sollten Sie sich unsicher fühlen, fragen Sie am besten Ihren Kinderarzt um Rat.

Falls Sie sich Sorgen machen, Ihr Kind sei zu dick, lassen Sie beim Arzt

sein Gewicht überprüfen. Er wird ihnen sagen können, ob Ihr Baby Gefahr läuft, übergewichtig zu werden. Sie sollten Ihrem Baby jedoch keine Mahlzeiten vorenthalten, sondern lediglich auf Signale achten, wenn es genug hat.

Die Kalorien sollten aus nährstoffreichen Quellen, wie Obst, Gemüse, Getreide und gesunden Fetten, stammen und keineswegs aus Süßigkeiten und Fertignahrung. Aktives Spielen und ausreichend Platz zum Kriechen, Krabbeln und Laufen sind ebenfalls wichtig.

Beruf und Baby

Es ist schon schwer genug, Haushalt und Beruf zu vereinbaren. Kommt noch ein Baby dazu, ist all Ihr Organisationstalent gefragt.

Niemand ist immer perfekt und auch Sie sollten nicht Superwoman oder Superman sein wollen. Es ist nicht das Ende der Welt, wenn die Wohnung nicht perfekt aufgeräumt ist oder Ihr Baby an einem Abend ohne Bad ins Bett gehen muss. Das Geheimnis des Lebens liegt darin, sich die Arbeit so leicht wie möglich zu machen. Babys sind relativ robust und haben sehr einfache Bedürfnisse. Solange sie geliebt, versorgt und angeregt werden, fühlen sie sich wohl. Dabei ist es nicht nötig, ständig für Aktion zu sorgen. Manchmal wird Ihr Baby froh sein, wenn es einfach nur bei Ihnen sein darf.

Lernen Sie auch, Nein zu sagen. Baby, Familie und Beruf haben Priorität und manchmal ist es schwer, sich nebenbei noch um etwas anderes zu kümmern. Finden Sie heraus, was Sie glücklich macht, und sagen Sie Nein zu allem, was nichts Positives in Ihr Leben bringt.

Lassen Sie keine Schuldgefühle aufkommen. Wenn es aus finanziellen Gründen nicht möglich ist, zu Hause beim Baby zu bleiben, finden Sie Wege, die Situation für sich, Ihren Partner und das Baby so positiv wie möglich zu gestalten. Wie holen Sie das meiste aus der gemeinsamen Zeit mit dem Baby heraus? Konzentrieren Sie sich auf das, was Sie tun können, nicht auf das, was Sie nicht tun können.

Berufsleben Wenn Sie früher Vollzeit gearbeitet haben, könnte dies nun etwas schwieriger werden. Scheuen Sie sich nicht, nach flexibleren Arbeitszeiten oder Teilzeit zu fragen. Die meisten Firmen schätzen ihre Angestellten und versuchen deren Situation zu berücksichtigen. Als Selbstständige könnten Sie vielleicht etwas von Ihrem Arbeitspensum an andere delegieren, um Privat- und Berufsleben besser auszubalancieren.

Achten Sie auf sich Ein erschöpftes, unterernährtes, seelisch ausgebranntes Elternteil ist für niemanden hilfreich.

Sie können viel mehr leisten, wenn Sie ausreichend essen und schlafen. Planen Sie aber auch Zeit ein, die Sie allein oder nur mit Ihrem Partner verbringen. Haushalt und Beruf scheinen einen manchmal regelrecht aufzuzehren, aber selbst wenn nur wenig Freizeit bleibt, sollten Sie sie ohne Schuldgefühle zur Pflege Ihres Seelenlebens nutzen.

ZWILLINGE

Unterschiedliche Individuen

Die Persönlichkeit Ihrer Zwillinge entwickelt sich immer mehr; und egal, wie ähnlich sie sich äußerlich sind, sie werden wahrscheinlich unterschiedliche Charaktere haben. Vielleicht möchte der eine Zwilling krabbeln, der andere nicht. Oder der eine Zwilling ist ruhig und gelassen, während sich der andere schnell aufregt. Für Sie besteht die Herausforderung bei Zwillingen darin, sie nicht miteinander zu vergleichen oder ihnen ein Etikett zu verpassen. Bedenken Sie: Gilt man erst als »schüchtern« oder »laut«, ist es schwer, diese Rolle wieder loszuwerden. Gerade Zwillinge sollten – trotz ihrer engen Beziehung zueinander – als Einzelwesen geachtet werden.

Gleich, aber verschieden Einer der Zwillinge kann von Anfang an dominanter sein, aber das muss nicht immer so bleiben. Die Dynamik der Beziehung kann sich später noch ändern.

Ärger mit den Zähnen

Hinten im Mund Ihres Babys erscheinen die ersten Milchbacken-zähne, deren Durchbruch oft nicht ganz schmerzlos verläuft.

Durchbruch der Backenzähne Ihr Baby reibt seine Wange oder tastet mit den Fingern immer wieder nach der empfindlichen Stelle.

Gegen Ende des ersten Lebensjahres brechen oft die Milchbackenzähne durch. Diese stumpfen, quadratischen Zähne dienen zum Mahlen und Kauen; und wenn sie sich durchs Zahnfleisch schieben, ist das oft mit Schmerzen verbunden. Zunächst ist meist nur eine Beule zu erkennen, manchmal klappt das Zahnfleisch zurück und enthüllt einen neuen weißen Zahn. Ihr Baby reibt sich Wange oder Ohr, betastet die Stelle mit der Zunge und speichelt mehr als sonst. Diese Zähne erscheinen oft paarweise, sodass beide Seiten des Kiefers betroffen sein können. Mädchen zahnen meist früher als Jungen.

Ihr Baby möchte vielleicht etwas Har-tes kauen, um den Schmerz zu lindern, wie Brotstangen, Reiskräcker, Toast oder Apfelschnitze. Gekühlte Getränke helfen ebenfalls gegen den Wundschmerz.

FRAGEN SIE … EINEN KINDERARZT

Die Milchzähne meines Babys sehen fleckig und fast gestreift aus. Ist das normal? Es ist normal, dass Milchzähne feine Rillen haben und eher blau als weiß aussehen. Auffällige Flecken können jedoch verschiedene Ursachen haben: In seltenen Fällen kann eine zu hohe Fluoridzufuhr (über Tabletten oder durch die Nahrung) zu weißen Flecken auf den Zähnen führen, auch bekannt als Fluorose. Vielleicht ist auch der Zahnschmelz unregel-mäßig. Lassen Sie die Zähne Ihres Babys vom Zahnarzt überprüfen, aber nur selten sind die Probleme so gravierend, dass sie sich auch auf die zweiten Zähne auswirken.

Keimfrei?

Ihr Baby ist tagtäglich vielen Keimen ausgesetzt. Ist es überhaupt noch nötig, sein Essenszubehör zu sterilisieren?

Die Antwort lautet ganz einfach: im Großen und Ganzen nein. Wenn Ihr Baby aktiv und in Bewegung ist, berührt es mit den Händen den Boden, zusätz-lich spielt es häufig mit Sachen, die sei-nen Geschwistern oder anderen Kindern gehören. Es steckt ständig Finger und Spielzeug in den Mund, sodass es weder sinnvoll noch möglich ist, ständig alles keimfrei halten zu wollen.

Trotzdem sollten Sie Plastikspielzeug regelmäßig in warmem Seifenwasser waschen und Stofftiere von Zeit zu Zeit in die Waschmaschine stecken.

Es reicht völlig aus, das Geschirr Ihres Babys mit der Hand oder in der Maschine zu spülen. Flaschen oder Tassen, die Muttermilch oder Milchnahrung enthiel-ten, sollten Sie jedoch nach wie vor steri-lisieren, da die Fettablagerungen an den

Flaschenwänden durch Spülen schwer zu entfernen sind und Magenprobleme verursachen können.

Fußböden sollten frei von losem Schmutz sein und regelmäßig geputzt werden. Waschen Sie vor jeder Mahlzeit (und auch nach dem Umgang mit Tie-ren) die Hände Ihres Babys. Denken Sie daran, dass das Immunsystem ein paar Keime braucht, um sich zu entwickeln.

Selbstständigkeit fördern

Gewähren Sie Ihrem Baby ein paar Freiheiten, durch die es mehr Kontrolle über seine Welt erhält – das fördert seine Entwicklung!

Etwa um den zehnten Lebensmonat herum zeigt Ihr Baby Anzeichen von Trennungsangst (s. S. 283). Sie können ihm diese Phase erleichtern, indem Sie ihm Gelegenheit geben, einen weiteren (natürlich kindersicheren!) Bereich seines Zuhauses ohne Sie an seiner Seite zu erkunden. Lassen Sie es von Raum zu Raum wandern. Folgen Sie ihm nur, wenn es möchte, dass Sie mitkommen. Macht es keine Anstalten, sich von Ihnen zu entfernen, verlassen Sie selbst kurz den Raum; sprechen Sie aber weiterhin mit ihm, damit es merkt, dass Sie in der Nähe sind. Allmählich wird sein Vertrauen in die Vorstellung, dass Sie stets zurückkommen und dass es kurze Zeit auch ohne Sie aushält, mit seiner Selbstständigkeit wachsen.

Spielführer Geben Sie Ihrem Baby einen Korb mit Spielzeug und lassen Sie es selbst auswählen, mit welchem es spielen will. Spielen Sie mit, um ihm zu zeigen, dass sie an seinen Entscheidungen interessiert sind und dass Sie sich von ihm führen lassen.

Einige Spielsachen sind besonders gut geeignet, um selbstständiges Denken zu fördern. Formensortierer, Stapeltürme und Bauklötze helfen Ihrem Baby, Probleme zu betrachten und selbst zu lösen.

Selbstversorger Geben Sie Ihrem Baby beim Essen einen eigenen Löffel, sodass es versuchen kann, sich selbst zu füttern; auch wenn Sie mit einem zweiten Löffel dafür sorgen müssen, dass wenigstens ein Teil des Essens in seinem Magen landet. Fingerfood eignet sich ebenfalls sehr gut, um Babys selbstständiges Essen zu fördern.

Speisenauswahl Vielleicht denken Sie bereits mit Wehmut an die Tage, als Ihr Baby noch widerspruchslos alles aß, was Sie ihm vorsetzten. Geben Sie ihm das Gefühl, eigenständig entscheiden zu können, indem Sie ihm zwei gesunde Snacks zur Auswahl anbieten. Wenn es danach auch den anderen Snack haben will, bekommt es ihn auch, denn die Übung soll Spaß machen. Ihr Baby spürt, wie es ist, etwas Kontrolle über sein Leben zu haben, und das wiederum hilft ihm dabei, die Vorteile der Selbstständigkeit zu erkennen.

ENTWICKLUNG FÖRDERN

Verstecken spielen

Ihr Baby hat das Konzept der Objektpermanenz (s. S. 245) bereits verstanden. Durch das »Guck-guck«-Spiel hat es begriffen, dass Sie auch da sind, wenn es Sie nicht sehen kann. Nun ist Verstecken spielen der perfekte nächste Schritt für Ihr mobiles Baby, denn es fördert sein Vertrauen in Ihre An- und Abwesenheit. Spielen Sie Verstecken erst einmal nur in einem Raum und lassen Sie zunächst die ganze Familie mitmachen. Dadurch soll Ihr Baby das Prinzip des Spiels begreifen: Papa versteckt sich, während Sie und das Baby zählen und ihn dann gemeinsam suchen. Als nächstes verstecken Sie und das Baby sich und lassen Papa suchen. Ihr Baby wird es lieben, wenn Papa so tut, als ob er es nicht sieht! Wenn Sie später mit dem Baby allein spielen, verstecken Sie sich im Zimmer und rufen Sie es. Es ist wichtig, ihm zu zeigen, dass Sie da sind. Ist Ihr Baby mit dem Verstecken dran, tun Sie eine Zeitlang so, als ob Sie es nicht sehen würden.

Ich komme! Ihr Baby wird es lieben, mit Ihnen Verstecken zu spielen. Dabei gewinnt es die Einsicht, dass es nicht in Panik zu geraten braucht, wenn es Sie nicht gleich sehen kann.

43 Wochen

IN DIESEM ALTER WERDEN TASSEN, TELLER UND SPIELZEUG ZU POTENZIELLEN WURFGESCHOSSEN!

Ihr Baby will alles selbst machen. Lassen Sie es ruhig versuchen, auch wenn ihm noch die nötige Koordination fehlt. Geben Sie ihm beim Essen z.B. einen eigenen Löffel. Auch wenn Ihr Baby nun immer selbstständiger wird, ist es wichtiger denn je, ihm zu zeigen, wie sehr Sie es lieben.

Vorsichtigkeit

Ihr Baby macht täglich neue Erfahrungen, doch nicht alle davon sind schön. Mitunter zeigt es große Vorsicht und sogar Widerstreben.

Vertrauen aufbauen Ist ihm die Rutsche zu hoch, helfen Sie Ihrem Baby und zeigen Sie ihm, dass es bei Ihnen in Sicherheit ist.

Noch vor wenigen Wochen war Ihr Baby in seiner Neugier und Entdeckerfreude ganz unerschrocken und nicht zu stoppen, doch nach ein paar Stürzen und anderen unschönen Erfahrungen lässt es neuerdings mehr Vorsicht bei seinen Unternehmungen walten. Vielleicht ist es in neuen Situationen auch durch die Trennungsangst überfordert, besonders wenn es denkt, dass Sie es allein lassen. Das ist jedoch völlig normal, wobei sich sein Verhalten mit wachsendem Selbstvertrauen jederzeit wieder ändern kann.

Ermuntern Sie Ihr Baby sanft, sich neuen Situationen zu stellen. Bleiben Sie an seiner Seite, während es einen Raum oder ein neues Spielzeug untersucht oder schieben Sie es auf dem Bobbycar. Sprechen Sie aber mit ihm, damit es weiß, dass Sie da sind, auch wenn es Sie gerade nicht sehen kann.

Vielleicht erschrickt Ihr Baby schnell bei unbekannten oder lauten Geräuschen. Bieten Sie ihm reichlich Rückhalt und erklären Sie ihm einfach: »Das ist ein Auto, das macht 'tut-tut'«.

Mit der Zeit wird sich Ihr Baby an die meisten Geräusche gewöhnen. Machen Sie sich aber nicht lustig über die Vorsichtigkeit Ihres Babys und verwenden Sie nicht den Satz „Sei nicht albern!" Erschrecken ist eine natürliche Reaktion, die uns vor Gefahren schützt und daher bei unerwarteten Geräuschen immer einmal auftreten kann. Versichern Sie Ihrem Baby so lange, dass alles in Ordnung ist, bis es Vertrauen in die neue Situation gefasst hat.

DER KINDERPSYCHOLOGE RÄT …

Mein Baby hat Angst im Dunkeln. Wie kann ich es daran gewöhnen?
Manchen Babys macht völlige Finsternis Angst (und selbst Erwachsene schlafen manchmal noch mit Licht). Ein kleines Nachtlicht kann schon ausreichen, um Ihrem Baby zu zeigen, wo es sich befindet, wenn es nachts aufwacht. Die Angst vor der Dunkelheit muss aber nicht beseitigt oder »behandelt« werden: Ein Baby zum Schlafen in der Dunkelheit zu zwingen, vergrößert seine Angst nur noch. Schläft Ihr Baby aber nur in einem hell erleuchteten Raum ein, können Sie einen Dimmer nutzen, mit dem Sie das Licht über einen Zeitraum von ein oder zwei Wochen langsam wieder herunterdrehen.

ANGST VOR FREMDEN

Ihr Baby weiß mittlerweile, wer sich um es kümmert und wem es daher vertrauen kann. Da ist es ganz natürlich, dass es zurückhaltend reagiert, wenn sich ihm unbekannte Personen nähern; auch wenn Sie vielleicht gern hätten, dass Ihr Baby sich kooperativ zeigt. Drängen Sie es aber nicht. Am besten setzen Sie sich zusammen, sodass Ihr Baby die fremde Person erst einmal von Ihrem Schoß aus betrachten kann. Ist es bereit, sollte es selbst den ersten Schritt machen dürfen. Erwarten Sie jedoch nicht zu viel auf einmal. Vielleicht tastet sich Ihr Baby ganz vorsichtig heran, indem es zwar sein Spielzeug rüberreicht, dann aber für den Rest der Begegnung auf Ihren Schoß sitzen bleibt (s. S. 283).

Fremdeln Angst vor neuen Personen ist in diesem Alter völlig normal. Lassen Sie Ihr Baby nach seinem eigenen Tempo vorgehen.

43 Wochen

337

Auswärts essen

Es ist nie zu früh, Ihr Baby an den Aufenthalt in einem Restaurant zu gewöhnen. Einige Vorbereitungen können Ihnen dabei helfen.

Ein babyfreundliches Restaurant erkennt man meist daran, dass es dort Hochstühle, einen Wickelraum, ein Kindermenü sowie Beschäftigungs-möglichkeiten für Kinder gibt. Fragen Sie notfalls telefonisch nach, ob Kinder wirklich willkommen sind. Nichts ist anstrengender als Personal, das jedes Mal, wenn Ihr Baby murrt, finster drein-blickt. Falls Sie vorhaben, das Babymenü selbst mitzubringen, erkundigen Sie sich, ob Sie es dort aufwärmen können. Reservieren Sie am besten einen Tisch am Fenster, damit Ihr Baby notfalls etwas Ablenkung hat.

Packen Sie reichlich Spielzeug ein: Ein paar Bauklötze, Bilderbücher und ein kleiner Formensortierer halten das Baby im Hochstuhl bei Laune. Planen Sie den Restaurantbesuch zur täglichen Essens-zeit des Babys, sodass es gleichzeitig mit Ihnen isst. Auf diese Weise haben Sie auch reichlich Zeit, bevor es zu müde wird und sein Schläfchen braucht.

Vergessen Sie nicht, Ihr Baby in die gemeinsame Mahlzeit im Restaurant einzubeziehen, mit ihm zu sprechen und zu spielen, sodass es gerne bereit ist, diese spannende neue Erfahrung zu wiederholen.

FRAGEN SIE ... EINEN KINDERARZT

Wie reinige ich die Ohren meines Babys? Das Ohr reinigt sich selbst. Ohrenschmalz entfernt Staub und Schmutz aus dem Innenohr. Es sieht nicht schön aus, aber es erfüllt eine Funktion; deshalb sollten Sie es erst dann mit feuchter Watte entfernen, wenn es sich im äußeren Ohrenbe-reich befindet. Führen Sie keine Wat-testäbchen ins Ohr ein: Wenn sich das Baby plötzlich bewegt, könnten Sie sein Trommelfell verletzen!

Lernen durch Berührung

Durch seine Sinne lernt Ihr Baby alles, was es wissen muss. Nutzen Sie jetzt seine Fähigkeit, durch Berührung zu lernen.

Ihr zehn Monate altes Baby kann mit-hilfe seines Tastsinnes sehr viel lernen. Sie können es dabei gut unterstützen, indem Sie ihm ganz unterschiedliche Materialien zum Fühlen und Experi-mentieren anbieten.

Setzen Sie Ihr Baby in den Hochstuhl und lassen Sie es mit den Fingern in zwei oder drei Schüsseln mit unter-schiedlichem Inhalt eintauchen. Wählen Sie nur Dinge, die es auch in den Mund nehmen darf, wie z.B. eine zerdrückte

Fühlen und begreifen Bücher mit unter-schiedlichen Materialien bieten Ihrem Baby Gelegenheit, durch Fühlen zu lernen.

Banane, Frühstücksflocken, Nudeln oder gekochten Reis. Babys lieben es auch, die Finger in Gelee zu stecken! Achten Sie darauf, was es in den Mund steckt, damit es sich nicht verschluckt, und halten Sie ein Tuch bereit, um ihm später die klebrigen Finger abzuputzen.

Speziell gestaltete Fühlbücher beste-hen aus den verschiedensten Materia-lien und lassen Babys die Bedeutung der Wörter weich, rau, hart, flauschig usw. ertasten. Blättern Sie gemeinsam mit Ihrem Baby durch die Seiten. Animie-ren Sie es, alle Materialien anzufassen, und nennen Sie ihm die jeweils dazu passende Eigenschaft.

Die Dinge korrekt benutzen

Ihr Baby kann nun Objekte mit Handlungen verbinden und die Abfolge von Ereignissen antizipieren. Es will die Dinge so benutzen, wie Sie.

Wen soll ich anrufen? Ihr Baby möchte seine Hände und Finger im Umgang mit Objekten auch »korrekt« einsetzen.

Ihr Baby versteht jetzt, dass sich in seiner Schnabeltasse Wasser oder Saft befindet, und es ist in der Lage, sie sicher zum Mund zu führen. Es weiß, wofür Zahnbürste und Waschlappen gut sind, und es versucht, Löffel und Spielzeugtelefon korrekt zu benutzen. Es wird noch Monate (manchmal auch Jahre) dauern, bis es manche Alltagsgegenstände selbstständig benutzen kann. Aber da es nun so viel besser mit seinen Händen umgehen kann, macht es ihm großen Spaß, diese neuen Fähigkeiten auch regelmäßig einzusetzen.

Ermutigen Sie Ihr Baby, die Zahnpasta selbst auf die Zahnbürste zu drücken. Lassen Sie es seine Zähne selbst putzen, während Sie daneben stehen, ziehen Sie sich gemeinsam die Socken an und lassen Sie es mit dem Kochlöffel im Kuchenteig rühren. Es wird sich wichtig und an allem beteiligt fühlen. Durch seine eigenständigen Versuche lernt es, in welcher Beziehung Objekte und Handlungen zueinander stehen. Sie können dies unterstützen, indem Sie ihm immer auch die Namen der Dinge nennen und was Sie gerade mit ihnen tun. Ihr Baby wird bald selbst auf diese Dinge zeigen und sie Ihnen vielleicht sogar bringen. Bitten Sie Ihr Baby z. B., Ihnen die Tasse zu reichen, nachdem es getrunken hat. Hört es eine Anweisung oft genug und sieht, wohin Sie zeigen und wie Sie Dinge benutzen, wird es bald verstehen, was Sie von ihm möchten.

DER PINZETTENGRIFF

Der Pinzettengriff ist eine feinmotorische Fähigkeit, die sich etwa um den achten Lebensmonat entwickelt und sich im Lauf der Zeit immer mehr verbessert. Ihr Baby benutzt dabei Daumen und Zeigefinger, um Dinge aufzuheben und festzuhalten. Dank dieser Grifftechnik wird es irgendwann sein Hemd zuknöpfen, einen Stift benutzen, ein Musikinstrument spielen und eine Computermaus führen können. Der Pinzettengriff ist ein bedeutender Meilenstein in der Entwicklung Ihres Babys. Er beweist, dass Gehirn, Nervensystem und Muskeln inzwischen viel besser zusammenarbeiten, und eröffnet dem Baby eine neue Welt an Möglichkeiten. Mit dem Pinzettengriff kann Ihr Baby Klötze stapeln, sich selbst füttern, Formensortierer und Puzzles benutzen und noch vieles andere mehr.

Vielleicht erinnern Sie sich noch, dass Ihr Baby anfangs Dinge aufhob, indem es mit der ganzen Hand darüberfuhr und dann die Finger um den Gegenstand legte. Später begann es, Objekte mit allen vier Fingern und dem Daumen zu greifen, was immer noch relativ schwierig war. Durch den Pinzettengriff ist es nun in der Lage, Objekte viel präziser zu greifen und zu bewegen. Sie können Ihr Baby beim Verbessern dieser neuen Fähigkeit unterstützen, indem Sie ihm viele kleine (aber ungefährliche) Dinge zum Aufheben geben, wie z. B. Rosinen, Cerealien oder halbierte Trauben. Passen Sie aber auf, dass es nichts aufhebt, woran es sich verschlucken oder gar ersticken könnte.

Besserer Zugriff Spielzeug, das in die Hand des Babys passt, verbessert die Greiffähigkeit der ganzen Hand sowie den Pinzettengriff.

Selbstständig essen

Ihr Baby steckt gern seine Finger ins Essen und dann erst in den Mund. Etwas kleckerig – aber der Anfang des selbstständigen Essens.

Viele Babys wollen jetzt schon selbstständig essen, aber es fehlt ihnen noch an der nötigen Hand-Auge-Koordination, um Essen mit dem Löffel sicher in den Mund zu bringen. Am besten eignet sich in dieser Phase sogenanntes Fingerfood, also Essen, das leicht mit den Fingern gegessen werden kann.

Dies ist auch eine gute Gelegenheit, Ihrem Baby neue Aromen und Konsistenzen nahezubringen: Knuspriges Essen wie Brot, Reiskräcker, Toast und Frühstückscerealien sind ideales Fingerfood, ebenso Gurkensticks, Würfel aus mildem Käse und gekochte Nudeln in verschiedenen Formen. Lernt Ihr Baby allmählich, sich selbst damit zu füttern, können Sie ihm täglich eine Fingerfood-Mahlzeit in Form von Minisandwiches, Brot- oder Toaststreifen mit Käse, Gemüsesticks mit Hummus, Käsewürfeln oder groben Käsestreifen, gekochtem Gemüse wie Brokkoli oder Zucchini, geschnittenen Trauben, Äpfeln, Birnen oder Bananen anbieten. Achten Sie darauf, dass die Mahlzeit ausgewogen ist. Sie sollte nicht zu wenig Fett oder zu viele Ballaststoffe enthalten (s. S. 207).

Führen Sie neue Mahlzeiten ein, wenn Ihr Baby gut gelaunt und nicht müde oder quengelig ist. Gehen Sie behutsam dabei vor, etwa indem Sie z. B. ein neues Produkt unter Babys bereits bekanntes und gemochtes Fingerfood mischen.

Der Umgang mit Fingerfood ist ideal, um Feinmotorik und Koordination Ihres Babys zu trainieren. Dies wird ihm sehr helfen, wenn es anfängt, mit dem Löffel zu essen (s. S. 369).

Tierliebe

Kleine Kinder lieben Tiere und alles, was mit ihnen zu tun hat, egal ob es sich um Tierbilder oder um eine echte Begegnung handelt.

Ihr Baby ist sicher fasziniert von Tieren. Vielleicht war es beim ersten Kontakt noch ängstlich und unsicher, doch etwas über Tiere zu lernen, gehört zu seiner Entwicklung. Machen Sie es früh damit vertraut, indem Sie mit ihm schöne Tierbilderbücher anschauen. Zeigen Sie auf ein Tier, erklären Sie dem Baby, wie das Tier heißt und welchen Laut es macht. Singen Sie Kinderlieder, die mit Tieren zu tun haben.

Wenn Sie einen Garten haben, können Sie ein Vogelhäuschen aufstellen, sodass Ihr Baby regelmäßig den Vögeln beim Picken zusehen kann. Zeigen Sie ihm auch andere regelmäßige Besucher im Garten, wie Eichhörnchen oder Igel. Auf Spaziergängen gibt es viele weitere Tiere zu beobachten, etwa Hunde, Katzen oder die Enten im Teich.

Auch bei einem Zoobesuch kann Ihr Baby Tiere kennenlernen. Vielleicht ist es noch zu klein, die Tiere zu streicheln, aber seine Sinne werden alles aufnehmen.

Im Umgang mit Tieren ist Hygiene unerlässlich. Vergessen Sie nicht, Ihrem Baby danach immer die Hände zu waschen. Machen Sie es auch zur Routine, die Hände nach dem Spielen im Sandkasten oder Garten und vor jeder Mahlzeit zu waschen.

Haustier Direkter Kontakt fördert das Selbstvertrauen Ihres Babys im Umgang mit Tieren. Lassen Sie es aber nie mit einem Tier allein.

Zuwendung ist wichtig

Ihrem Baby Liebe und Aufmerksamkeit zu schenken, ist sicher selbstverständlich für Sie, denn nur so kann es wachsen und gedeihen.

Glücklich und geborgen Beständige Liebe, Trost und Schutz fördern die seelische Entwicklung Ihres Babys.

Der englische Psychologe John Bowlby entwickelte in den 60iger-Jahren eine der bedeutendsten Theorien über das Bedürfnis des Babys nach Zuwendung und Aufmerksamkeit, die bis heute den Weg vorgibt, wie wir mit Kindern liebevoll umgehen und ihnen Sicherheit geben. Seine Bindungstheorie lehrt uns, dass die Bindung zwischen Eltern und Kind das Fundament für die Sicherheit des Babys darstellt und zugleich ein Muster bildet, das sich in all seinen späteren Beziehungen wiederholen wird.

Ein Baby, das in einer liebevollen Umgebung aufwächst, in der es jede Menge Streicheleinheiten und Küsse erhält, wird sehr wahrscheinlich auch ein liebevoller Erwachsener werden.

Es gab schon immer viele verschiedene Vorstellungen über den »besten« Weg, ein Kind großzuziehen: von der Idee, dass man Kinder »sehen, aber nicht hören« sollte, bis hin zu zeitplanbasierten oder eher babygesteuerten Methoden. Egal, welchen Ansatz Sie bevorzugen – es ist erwiesen, dass Ihr Baby in erster Linie Ihre Liebe, Aufmerksamkeit und Zuwendung braucht, um Vertrauen und Sicherheit entwickeln zu können. Wenn Sie es trösten und zu ihm hingehen, wenn es weint, und ihm zeigen, dass Sie seine Gesellschaft genießen, schaffen Sie diese Sicherheit. Außerdem braucht Ihr Baby Beständigkeit, damit es Reaktionen voraussehen kann. Wenn es älter wird, muss es auch wissen, welches Verhalten angemessen und welches inakzeptabel ist.

Ungeteilte Aufmerksamkeit Mit dem Baby zu lachen, es zu kitzeln und zu kosen und ihm ungeteilte Aufmerksamkeit zu schenken, ist ein guter Weg, Ihrem Baby zu zeigen, wie sehr Sie es lieben. Studien haben gezeigt, dass das Spiel von Babys weniger komplex ist, wenn sie von ihren Eltern zwar beaufsichtigt werden, diese aber nebenbei noch etwas anderes tun, wie lesen oder telefonieren.

Lassen Sie sich von Ihrem Baby führen. Manchmal möchte es gehalten werden, manchmal möchte es sich frei bewegen. Manchmal muss es auch nur über die Wange gestreichelt werden, um zu spüren, dass Sie es lieben. Reagieren und respektieren Sie die Höhen und Tiefen seines Bedürfnisses nach Zuwendung. Wenn Sie seine Gefühle schätzen, wird es sie selbst auch schätzen lernen.

SANFT SEIN

Ein zehn Monate altes Baby hat noch kein Gefühl für seine Kraft und es mangelt ihm an der nötigen Koordination, zu steuern, wie fest es zupackt. Es ist jedoch nie zu früh, ihm beizubringen, so sanft wie möglich zu sein. Ermuntern Sie es, seine Stofftiere oder Puppen zu streicheln. Halten Sie dabei seine Hand, damit es ein Gefühl dafür bekommt, wie wenig Kraft dafür nötig ist. Kosen Sie seinen Teddy vor seinen Augen und ermutigen Sie es, Sie nachzumachen, indem Sie sagen »Ahhhh Teddy«. Setzen Sie den Teddy sanft ab, decken Sie ihn zu, küssen Sie ihn und fordern Sie Ihr Baby auf, dasselbe zu tun. Ein solches Rollenspiel weckt das Verständnis, sich um andere zu kümmern und sie freundlich zu behandeln.

Freundlichkeit lernen Zeigen Sie Ihrem Baby, wie es mit seinen Kuscheltieren sanft und liebevoll umgehen kann.

44 Wochen

VIELE BABYS HABEN EIN LIEBLINGSKUSCHELTIER, DAS SIE ÜBERALLHIN MITNEHMEN MÖCHTEN.

Ihr Baby wird immer mobiler und gewinnt an Selbstvertrauen. Es weiß genau, was es will – und was nicht. Dagegen helfen nur viel Geduld und Konsequenz. Seit dem ersten Lächeln mit etwa sechs Wochen hat Ihr Baby inzwischen gelernt, aus vollem Hals zu lachen.

Mithilfe erwünscht

Ihrem Baby macht es Spaß, bei kleinen Aufgaben zu »helfen«, und es fühlt sich dabei genau wie Mama.

Aufräumen Lassen Sie Ihr Baby einfache Aufgaben erledigen, wie z.B. die Schüsseln ins Regal zu räumen.

Die einfachste und nützlichste Aufgabe, die Ihr zehn Monate altes Baby für Sie erledigen kann, ist es, sein Spielzeug am Ende des Tages wieder zurück in die Spielzeugkiste zu packen. Wenn Sie dies zur täglichen Routine machen, wird es Ihrem Baby irgendwann in Fleisch und Blut übergehen, und sie haben später ein hilfreiches Kind an Ihrer Seite.

Stellen Sie eine Spielzeugbox mitten ins Zimmer und regen Sie Ihr Baby an, Spielsachen aufzusammeln und dort hineinzulegen. Machen Sie ein Spiel daraus, indem Sie es fragen »Wo ist der Hase? Legst du ihn bitte in die Box?« und es kräftig loben, wenn es die Aufgabe ausgeführt hat. Machen Sie selbst auch mit, suchen Sie ein Spielzeug und legen Sie es in die Box. Nutzen Sie die Gelegenheit, um dem Baby Farben und Formen zu zeigen und die passenden Namen zu nennen. Langsam aber sicher wird dabei alles aufgeräumt.

Saubermachen Es wird zwar noch eine Weile dauern, bis Ihr Baby durch Staubsaugen sein Taschengeld aufbessern kann, aber Sie können ihm jetzt schon ein Staubtuch in die Hand geben. Während Sie selbst putzen, kann es mithelfen und alle Flächen, die es erreicht, sauberwischen. Das Sofa abzustauben mag zwar nicht wirklich hilfreich sein, aber Sie sollten es trotzdem dafür loben. Nach dem Essen kann es Ihnen helfen, den Tisch abzuwischen. Auch hier wird sich der Nutzen seines Einsatzes in Grenzen halten, aber es bekommt eine erste Vorstellung davon, was mit Saubermachen gemeint ist.

ENTWICKLUNG FÖRDERN

Stapelspaß

Stapelspielzeug fördert die Entwicklung der Hand-Auge-Koordination Ihres Babys und regt es zugleich an, logische Aufgaben zu lösen. Dabei wird in seinem Gehirn verankert, was es bereits über Ursache und Wirkung gelernt hat. Zu gutem Stapelspielzeug gehören z.B. Becher, die sich sowohl ineinander als auch aufeinander stapeln lassen (auch Messbecher sind gut geeignet), bunte Bauklötze und Ringe, die man über einen Stab stülpen kann.

Um Becher und Ringe passend aufeinanderstapeln zu können, muss Ihr Baby Formen und Größen erkennen und die Teile von einer Hand in die andere nehmen können. Die Bauklötze erfordern feinmotorische Fähigkeiten und vorsichtige Bewegungen, um Stücke gleicher Größe sachte aufeinander zu setzen. Diese Art Spielzeug bringt Ihrem Baby außerdem die Anfänge des mathematischen Problemlösens nahe.

Zeigen Sie Ihrem Baby zunächst, wie man die Teile richtig stapelt, und lassen Sie es dann selbst probieren. Es wird herauszufinden versuchen, welches Teil als nächstes passt. Es macht überhaupt nichts, wenn der Turm einstürzt – das gehört zum Lernprozess. Ihrem Baby wird es Spaß machen, die Becher, Klötze und Ringe von Neuem zu stapeln.

Junge Denker Stapelspielzeug bringt Ihrem Baby spielerisch die Mathematik nahe.

Andere Kinder

Ihr Baby ist noch zu klein, um konstruktiv mit anderen Kindern zu spielen; aber in einer Gruppe zu sein, ist eine tolle Erfahrung.

Ihr Baby wird davon profitieren, in Gesellschaft von Kindern jeder Altersgruppe aufzuwachsen. Mit Babys seines Alters wird es wahrscheinlich nur nebeneinander agieren, aber mit älteren Kindern kann es bereits »Guck-guck?« oder Verstecken spielen, tanzen oder singen. Älteren Kindern macht es vielleicht Spaß, ihm vorzulesen, und sicher werden sie mit ihm in einer Weise spielen, wie es Erwachsene nie könnten. Ihrem Baby fällt es vermutlich leichter, sich auf fremde Kinder einzulassen, in deren Nähe es spielen kann, als auf fremde Erwachsene, die gleich mit ihm interagieren wollen. Kinder können, wenn man ihnen genaue Regeln und Anweisungen gibt, erstaunlich gute Babysitter sein. Auch wenn Sie immer noch in der Nähe bleiben müssen, wird sich Ihr Baby schon viel selbstständiger fühlen. Sind ältere Geschwister im Haus, entwickelt sich das ganz von selbst; falls nicht, können Sie organisieren, dass Ihr Baby Zeit mit anderen Kindern verbringt.

Bei einer Tagesmutter oder in der Kinderkrippe kann Ihr Baby Kindern in einer sicheren Umgebung begegnen. Haben Sie Nichten und Neffen, laden Sie sie öfter einmal zu Ihnen nach Hause ein. Regelmäßiger Kontakt kann zu engen Beziehungen führen.

Wenn Sie Lust haben, können Sie auch zusammen mit einer anderen Familie oder Freunden mit Kindern für den Urlaub ein Ferienhaus mieten. In der Ferienunterkunft sollte jedoch genug Platz für alle sein und Sie sollten die andere Familie gut genug kennen, um frei über Ihre Wünsche für sich und Ihr Baby sprechen zu können.

Paarzeit

Sie und Ihr Partner brauchen gemeinsame Zeit, in der Sie einfach ein Paar sein können und Ihren Lieblingsaktivitäten nachgehen.

Sie und Ihr Partner werden von einer regelmäßigen Auszeit vom Babyalltag profitieren. Sie könnten z.B. für den Abend einen Babysitter engagieren und zusammen ausgehen. Wenn Sie jemanden haben, der längere Zeit auf Ihr Baby aufpassen kann, kommt auch ein kleiner Kurzurlaub in Frage. Vielleicht haben Sie die Möglichkeit, zusammen mit anderen Familien einen Babysitterzirkel einzurichten, in dem reihum die Babybetreuung übernommen wird. Egal, wie Sie es anstellen, Ihnen beiden wird es als Paar zugutekommen, wenn sich einmal nicht alles nur ums Baby dreht.

Sie können aber auch vereinbaren, unabhängig voneinander Ihre individuellen Hobbys wieder aufzunehmen, die Ihnen Spaß machen, wie Fußball spielen, Aerobics oder Wandern. Auch durch regelmäßige Treffen mit Freundinnen oder Freunden, etwa zum Shoppen, Kaffeetrinken oder zum Besuch von Veranstaltungen, können Sie Ihre Batterien wieder aufladen. Wichtig dabei ist, dass Sie beide Zeit und Freiraum finden, um die Dinge zu tun, die Ihnen Freude bringen und durch die Sie wieder Kraft und neue Energie für den Alltag mit dem Baby tanken können.

Nur wir zwei Sie und Ihr Partner brauchen auch Zeit ohne Baby, in der Sie einfach nur die Dinge tun, die Ihnen beiden Spaß machen.

Unzertrennliche Freunde

Ein Trostobjekt ist vor allem bei ängstlichen Babys zweifellos hilfreich – aber was, wenn es anfängt, Ihr Leben zu bestimmen?

Nicht ohne mein Schmusetuch Manche Babys wollen Ihren Trostspender nicht mehr hergeben. Ihn wegzunehmen, wäre herzlos.

Ihr Baby macht täglich neue Erfahrungen. Selbst wenn es dieselben Ereignisse sind, sieht es vieles aus neuer Perspektive, sobald es anfängt zu laufen. Dies kann dazu führen, dass es sich plötzlich auch in vertrauter Umgebung fremd fühlt. Mit zehn Monaten prasselt so viel Neues auf Ihr Baby ein – Erleben, Lernen und Verstehen – und das kann manchmal ziemlich beunruhigend sein. Daher ist es kein Wunder, dass ihm Trostobjekte (manchmal auch Übergangs- oder Sicherheitsobjekte genannt) eine Konstante bieten. Sie repräsentieren Ihre Liebe, sie riechen nach Zuhause und sie werden mit Geborgenheit und Sicherheit assoziiert. Ihr Baby braucht sein Trostobjekt, wenn Sie nicht da sind, wenn es etwas Neues erlebt oder wenn es sich nicht wohlfühlt.

Manchmal verlässt sich ein Baby so sehr auf seinen Trostspender, dass es nicht mehr ohne ihn sein kann. Ein Zustand, der arg an den Nerven der Eltern zerren kann. Es ist schon schwer genug, an alles zu denken, bevor man das Haus verlässt; ist man aber schon auf halbem Weg und das Baby fängt plötzlich untröstlich an zu weinen, weil man seinen »besten Freund« vergessen hat, kann das ziemlich frustrierend sein. Plötzlich tragen Sie nämlich die riesige Verantwortung, sich auch noch um das kostbarste Gut Ihres Babys kümmern zu müssen, das unter keinen Umständen je vergessen werden darf!

Aushalten Sie können nichts anderes tun, als die Situation zu akzeptieren. Da sich Ihr Baby so an das Trostobjekt gewöhnt hat, würde ein bloßes Wegnehmen bei ihm Gefühle der Unsicherheit und Trauer auslösen. Irgendwann wird Ihr Baby aus der Sache herauswachsen oder Sie helfen ihm vorsichtig beim Loslassen, wenn es etwas älter ist. Bis dahin sollten Sie alles tun, um das Trostobjekt zu erhalten. Kaufen Sie am besten zwei, falls eines verloren geht. Eine einzigartige Schmusedecke lässt sich vielleicht halbieren, sodass Sie die eine Hälfte auch einmal waschen können. Warten Sie damit nicht zu lange, denn wenn sich Ihr Baby zu sehr an einen Geruch gewöhnt hat, lehnt es die Decke nach dem Waschen womöglich ab.

Spieltunnel

Babys in diesem Alter lieben Spieltunnel, die meistens aus Nylon sind. Genauso gut eignen sich aber auch drei zurechtgeschnittene und zusammengeklebte Kartons. Sie haben überdies den Vorteil, dass man sie an den Seiten leicht mit Gucklöchern versehen kann. Ermuntern Sie Ihr Baby, in den Tunnel zu kriechen, indem Sie vielleicht Spielzeug hineinlegen und winken Sie am anderen Ende, aus dem es herauskrabbeln soll. Wenn es mit dem Tunnel vertraut ist, können Sie das Spiel noch spannender machen, indem Sie eine Decke über den Ausgang hängen, durch die es herausspähen kann. Zwingen Sie Ihr Baby nicht, in den Tunnel zu kriechen. Lassen Sie ihn einfach am Boden liegen, bis Ihr Baby Interesse hat hineinzukrabbeln.

Tunnelspiel Ein Spieltunnel trainiert die Grobmotorik Ihres Babys sowie die Fähigkeit, Ereignisse zu antizipieren.

Sing- und Vorlesekreis

Bücher kann man nicht nur zu Hause vorlesen. In Sing- und Vorlesekreisen treffen Sie andere Eltern mit deren Babys und Kindern.

Viele Bibliotheken bieten Programme an, um Babys und Kleinkinder schon so früh wie möglich für Bücher zu begeistern. Vielleicht veranstaltet auch eine Bücherei in Ihrer Nähe regelmäßig einen Vorlesekreis für Babys, in dem die Kleinsten mit Geschichten, Liedern, Kinderreimen, Bildern und Handpuppen unterhalten werden. Oder Sie schließen sich einer entsprechenden Eltern-Kind-Gruppe an, in der Ihr Baby neue Bücher kennenlernt und Teil einer Gruppe sein kann. Auch für Sie bietet sich so die Gelegenheit, andere Eltern zu treffen.

Selbst wenn Ihr Baby lieber nicht bei den anderen Kindern sitzen und zuhören möchte, können Sie gemeinsam durch den Reichtum an Büchern stöbern, den die Bibliothek zu bieten hat. Häufig gibt es eine eigene Abteilung mit Bilderbüchern sowie Spielsachen und Spielen für die kleinsten Besucher.

Regelmäßige Besuche in der Bücherei bereits von frühester Kindheit an und die beständige Ermunterung, Bücher zu entdecken und zu genießen, bereiten Ihr Baby optimal auf das Lesenlernen in späteren Jahren vor.

FAKTEN UND HINTERGRÜNDE

Babys lachen im Durchschnitt 300-mal am Tag und damit viel öfter als Erwachsene, die es im Durchschnitt auf gerade 20-mal pro Tag bringen. (Die Anzahl, wie oft wir lachen, ist aber auch abhängig von der Persönlichkeit.) Zwischen 9 und 15 Monaten wissen Babys: Wenn Mama mit einer Windel auf dem Kopf wie eine Kuh muht, tut sie etwas Unerwartetes – und das ist lustig.

Individuelle Zeit nutzen

Auch wenn Sie und/oder Ihr Partner berufstätig sind, sollten Sie beide unabhängig voneinander Qualitätszeit mit dem Baby verbringen.

Babys übernehmen und lernen unterschiedliche Dinge von ihren Müttern und Vätern, deshalb ist es wichtig, dass Ihr Baby individuelle Zeit mit Ihnen beiden verbringt. Das ist nicht immer leicht, vor allem, wenn einer von Ihnen oder Sie beide berufstätig sind. Versuchen Sie aber, es möglich zu machen.

Die unterschiedliche Weise, mit der Mütter und Väter mit ihren Kindern umgehen, ist für Babys sehr stimulierend. Ein Elternteil ist vielleicht eher ruhig und gemütlich, während der

Auf Papas Weise Väter lesen Geschichten oft anders vor als Mütter und üben so einen völlig anderen Einfluss auf das Baby aus.

andere es liebt, mit dem Baby herumzutoben. Zuwendung und Aufmerksamkeit von Ihnen beiden fördert die soziale, seelische und intellektuelle Entwicklung Ihres Babys.

Wenn Sie beide abends zu Hause sind, können Sie z.B. festlegen, dass derjenige, der als erstes heimkommt, das Baden des Babys übernimmt, während der andere ihm eine Geschichte vorliest, ehe Sie ihm beide Gute Nacht sagen. Oder einer frühstückt morgens mit dem Baby, während der andere ausschläft. Es ist wichtig, dass Sie sowohl einzeln als auch gemeinsam mit Ihrem Baby spielen, sodass es unterschiedliche Arten des Umgangs kennenlernt.

Auf dem Weg zum Laufen

Ihr Baby kann vermutlich krabbeln, sich zum Stehen hochziehen und an Möbeln entlanglaufen. Aber wann läuft es endlich frei?

Spaß an der Bewegung Solange Ihr Baby sich bewegt, spielt es keine Rolle, ob es krabbelt, rutscht oder läuft.

Natürlich warten Sie aufgeregt darauf, dass Ihr Baby endlich seine ersten freien Schritte macht. Schließlich sind diese ersten schwankenden Schritte in Ihre wartenden Arme in Wirklichkeit schon Riesenschritte auf dem Weg zur Selbstständigkeit.

Wenn Ihr Baby bereits mit großer Sicherheit an den Möbeln entlangläuft, kann es eigentlich jederzeit passieren, dass es seine ersten freien Schritte wagt. Allerdings liegt das Durchschnittsalter dafür bei 13 Monaten und somit wäre es eher ungewöhnlich – wenn auch nicht unmöglich –, dass Ihr Baby schon mit zehn Monaten anfängt zu laufen.

Das Laufenlernen hängt von der Entwicklung grobmotorischer Fähigkeiten, Koordination und vom Körperbau ab (ein Baby z.B. mit langem Körper und kurzen Beinen wird sich vermutlich schwerer damit tun, das Gleichgewicht zu halten). Wenn Ihr Baby erst spät gelernt hat, seinen Kopf zu halten oder frei zu sitzen, wird es wahrscheinlich auch länger brauchen, bis seine Grobmotorik so ausgereift ist, dass es laufen kann. Es gibt jedoch keinen Zusammenhang zwischen frühem Laufenlernen und Intelligenz. Manche Babys lernen es einfach früher als andere – das ist alles.

Ganz langsam Die ersten Schritte Ihres Babys sind wahrscheinlich eher ein seitwärts gerichtetes Schlurfen, mit dem es sich langsam vorwärts schiebt, als ein zielstrebiges, agiles Drauflosmar-

schieren. Erst wenn Koordination und Balance besser entwickelt sind (oft erst mit zwei Jahren), wird es die Füße hochheben und voreinander setzen. Babys halten ihre Füße meistens weit auseinander und die Knie gebeugt, sodass es fast aussieht, als hätten sie O-Beine. Sie gehen mit leicht gebeugtem Rücken und nach innen gerichteten Zehen. Aber auch wenn die ersten Schritte nicht sehr elegant aussehen, werden sie Ihnen vermutlich vorkommen wie ein Wunder.

Sobald Ihr Baby angefangen hat zu laufen, ist Geduld Ihre oberste Tugend. Mit dem Baby an der Hand im Schneckentempo vorwärts zu kommen, während Sie es eilig haben, kann zur Zerreißprobe werden. Aber geben Sie Ihrem Baby viel Gelegenheit zum Üben!

ENTWICKLUNG FÖRDERN

An Möbeln entlang

Ist Ihr Baby in der Phase, in der es sich zwar hochzieht, aber noch nicht an den Möbeln entlanghangelt und entlangläuft, könnten Sie es dazu ermuntern. Stellen Sie in kurzer Entfernung von ihm ein Spielzeug auf, sodass es nur einen kleinen Schritt zur Seite machen muss, um es zu erreichen.

Das Entlanglaufen an Möbeln trainiert die Beinmuskeln und ist auch eine gute Lauflernübung, denn Ihr Baby hebt dabei die Füße und setzt sie wieder auf. Sobald es sich sicher fühlt, können Sie das Spielzeug auch etwas weiter entfernt auf ein anderes Möbelstück legen, sodass Ihr Baby eine größere Strecke zurücklegen muss.

Fast da! Ihr Baby hat ein echtes Erfolgserlebnis, wenn es sich zu dem Spielzeug hinbewegen kann, das es haben möchte.

45 Wochen

MIT ZEHN MONATEN SCHLÄFT DAS BABY NACHTS NORMALERWEISE DURCH.

Die Fähigkeiten Ihres Babys, Probleme zu lösen, entwickeln sich schnell und es hat großen Spaß daran, sich allen möglichen Herausforderungen zu stellen. Für eine gute Sozialisierung Ihres Babys ist es jetzt ideal, sich einer Spielgruppe anzuschließen.

Erfahrene Eltern

Denken Sie zurück, wie viel Sie im ersten Lebensjahr Ihres Babys als Eltern gelernt haben. Sie können wirklich stolz auf sich sein.

Glückliche Familie Das Vertrauen in Ihre Entscheidungen und Fähigkeiten als Eltern hilft Ihnen und dem Baby, das Familienleben noch mehr zu genießen.

Sie stehen nicht allein da. Ihre Eltern, Ihre Freunde sowie der Kinderarzt bieten Ihnen Rat und Hilfe, wenn Sie sie benötigen. Namentlich Ihr Partner trägt alle Entscheidungen zur Erziehung des Babys mit Ihnen gemeinsam. Besprechen Sie Ihre Pläne mit ihm und geben Sie sich gegenseitig Halt, wenn einer von Ihnen erschöpft ist. Elternschaft ist keine Soloübung.

Selbstvertrauen Ihr Baby sucht bei Ihnen nach Orientierung, nicht nur jetzt, sondern auch in den nächsten Jahren. Setzen Sie sich nicht unter Druck, alles immer richtig machen zu müssen, aber vertrauen Sie darauf, dass Sie Ihre Entscheidungen mit den besten Absichten treffen.

Denken sie aber daran, dass Selbstvertrauen nicht gleichbedeutend ist mit Arroganz. Man sollte an seine Entscheidungen glauben, aber man muss auch fähig sein, sie zu revidieren, wenn man merkt, dass man einen Fehler gemacht hat. Niemand ist unfehlbar.

Konsequenz Ihr Selbstvertrauen als Eltern zeigt sich in der Fähigkeit, Ihrem Baby auch Grenzen zu setzen. Bleiben Sie konsequent, wenn Sie gute Gründe dafür haben, ihm etwas zu verbieten, egal wie sehr das Baby protestiert. Für sein eigenes Selbstvertrauen ist es wichtig zu erfahren, dass Sie auch meinen, was Sie sagen.

Freude Erfüllen Sie Ihre Aufgaben als Eltern mit Freude. Seien Sie stolz auf Ihr Baby, das täglich so viel Neues lernt, aber seien Sie auch ein bisschen stolz auf sich selbst. Ihre Begeisterung für all die Erfolge, die Sie zusammen erzielen, macht auch Ihr Baby glücklich.

CHECKLISTE

Erfolgreich als Eltern

Was Sie tun sollten

■ Übernehmen Sie alles, was an Ihrer eigenen Erziehung positiv war, aber auch die besten Sichtweisen anderer Erziehungsstile, die Ihnen gefallen.

■ Überlegen Sie, was Ihre Eltern bei Ihrer Erziehung falsch gemacht haben, und vermeiden Sie eine Wiederholung dieser Fehler.

■ Behandeln Sie Ihr Baby immer mit Respekt. Das heißt nicht, ihm stets seinen Willen zu lassen, sondern ihm liebevoll Grenzen zu setzen.

■ Sprechen Sie mit Ihrem Baby, wie Sie selbst gern angesprochen werden würden. Hören Sie ihm zu und seien Sie für das Baby da, wann immer es Sie braucht.

■ Zeigen Sie Ihrem Baby Ihre Liebe mit Worten, aber noch häufiger durch Ihre Taten.

Was Sie nicht tun sollten

■ Seien Sie nicht zu streng mit sich, wenn etwas schiefläuft. Solange das Baby wächst und glücklich ist, ist alles in Ordnung.

■ Seien Sie nicht zu kritisch mit Ihrem Partner, wenn es um die Erziehung des Babys geht. Denken Sie daran, dass Ihnen beiden das Wohl Ihres Kindes am Herzen liegt.

■ Scheuen Sie sich nicht, um Hilfe zu bitten. Es gibt für jedes Problem eine Anlaufstelle, die Sie bei Bedarf auch nutzen sollten.

Mehr Kauderwelsch?

Hören Sie genau hin – Ihr 45 Wochen altes Baby spricht richtige Wörter. Wenn Sie nur wüssten, was Sie bedeuten!

Manchmal ist es ziemlich schwer, die Wörter zu erkennen, die Ihr Baby spricht, manchmal sind sie ganz offensichtlich. Ein Baby, das Züge liebt, wird »tutu« sagen oder »mau«, wenn es eine Katze sieht. Sein erweitertes Vokabular muss noch nicht unbedingt alle Namen enthalten, die wir Objekten zuordnen.

Es ist auch gut möglich, dass Ihr Baby bei seinen Wörtern die Endungen weglässt. Am Anfang ist es schwierig, die harten Laute zu produzieren, mit denen

Kluges Mädchen! Wenn Sie genau hinhören, werden Sie im Gebrabbel Ihres Babys schon ein paar richtige Wörter ausmachen!

Wörter oft enden. Aus dem Grund heißt der Zug vielleicht nicht »Tuut«, sondern nur »Tuu«, die Katze »Kaa« und der Hund »Hu«.

Vermutlich wird Ihr Baby erst mit etwa zwei Jahren seine Wörter korrekt vollenden, aber Sie können es jetzt schon dabei unterstützen, indem Sie HIntergrundgeräusche reduzieren, wenn Sie mit ihm sprechen, damit es Sie gut hören kann. Achten Sie auch selbst darauf, Ihre Wörter immer deutlich zu beenden. Sie sollten sogar hin und wieder die harten Laute am Wortende überbetonen, um die Aufmerksamkeit des Babys darauf zu richten.

Wild entschlossen

Wenn Babys sich etwas in den Kopf gesetzt haben, können sie dieses Ziel mit erstaunlicher Ausdauer und Sturheit verfolgen.

Eine eiserne Entschlossenheit treibt Babys an, täglich neue Fähigkeiten zu lernen und bereits erlernte stetig weiterzuentwickeln. Ihr Baby kann vielleicht noch keinen Turm aus Bauklötzen bauen, aber es stapelt schon gern einfacheres Spielzeug aufeinander – und das wird es immer wieder versuchen, lange nachdem Sie bereits aufgegeben hätten.

Die Kehrseite dieser Willenskraft Ihres Babys, etwas immer wieder auszuprobieren zu wollen, ist, dass es sich nicht gern von Ihnen helfen lässt. Unter Umständen führt dies dazu, dass alltägliche Aufgaben, wie etwa das Aufsetzen

einer Mütze, ewig dauern, weil Sie partout nicht eingreifen dürfen.

An unseren Schulen wird heute häufig geklagt, die Kinder besäßen kein »Durchhaltevermögen« mehr, um ein Problem von Anfang bis Ende allein zu lösen. Loben Sie daher Ihr Baby für seine Entschlossenheit und geben Sie ihm viele Gelegenheiten, alles mögliche auszuprobieren. Warten Sie, bis es von selbst die Lust verliert oder sich doch von Ihnen helfen lässt. Spenden Sie ihm reichlich Lob für seine fortwährenden Bemühungen und noch mehr Lob, wenn es damit Erfolg hat.

Zeit für die Spielgruppe

In der Gesellschaft von anderen lernt Ihr Baby, mit Gleichaltrigen zu kommunizieren, und zugleich viele wichtige Umgangsregeln.

Jetzt ist ein guter Zeitpunkt, um mit dem Baby in eine Spielgruppe zu gehen. Es wird ihm gefallen, in der Nähe von anderen Kindern zu sein und dort mit neuen Spielsachen zu spielen. Je näher die Spielgruppe an Ihrem Zuhause ist, umso besser, denn dann kann Ihr Baby Freundschaft mit Kindern aus seiner näheren Umgebung schließen, die später vielleicht sogar mit ihm zusammen zur Schule gehen werden. Einige Spielgruppen werden von der Stadt angeboten, andere von der Kirche oder von engagierten Müttern (die die Leitung an andere Mütter weitergeben, sobald ihre Kinder in den Kindergarten kommen). Sehen Sie sich ruhig mehrere Gruppen in Ihrer Nähe an und suchen Sie sich die aus, die Ihnen und Ihrem Baby am besten gefällt.

Was können Sie erwarten? Die angebotenen Aktivitäten in Spielgruppen sind oft abhängig von deren Größe. Kleine oder private Spielgruppen haben oft nur einen Raum zur Verfügung und sowohl bei der Ausstattung mit Spielsachen als auch bei der Gestaltung der gemeinsamen Treffen ist die Initiative und das Engagement der Eltern gefragt. Größere Spielgruppen, vor allem, wenn sie von öffentlichen Trägern angeboten werden, sind meistens besser ausgestattet und werden manchmal von professionellen Erzieherinnen geleitet. Meistens gibt es Kaffee und Kuchen für die Eltern sowie Getränke und kleine Snacks für die Kinder. Am Ende der Stunde wird oft ein Gesprächs- oder Singkreis gebildet, um gemeinsam ein Lied anzustimmen oder um sich über die geplanten Aktivitäten der kommenden Woche auszutauschen.

Normalerweise geht es in Spielgruppen recht entspannt und formlos zu. Die Eltern können mit ihren Kindern spielen oder sich mit anderen Eltern unterhalten. Möglicherweise ist bei jedem Besuch ein kleiner Betrag zu entrichten oder Sie werden stattdessen gebeten, hin und wieder tatkräftig auszuhelfen, etwa den Kaffee auszuschenken, einen Kuchen zu backen oder zu Hause für eine geplante Aktivität etwas vorzubereiten.

Ihr Baby will nicht spielen Der Lärmpegel und die ungewohnte Umgebung der Spielgruppe kann Ihrem Baby Angst machen. Wenn es bei den ersten Besuchen nicht von Ihrem Schoß will, lesen Sie ihm einfach aus einem Buch vor. Irgendwann wird seine Neugier siegen. Denken Sie aber daran, dass Ihr Baby mit zehn Monaten wahrscheinlich noch kein Interesse daran hat, mit anderen Kindern zusammenzuspielen.

ENTWICKLUNG FÖRDERN

Mehlmalerei

Nehmen Sie ein flaches Tablett, am besten ein dunkles. Geben Sie etwas Mehl darauf und verteilen Sie es gleichmäßig, indem Sie das Tablett hin und her schütteln. Zeigen Sie Ihrem Baby, wie es mit den Fingern Muster und Formen in die Mehlfläche malen kann. Mehlmalerei weckt den Spaß an künstlerischen Aktivitäten und fördert die Entwicklung der feinmotorischen Fähigkeiten, die Ihr Baby benötigt, um später einmal Zeichnen und Schreiben zu lernen. Und zugleich macht es weniger Schmutz als Fingerfarben!

Junger Künstler Mit Mehlmalerei können Sie Ihrem Baby das Konzept des Zeichnens vermitteln. Es wird ihm gefallen, die Finger ins Mehl zu tauchen und damit Formen zu malen.

IM BLICKPUNKT
Nächtliches Durchschlafen

Keine Sorge, wenn Ihr Baby nachts noch nicht durchschläft, denn damit steht es nicht allein da. Mit zehn Monaten sollte es aber zumindest den größten Teil der Nacht schlafen. Falls nicht, helfen Ihnen vielleicht die folgenden Tipps und Ideen.

Ihr Baby braucht Schlaf, um die Ereignisse des Tages zu verarbeiten und um zu wachsen. Sie und Ihr Partner brauchen auch Schlaf. Zu wenig Schlaf macht uns ungeduldig, reizbar und unfähig zu Kompromissen. Wenn beide Elternteile sich so fühlen, ist es wahrscheinlich um die Familienharmonie nicht allzu gut bestellt. In diesem Fall sollten Sie unbedingt etwas gegen den Schlafmangel unternehmen. Bedenken Sie auch, dass schlechte Gewohnheiten umso mühsamer zu bekämpfen sind, je älter Ihr Baby wird. Besser, Sie stellen sich der Herausforderung sofort.

Angenommen, der Tagesschlaf Ihres Babys funktioniert reibungslos, dann sollte es mit zehn Monaten nachts etwa 10–12 Stunden am Stück schlafen. Mit 2–3 Mahlzeiten täglich und einigen Snacks dazwischen ist kein nächtliches Füttern mehr nötig. Je eher es lernt, sich nachts ohne Ihre Hilfe selbst zu beruhigen, desto besser für Sie und das Baby.

Gründe für das Erwachen Ist Ihr Baby es nicht gewöhnt, während der leichten Schlafphasen von allein wieder in tiefen Schlaf zu versinken, wird es vollständig erwachen und nach Ihnen rufen. Dies kann zur Gewohnheit werden, sodass Ihr Baby nicht wieder einschläft, wenn es nicht gefüttert oder gestreichelt wird. Babys zwischen neun und zwölf Monaten leiden häufig unter Trennungsangst, die sehr stark werden kann, wenn sie nachts allein im Finstern erwachen. Andere Gründe für das nächtliche Erwachen sind, dass das Baby tagsüber nicht genug geschlafen hat, zu spät am Nachmittag eingeschlafen ist oder dass es Schwierigkeiten hat, nach dem Zahnen oder einer Krankheit, die seinen Schlaf störte, wieder in frühere Schlafgewohnheiten zurückzufinden.

Es gibt mehrere Wege, wie Sie versuchen können, das Schlafmuster Ihres Babys so zu regulieren, dass Sie alle besser zur Ruhe kommen. Wichtig ist dabei, dass Sie bei der Methode bleiben, für die Sie sich entschieden haben. Stellen Sie sich darauf ein, dass es drei mühsame Wochen dauern kann, bis sich die Schlafgewohnheiten eines Babys, das bisher noch nie durchschlief, geändert haben. Halten Sie durch, es lohnt sich!

Wichtige Rituale Ihr Baby wird sehr von einem strikten, aber liebevollen Schlafritual und einer freundlichen Umgebung profitieren. Es braucht viele positive und beruhigende Signale, die ihm sagen, dass nun Schlafenszeit ist. Verbringen Sie die letzte Stunde des Tages gemeinsam mit einer ruhigen Interaktion. So erhält Ihr Baby genug positive Aufmerksamkeit, um sich beim Zubettgehen geborgen und entspannt zu fühlen. Baden Sie es, ziehen Sie es für die Nacht an und lesen Sie ihm eine Geschichte vor. Gerade die Gute-Nacht-Geschichte ist ein eindeutiges Signal für das, was als nächstes kommt.

Wenn die Zeit zum Schlafen gekommen ist, knuddeln und küssen Sie Ihr Baby, legen Sie es in sein Bett (mit

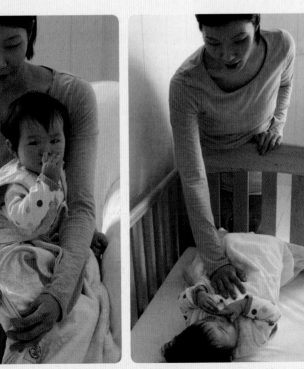

Gemütliches Ritual Lassen Sie den Tag Ihres Babys ruhig ausklingen. Küssen und kosen Sie es, während Sie es für die Nacht vorbereiten und in seinem Bettchen schlafen legen.

seinem Trostobjekt, wenn es eines hat), sagen Sie Gute Nacht und verlassen Sie den Raum. Wenn Sie möchten, können Sie ein Nachtlicht brennen lassen und etwas beruhigende Musik spielen. Das Babybett sollte ein Ort der Geborgenheit sein, in dem seine Lieblingskuscheltiere schlafen, wenn es sie nicht braucht, und in dem es als letztes am Abend und als erstes am Morgen Ihr Lächeln sieht.

Nächtliches Spielen

Wenn Ihr Baby häufig nachts aufwacht und spielen möchte, müssen Sie es davon überzeugen, dass die Nacht extrem langweilig ist und es sich nicht lohnt aufzuwachen, weil gar nichts Interessantes passiert. Beruhigen Sie es, wenn es weint, aber plaudern oder spielen Sie nicht mit ihm. Vielleicht schläft es tagsüber zu viel oder es tritt seinen Nachmittagsschlaf so spät an, dass es abends nicht müde genug ist, um nachts komplett durchzuschlafen. Verlegen Sie seinen Nachmittagsschlaf um 15 Minuten vor und kürzen Sie ihn um 15 Minuten. Ihr Baby soll abends müde, aber nicht übermüdet ins Bett gehen.

Nächtliches Füttern

Die Angewohnheit, Ihrem Baby nachts noch die Flasche oder die Brust zu geben, ist schwer abzustellen; vor allem, wenn ein Teil von Ihnen die Nähe liebt, die Sie beide in der nächtlichen Stille teilen. Wenn Sie sich aber fragen, ob Ihr Baby diese nächtlichen Mahlzeiten wirklich noch braucht oder ob es nur noch aus Gewohnheit nachts aufwacht, sollten Sie langsam und über mehrere Nächte hinweg die Milchmenge reduzieren, die Sie ihm geben. Legen Sie es dafür nicht mehr so lange an die Brust oder füllen Sie weniger Milch in seine Flasche. Vielleicht bieten Sie dem Baby Wasser statt Milch an, wenn es nachts aufwacht. Es wird bald feststellen, dass es sich nicht lohnt, dafür nachts aufzuwachen. Sicher wird Ihnen die Umstellung leichter fallen, wenn Sie wissen, dass Ihr Baby nicht wirklich hungrig ist, weil es tags-

über genug gegessen hat und vor dem Schlafengehen noch eine Milchmahlzeit bekommen hat.

Nächtliches Kuscheln

Möchte Ihr Baby nachts immer wieder nur Ihre tröstliche Anwesenheit spüren, ist es vermutlich schwer, immer wieder aus dem warmen Bett zu steigen und zu ihm hinzugehen. Wenn Sie es jedoch mit in Ihr Bett nehmen, lernt es nicht, sich in seinem eigenen Bett zu beruhigen – und spätestens wenn es ein Kleinkind ist, wird es in Ihrem Bett ziemlich eng werden! Soll Ihr Baby weiterhin in seinem eigenen Bett schlafen, ist es besser, nachts zu ihm zu gehen, wenn es Sie ruft, und leise mit ihm zu reden, es zu streicheln oder ihm etwas vorzusingen, es aber nicht herauszunehmen und nicht mit ihm zu kuscheln. Manche Babys müssen auch kurz weinen, bevor sie einschlafen. Dies ist ihre Art, sich zu lösen, und sollte nicht mit echtem Weinen verwechselt werden.

Schlaftraining

Vielleicht haben Sie bereits von verschiedenen Methoden gehört, die darauf abzielen, dem Kind das Schlafen »anzutrainieren«. Eine dieser Methoden ist es, das Baby auf die gewohnte Weise zu beruhigen, es dann aber hinzulegen, bevor es wegdöst. Sie bleiben in einiger Entfernung von seinem Bett im Raum sitzen, ohne mit dem Baby zu interagieren, bis es richtig eingeschlafen ist. Irgendwann lernt das Baby, allein einzuschlafen, zunächst mit Ihnen irgendwo im Zimmer, dann aber auch, ohne dass Sie im Zimmer sind.

Umstritten ist die sogenannte Ferber-Methode: Das Baby wird zwar getröstet, wenn es schreit, aber jedes Mal, wenn es weint, wartet man etwas länger, bevor man zu ihm ins Zimmer geht. Auf diese Weise soll es lernen, von alleine einzuschlafen. Experten warnen jedoch, dass diese Methode Babys und Eltern zu großem Stress aussetzt.

Welche Methode Sie auch anwenden: Konsequenz ist dabei unerlässlich.

Erholsamer Schlaf Im Schlaf kann das Gehirn die Erlebnisse des Tages verarbeiten und der Körper seine Batterien aufladen.

ZUSAMMEN IM BETT

Zweifellos wacht ein Baby im Elternbett nachts weniger oft auf und falls doch, ist es leichter zu beruhigen. Selbst wenn Sie alle aber jetzt noch wunderbar zusammen schlafen, werden Ihre Nächte, sobald Ihr Baby älter wird, nicht mehr so friedlich sein. Je größer und kräftiger es wird, desto stärker wird es sich nachts bewegen und herumdrehen. Unter gewissen Umständen (s. S. 30f.) kann das Schlafen im Elternbett sogar gefährlich sein. Je eher Sie Ihr Baby daran gewöhnen, wieder in seinem eigenen Bett zu schlafen, desto besser. Manchen Babys fällt die Umstellung leicht, andere tun sich schwer. Sie können z.B. das Bett Ihres Babys eine Zeitlang neben Ihr eigenes stellen. Und auch wenn das Baby in sein eigenes Bett umgezogen ist, kann Ihr Bett noch immer ein gemütliches Plätzchen für die morgendliche Kuschelstunde sein.

Spielzeug ab zehn Monaten

Wenn Sie nicht sicher sind, welches Spielzeug für Ihr Baby geeignet ist, beobachten Sie, wofür es sich beim Spielen interessiert.

Für Ihr 45 Wochen altes Baby ist Nachdenken und Problemlösen ein aufregendes Spiel. Bücher, Bälle, Bauklötze und Stapelbecher eignen sich sehr gut, um etwas über Ursache und Wirkung, Formen und Größen zu lernen sowie Babys Fähigkeiten zum Lösen von Problemen zu entwickeln. Achten Sie vor allem darauf, dass Ihr Baby die Spielsachen gut halten und von einer Hand in die andere wechseln kann.

Jede Art von Spielzeug, die das Baby zur Bewegung anregt oder dem Baby

Spaß beim Lernen Für die Altersstufe Ihres Babys konzipiertes Spielzeug zielt darauf ab, Spaß und Begeisterung am Lernen zu wecken.

hilft, sich zum Stehen hochzuziehen, ist in diesem Alter ebenfalls gut geeignet.

Ein neues Spielzeug sollte dem Alter Ihres Babys (es ist meistens auf der Verpackung vermerkt) sowie seinem individuellen Entwicklungsstand entsprechen, um Mobilität, Motorik oder Verstand zu trainieren.

Sie müssen aber deshalb kein Vermögen in teuren Läden ausgeben. Auch viele alltägliche Gegenstände aus Ihrem Haushalt eignen sich prima zum Spielen. So geben z. B. kleine und große Pappkartonrollen tolle Trompeten ab und leere Kartons eignen sich ideal zum Klettern, Verstecken oder auch als Tor beim Ballspielen.

Formen und Größen

Sie können anfangen, neue Begriffe wie groß und klein einzuführen. Aber erwarten Sie nicht, dass Ihr Baby sie schon selbst erkennt.

Ihr Baby arbeitet hart daran, die Welt rundum zu verstehen. Sie können ihm dabei helfen, indem Sie die Eigenschaften bekannter Objekte mit Worten wie »groß«, »klein«, »weich« oder »hart« benennen. Ist es mit diesen Begriffen bereits vertraut, wird es ihm leichterfallen, in den kommenden Monaten auch ein Verständnis dafür zu entwickeln, was sie bedeuten.

Formensortierer, Legespiele und Spielzeug mit unterschiedlichen Größen bringen Ihrem Baby Begriffe wie »innen und außen« oder »groß und klein« nahe.

Spielen Sie mit Stofftieren und Teddys kleine Episoden nach, in denen vom „kleinen Babybär" und der »großen Mamabär« oder dem »großen Papabär« die Rede ist. Bitten Sie das Baby danach, Ihnen z. B. den großen Teddy zu zeigen. Bald wird es ganz bewusst mit diesen Begriffen experimentieren. Bauen Sie auch in alltägliche Plaudereien immer wieder Begriffe wie groß, klein, rund, eckig, hoch, niedrig ein oder erzählen Sie Ihrem Baby Geschichten, in denen die Formen und Größen eine Rolle spielen. Ihre Fantasie ist gefragt!

FAKTEN UND HINTERGRÜNDE

Es kann gut sein, dass sich die Augenfarbe Ihres Babys noch leicht verändert, auch wenn die Grundfarbe schon mit 6–9 Monaten erreicht wurde. Die Iris kann noch etwas nachdunkeln, sodass grüne Augen eventuell bräunlich und hellbraune Augen dunkelbraun werden. Die Augenfarbe kann sich bis ins Kleinkind- und manchmal sogar bis ins Erwachsenenalter ändern.

Eine Nacht ohne Baby

Die Aussicht auf eine Nacht ohne Baby weckt gemischte Gefühle. Die Trennung fällt leichter, wenn Sie das Baby in guten Händen wissen.

Inzwischen haben Sie sich so daran gewöhnt, für das Wohlergehen des Babys verantwortlich zu sein, dass es Ihnen schwerfällt »loszulassen« und die Verantwortung jemand anderem zu übergeben; vor allem, wenn es für eine ganze Nacht sein soll. Aus diesem Grund ist es wichtig, dass Sie dieser anderen Person wirklich vertrauen. Außerdem ist es sehr hilfreich, wenn Ihr Baby seinen Babysitter gut kennt und wenn dieser über die Vorlieben und Rituale des Babys bestens Bescheid weiß.

Ihr Baby vorbereiten In der Woche vor Ihrer Abwesenheit sollte Ihr Baby so viel Zeit wie möglich mit der Person verbringen, die auf es aufpassen soll. Ideal wäre es, wenn Ihr Babysitter schon ein paar Tage vor Ihrer Abreise bei Ihnen übernachten könnte, sodass sich Ihr Baby in seiner vertrauten Umgebung mit ihm bekannt machen kann. Lassen Sie ihn das Baby in dieser Zeit so oft es geht füttern, wickeln, ins Bett bringen und aufwecken.

Den Babysitter vorbereiten Idealerweise hat sich Ihr Babysitter schon vor Ihrer Abreise mit den Gewohnheiten des Babys vertraut gemacht. Bitten Sie ihn, sich an die vertrauten Rituale und Routinen zu halten, um Ihr Baby nicht zu verunsichern. Stellen Sie sicher, dass er weiß, was das Baby essen darf (bereiten Sie seine Mahlzeiten, wenn es geht, schon im Voraus zu) und was nicht.

Wenn Ihr Baby für die Dauer Ihrer Abwesenheit bei seinem Babysitter wohnen soll, müssen Sie dafür sorgen, dass dort ein Kinderbett, sein Trostobjekt, Nahrung, Windeln sowie Kleidung zum Wechseln bereitstehen. Am besten stellen Sie von allem etwas mehr als nötig bereit, damit es Ihrem Baby an nichts fehlt. Führen Sie zusammen mit dem Babysitter einen schnellen Sicherheitscheck durch, weil Ihnen potentielle Gefahren im Haus vermutlich eher auffallen als ihm. Vergessen Sie nicht, Telefonnummern und Kontaktdaten für Notfälle zu hinterlassen.

Der Abschied Verabreden Sie, zu welchen Zeiten Sie anrufen und sich nach dem Wohlergehen des Babys erkundigen können. Verabschieden Sie sich in fröhlicher Stimmung von Ihrem Baby. Wenn Sie sich davonschleichen, bekommt es Angst, Sie könnten nicht zurückkehren.

DER KINDERPSYCHOLOGE RÄT ...

Kommt die Routine des Babys durcheinander, wenn es bei Fremden übernachtet? Eine fremde Umgebung kann Ihr Baby so verunsichern, dass das Einhalten einer Routine nicht möglich ist. Babys verkraften kurze Änderungen Ihrer Routine sehr gut. Nach Ihrer Rückkehr sollten Sie aber sofort zum gewohnten Tagesablauf zurückkehren. Erliegen Sie nicht der Versuchung, das Baby länger aufzulassen oder etwas anderes zu verändern, weil Sie wegen Ihrer Abwesenheit ein schlechtes Gewissen haben und ihm »etwas Gutes« tun möchten.

Vorbereitungen treffen In der Woche vor Ihrer Abwesenheit sollte Ihr Baby so viel Zeit wie möglich mit der Person verbringen, die auf es aufpassen wird, während Sie weg sind.

46 Wochen

MIT 10–12 MONATEN LERNEN BABYS DEN KOPF ZU SCHÜTTELN, WENN SIE »NEIN« MEINEN.

Ihr Baby kann sich wahrscheinlich schon zum Stehen hochziehen und hat vielleicht schon die ersten Schritte gemacht. Es plappert eifrig und wird bald die ersten Worte sagen. Es ist nun an der Zeit, mit der »Babysprache« aufzuhören, damit Ihr Baby lernt, Wörter korrekt auszusprechen.

Alles, was Sie tun …

… möchte Ihr Baby auch tun! Sie sind sein Vorbild, das es beobachtet und von dem es unermüdlich lernt.

Hallo! Winken Sie Ihrem Baby zu und es wird zurückwinken (links). **Oma ruft an!** Ihr Baby übt mit dem Spielzeugtelefon, wie man anruft oder angerufen wird – genau wie Sie (rechts).

Ihr Baby hat vielleicht noch kein Wort gesagt, aber es schüttelt den Kopf, wenn es »nein« meint, es zeigt auf Dinge, um Sie darauf aufmerksam zu machen, und winkt zum Abschied. All das sind Aktionen, durch die Sie täglich mit dem Baby kommunizieren, und die das Baby nun nachahmt. Kein Grund zur Sorge, wenn Ihr Baby noch nicht winkt. Manche Babys warten damit sogar bis zum zweiten Lebensjahr.

Nutzen Sie das Nachahm-Verhalten Ihres Babys, indem Sie ihm viele Dinge zeigen oder das, was Sie meinen, durch Gesten unterstreichen. Wollen Sie ihm sagen, dass etwas groß ist, breiten Sie dazu die Arme aus. Ist es Zeit zum Essen, machen Sie eine Essbewegung.

Alltagsaktivitäten Ihr Baby möchte mit den Dingen spielen, die es Sie täglich halten und benutzen sieht, vom harmlosen Messbecher bis hin zum gefährlichen Küchenmesser. (Potenziell gefährliche Dinge sollten bereits weggeschlossen sein, aber es schadet

nicht, noch einmal nachzuprüfen, ob Sie vielleicht nachlässig waren und etwas übersehen haben.)

Am besten geben Sie dem Baby Spielzeugversionen von Alltagsdingen. So bleibt das echte Telefon auf der Gabel (Babys haben einen Instinkt, stets die Notrufnummer zu wählen) und Ihr Baby verbrennt sich nicht die Finger an Mamas heißem Bügeleisen.

Vorbildfunktion Machen Sie sich am besten die sehr leicht zu beeinflussende Natur Ihres Babys zunutze. Sieht es Sie in einer bestimmten Situation gelassen reagieren, wird es wahrscheinlich in einer ähnlichen Situation genauso handeln. Wenn Sie mit Besteck essen, wird Ihr Baby z.B. auch seinen Löffel benutzen wollen.

Als Eltern stehen Sie in dieser Phase im Fokus der Aufmerksamkeit, vor allem, weil das Lernen nach Ihrem Verhalten absolut Vorrang vor jeder anderen Form von Lernen hat. Versuchen Sie also, stets ein gutes Vorbild abzugeben.

Zwillingssprache

Haben Sie das Gefühl, Ihre Zwillinge unterhalten sich in ihrer eigenen Sprache? Die meisten Forscher sind der Ansicht, dass es sich dabei weniger um eine Sprache als um eine Art »Code« oder um Abkürzungen handelt, die meistens schon in der frühen Kindheit von Zwillingen entwickelt werden. Da sich Zwillinge gleichzeitig entwickeln, bestärken sie sich immer wieder gegenseitig in ihren Kommunikationsversuchen und ahmen auch gegenseitig ihre unausgereiften Sprechmuster mitsamt den verschluckten Silben und erfundenen Wörtern nach. Zwillingssprache mag sich niedlich anhören, aber Sie sollten Ihren Kindern helfen, korrekt sprechen zu lernen, indem Sie einzeln mit ihnen sprechen und ihnen häufig vorlesen, damit sie viele neue Wörter hören.

Sag' was! Zwillinge ahmen gern gegenseitig ihr Geplapper nach.

Zeit für Erwachsenensprache

Ihre Intonation darf erwachsener klingen und Sie brauchen auch nicht mehr so hoch zu sprechen, wenn Sie mit Ihrem Baby reden.

In dieser Entwicklungsphase des Babys ist es wichtig, jegliche Art von Kommunikation zwischen Ihnen zu fördern und Ihr Baby zu ermuntern, mit Ihnen zu »sprechen«. Auch wenn Sie seine Worte noch nicht verstehen: Geben Sie Ihrem Baby reichlich Gelegenheit, sich auszudrücken und zu sagen, was es will.

Wenn Ihr Baby in seinem Gebrabbel eine Pause macht, antworten Sie ihm in erwachsener Sprache. Zu diesem Zeitpunkt seiner Entwicklung sollte es unbedingt korrekt ausgesprochene Wörter und Sätze hören. Versuchen Sie herauszufinden, was es Ihnen sagen möchte.

Fragen Sie es z.B. »Fragst du mich nach etwas zu trinken?« oder »Möchtest du hinausgehen?« oder »Was versuchst du mir zu sagen? Möchtest du den Teddy haben?« Es ist nicht schlimm, wenn Sie nicht immer gleich herausfinden, was Ihr Baby meint. Versuchen Sie es aber weiter und Sie werden vielleicht mit einem Lächeln belohnt, wenn Sie richtig geraten haben. Zeigen Sie Ihrem Baby Ihre Freude an seinen Sprechversuchen. Hören Sie ihm zu und antworten Sie ihm. So kann es seine Sprachfähigkeiten trainieren und Selbstvertrauen in sein Können entwicklen.

DER GESUNDHEITSEXPERTE RÄT ...

Mein 10 Monate altes Baby möchte nachts noch Flaschenmilch. Wie kann ich das stoppen? Ihr Baby ist nachts nicht mehr hungrig, wenn es tagsüber alle nötigen Kalorien aufgenommen hat. Die nächtliche Flasche ist lediglich eine schöne Angewohnheit für Ihr Baby. Füttern Sie es noch einmal kurz vor dem Schlafengehen und bieten Sie ihm nachts nur noch abgekühltes, abgekochtes Wasser an, falls es durstig ist. .

Entwicklung der Muskeln

Fein- und Grobmotorik des Babys sind schon weit entwickelt, aber Sie können noch einiges tun, um sie zu trainieren.

Mit jeder körperlichen Herausforderung, die Ihr Baby meistert, werden seine Arm- und Beinmuskeln kräftiger. Sie können diese Entwicklung fördern, indem Sie das Baby auf Möbeln herumklettern (mit weicher Landung), die Treppe hinaufsteigen (unter Aufsicht) und auf babygerechten Spielplätzen spielen lassen! Gut geeignet sind auch Kinderreime und -lieder, bei denen sich Ihr Baby körperlich betätigen kann. Oder Sie versuchen, mit dem Baby zu tanzen, indem Sie es um den Bauch fas-

Einen Stift greifen Kritzeln macht Spaß und trainiert die Feinmotorik des Babys.

sen oder an den Händen halten und es im Stehen zur Musik auf und ab hüpfen lassen – eine Bewegung ,die vor allem seine Beinmuskeln stärkt.

Ihr Baby kann nun auch seine kleineren Muskeln, etwa die in den Fingern, besser kontrollieren. Lassen Sie es mit Fingerfarben auf große Papierbögen malen oder zeigen Sie ihm, wie es Handabdrücke herstellen kann. Oder Sie geben ihm einen dicken Buntstift und führen seine Hand über das Papier. Dabei wird noch kein Kunstwerk entstehen, aber Sie werden merken, wie fest es schon zugreift. Vermutlich wird es den Stift freiwillig nicht mehr hergeben!

Gesunde Ernährung

Wecken Sie seine Freude an gesunder Nahrung, bevor Ihr Baby bestimmte Vorlieben und Abneigungen entwickelt.

FINGERFOOD ZUM DIPPEN

Ihr Baby isst gern selbstständig, was Sie gut mit gesundem Fingerfood zum Dippen fördern können. Aber Achtung: Das ist meist keine saubere Angelegenheit!

■ **Baby-Guacamole** Fein gehackte Tomaten mit zerdrückter Avocado und einem TL Zitronensaft verrühren. Mit Vollkorntoast servieren.

■ **Nudeln mit Tomatensoße** Bereiten Sie eine einfache Tomatensoße zu. Ihr Baby kann weich gekochte Spiralnudeln (oder andere Lieblingsnudelformen) hineintauchen.

■ **Käsefondue** Für das Käsefondue in einer Pfanne 25 g Butter, 25 g Schmelzkäse und 50 g milden geriebenen Käse schmelzen lassen. Mit Brot- oder Toaststreifen, leicht angedünstetem Gemüse oder halbierten neuen Kartoffeln servieren

■ **Pfannkuchendip** Streifen von Pfannkuchen oder Bananen können in Naturjoghurt gedippt werden.

■ **Hackfleischdip** Klößchen aus Hackfleisch in frisch gekochte Tomatensauce dippen lassen.

■ **Joghurtdip** Gedämpften Fisch (auf Gräten achten) oder Hühnchen in Streifen schneiden und mit einem Dip aus griechischem Joghurt, gehackter frischer Minze und etwas Zitronensaft servieren.

■ **Fischfinger** Streifen vom Fisch in frische Tomatensoße dippen.

Küchenhilfe Wecken Sie das Interesse Ihres Babys, indem Sie es bei der Zubereitung des Essens »helfen« lassen (links). **Lustige Gesichter** Babys lieben es, wenn ihr Essen ein Gesicht hat (rechts).

Ihr Baby ist zwar noch zu klein, um etwas zu schneiden oder zu hacken, aber es kann neben Ihnen sitzen, während Sie das Essen zubereiten und ihm erzählen, was Sie gerade tun. So fühlt es sich eingebunden und wird seine Mahlzeit mit mehr Interesse genießen.

Zeigen Sie Ihrem Baby, wie sich Nahrungsmittel vor und nach der Zubereitung anfühlen. Erklären Sie ihm auch die Farben seines Essens, sagen Sie z.B.: »Das ist eine Karotte. Schau nur, wie orange sie ist. Soll Mama die Karotte abschälen?«

Das Auge isst mit Wenn man Ihnen in einem Restaurant einen Teller mit unappetitlich aussehendem Essen hinstellt, möchten Sie es vermutlich nicht essen. Ihrem Baby geht es da nicht anders. Babys lieben bunte Farben, unterschiedliche Formen und – sobald Sie alt genug dafür sind – kleine, weiche Bröckchen. Sie sollten daher versuchen, die Mahlzeiten Ihres Babys vielseitig und appetitlich zu gestalten.

Arrangieren Sie verschiedene Lebensmittel auf dem Teller Ihres Babys zu einem schönen Menü: .z.B. auf der einen Seite gekochtes Gemüse, das es mit den Fingern essen kann, auf der anderen Seite Hühnchenfleisch. Gut geeignet sind dafür Teller mit Unterteilungen, die meist noch herrlich bunt sind und Babys besonders gut gefallen.

Wenn Sie künstlerisch kreativ sein möchten, können Sie das Essen Ihres Babys in Form von Gesichtern anrichten, oder Sie gestalten einen Zug aus Minisandwiches. Weiches Brot lässt sich übrigens mit Plätzchenformen zu hübschen Sternen oder Blumen schneiden.

Ein schöner Anblick ist auch Obstkompott, das ganz fantasievoll stern- oder wirbelförmig unter weißen Baby- oder Haferbrei gemischt wurde.

Beruf oder zu Hause bleiben?

Rückkehr ins Berufsleben oder zu Hause beim Baby bleiben? Beides hat Vor- und Nachteile, über die Sie gelegentlich nachdenken sollten.

Die Rückkehr in den Beruf hat neben finanziellen auch noch andere Vorzüge:

■ Sie machen sich schnell wieder mit allen Informationen und Fertigkeiten vertraut, die Sie in Ihrem Beruf benötigen, und brauchen sich nicht zu sorgen, dass Sie sie vergessen könnten.

■ Nachdem Sie sich nun lange Zeit nur um Ihr Baby gekümmert haben, kann die Rückkehr in den Beruf Ihr Selbstvertrauen stärken.

■ Sie tragen wieder Ihre schicke Businesskleidung oder können sich sogar eine neue Garderobe zulegen!

■ Sie sind wieder unter Erwachsenen, treffen Freunde und Kollegen, die Sie während der Babypause nicht gesehen und schon vermisst haben.

■ Die Trennung vom Baby erinnert Sie daran, wie sehr es Ihr Leben bereichert und wie schön es ist, abends zu ihm nach Hause zu kommen.

Es gibt aber auch schöne Gründe, um zu Hause zu bleiben:

■ Sie erleben die Entwicklung Ihres Babys immer in Echtzeit.

■ Sie können Ihre Karriere in Ruhe bewerten und neu planen.

■ Sie können neue Freundschaften mit anderen Eltern in Ihrer Nachbarschaft oder der näheren Umgebung schließen oder sich in Ihrer Gemeinde engagieren.

> **DARAN SOLLTEN SIE DENKEN**
>
> ## Neuer Autositz
>
> Mit neun bis zwölf Monaten und einem Gewicht von 9 kg wird Ihr Baby in der Regel zu groß für seinen alten Autositz in der Babygröße 0+. Einige Sitze sind allerdings bis zu einem Gewicht von 13 kg geeignet. Wechseln Sie nur zur nächsten Größe, wenn Ihr Baby das Maximalgewicht überschreitet oder sein Kopf über die Oberkante des Sitzes hinausragt. Der nächste Sitz ist bis etwa 4 Jahre geeignet.

Welches Geräusch ist das?

Ihr Baby interessiert sich einfach für alles, was es um sich herum hört. Machen Sie es mit verschiedenen Geräuschen vertraut.

Es macht Spaß, dem Baby etwas über die vielen verschiedenen Geräusche beizubringen, die ihm im Alltag begegnen. Von Autos über Tiere, dem Telefon oder dem Klingeln an der Tür – es gibt viele Gelegenheiten, bei denen Sie Ihre Imitationsfähigkeiten einsetzen können.

Spielen Sie mit Stofftieren mit Ihrem Baby und demonstrieren Sie ihm, welche Laute die Tiere machen. Falls Sie das viele Muhen, Miauen und Bellen überfordert, können Sie sich auch ein

Lautvolles Lesen Ahmen Sie die Laute der Tiere im Bilderbuch Ihres Babys nach.

Kinderbuch mit Geräuschen besorgen, bei dem Ihr Baby nur eine Taste drücken muss, um das Blöken eines Schafes oder das Zwitschern von Vögeln zu hören. Eine entsprechende App fürs Handy erfüllt denselben Zweck.

Haushaltsgeräusche sind ebenso interessant. Lassen Sie Ihr Baby die Türglocke drücken, damit es hört, welches Geräusch sie macht. Erklären Sie ihm, woher das Klingeln des Telefons kommt, und lassen Sie es mithören, wenn Sie den Anruf annehmen. Es wird sich bald erinnern, wer oder was das Geräusch verursacht, das es gerade hört.

Verlängerte Stillzeit

Manche Mütter stillen Ihre Babys länger als ein Jahr. Käme das auch für Sie in Frage?

Lange Stillzeit In unserem Kulturkreis ist es eher unüblich, auch älteren Babys und Kleinkindern noch die Brust zu geben.

Je länger Sie Ihr Baby stillen, desto länger profitiert es von den Vorzügen der Muttermilch. Wenn das Baby nicht mehr so oft an der Brust trinkt, wird die Muttermilch in Ihrer Zusammensetzung konzentrierter, um es nach wie vor mit den Vitaminen A, C, B 12 sowie mit ausreichenden Mengen an Kalorien, Fett, Kalzium und Eiweiß zu versorgen. Allerdings sollte die Hauptquelle für Nährstoffe ab dem ersten Lebensjahr die Nahrung sein, die es zusätzlich isst.

Die Weltgesundheitsorganisation (WHO) empfiehlt Muttermilch bis zum Alter von zwei Jahren. Man fand heraus, dass gestillte Kleinkinder im Alter zwischen 16 und 30 Monaten weniger oft krank und auch nicht so lange krank sind wie Kinder, die nicht mehr gestillt werden.

Eine verlängerte Stillzeit hat auch Vorzüge für die Gesundheit der Mutter. Je länger Sie Ihr Baby stillen, desto geringer ist das Risiko, an bestimmten Krebsarten (Brust-, Eierstock- und Gebärmutterhalskrebs) zu erkranken. Der WHO zufolge soll sich dadurch auch das Risiko für Osteoporose verringern.

Die richtige Entscheidung Wie lange Sie stillen möchten, sollten Sie allein davon abhängig machen, ob es sich für Sie und das Baby richtig anfühlt; denn Stillen ist eine sehr persönliche und individuelle Erfahrung. Möglicherweise hören Sie negative Meinungen über Stillen, das länger als ein halbes oder ein Jahr andauert. Lassen Sie sich davon nicht beeinflussen. Stillen ist der ganz natürliche Weg, ein Baby zu ernähren – und solange Sie beide es genießen, gibt es keinen Grund, damit aufzuhören. Es heißt zudem, dass Babys, die sehr lange gestillt wurden, sich später zu besonders selbstbewussten und selbstständigen Kindern entwickeln.

Begegnet man Ihnen mit negativen Ansichten oder Vorurteilen, klären Sie die Personen, an denen Ihnen etwas liegt, ruhig über die Vorzüge des langen Stillens auf.

Wenn das Baby langsam zum Kleinkind wird, werden Sie es vielleicht nicht mehr an jedem x-beliebigen öffentlichen Ort stillen wollen. Es ist nun auch alt genug, um auf seine Brustmahlzeit zu warten, bis Sie nach Hause kommen oder ein abgeschirmtes Plätzchen gefunden haben, falls Ihnen daran liegt. Sollte Ihr Baby unterwegs Durst

FAKTEN UND HINTERGRÜNDE

In westlichen Kulturen ist das Stillen über 12 Monate hinaus unüblich, obwohl die Weltgesundheitsorganisation (WHO) das Vollstillen in den ersten sechs Monaten und Teilstillen mit geeigneter Beikost in den ersten zwei Jahren empfiehlt.

Bis in die 60er-Jahre des letzten Jahrhunderts stillten Frauen vieler Kulturen, etwa in Kenia, Neuguinea und in der Mongolei, ihre Kinder üblicherweise bis zum Alter von 3–5 Jahren. Doch inzwischen gehen auch dort immer mehr Frauen einer Berufstätigkeit nach. Heute gibt es nur noch wenige Gesellschaften, in denen Kinder länger als 3–4 Jahre gestillt werden. Die meisten davon sind in Entwicklungsländern zu finden, z. B. bei Indianerstämmen in Mexiko und Bolivien.

Nach einer Studie des Robert Koch-Instituts in Deutschland von 2010 sind rund neunzig Prozent der frisch gebackenen Mütter bereit, ihr Baby zu stillen. Bis sechs Monate stillen jedoch nur noch etwa ein Drittel der Mütter ihre Kinder ausschließlich mit Muttermilch.

bekommen, geben Sie ihm Wasser aus einer Schnabeltasse. Viele Mütter älterer Babys stillen nur noch teilweise. Das heißt, sie bieten Ihrem Baby nur noch morgens und abends die Brust an, sozusagen für einen angenehmen Beginn und Abschluss des Tages. Dies ist ideal, da Ihr Baby tagsüber in erster Linie feste Nahrung zu sich nehmen sollte.

361

47 Wochen

BABYS NEIGEN VON NATUR AUS DAZU, ALLES NACHZUAHMEN, WAS MAN IHNEN VORMACHT.

Die Muskeln Ihres Babys werden stärker, es kann sie besser koordinieren und entwickelt weitere Fähigkeiten, z. B. sich aus dem Stand hinzusetzen. Durch seine Aktivitäten verbrennt es viele Kalorien. Langsam fängt es an, wie ein Kleinkind auszusehen.

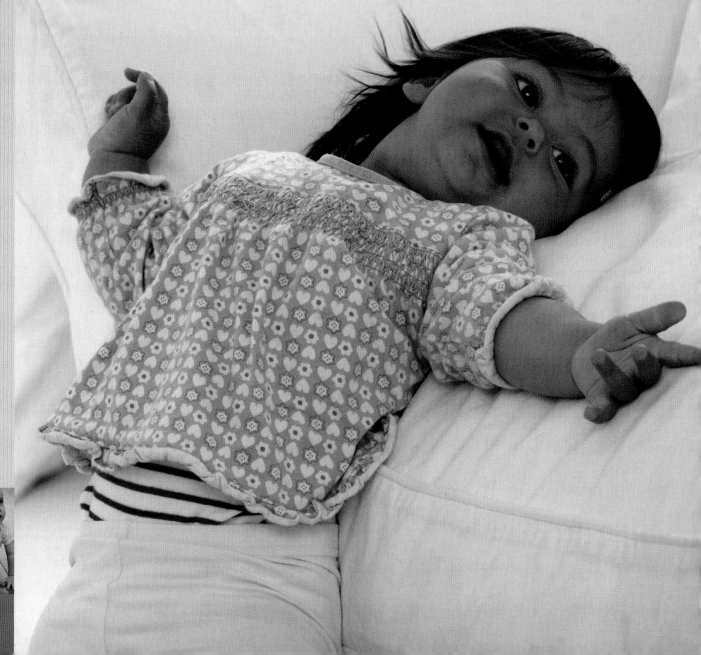

Auf den Kopf gestellt

Mit gesteigerter Koordination kann Ihr Baby unterschiedlichste Positionen einnehmen – eine neue Welt eröffnet sich ihm.

Den Garten sichern

Ihr mobiles Baby möchte nun auch die Welt außerhalb Ihrer vier Wände erkunden – und fängt damit in Ihrem Garten an. An der frischen Luft zu spielen, ist gesund, aber bevor Sie Ihr Baby nach draußen lassen, sollten Sie Ihren Garten genauso kindersicher machen wie Ihr Zuhause. Folgende Richtlinien sollten Sie beachten:

■ In Reichweite Ihres Babys dürfen sich keine giftigen Pflanzen befinden. Wenn Sie unsicher sind, ob eine Ihrer Pflanzen (die vielleicht vom Vorbesitzer stammt) giftig ist, machen Sie ein Foto und fragen vorsichtshalber Fachleute in der Gärtnerei oder dem Gartencenter.

■ Topfpflanzen sollten nicht in Reichweite Ihres Babys stehen. Es könnte verlockt werden, Erde oder Granulat aus den Töpfen zu essen.

■ Lassen Sie Ihr Baby in Wassernähe keine Sekunde aus den Augen. Ziehen Sie einen Zaun um den Gartenteich und leeren Sie Planschbecken, die nicht in Benutzung sind.

■ Spielgeräte draußen sollten stabil sein. Wenn Sie sie selbst montieren, halten Sie sich genau an die Anleitung. Stellen Sie sie nie in der Nähe von Mauern oder Zäunen auf.

■ Decken Sie den Sandkasten ab, wenn er nicht benutzt wird. Andernfalls werden Katzen oder andere Tiere Fäkalien hinterlassen.

■ Lassen Sie Ihr Baby nie unbeaufsichtigt im Garten spielen.

In diesem Alter kann sich Ihr Baby wahrscheinlich schon zum Stehen hochziehen; nur mit dem Hinsetzen klappt es noch nicht so recht, weil es nach wie vor nicht weiß, wie es die Knie beugen muss. Sieht es etwas Interessantes am Boden, kann es sich entweder mit gestreckten Beinen aus der Taille heraus nach vorn bücken oder es lässt sich aus dem Stand auf sein Hinterteil plumpsen. Manchmal späht es beim Bücken durch die Beine oder versucht, durch sie hindurch nach etwas zu greifen. Ihr Baby hat noch kein richtiges Gespür für seine Fähigkeiten und Grenzen und führt daher alle möglichen Manöver aus, wenn es etwas erreichen möchte. Aus diesem Grund ist es oft selbst überrascht oder wütend, wenn es plötzlich auf dem Po landet oder sich in eine seltsame Position gebracht hat.

Helfen Sie Ihrem Baby, Balance und Koordination zu trainieren, indem Sie es oft im Stehen Spielzeug vom Boden aufheben lassen. Jede neue Stellung lässt Ihr Baby seine Umgebung aus einem anderen Blickwinkel betrachten. Auf diese Weise entwickelt es ein Gefühl für Räumliches und lernt, dass Objekte aus unterschiedlichen Perspektiven auch ganz verschieden aussehen. Lassen Sie Ihr Baby auf Dinge zeigen, die es kopfunter entdeckt hat – es wird vor Vergnügen kichern, wenn es sein Lieblingsspielzeug dann wieder aus der normalen Position sieht.

Genauso wichtig wie das Anbringen von Türgittern ist es, dem Baby beizubringen, wie man gefahrlos Treppen hinauf- und hinabsteigt. Dabei ist das Hinabsteigen wesentlich schwieriger als das Hinaufsteigen. Zeigen Sie Ihrem Baby, wie es sich am Treppengeländer festhalten kann. Der sicherste Weg, eine Treppe hinabzusteigen, ist rückwärts, auf dem Bauch mit Blickrichtung zur Treppe und mit den Füßen voran. Das lässt sich auch aufs Sofa übertragen.

Ansichtssache Ihr Baby ist schon geschickt genug, um die Welt aus verschiedensten Blickwinkeln zu betrachten – etwa kopfunter und mit durchgestreckten Beinen.

Aufmerksamkeit fordern

Ihr Baby ist manchmal so beschäftigt, dass es Ihre Anweisungen oder Warnungen nicht hört.

Gewöhnlich hängt Ihr Baby ganz interessiert an Ihren Lippen, denn es möchte interagieren, zuhören und reagieren. Aber manchmal ist es so sehr in sein Spiel vertieft, dass Sie seine Aufmerksamkeit nur schwer wecken können. Wenn Sie es in seiner Tätigkeit unterbrechen möchten, begeben Sie sich am besten auf Augenhöhe mit Ihrem Baby. Sagen Sie zuerst seinen Namen und geben Sie dann eine kurze Anweisung.

Ärgert es z.B. die Katze, sagen Sie »Tom, hör auf, die Katze zu stoßen« und führen das Baby weg, um Ihre Anweisung zu bekräftigen. Vermeiden Sie lange Sätze und sprechen Sie einen Hinweis nach dem anderen aus. Es macht keinen Sinn, dem Baby mögliche Gefahren und Konsequenzen seines Tuns aufzuzählen, denn so weit reicht seine Vorstellungskraft noch nicht. Stattdessen sollten Sie etwaige Konsequenzen mimisch darstellen. Wollen Sie ihm z.B. zeigen, dass Ihr Getränk heiß ist, simulieren Sie, dass Sie die Tasse berühren und sagen »Autsch, heiß, nicht anfassen!« Wedeln Sie dazu mit den Fingern, als hätten Sie sich verbrannt. Es bedarf allerdings vieler Wiederholungen, ehe Ihr Baby versteht, was Sie ihm damit sagen wollen.

Reagiert Ihr Baby nie auf Anweisungen, wenn es Sie nicht sehen kann, sollten Sie sein Gehör untersuchen lassen.

Ohne Flasche

Mit 47 Wochen sollte Ihr Baby aus der Schnabeltasse trinken können. Geben Sie ihm zum Schutz seiner Zähne keine Flasche mehr.

Karies vorbeugen Gewöhnen Sie Ihr Baby daran, zum Schutz seiner Zähne Milch und andere Getränke aus der Tasse zu trinken.

Sicher ist es bequem, dem Baby weiterhin die Flasche zu geben; vor allem nachts, weil es das Baby so schön tröstet und Sie genau abmessen können, wie viel es trinkt.

Je länger Ihr Baby jedoch aus der Flasche trinkt, desto schwerer fällt ihm die Umstellung auf die Tasse und das Einschlafen, ohne zu saugen. Doch gerade durch das Saugen werden seine Zähne ständig von Milch umspült und Milch bleibt in seinem Mund zurück, wenn es einschläft. Der darin enthaltene Milchzucker kann schwere Zahnschäden hervorrufen. Wenn Sie Ihr Baby so früh wie möglich an die Tasse gewöhnen, wird es auch nicht lernen, Milch mit Trost zu assoziieren. Dadurch verringert sich das Risiko, dass es später einmal zum bloßen Frustesser wird.

Fällt Ihrem Baby die Umstellung auf die Tasse schwer, können Sie zunächst den Sauger an seiner Flasche durch einen Schnabel ersetzen. Kaufen Sie mehrere bunte Exemplare und lassen Sie es wählen, mit welchem es trinken möchte. Wenn es selbst auswählen darf, wird es nicht lange quengeln, dass es nicht mehr saugen darf. Ist Ihr Baby krank, kuscheln Sie mit ihm, lesen Sie ihm vor und lassen Sie es dabei warme Milch aus der Schnabeltasse seiner Wahl trinken.

Wenn Sie noch stillen, können Sie dem Baby ein- oder zweimal pro Tag etwas weniger Milch geben und ihm stattdessen die abgepumpte Muttermilch in der Tasse anbieten. Das Saugen von Muttermilch verursacht übrigens keine Karies.

Der erste Lehrer Ihres Kindes

Sie sind der erste Lehrer Ihres Kindes. Durch Ihre Anleitung und Ihr Handeln lernt das Baby, die Welt um sich herum zu verstehen.

Mit gutem Beispiel voran Gemeinsame Mahlzeiten dienen der Geselligkeit; sie bieten aber gleichzeitig die perfekte Gelegenheit, Ihrem Baby gute Tischmanieren vorzuleben.

DER KINDERPSYCHOLOGE RÄT ...

Mein Baby hat schon Trotzanfälle. Ist das normal? Ihr Baby ist für die klassischen Trotzanfälle des Kleinkindalters emotional noch nicht reif genug. Trotzdem kann es schon jetzt Wutanfälle bekommen. Sie sind ein Zeichen dafür, dass es frustriert ist und seine Bedürfnisse nicht ausdrücken kann. Bleiben Sie ganz ruhig und geduldig. Viele Babys tröstet es, im Arm gehalten zu werden. Singen Sie ihm etwas vor und sprechen Sie sanft mit ihm, damit es merkt, dass nicht alles in seiner Welt außer Kontrolle geraten ist. Zeigen Sie ihm, wie es die Sache, die es tun wollte, besser erledigt, oder lenken Sie es von der Situation ab, indem Sie es in ein anderes Zimmer bringen und dort mit etwas anderem beschäftigen.

Wahrscheinlich unterhalten Sie sich schon mit Ihrem Baby, seit es auf die Welt kam. Sie erklären ihm, was Sie gerade tun, und zeigen ihm, wie alles funktioniert, vom Lichtschalter über den Wasserhahn bis hin zur Türglocke. Auch in den folgenden Jahren wird sich Ihr Baby an Sie wenden, wenn es Anleitung oder Informationen braucht. Indem es Sie beobachtet und Ihnen zuhört, lernt es, wie man sich benimmt, handelt, interagiert und reagiert.

Aus diesem Grund sollten Sie stets Ihr Bestes geben, um Ihrem Baby ein gutes Vorbild zu sein. Durch Ihr Handeln und Benehmen vermitteln Sie ihm Werte und Einstellungen, die in Ihrer Familie wichtig sind. Natürlich ist es noch zu klein, um schon selbst gute Tischmanieren zu zeigen (und das Herumspielen mit dem Essen ist wichtig für seine Entwicklung), doch Sie können ihm das gewünschte Verhalten vorleben. Essen

Sie, so oft wie möglich, mit dem Baby gemeinsam, am besten mit der ganzen Familie zusammen. Studien haben gezeigt, dass gemeinsame Mahlzeiten die Beziehungen innerhalb von Familien stärken. Ihr Baby lernt dabei, dass Essen gesellige Anlässe sind. Es sieht, wie Sie und Ihr Partner abwechselnd sprechen und einander zuhören. Ihr respektvoller, freundlicher Umgang mit Familienmitgliedern und anderen Personen zeigt Ihrem Baby, welches Verhalten in solchen Situationen akzeptabel ist.

Ein gutes Beispiel geben Beobachten Babys, wie sich Erwachsene anschreien und wütend werden, ahmen Sie dieses Verhalten nach; Sie denken, es sei die Norm. Sicher ist es nicht immer leicht, sich zu beherrschen, aber Sie sollten stets daran denken, dass es Ihrem Baby zugute kommt, wenn Sie in schwierigen oder frustrierenden Situationen Ihre negativen Gefühle mäßigen.

Mit gutem Beispiel voranzugehen, ist zweifellos richtig, denn wenn Ihr Baby sieht, dass Sie lesen, aktiv, gesellig und organisiert sind und erfüllte Beziehungen genießen, wird es diese Qualitäten wahrscheinlich übernehmen. Dennoch sollte es aber auch erfahren dürfen, dass es die »perfekten« Eltern nicht gibt.

Es ist somit völlig in Ordnung, wenn Sie die Küche auch einmal nicht blitzblank putzen, einen Anruf ignorieren oder Ihren Partner annörgeln. Babys verkraften es, dass nicht immer alles optimal ist. Solange die Bedürfnisse des Babys an erster Stelle stehen und Ihre Liebe beständig ist, sind Sie gute Eltern. Geben Sie Ihrem Kind vor allem Geborgenheit und Verständnis.

Wachsender Appetit

Je mobiler Ihr Baby wird, desto größer ist auch sein Appetit. Es braucht nun mehr Nahrung, um seinen Energiebedarf zu stillen.

Ausgewogene, nährstoffreiche Mahlzeiten garantieren, dass Ihr Baby genügend Energie erhält, um zu wachsen und sich zu entwickeln. Im ersten Lebensjahr bildet Milch die Basis seiner Ernährung, aber es nimmt immer mehr feste Nahrung auf. Inzwischen sollte es täglich ein oder zwei feste Mahlzeiten in Form von Vollkornprodukten, frischem Obst und Gemüse, Fisch, Eiern, Milchprodukten und Hülsenfrüchten erhalten. Manche Babys werden in diesem Alter zu wählerischen Essern, daher sollten Sie abwechslungsreiche Mahlzeiten servieren und Speisen, die Ihr Baby zunächst ablehnt, nach ein paar Tagen erneut anbieten, um es daran zu gewöhnen.

Geben Sie dem Baby keine ungesunden Zwischenmahlzeiten. Wenn es lernt, seinen Hunger mit Rosinen, getrockneten Aprikosen, Vollkorntoast mit Erdnussbutter, Joghurt, Käsewürfeln, Gemüsestreifen, Obst, hartgekochten Eiern oder etwas Thunfisch zu stillen, entwickelt es gesunde Essgewohnheiten. Es lernt, seine Mahlzeiten und Zwischensnacks mit guter, frischer Nahrung zu assoziieren.

Verlocken Sie Ihr Baby dazu, unbekannte Nahrung von Ihrem Teller zu probieren. Zeigen Sie ihm beim Einkaufen oder Kochen verschiedene Lebensmittel, die es anfassen, riechen und probieren darf. Lassen Sie es selbst entscheiden, wie viel es essen möchte, und lassen Sie es so viel essen, bis es satt ist. Manchmal wird Ihr Baby große Portionen mit gutem Appetit verdrücken, dann wieder nur kleinere. Solange sein Gewicht stabil bleibt (s. S. 298), ist das völlig in Ordnung. Wichtig ist nur, dass es regelmäßig und gesund isst.

Haushaltshilfe

Anstatt Ihren Haushalt zu erledigen, wenn Ihr Baby schläft, lassen Sie es doch mithelfen. Es wird Ihnen beiden Spaß machen!

Spannend! Einkäufe auspacken muss nicht schnell gehen, wenn es so interessant ist.

Wenn Ihr Baby spielt, haben Sie einige Minuten Zeit, um einen Anruf zu machen, E-Mails abzurufen oder etwas aufzuschreiben, bevor es wieder Ihre Aufmerksamkeit verlangt. Während es schläft, können Sie Ihre Hausarbeit erledigen – aber unmöglich alles! Sie sollten daher Ihr Kind an der Hausarbeit beteiligen, auch wenn dann alles etwas länger dauern wird. So ist Ihr Baby beschäftigt und lernt gleichzeitig, wie ein Haushalt funktioniert. Setzen Sie es in einen Berg Wäsche, während Sie sie sortieren; dabei können Sie ihm die verschiedenen Farben zeigen. Oder machen Sie das Wiederauffüllen des Windelvorrats zum Spiel, bei dem es die Windeln selbst stapeln darf. Es wird zwar mehr durcheinanderwerfen als stapeln, aber dafür hat es etwas zu tun, während Sie etwas anderes erledigen.

Vielleicht möchten Sie es auch an Ihren täglichen Gewohnheiten beteiligen, etwa indem Sie zusammen ein Bad nehmen. Sie können auch Ihr Buch oder Ihre E-Mails laut vorlesen, während Ihr Baby auf dem Boden spielt. Sie werden vielleicht nicht so viel Arbeit schaffen wie Sie gehofft haben, aber Sie haben die befriedigende Gewissheit, zusammen mit Ihrem Baby gearbeitet zu haben – und nicht trotz des Babys.

Spielen im Freien

Lassen Sie Ihr Baby oft draußen spielen – so erhält es automatisch frische Luft, Sonne und viel Bewegung.

Im Freien Draußen spielen macht großen Spaß und bringt Ihrem Baby Abwechslung.

Babys brauchen Zeit und Raum, um die Welt zu erforschen; und zwar – wenn möglich – auch jenseits von Haus, Autositz und Kinderwagen. Grob- und Feinmotorik, Koordination, Balance und Fantasie werden trainiert, wenn Kinder viele Gelegenheiten zum Klettern und Spielen erhalten. Wichtig ist, dass sie die Vielfalt an Texturen, Gerüchen, Aktivitäten und Möglichkeiten in der freien Natur realisieren.

Der Aufenthalt im Freien bietet Ihrem Kind vielfältige Erfahrungen, die all seine Sinne anregen: Sein Blick schweift in die Ferne, es spürt den Wind auf der Haut und registriert, wie sich das Licht im Verlauf der Tage verändert.

Es ist erwiesen, dass körperliche Aktivitäten im Grünen bei Erwachsenen die Stimmung aufhellen. Es ist also auch für Sie selbst gut, mit Ihrem Baby regelmäßig nach draußen zu gehen. Vielleicht begründen Sie damit auch

eine schöne Gewohnheit, die Ihr Baby später beibehalten wird. Die Sonne begünstigt außerdem die Bildung von Vitamin D im Körper (s. S. 226), das für den Aufbau von Zähnen und Knochen wichtig ist. Achten Sie aber darauf, dass sich Ihr Baby keinen Sonnenbrand holt.

Tägliche Ausflüge Versuchen Sie, mindestens einmal am Tag nach draußen zu gehen. Lassen Sie Ihr Baby bei schönem Wetter im Gras sitzen, vielleicht spielt es auch gern im Sandkasten auf dem Spielplatz. Schubsen Sie es auf der

Babyschaukel an, spielen Sie Ball mit ihm, zeigen Sie ihm die Eichhörnchen und nehmen Sie Brot mit, um die Enten zu füttern. Halten Sie es an den Händen, damit es in Pfützen stapfen kann, und schimpfen Sie nicht, wenn es sich dabei schmutzig macht. Unternehmen Sie mit ihm kleine Erkundungstouren durch den Park und lassen Sie ihm Zeit, die Natur zu erforschen. Halten Sie den Buggy bereit, damit es sich ausruhen kann, wenn es müde wird. Die gemeinsam verbrachte Zeit im Freien erweitert auch Ihren Blick auf die Welt!

ENTWICKLUNG FÖRDERN

Spaß bei schlechtem Wetter

Ihr Baby braucht täglich Gelegenheit, sich frei bewegen zu können und all die grobmotorischen Bewegungen auszuführen, die es lehren, was es mit seinem Körper alles tun kann.

Wenn Sie wegen Regen oder Kälte nicht nach draußen gehen können, überlegen Sie sich, wie Ihr Baby auch zu Hause aktiv sein kann. Ermuntern Sie es, in Ihrem Beisein die Treppe zu bezwingen, oder veranstalten Sie mit ihm ein Wettkrabbeln über den Wohnzimmerfußboden. Halten Sie es an den Händen und tanzen Sie mit ihm zu flotter Musik oder errichten Sie mit Kissen, Spielzeug und Decken einen Hindernisparcours.

Verwenden Sie Töpfe und Pfannen als Trommeln, auf die Ihr Baby mit Kochlöffeln schlagen kann. Spielen Sie Fangen mit dem krabbelnden Baby und kitzeln Sie es, wenn Sie es

erwischen. Wenn Ihr Baby ein wenig außer Atem kommt und idealerweise dabei auch noch lacht, hat es Spaß und verbrennt zudem auch Energie.

Einfach krabbeln Begeben Sie sich auf alle Viere und betrachten Sie die Welt aus der Perspektive Ihres Babys.

48 Wochen

BABYS MEINEN ZUNÄCHST, DAS WICHTIGSTE AM ZEIGEN IST DER FINGER SELBST.

Ihr Baby ist nun schon so geschickt mit den Händen, dass es mit seinem Finger auf interessante Dinge zeigen kann. Auch das Essen mit dem eigenen Löffel klappt schon viel besser. Da die Hand-Auge-Koordination noch nicht voll entwickelt ist, geht beim Essen immer noch einiges daneben.

Ich esse allein

Es wird noch dauern, bis Ihr Baby richtig mit dem Löffel essen kann, aber es möchte ihn jetzt schon so benutzen wie Mama und Papa.

Ihr Baby möchte vielleicht jetzt schon ganz alleine essen, auch wenn es noch nicht die nötige Motorik und Koordination besitzt, um den Löffel mit Erfolg zum Mund zu führen. Es schadet aber auf keinen Fall, ihm einen Löffel zum Üben zu geben. Am besten eignet sich einer aus Plastik mit kurzem Griff, den es gut halten und bewegen kann. Die Schüssel, aus der es isst, sollte sich idealerweise mit einem Saugring auf der Unterlage befestigen lassen, sodass sie nicht so leicht umkippen kann, wenn Ihr Baby den Löffel hineintaucht.

Während das Baby mit seinem eigenen Löffel hantiert, sollten Sie ihm mit einem anderen Löffel etwas zu essen aus einer zweiten Schüssel anbieten, die Sie selbst halten. So kann sich Ihr Baby abgucken, wie man den Löffel hält und ihn mitsamt der Nahrung sicher zum Mund führt.

Tischmanieren erst später Zu Beginn hält Ihr Baby den Löffel wahrscheinlich in der einen Hand und schaufelt sich das Essen mit der anderen in den Mund. Das ist in dieser Phase völlig in Ordnung und Sie sollten Ihr Baby gewähren lassen. Es wird den Löffel benutzen, sobald sich seine Koordination verbessert hat. Binden Sie ihm ein Lätzchen um (am besten eines zum Abwischen, so sparen Sie sich die Wäsche) und breiten Sie am besten eine große Plastikplane unter dem Tisch und Hochstuhl aus, die Sie leicht abwischen können.

Auch wenn der größte Teil des Essens im Haar Ihres Babys landet, sollten Sie es immer wieder dazu ermuntern, mit dem Löffel zu experimentieren. Sie können seine Faust mit dem Löffel sanft

Selbstständig mit dem Löffel essen Machen Sie sich darauf gefasst, dass der größte Teil des Schüsselinhalts auf dem Boden, im Gesicht und sogar im Haar Ihres Babys landen wird.

in Richtung seines Mundes schieben; aber vergessen Sie nicht, dass es weder die Koordination noch die Flexibilität im Handgelenk besitzt, um diese Bewegung allein auszuführen. Unterschätzen Sie auch nicht die Bedeutung Ihrer Anleitung und Ihre Funktion als Vorbild für Ihr Baby. Nehmen Sie die Mahlzeiten gemeinsam mit ihm ein, damit es bei Ihnen abgucken kann, wie man ein Besteck benutzt.

Am wichtigsten ist jedoch, dass Ihr Baby versucht, sein Essen auf möglichst einfache Weise in den Magen zu bekommen und dabei auch noch Spaß hat.

Selbstständiges Essen ist ein großer Entwicklungsschritt für Ihr Baby. Es versucht, diese Aufgabe jetzt schon zu meistern; allerdings wird es erst mit etwa drei Jahren in der Lage sein, eine vollständige Mahlzeit selbst zu essen. Bis dahin braucht es noch Ihre Hilfe!

DER ERNÄHRUNGSBERATER RÄT ...

Warum ist mein Baby zu den Mahlzeiten nicht hungrig? Wie viel Milch bekommt es denn? In diesem Alter braucht es täglich nur noch 500–600 ml Milch; ein Teil davon kann auch als Käse, Joghurt, Butter oder durch andere Milchprodukte aufgenommen werden. Bieten Sie Ihrem Baby feste Nahrung immer vor einer Milchmahlzeit an, damit es auch hungrig ist. Kürzen Sie allmählich die täglichen Milchrationen, eine Milchmahlzeit morgens und abends sowie etwas Milch zu den festen Mahlzeiten reicht aus. Auch Obstsäfte und Snacks dämpfen den Appetit, deshalb sollte es nicht ständig Zugang dazu haben. Den Durst löscht Wasser sowieso am besten.

Knuffen, bohren, zwicken

Die Hand-Auge-Koordination Ihres Babys wird immer besser. Es kann nun zeigen, bohren und sogar zwicken!

Lieb sein Zeigen Sie Ihrem Baby, sanft mit seinen Geschwistern umzugehen.

Ihr Baby beginnt, seine Fähigkeiten zu erproben, indem es Spielzeug, Haustiere und Personen stößt, knufft, schubst und sogar zwickt. Jede Aktivität, die eine laute Reaktion provoziert, erscheint ihm so interessant, dass es sie gleich wiederholen möchte.

Dieses unerwünschte Verhalten Ihres Babys ist keine Böswilligkeit, sondern nur ein Versuch, seine Neugier zu befriedigen und Reaktionen auszutesten. Wenn es wieder einmal tritt oder schlägt, zeigen Sie ihm, wie es auf sanftere Weise mit seiner Umgebung kommunizieren kann. Demonstrieren Sie ihm, wie man Geschwister und Haustiere streichelt. Benennen Sie die Aktionen, z. B. »ich streichele die liebe Katze«, sodass es die Terminologie für die Handlungen lernt, die Sie von ihm erwarten. Bald wird es ausreichen, nur noch »streicheln« zu sagen, wenn Sie möchten, dass es nicht zu grob zupackt.

Als letzter Ausweg hilft nur noch Ablenkung. Finden Sie andere Möglichkeiten, bei denen Ihr Baby seine geschickten kleinen Finger einsetzen kann. Geben Sie ihm Actitvity-Spielzeug mit vielen Knöpfen, Griffen und Kordeln, an denen es ungehemmt ziehen, drücken, drehen und bohren kann.

Ich will nicht ins Bett!

Schlafenszeit bedeutet für Ihr Baby, von den Eltern und allem, was Spaß macht, getrennt zu sein. Deshalb wehrt es sich oft dagegen.

Gegen Ende des ersten Lebensjahres wehrt sich Ihr Baby vielleicht verstärkt gegen das Schlafengehen, weil es Angst hat, etwas zu verpassen. Behalten Sie daher vor allem weiterhin sein entspanntes und gemütliches Schlafritual bei, damit es sich auf die Abendzeit freut und mit der Gelegenheit assoziiert, Ihnen nahe zu sein.

Sie sollten aber nicht vergessen, dass Babys mit zunehmendem Alter auch weniger Schlaf brauchen (s. S. 376). Wenn Ihr Baby immer noch dreimal am Tag schläft, könnten Sie nun versuchen, es nur noch zwei Schlafpausen am Tag machen zu lassen (s. S. 292).

Achten Sie darauf, dass Ihr Baby am Tag genügend Bewegung und Anregung hat, damit es abends richtig müde ist. Vielleicht sollten Sie auch den Tagesschlaf früher ansetzen oder die abendliche Zubettgehzeit etwas hinauszögern.

Reagieren Sie aber niemals wütend, weil Ihr Baby dadurch noch mehr gestresst wird. Es kann gut sein, dass es nur die Aufmerksamkeit genießt, die es durch den abendlichen Kampf ums Schlafengehen erhält. Legen Sie es einfach wie immer in sein Bett und gehen Sie zu ihm, wenn es Sie ruft. Streicheln Sie es oder sagen Sie ihm einfach »Gute Nacht« und gehen hinaus. Bleiben Sie bestimmt und freundlich, sonst empfindet es das Schlafengehen als Bestrafung. Machen Sie während der Einschlafphase möglichst wenig Lärm, damit Ihr Baby davon nicht abgelenkt wird.

Wenn alles nichts hilft, setzen Sie Ihr Baby mit Spielzeug ins Bett und lassen es sich selbst beschäftigen, bis es einschläft. Nehmen Sie das Spielzeug danach aus dem Bett.

Grenzen setzen

Vielleicht fragen Sie sich, welches Verhalten Sie von Ihrem Baby schon erwarten können und welcher Erziehungsstil der beste ist.

Einfach und klar Erklären Sie Ihrem Baby freundlich und ganz deutlich, was es falsch gemacht hat.

Viele Eltern machen sich Gedanken um ihren Erziehungsstil. Die meisten möchten warmherzig und liebevoll, aber auch fair und konsequent sein, wenn es darum geht, das Verhalten Ihres Kindes anzuleiten. Die Herausforderung liegt sicher darin, einen Weg zu finden, der Ihrem Kind die Freiheit lässt, seine Welt zu erforschen, und es dabei dennoch zu einem Individuum mit guten Manieren und einem Sinn für richtig und falsch zu erziehen.

Sie setzen Ihrem Baby bereits jetzt Grenzen, indem Sie es ablenken oder in einen anderen Raum bringen, wenn es z. B. einem anderen Baby das Spielzeug wegnimmt. Vielleicht halten Sie auch seine Hände fest und sagen »Nein!«, wenn es etwas Unerwünschtes tut. Mit zehn Monaten hat Ihr Baby wahrscheinlich verstanden, dass »nein« so viel bedeutet wie »aufhören«. Das abstrakte Konzept von richtig und falsch, das dahintersteckt, hat es aber noch nicht begriffen. Deshalb kann es gut sein, dass es Ihre Anweisungen nicht befolgt, weil seine Neugier noch stärker ist.

Disziplin ist nötig Disziplin lässt sich in zwei Kategorien einteilen: die für Sicherheit und die für gutes Benehmen.

Es ist ganz klar, dass Sie Ihr Kind vor Gefahren schützen müssen. Wenn es z. B. die heiße Ofentür anfassen oder eine Lampe vom Tisch reißen will, ziehen Sie es weg, halten seine Hände fest, begeben sich auf Augenhöhe und sagen deutlich »Nein«. Erklären Sie ihm auch, warum: »Der Ofen ist heiß, du wirst dich verbrennen. Autsch!« oder »Die Lampe ist schwer, du wirst dir wehtun.« Eine einmalige Erklärung wird nicht ausreichen, nur durch Wiederholung und Ihre konsequenten Reaktionen wird Ihr Baby schließlich die Botschaft verstehen.

Was das gute Benehmen angeht, sollten Sie noch nicht zu viel erwarten. Ihr Baby versteht noch nicht, dass sein Verhalten andere aufregen kann. Allerdings lernt es durch Beobachten – und Sie sind sein wichtigstes Vorbild. Es weiß nicht, was eine Entschuldigung ist, aber Sie können ihm bereits jetzt alles demonstrieren, was Sie (und andere) später von ihm erwarten.

Für welchen Erziehungsstil Sie sich auch entscheiden, es ist immer wichtig, konsequent zu sein. Wenden Sie aber mehr Zeit und Energie für Lob als für Schelte auf. Wenn es darum geht, Disziplin einzufordern, tun Sie dies stets ruhig, besonnen und ohne Wut.

ENTWICKLUNG FÖRDERN

Weich und hart

Helfen Sie Ihrem Baby, die Eigenschaften von ganz alltäglichen Dingen zu verstehen. Lassen Sie es viele verschiedenartige Spielsachen und Haushaltsgegenstände anfassen; sagen Sie ihm, ob sie glatt, hart, weich, rau oder flauschig sind und welche Farbe sie haben. So erweitert es allmählich sein Vokabular und begreift, dass Dinge nicht nur Namen, sondern auch Eigenschaften haben. Erst dadurch wird es ihm möglich, Verbindungen zu erstellen und Vergleiche zu ziehen. Ihr Baby kann die Dinge noch nicht selbst benennen, aber Sie können ihm dabei helfen, sie zu verstehen.

Durch Anfassen erkunden Füllen Sie einen Korb mit Spielsachen und Gegenständen und lassen Sie Ihr Baby hineingreifen.

48 Wochen

Im eigenen Tempo

Sicher möchten Sie, dass Ihr Baby sich genauso schnell entwickelt wie seine Altergenossen. Doch jedes Baby hat sein eigenes Tempo.

Die sogenannten Meilensteine der Entwicklung sind lediglich grobe Anhaltspunkte dafür, wann ein Baby körperlich, geistig und/oder seelisch dazu in der Lage sein sollte, bestimmte Fertigkeiten zu erwerben und Aufgaben zu meistern. Sie sind keine Tests, um seine Intelligenz zu prüfen oder um seine zukünftige Entwicklung in bestimmten Bereichen vorherzusagen. Einen Entwicklungsmeilenstein wie Laufen oder nächtliches Durchschlafen früh zu erreichen, bedeutet nicht, dass sich das Baby auch in anderen Bereichen

schnell entwickeln wird. Verstehen Sie einen Meilenstein eher als eine Leitlinie und nicht als eine Regel. Die Reihenfolge, in der diese Entwicklungsstufen erreicht werden, kann von Baby zu Baby variieren. Manche sind körperlich schon sehr weit entwickelt und lernen dafür später sprechen. Andere meistern die Hand-Auge-Koordination früher, fangen aber erst im zweiten Lebensjahr an zu laufen. Das gleichaltrige Baby Ihrer Freundin bezwingt vielleicht schon die Treppe, während Ihres noch damit beschäftigt ist, Laute zu produzieren.

Ihr Baby ist einzigartig und hat eine eigene Persönlichkeit. Es wird seine Meilensteine erreichen, wenn es dazu bereit ist. Solange es seinen Altergenossen nicht extrem weit hinterherhinkt (s. S. 412f.), gibt es keinen Grund zur Sorge. Sie können Ihr Baby mit anderen vergleichen, sollten sich aber keinesfalls auf eine Art Wettbewerb einlassen.

Fördern und ermuntern Sie Ihr Baby auf liebevolle, spielerische Weise, alle nötigen Fähigkeiten zu erwerben, die es braucht, und feiern Sie gebührend jeden Meilenstein, den es erreicht.

Auf dem Weg zum Ich

Ihr Baby wird immer selbstständiger und in den folgenden Monaten wird auch sein Bewusstsein von sich selbst wachsen.

Sicherheit Trotz aller Selbstständigkeit möchte Ihr Baby Ihnen so nahe wie möglich sein.

Ihr Baby scheint allmählich zu begreifen, dass Sie und es zwei verschiedene Personen sind. Das erste Anzeichen dafür erfolgte bereits vor einigen Monaten, als Ihr Baby erkannte, dass Sie nicht immer da sind und es Sie nicht immer sehen kann. Damals hat es das Konzept der »Objekt- und Personenpermanenz« kennengelernt: die Vorstellung, dass Sie auch dann noch existieren, wenn es Sie nicht sehen oder hören kann.

Das Selbstbewusstsein Ihres Babys ist gewachsen, nachdem es seinen Körper entdeckt und auch immer mehr Kontrolle über ihn erlangt hat. Es entwickelt nun außerdem ein mentales Bild von sich selbst und von anderen. Mit etwa

12 Monaten wird es den Unterschied zwischen einer Fotografie von sich und einem anderen Baby erkennen. Und mit 15 Monaten kommt ihm die Erkenntnis, dass das Baby im Spiegel es selbst ist.

Fantasiespiele sind ein weiteres Zeichen seines gewachsenen Bewusstseins. Wenn Sie beide so tun, als ob Sie dem Teddy etwas zu trinken geben, kopiert Ihr Baby das Verhalten anderer.

Im zweiten Lebensjahr wird seine Erkenntnis, dass es ein eigenständiges Wesen ist, noch wachsen. Sie werden das daran erkennen, dass seine Persönlichkeit immer deutlicher zutage tritt und dass »Nein!« zu seinem erklärten Lieblingswort wird.

Berufstätige Mutter

Berufstätige Mütter denken oft, dass sie weder Ihrem Baby gerecht werden noch im Beruf 100 Prozent geben können. Doch keine Sorge!

Mama ist da! In der Zeit, die Sie mit dem Baby verbringen, sollten Sie sich ganz einander widmen und miteinander Spaß haben.

Trotz aller Bedenken, die Sie vielleicht als berufstätige Mutter haben, werden Sie mit großer Sicherheit ein gesundes, glückliches Baby großziehen, ohne dass Ihr Berufsleben darunter leidet. Dazu sind allerdings Organisationstalent und Flexibilität nötig. Fangen Sie damit an, Prioritäten zu setzen: Während der Arbeitszeit steht Ihr Beruf an erster Stelle und wenn Sie zu Hause sind, das Baby und die Familie. Andere Bereiche Ihres Lebens, wie Hausarbeit oder Geselligkeit, müssen vielleicht eine Zeit lang in den Hintergrund treten, bis Sie eine Routine gefunden haben, die allem gerecht wird. Wichtig ist, dass Sie Ihre eigenen Erwartungen etwas zurückschrauben, denn niemand ist perfekt!

Lebensgleichgewicht Berufs- und Familienleben unter einen Hut zu bringen, ist zweifellos schwer. Es gibt jedoch ein paar Tricks, um diesen Balanceakt besser zu meistern. Versuchen Sie, alles so zu organisieren, dass Sie stets wissen, was wann zu geschehen hat. Halten Sie sich, wenn möglich, täglich an dieselbe Routine. Dann weiß auch Ihr Baby genau, was vor sich geht. Bereiten Sie abends schon alles für den nächsten Morgen vor, sodass alles fertig ist – egal, was kommt. Sehr hilfreich kann sein, auf Vorrat zu kochen und Gerichte einzufrieren. Dadurch sparen Sie auf lange Sicht einiges an Zeit und Geld.

Ideal ist es, stets jemanden »auf Abruf« zu haben, der für Sie einspringen kann; z.B. wenn das Baby krank wird oder die Tagesmutter ausfällt. Vielleicht können Sie selbst ein Netzwerk aufbauen, an das Sie sich wenden können, wenn die Dinge nicht nach Plan laufen.

Wenn Ihnen alles über den Kopf zu wachsen scheint, konzentrieren Sie sich nur auf das Positive. Es hilft Ihnen nicht weiter, immer nur daran zu denken, dass Sie nicht oft genug für Ihr Baby da sind. Stattdessen sollten Sie sich an der Tatsache erfreuen, dass Ihr Baby gesund und munter ist und Sie deshalb guten Gewissens Ihrem Beruf nachgehen können. Blenden Sie konsequent alles aus, was Ihr Leben kompliziert oder Ihnen und Ihrer Familie nicht gut tut.

Quälen Sie sich aber auch nicht mit Schuldgefühlen, wenn Sie momentan keine Lust auf eine berufliche Karriere haben. Sie werden reichlich Zeit haben, diese Ziele zu verfolgen, wenn Ihr Baby selbstständiger geworden ist.

ENTWICKLUNG FÖRDERN

Selbst gemacht!

Ihr Baby findet eine große leere Pappschachtel, in die es hineinkriechen kann, genauso aufregend, wie das neueste und teuerste Spielzeug. Füllen Sie die Schachtel mit Kugeln aus zerknülltem Papier, die Ihr Baby herausnehmen und wieder einräumen kann, oder »versenken« Sie Spielzeug darin, nachdem es suchen kann. Ein robuster Wäschekorb gibt ein tolles Spielzeugauto ab: Ihr Baby ist Fahrer oder Passagier, während Sie es darin wild herumschieben.

Solche Spiele fördern die Fantasie des Kindes und trainieren nebenbei auch die Grob- und Feinmotorik. Und das Beste ist: Ihr Kind wird damit lange Zeit beschäftigt sein.

Improvisation Sogar ein eingerolltes Blatt Papier kann ein tolles Spielzeug sein.

49 Wochen

Gestalten Sie die Mahlzeiten des Babys bunt und abwechslungsreich, damit es alle nötigen Nährstoffe erhält. Vielleicht ist Ihr Baby zurzeit schüchtern und klammert sich verstärkt an Sie – ein Zeichen dafür, dass es sich zunehmend als von Ihnen getrennte Person wahrnimmt.

Etwas herausfinden

Ihr Baby zeigt, dass es bereits in der Lage ist, Probleme zu lösen. Es liebt Spielsachen, mit denen es seine neuen Fertigkeiten testen kann.

Analyse Mit zunehmender Feinmotorik und Analysefähigkeit gelingt es Ihrem Baby, auch komplexere Probleme zu lösen.

Spielsachen wie Formensortierer, erste einfache Puzzles, Musikinstrumente und Bauklötze helfen Ihrem Baby, sein analytisches Denken zu schärfen, sodass es immer geschickter darin wird, herauszufinden, wie die Dinge in seiner Umgebung funktionieren.

Ihr Baby lernt nun, die einzelnen Teile dieser Spielsachen zu unterscheiden, und wird in den kommenden Monaten und Jahren in der Lage sein, auch Form, Größe, Farbe und Zweck zu identifizieren. Es wird analysieren und logische Schlussfolgerungen ziehen, um herauszufinden, wie ein Spielzeug funktioniert; danach erst wird es seine Ideen einem praktischen Test unterziehen. Es wird auch lernen, Probleme zu lösen, wenn seine Ideen nicht sofort funktionieren.

Hat es z.B. eine Form ausgesucht, in die es sein Puzzlestück hineindrücken will, wird es merken, wenn das Stück nicht hineinpasst. Ihr Baby wird sich eine Weile damit beschäftigen, um das Problem zu lösen; es wird weiter nach einem passenden Puzzlestück suchen. Das kann zwar hin und wieder zu Wutanfällen führen, doch meistens lieben Babys die Herausforderung und probieren eifrig wieder und wieder, bis sie das passende Stück gefunden haben.

Um diese Problemlösefähigkeiten zu fördern, sollten Sie Ihrem Baby einfache Puzzles und Spiele anbieten, die es gut meistern kann. Erst danach gehen Sie schwierigere Dinge an. Erfolgserlebnisse sind für Ihr Baby wichtig, denn sie geben ihm bei komplizierteren Aufgaben und Problemen das nötige Selbstvertrauen. Hat Ihr Baby Schwierigkeiten mit einem Spielzeug, sollten Sie ihm noch einmal ein einfacheres anbieten, das es bereits gemeistert hat; dann wird seine Frustration nicht zu groß.

Beobachten und nachahmen Ihr Baby löst Probleme durch Beobachten und Nachahmen; daher sollten Sie möglichst oft mit ihm spielen. Zeigen Sie ihm, wie Dinge funktionieren, und lassen Sie es dann selbst versuchen. Spenden Sie reichlich Lob, wenn Ihr Baby dabei Erfolg hat.

Geben Sie Ihrem Baby auch möglichst regelmäßig die Gelegenheit, neben anderen Babys zu spielen. Ideal sind Treffen mit anderen Müttern und ihren Babys. So gewöhnt sich Ihr Baby an andere Kinder und kann beobachten und abschauen, wie vielschichtig diese an Probleme herangehen und sie lösen.

ENTWICKLUNG FÖRDERN

Kunsthandwerk

Regelmäßige künstlerische Aktivitäten, wie Malen und Zeichen, fördern Feinmotorik, Hand-Auge-Koordination sowie die Kreativität Ihres Babys. Kaufen Sie ungiftige dicke Wachsmalkreiden, kleben Sie einen großen Bogen Papier auf den Küchenfußboden und zeigen Sie dem Baby, wie es mit den Kreiden kritzeln und malen kann. Führen Sie seine Hand, um gerade Linien oder Kreise zu ziehen. Benennen Sie alle Formen und auch die Farben, die Sie benutzen. Sammeln Sie in monatlichen Abständen eines seiner »Kunstwerke«, um seine Fortschritte dokumentieren und erinnern zu können. Im Sommer kann Ihr Baby auch gut mit Kreiden auf dem Asphalt oder der Terrasse malen.

Zwanglos Ihr Baby wird das freie Spielen mit Farben und Formen genießen.

Den Geburtstag vorbereiten

Vielleicht möchten Sie den ersten Geburtstag Ihres Babys mit einer Party feiern. Seien Sie nicht überrascht, wenn es wenig Interesse zeigt.

Planen Sie nur eine ganz einfache Feier. Sie können den Übergang Ihres Babys ins Kleinkindalter nicht angemessen zelebrieren, wenn Sie damit beschäftigt sind, Schnittchen zu servieren oder Verschüttetes aufzuwischen, während Ihr Baby eingeschüchtert von all den fremden Personen im Haus sich lieber an Sie kuscheln würde.

Beschränken Sie sich daher in der Zahl der Gäste. Die meisten Babys leiden in diesem Alter unter Trennungsangst und fremde Personen bedeuten für sie nur Stress. Laden Sie am besten nur Personen ein, die Ihr Baby gut kennt. Sie brauchen für die Party auch weder Spiele noch ein besonderes Thema planen: Dem Baby ist das völlig egal. Luftballons sind lustig, aber befestigen Sie sie außer Reichweite des Babys, damit es sie nicht kaputtmacht – und darüber erschreckt.

Die Party sollte nicht zu lange dauern. Die Aufmerksamkeitsspanne Ihres Babys beträgt etwas 60–90 Minuten. Beginnen Sie die Feier am besten eine halbe Stunde, nachdem das Baby vom Mittagsschlaf erwacht ist. Geben Sie ihm etwas zu essen und zu trinken, bevor die Gäste ankommen, und achten Sie darauf, dass es während der Feier nicht zu viel Kuchen und Süßigkeiten isst.

Überschütten Sie Ihr Baby nicht mit Geschenken. Es wird schnell das Interesse verlieren, wenn es allzu viele öffnen soll. Vermutlich ist das bunte, raschelnde Geschenkpapier sowieso interessanter als die Geschenke selbst. Wenn jemand der Gäste nach einem Geschenktipp fragt: Bilderbücher sind ideal für die nächste Zeit – und zudem auch erschwinglich für jeden.

Wie viel Schlaf muss sein?

Ihr Baby wehrt sich gegen das Schlafengehen und braucht auch weniger Schlaf. Für seine Gesundheit ist ausreichend Schlaf wichtig!

Routine Ein schönes Schlafritual bereitet Ihr Baby auf den bevorstehenden Schlaf vor.

Mit etwa einem Jahr sollte Ihr Baby während 24 Stunden etwa 14 Stunden schlafen. Es kann z. B. tagsüber einmal lang oder zweimal kurz (insgesamt für 2–3 Stunden) und nachts 11–12 Stunden schlafen.

Wenn Ihr Baby abends nur ungern ins Bett geht, halten Sie sich am besten an eine strikte Routine, die dem Baby so zur Gewohnheit wird, dass es dabei sozusagen automatisch umschaltet. Ein Trostobjekt wird ihm helfen, wenn es einschlafen soll oder nachts aufwacht. Sie können auch ein paar Spielsachen am Fußende seines Bettes platzieren. Vielleicht reicht das schon aus, um Ihrem Baby leichter in den Schlaf zu helfen, wenn es etwas sieht, das es mag. Und vielleicht möchte es auch noch ein wenig damit spielen, um dann doch mittendrin einzuschlafen.

Finden Sie heraus, wann es tagsüber am besten schläft. Vielleicht hält ein langer Mittagsschlaf es bis zum Abend munter, während es nach einem kurzen Schlaf am späten Nachmittag Schwierigkeiten hat, abends einzuschlafen.

Wann Ihr Baby ins Bett geht, ist nicht so wichtig; achten Sie nur auf eine feste Zeit. Bedenken Sie aber, wenn Sie es um 18 Uhr ins Bett legen, wird es um 6 Uhr morgens fit sein! Wenn Sie selbst eine Nachteule sind, sollten Sie seine Schlafenszeit entsprechend anpassen.

Aktivitäten im Freien

Da Ihr Baby nun fast ein Jahr alt ist, können Sie zusammen neue Aktivitäten im Freien genießen.

Huckepack Beim Wandern ist Ihr Kind in einer Babytrage gut aufgehoben und kann die Welt aus Ihrer Augenhöhe betrachten.

Ihr Baby ist nun alt genug, um an den Outdoor-Aktivitäten teilzunehmen, die Ihnen selbst Spaß machen und die Sie vielleicht seit seiner Geburt etwas vernachlässigt haben.

Es gibt eine große Auswahl an relativ günstigem Zubehör, das die gemeinsamen Aktivitäten im Freien mit Ihrem Baby etwas erleichtern. Wenn Sie gern wandern, lohnt sich z.B. die Anschaffung einer Rückentrage. Nehmen Sie Ihr Baby am besten mit, wenn Sie eine kaufen, damit sie für Sie beide bequem ist. Achten Sie auf eine ausreichend große Kopfstütze, falls das Baby einschläft. Oft sind die Tragen wasserdicht und besitzen einen Sonnen- oder Regenschutz sowie praktische Taschen für Essen, Windeln und Getränke.

Als Alternative zur Rückentrage empfiehlt sich ein gut gefederter Buggy mit robusten, dicken Rädern, der sich auch für längere Märsche durch unebenes Gelände eignet.

Mit dem Rad unterwegs Wenn Sie sich auch gerne wieder aufs Fahrrad schwingen möchten, können Sie einen entsprechenden Anhänger fürs Baby kaufen. In den ersten Monaten sollte Ihr Baby dabei aber in einer Babyschale transportiert werden. Zu beachten ist, dass Sie möglichst einen gefederten Fahrradanhänger nutzen oder zumindest den Reifendruck des Anhängers niedrig halten, denn besonders Babys reagieren sehr sensibel auf Erschütterungen und Stöße. Ab wann das Baby dann frei in einem Anhänger sitzen kann, hängt davon ab, wie gut seine Nackenmuskulatur entwickelt ist. Idealerweise sollte es schon mindestens seit zwei Monaten frei sitzen können.

In Österreich gilt die Helmpflicht für Radfahrer unter 12 Jahren nicht nur auf Fahrrad-Kindersitzen, sondern auch für im Anhänger transportierte Kinder. Dies wird aber ebenso vom TÜV empfohlen.

Tatsächlich sollten Sie Ihr Baby besser nicht in einen Fahrradsitz setzen, solange es noch unter einem Jahr alt ist. Seine Muskeln sind vermutlich noch nicht kräftig genug, um seinen Kopf richtig zu stützen, während es einen Helm trägt. Zudem könnte ein Helm noch zu schwer für das Baby sein.

Ihrem Baby wird es gefallen, die Welt aus der Höhe einer Rückentrage zu betrachten oder zu erleben, wie sie im Fahrradanhänger an ihm vorbeisaust. Obendrein werden Sie beide von der frischen Luft und den neuen gemeinsamen Erlebnissen profitieren.

Um Ihr Baby an den Fahrradanhänger zu gewöhnen, sollten Sie zuerst nur kurze Strecken mit ihm fahren. Wählen Sie nicht zu holprige Strecken, aber halten Sie sich fern von großen Straßen. Nehmen Sie am besten noch eine zweite Person mit, die das Baby während der Fahrt im Anhänger beobachten kann.

Legen Sie auf langen Wanderungen viele Pausen ein, in denen Sie es herausnehmen und sich frei bewegen lassen.

FRAGEN SIE … EINEN ERNÄHRUNGSBERATER

Soll ich mein Baby dazu anhalten, seine Portion immer aufzuessen?

Wenn Sie das Baby zwingen, seinen Teller leer zu essen, könnte es Essen mit etwas Negativem verbinden. Ihr Baby sollte besser nach seinem Appetit entscheiden dürfen, wie viel es isst, und dieser kann manchmal einfach schwanken. Im ersten Lebensjahr hat es sein Geburtsgewicht verdreifacht, aber im zweiten Jahr verlangsamt sich seine Gewichtszunahme. Das Baby ist dann zwar aktiver, aber es muss nicht mehr so häufig essen. Außerdem nimmt es einen guten Teil der Kalorien noch immer in Form von Milch auf. Solange Sie ihm eine Auswahl an gesunden, abwechslungsreichen Gerichten servieren (idealerweise hauptsächlich zu den regulären Essenszeiten), bekommt es alles, was es für sein Wachstum braucht, auch wenn es nicht jede Mahlzeit bis zum letzten Krümel aufisst.

»Bitte« und »Danke«

Der Zeitpunkt ist ideal, um Ihrem Baby die höflichen Reaktionen zu zeigen, die es nachahmen soll.

Wir können uns nicht ständig von unserer Schokoladenseite zeigen, aber weil Ihr Baby die Sätze aufschnappt, die Sie häufig benutzen, und nun auch anfängt, deren Sinn zu begreifen, sollten Sie ihm ein gutes Vorbild sein. Versuchen Sie, stets höflich und freundlich mit ihm und anderen Personen umzugehen.

Sagen Sie »Danke«, wenn das Baby Ihnen ein Spielzeug gibt, und »Bitte«, wenn Sie etwas von ihm haben möchten, damit es sich an den Klang der Worte gewöhnt. Es wird sie sicher noch nicht selbst sagen, aber wenn sie Teil der täglichen Konversation sind, wird Ihr Baby allmählich verstehen, was sie bedeuten. Bringen Sie auch stets an den richtigen Stellen ein »Entschuldigung« oder »Tut mir Leid« an. So wird Ihr Baby es später, wenn es sprechen kann, als selbstverständlich erachten, diese Worte selbst zu sagen.

Seien Sie höflich zu den Menschen in Ihrer Umgebung und auch zu Ihrem Partner. Sparen Sie nicht mit Lob und Anerkennung und zeigen Sie stets Mitgefühl mit anderen. Denken Sie immer daran, dass Ihr Baby zuhört. Hier und da eine unhöfliche Bemerkung registriert es vielleicht nicht, aber bei häufiger Wiederholung kann es gut sein, dass es Ihre Ausdrucksweise übernimmt.

Im zweiten Lebensjahr wird Ihr Baby lernen, »Bitte« oder »Danke« zu sagen, wenn Sie es immer wieder fragen: »Wie heißt das Zauberwort?« Benutzen Sie selbst die Worte auch häufig, damit Sie Ihrem Baby vertraut sind.

Passend gekleidet

Ihr Baby hat keine großen Ansprüche an seine Kleidung. Einige Basics sind aber nötig, um für jedes Wetter passend angezogen zu sein.

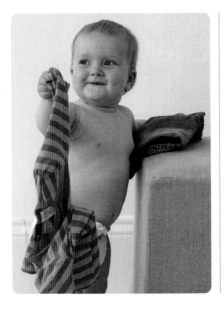

Wenn Sie möchten, dass Ihr Baby immer passend gekleidet ist, ziehen Sie ihm am besten mehrere Schichten an. Auf diese Weise ist weder ein Wetterumschwung noch der Wechsel von draußen nach drinnen ein Problem.

In den kälteren Monaten sollte Ihr Baby einen Body, ein Shirt und einen wärmeren Pulli tragen. Wenn es nach draußen geht, ziehen Sie ihm noch eine warme Jacke (wasserdicht, wenn es regnet) sowie Fäustlinge und eine Mütze (vorzugsweise aus Wolle) an. Im Winter sind auch Schneeoveralls gut geeignet.

Bequeme Kleidung Kleiden Sie Ihr Baby einfach und bequem, sodass Sie die einzelnen Schichten leicht an- und ausziehen können.

Soll Ihr Baby im Buggy sitzen, braucht es noch eine warme Decke, damit es nicht friert. Wenn Sie einen Laden betreten, entfernen Sie Decke und Mütze, und wenn Sie sich in einer Wohnung aufhalten, ziehen Sie dem Baby natürlich auch ein paar von den Schichten aus, damit es nicht überhitzt.

In den wärmeren Monaten reichen wenige leichte Schichten aus, die das Baby auch vor der Sonne schützen. Dazu gehören ein Sonnenhut sowie ein T-Shirt, das seine Schultern schützt. Am Strand empfiehlt sich sogar ein Shirt mit langen Ärmeln oder ein Babyschwimmanzug aus Lycra, der die meisten UV-Strahlen abblockt. In der Wohnung braucht es meistens nur eine Windel.

Zu krank für die Tagesmutter?

Für berufstätige Eltern ist die Versuchung groß, ihr Baby trotz Krankheit zur Tagesmutter zu geben: Lassen Sie es aber besser zu Hause!

Unwohlsein Ein krankes Baby sollte zu Hause gepflegt werden, bis es wieder fit ist.

Das Immunsystem des Kindes baut erst nach und nach Antikörper gegen Infektionen auf. Vermutlich wird Ihr Baby daher jeden Virus aufschnappen, der bei der Tagesmutter oder in der Kita die Runde macht. Aus diesem Grund haben Sie als Eltern die Pflicht, Ihre kranken Kinder von solchen Gruppen fernzuhalten, bis die Kinder nicht mehr ansteckend sind. Andernfalls würden solche Orte zu Brutstätten für Infektionen.

Zudem trägt das Immunsystem des kranken Babys bereits einen schweren Kampf aus. Der Kontakt mit anderen Keimen könnte leicht zu einer Sekundärinfektion führen.

Sie sollten sich (und anderen) nichts vormachen, wenn Ihr Baby krank ist. Erfahrene Erzieherinnen erkennen sofort, wenn es einem Kind nicht gut geht, und es kann zu peinlichen Situationen kommen, wenn Sie Ihr angeblich völlig gesundes Kind doch dort abgeben wollen.

Überlegen Sie sich einen Notfallplan für Krankheitssituationen. Dazu gehört eine Liste mit Personen, die auf Ihr krankes Baby aufpassen könnten. Vielleicht ist es Ihnen auch möglich, vorübergehend von zu Hause aus zu arbeiten oder Ihre Arbeitszeiten zu ändern.

Geben Sie Ihrem kranken Baby viel zu trinken. Es wird wahrscheinlich weinerlich oder quengelig sein und vielleicht schläft es nachts unruhig und wacht häufig wieder auf. Wenn nicht klar ist, was Ihrem Kind fehlt, sollten Sie stets den Kinderarzt aufsuchen.

FRAGEN SIE … EINEN KINDERARZT

Wann sollte mein krankes Baby besser zu Hause bleiben?

Halten Sie sich an folgende Regeln:
- Die meisten Babys und Kinder zwischen einem und sechs Jahren leiden regelmäßig an Schnupfen. Fließt er dick und klebrig aus der Nase, ist das Baby anfällig für weitere Infektionen, wie z. B. eine Mittelohrentzündung. In diesem Fall sollte es besser zu Hause bleiben, bis der Schnupfen völlig abgeklungen ist.
- Hat Ihr Baby Fieber, sollte es mindestens noch einen Tag nach Ende des Fiebers zu Hause bleiben. Es ist dann noch müde und reizbar, was den Aufenthalt in einer Kindergruppe sehr anstregend macht, und es braucht Ruhe und viel Flüssigkeit, um sich zu erholen.

- Wenn Ihr Baby einen Ausschlag bekommt, müssen Sie mit ihm zum Kinderarzt, denn er kann das Zeichen für eine ansteckende Krankheit sein.
- Grippe und andere Atemwegserkrankungen können für Babys gefährlich sein. Zeigt Ihr Baby Symptome einer Grippe, sollten Sie mit ihm zum Kinderarzt gehen. Diese Krankheiten sind sehr ansteckend, deshalb muss das Baby unbedingt zu Hause bleiben.
- Ein Baby, das erbricht oder Durchfall hat, sollte unbedingt zu Hause bleiben. Zeigt es diese Symptome in der Kindergruppe, wird es mit Sicherheit nach Hause geschickt werden. Dort muss es mindestens noch 48 Stunden nach Ende der Krankheit bleiben, auch wenn es sich schon wieder gut fühlt.

- Bakterielle Augenentzündungen, wie Konjunktivitis (s. S. 402), sind hoch ansteckend. Lassen Sie Ihr Baby zu Hause, bis es mindestens 36 Stunden lang Antibiotika erhalten hat.
- Ihr Baby muss bei Keuchhusten oder einer anderen Kinderkrankheit, wie Masern, Röteln oder Mumps, daheimbleiben. Dasselbe gilt für Windpocken, Dreitagefieber, Scharlach sowie die Hand-Fuß-Mund-Krankheit.
- Bei Impetigo oder einer anderen ansteckenden Hautkrankheit muss das Baby mindestens 48 Stunden nach Beginn der Einnahme von Antibiotika zu Hause bleiben. Auch Skabies, die Krätze, muss unbedingt behandelt werden, bevor das Baby wieder zurück in die Gruppe gehen darf.

50 Wochen

Ihr Baby beschäftigt sich länger mit kompliziertem Spielzeug. In seiner täglichen Routine fühlt es sich sicher; aber kleine Veränderungen hin und wieder lehren es, flexibel zu sein. Wenn es nicht schon läuft, wird es bald so weit sein: Achten Sie darauf, dass Ihre Wohnung dann kindersicher ist.

Unser Baby Tag für Tag ■ 10.–12. Monat

Bücherwurm

Ihr Baby hat nun erklärte Lieblingsbücher und möchte, dass Sie ihm immer wieder dieselben Geschichten daraus vorlesen.

Bücher sind ein tolles Geschenk für Ihr Baby. Zum einen kann es sich lange Zeit damit beschäftigen, während es sich die Bilder ansieht und die Seiten umblättert. Zum anderen sind Bücher viel mehr als nur ein Zeitvertreib. Bücher fördern Wortschatz, Spracherwerb und Konzentration des Babys. Je älter es wird, desto leichter wird es ihm fallen, dem Handlungslauf einer Geschichte zu folgen. Eine wichtige Fähigkeit, die ihm helfen wird, später selbst zu lesen.

Babys lieben es, wenn man ihnen Geschichten vorliest, die sie bereits kennen. Studien haben ergeben, dass das wiederholte Vorlesen dem Baby jedes Mal neue Informationen gibt und sich sein Gedächtnis bessert. Sie werden vielleicht feststellen, dass Ihr Baby sich an die Geschichte erinnert und genau weiß, was als nächstes kommt. Vermutlich merkt es auch, wenn Sie eine Seite oder sogar nur einen einzigen Satz auslassen: Lauthals wird es dagegen protestieren!

Alt und neu Auch wenn das Vorlesen bereits bekannter Geschichten die Entwicklung Ihres Babys fördert, sollten Sie ihm immer wieder auch neue Bücher vorstellen. Lassen Sie es ruhig selbst auswählen, welche Geschichte es hören möchte.

Bewahren Sie die Bücher in einem sicheren, niedrigen Regal auf, damit sich Ihr Baby auch ganz selbstständig Bücher herausnehmen kann. Packen Sie auf langen Reisen und Einkaufstouren immer ein paar Bücher ein. Geben Sie Ihrem Baby möglichst viele Gelegenheiten, sich mit Büchern zu beschäftigen.

Wenn Sie Ihrem Baby vorlesen, bitten Sie es, Ihnen auf den Bildern verschiedene Elemente der Geschichte zu zeigen. Machen Sie ruhig auch entsprechende Geräusche (z. B. von Tieren oder Fahrzeugen) dazu. Für Babys in diesem Alter eignen sich Bücher mit nur einem einzigen Wort auf einer Seite; sie trainieren die Worterkennung. Wenn Ihr Baby gern Bücher anschaut, geben Sie ihm interaktive Exemplare. Diese Bücher haben Klappen zum Hochheben, bieten verschiedene Materialien zum Anfassen oder sogar Knöpfe zum Drücken. Ideal für kleine Finger sind vor allem Bücher aus robustem Pappkarton.

Sie können für Ihr Baby auch selbst ein Buch mit Fotos von geliebten Personen, Orten, Spielsachen und Aktivitäten anlegen. Kleben Sie die Fotos fest auf dicken Karton und laminieren Sie die Seiten, bevor Sie sie zusammennähen.

Plitsch, platsch!

Sobald Ihr Baby laufen kann, lohnt sich die Anschaffung von Gummistiefeln, denn nichts ist schöner, als auf Spaziergängen durch Pfützen zu stapfen. Lassen Sie Ihr Baby im Sommer im Planschbecken (unter Aufsicht!) erfahren, wie Wasser auf seine Bewegungen reagiert und wie manche Dinge untergehen, andere dagegen schwimmen. Und das Beste ist, Ihr Baby macht mit jedem vergnügten Spritzer neue Erfahrungen und trainiert dabei Gehirn und Sinne! Bitte lassen Sie Ihr Baby in der Nähe von Gartenteichen, Swimmingpools und Planschbecken nie unbeaufsichtigt.

Spaß im Sommer Ältere Babys lieben es, sich bei warmem Wetter im Planschbecken zu vergnügen. Lassen Sie Ihr Baby dabei jedoch keine Sekunde aus den Augen..

Geld sparen

Wie Sie sicher inzwischen bemerkt haben, sind Kinder eine teure Angelegenheit. Mit ein paar Tipps können Sie aber Geld sparen.

Wenn Sie im vergangenen Jahr bereits ein kleines Vermögen für Ausstattung und Unterhalt des Babys ausgegeben haben, überlegen Sie sicher, ob Sie auch noch in Babys zweitem Lebensjahr Dinge kaufen möchten, die nur kurze Zeit in Gebrauch sein werden. Der Babykorb sowie das gesamte Zubehör für Neugeborene sind nun überflüssig geworden; es sei denn, Sie planen in absehbarer Zeit Familienzuwachs. Falls nicht, könnten Sie die Sachen im Internet oder auf örtlichen Babyflohmärkten verkaufen. Oft werden Basare von der Kirche oder lokalen Mutter-Kind-Gruppen veranstaltet. Der Kauf von Secondhandware macht vor allem bei Kleidung Sinn, da sie meist nicht lange getragen wird. Auf Flohmärkten kann man auch günstig tolle Bücher und Spielzeug kaufen. Neuware sollten Sie am besten im Ausverkauf erstehen, auch wenn Sie sie noch nicht sofort verwenden können. Es lohnt sich außerdem, Gutscheine und Coupons für Babyprodukte zu sammeln.

FAKTEN UND HINTERGRÜNDE

Ihr Baby wächst im ersten Jahr mehr als zu jedem anderen Zeitpunkt seines Lebens. Danach hängt sein Wachstum von den Erbanlagen ab, vor allem von Ihrer Größe und der Ihres Partners; aber auch von Umwelteinflüssen. Bei guter Ernährung und viel Liebe wird es ganz sicher sein Wachstumspotenzial erreichen oder sogar überschreiten.

Geschwister

Damit sich die älteren Geschwister Ihres Babys nicht vernachlässigt fühlen, sollten Sie am besten spezielle Zeiten für sie reservieren.

Wenn Sie ältere Kinder haben, hat sich deren Platz in der Rangfolge verändert. Vielleicht haben sie das Neugeborene geradezu angebetet und sich gefreut, wenn sie bei seiner Pflege mithelfen oder auf es aufpassen durften. Da es aber nun älter ist und Interesse an ihren eigenen Spielen und Spielsachen zeigt, wird es für sie manchmal zum Quälgeist. Manchmal ist es so schlimm, dass sie mit ihm streiten oder ihm sogar wehtun. In solchen Fällen sollten Sie sofort einschreiten! Erklären Sie den älteren Geschwistern, dass Sie ein

So geht das Ältere Geschwister zeigen dem Baby gern, wie Dinge funktionieren. Sie sollten dabei aber nicht unbeaufsichtigt bleiben.

solches Verhalten (z. B. schlagen, schubsen, beißen) nicht dulden.

Machen Sie sich aber klar, dass nicht nur die Ansprüche des Babys wachsen, sondern auch die seiner älteren Geschwister. Alle Kinder möchten Ihre Aufmerksamkeit erhalten. Und auch viel ältere Geschwister können sich ausgeschlossen fühlen, auch wenn sie das nicht selbst ausdrücken.

Nehmen Sie sich Zeit für Ihre anderen Kinder, wenn das Baby schläft. Vielleicht können Sie jemanden oganisieren, der regelmäßig auf Ihr Baby aufpasst, damit Sie Zeit für Aktivitäten mit den »Großen« haben. Planen Sie im Voraus, damit sich Ihre älteren Kinder schon auf die Unternehmungen freuen können.

Spielzeug für Einjährige

Mit fast einem Jahr ist Ihr Baby bereit für neue, aufregende Spielsachen, die in den kommenden Monaten seine Sinne anregen.

Puzzles Robuste Puzzles mit einfachen Formen werden Ihrem Einjährigen gefallen (links).
Einpassen Formensortierer fördern Babys Feinmotorik und logisches Denken (rechts).

Ihr Baby ist inzwischen aus vielen seiner Spielsachen herausgewachsen. Vermutlich werden Sie sich bereits Gedanken darüber machen, welches neue und altersgerechte Spielzeug Sie ihm zum Geburtstag schenken können. Die Auswahl an Spielsachen für Einjährige ist enorm. Sie sollten lediglich darauf achten, ihm unterschiedliches Spielzeug zu kaufen, das die Entwicklung verschiedenster Fertigkeiten fördert.

Gut geeignet sind Spielsachen, die Ihr Baby zu körperlicher Aktivität anregen, da sich seine motorischen Fähigkeiten derzeit rasant entwickeln. Spielzeug, das schwer genug ist und das Ihr Baby vor sich herschieben kann, bietet eine schöne Stütze beim Laufen. Sie sollten aber ein Auge darauf haben, dass Ihr Baby dabei seine Laufkünste nicht überschätzt. Bälle sind jetzt sehr beliebt, weil man sie prima herumrollen kann.

Formensortierer und Spielzeug zum Stapeln helfen dem Baby, seine Fähigkeiten zur Lösung von Problemen zu trainieren und zu erkunden, wie kleine Objekte in größere hineinzupassen.

Bei sehr einfachen und robusten Steckpuzzles aus Holz mit Knöpfen zum Hochheben wird Ihr Baby lange Zeit damit beschäftigt sein, die Teile hin und her zu drehen, um herauszufinden, wie sie in die Vertiefungen passen.

Spielzeug mit einer Schnur, an der man ziehen kann, ist jetzt ebenfalls sehr interessant. Wählen Sie eines, das eine Melodie oder ein Lied spielt, wenn man an der Schnur zieht.

Endlosen Spaß garantieren bei schönem Wetter ein Sandkasten und eine Wasserschüssel. Ihr Baby kann seinen Eimer füllen und leeren – und eine riesige Sauerei veranstalten! Lassen Sie es aber in Wassernähe nie unbeaufsichtigt.

50 Wochen

Alles unter einem Hut

Glückliche Eltern sind gut für Babys, deshalb sollten Sie beide Zeit finden, sich um die wichtigen Aspekte Ihres Lebens zu kümmern.

Bis später! Routinen, die Ihnen Gewissheit geben, dass Sie ein Leben mit und ohne das Baby haben, sind sehr wichtig.

FRAGEN SIE ... EINE MUTTER

Ich muss nachts häufig meinem Baby den Schnuller zurückgeben. Sollte ich es ganz davon entwöhnen? Generell wird empfohlen, das Baby mit einem Jahr vom Schnuller zu entwöhnen, weil die Gewohnheit noch nicht so gefestigt ist und weil der Schnuller die Sprachentwicklung verzögern kann. Lassen Sie Ihr Baby anfangs noch damit einschlafen, aber nehmen Sie ihn ihm aus dem Mund, sobald es schläft. Es wird etwas dauern, bis es sich daran gewöhnt hat, dass kein Schnuller mehr da ist, wenn es nachts aufwacht. Sie können Ihrem Baby dafür jedoch ein anderes Trostobjekt anbieten, etwa eine Decke oder ein Stofftier, das es vom Verlust des Schnullers ablenkt.

Inzwischen sind Sie und Ihr Partner vielleicht wieder berufstätig, entweder in Voll- oder in Teilzeit, und Sie haben jemanden gefunden, der während Ihrer Abwesenheit Ihr Baby betreut. Oder einer von Ihnen bleibt zu Hause, während der andere arbeiten geht, oder Sie arbeiten beide Teilzeit und kümmern sich abwechselnd um das Baby. Wofür auch immer Sie sich entschieden haben, es ist wahrscheinlich das Ergebnis von Planungen und Diskussionen zwischen Ihnen und Ihrem Partner.

Zweifellos hat sich Ihr Leben seit der Geburt des Babys verändert. Wenn Sie sich dafür entschieden haben, zu Hause zu bleiben, sind Sie sicher begeistert davon, das Baby nach Ihren Vorstellungen zu erziehen, täglich mit ihm zusammen zu sein und stolz zuzusehen, wie es wächst und gedeiht. Vermutlich werden Sie aber manchmal auch einige Aspekte Ihres früheren Lebens vor der Geburt des Babys vermissen.

Ein anderer Mensch Wenn Sie Ihren Beruf aufgegeben haben, werden Sie vielleicht am Ende des Tages das befriedigende Gefühl vermissen, etwas geschafft zu haben. Oder Ihnen fehlen Umgang und Gespräche mit Erwachsenen. Manchmal kommt es Ihnen so vor, als habe sich Ihr Selbstbild verändert und Sie seien ein komplett anderer Mensch geworden. Ihr Selbstbewusstsein bröckelt, selbst wenn Sie genau das tun, wofür Sie sich entschieden haben, und Ihnen klar ist, welch wichtige Rolle Sie spielen. Um dem vorzubeugen, sollten Sie Ihre eigenen Bedürfnisse nicht vollständig zugunsten der des Babys aufgeben. Entwickeln Sie eine Routine,

in der sowohl Ihr eigenes Leben als auch das des Babys nicht zu kurz kommen.

Nehmen Sie sich dafür eine regelmäßige Auszeit, vielleicht am Wochenende, in der sich andere Familienmitglieder um das Baby kümmern und Sie tun können, was Ihnen Spaß macht. Vielleicht ist es auch möglich, das Baby zeitweise bei einer Tagesmutter unterzubringen oder einen Babysitter zu engagieren. Lassen Sie deswegen keine Schuldgefühle aufkommen! Ihr Baby kann von einer zufriedenen, ausgeglichenen Mutter nur profitieren.

Pflegen Sie Freundschaften mit anderen Eltern, deren Kinder etwa im Alter Ihres Baby sind. Sie können sich gegenseitig unterstützen und nicht selten halten solche Freundschaften ein Leben lang. Wenn Sie sich isoliert fühlen, schließen Sie sich einer lokalen Spielgruppe oder einem Hilfsnetzwerk an. Adressen und Details erhalten Sie bei Ihrer Gemeinde oder beim Kinderarzt.

Wenn Sie wieder berufstätig sind, brauchen Sie auch kein schlechtes Gewissen zu haben, weil Sie sich nicht um Ihr Baby kümmern. Ihm macht es nichts aus, wenn Sie nicht ständig anwesend sind. Verbringen Sie bewusst Qualitätszeit mit ihm und lassen Sie sich täglich von den Fortschritten Ihres Kindes berichten.

Sie und Ihr Partner wachsen derzeit noch in die Elternrolle hinein. Machen Sie keine allzu starren Pläne, denn womöglich ändert einer von Ihnen schon bald seine Meinung über die gegenwärtige Rollenverteilung. Diskutieren Sie mit Ihrem Partner über alles, was sich nicht richtig anfühlt, und bleiben Sie offen für Veränderungen.

Neue Geschmäcker

Der Gaumen Ihres Babys ist nun so gut entwickelt, dass Sie es für neue Geschmäcker interessieren sollten.

Zeigt Ihr Baby Interesse an den Gerichten, die auch der Rest der Familie isst, lassen Sie es daran teilhaben. Dies ist eine der besten Möglichkeiten, gesunde Essgewohnheiten zu etablieren. Ihr Baby lernt so, den Geschmack der Mahlzeiten zu schätzen, mit denen es aufwachsen wird; zudem nimmt es sich dadurch als Teil der Familie wahr.

Auch wenn Ihr Baby das selbstständige Essen noch nicht beherrscht, sollten Sie ihm einen eigenen Teller geben und darauf eine Auswahl der Gerichte platzieren, die Sie selbst essen. (Nehmen Sie seine Portion aber unbedingt ab, bevor Sie das Essen salzen.) Das Baby kann mit den Fingern oder mit einem altersgerechten Löffel essen.

Suppen, Eintöpfe, Pasta und Fleischklößchen sind für ältere Babys ideal. Ist Ihr Baby ein mäkeliger Esser, können Sie das Gemüse in Soßen und Suppen »verstecken«, damit es trotzdem genügend Nährstoffe bekommt.

Wenn Ihr Baby mitisst, können Sie jetzt auch mit Gewürzen und Kräutern kochen. Nüsse und Salz sind jedoch nach wie vor tabu.

Sollte Ihr Baby noch Probleme mit grober Nahrung haben, bieten Sie ihm am besten zusätzlich Dinge an, die es gut in die Hand nehmen kann. Dadurch wird es sich schnell auch an größere Stücke gewöhnen. Erhält Ihr Baby also z.B. fein gehacktes Hühnchenfleisch mit zerstampftem Gemüse, sollte es auch Hühnchenfleisch und Gemüse in größeren Stücken auf dem Teller finden. Diese Stücke kann es als Fingerfood essen.

Wenn das Baby schläft

Ihr Baby träumt jetzt etwas weniger als vorher, aber sein Gehirn braucht den Schlaf, um die Erlebnisse des Tages zu verarbeiten.

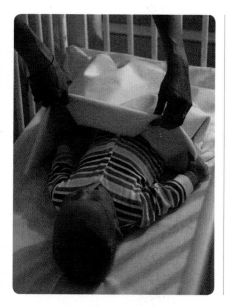

Um den ersten Geburtstag herum verändert sich etwas am Schlaf des Babys, denn es hat nun weniger Traum- oder REM-Phasen (rapid eye movement, s. S. 121) als vorher. Diese sind an flackernden Augenlidern, unregelmäßiger Atmung und Veränderungen des Gesichtsausdrucks zu erkennen. In den leichten REM-Schlafphasen arbeitet das Gehirn auf vollen Touren, um die Informationen vom Tag zu verarbeiten. (Frühgeborene haben noch mehrere Monate lang mehr Traumphasen als termingerecht geborene Babys.)

Schlaf gut! In der Nacht wechselt sich erholsamer Tiefschlaf mit leichteren Schlafphasen ab, in denen das Baby träumt.

Wenn das Baby träumt, ist sein zentrales Nervensystem aktiv. Herzschlag und Gehirnwellenaktivität erhöhen sich und vielleicht auch die Körpertemperatur. Da das Baby nicht sehr tief schläft, kann es sehr unruhig wirken oder zwischendrin sogar kurz aufwachen.

Reagieren Sie aber nicht zu schnell auf leichtes Weinen, da es sich normalerweise von selbst wieder beruhigt. Nach der Traumphase folgt eine Tiefschlafphase. Die meisten Babys erleben während einer Nacht fünf solcher Schlafzyklen; bei jedem Wechsel kann es kurz aufwachen. Während des Tiefschlafs atmet das Baby regelmäßig. Es kann dabei auch hin und wieder seufzen und Saugbewegungen machen.

51 Wochen

SCHON BALD WERDEN SIE DEN ERSTEN GEBURTSTAG IHRES BABYS FEIERN!

Kaum zu glauben, wie schnell sich Ihr Baby von einem winzigen Säugling in ein plapperndes, unabhängiges Kleinkind verwandelt hat. Lassen Sie es seine Welt erkunden und seine neuen Fähigkeiten einsetzen. Es wird seine Selbstständigkeit genießen in der Gewissheit, dass Sie gleich nebenan sind.

Noch mobiler werden

Mobilität ist Teil der Entwicklung und selbst die unwilligsten Krabbler und Läufer werden sich nun auf die Beine machen.

Frühe Läufer werden jetzt anfangen zu rennen. Die meisten Babys haben jedoch noch mit den ersten torkelnden Schritten zu kämpfen

Sobald Ihr Baby anfängt zu laufen, wird es seine Fähigkeit rückwärts, seitwärts, treppauf und treppab testen, ehe es im Vorwärtsgang beschleunigt – und normalerweise muss es dabei viele Stürze in Kauf nehmen.

Lassen Sie Ihr Baby so oft wie möglich draußen im Gras laufen. Gras bremst den Fall und trainiert sein Gleichgewicht auf leicht unebener Fläche. Noch hat Ihr Baby kein Gefühl für Entfernungen oder Tiefe, sodass es von Verandas und Treppenabsätzen fallen kann. Beaufsichtigen Sie es daher auf jeden Fall dabei.

Doppeltes Chaos Für Eltern von Zwillingen oder Mehrlingen kann dies eine aufreibende Zeit sein, da ihre Babys dazu neigen, sich in unterschiedliche Richtungen davonzumachen. In diesem Fall sollten Sie ganz besonders auf eine kindersichere Umgebung achten.

Es gibt jedoch keinen Grund, wieso sich Mehrlinge nicht genauso gut entwickeln sollten wie Einlinge. Möglicherweise entwickeln sie sich aber in unterschiedlichem Tempo, sodass z.B. einer Ihrer Zwillinge früher krabbeln oder laufen lernt als der andere.

Volle Kraft voraus! Babys fällt es oft schwer zu bremsen, wenn sie erst in Fahrt sind, deshalb sollten keine Hindernisse im Weg stehen.

Schlafbedarf

In den nächsten Monaten wird Ihr Baby weniger Schlaf brauchen. Richten Sie sich nach seinen Bedürfnissen, nicht nach der Routine.

Je nachdem wie aktiv Ihr Baby ist, haben Sie vielleicht schon von zwei langen auf zwei kürzere (oder sogar auf ein) Tagesschläfchen umgestellt. Im kommenden Jahr wird Ihr Baby täglich insgesamt nur noch 10–13 Stunden Schlaf benötigen. Ob es diesen Schlaf nachts oder aufgeteilt zwischen Tag- und Nachtschlaf nimmt, hängt von seinen individuellen Bedürfnissen ab. Die wenigsten Babys halten jedoch einen ganzen Tag lang durch, ohne mindestens einen kleinen Erholungsschlaf einzulegen.

Sie werden feststellen, dass Ihr Baby an manchen Tagen müder ist als an anderen und schon wenige Stunden nach dem Erwachen am Morgen wieder schläft. Vielleicht macht es sich auch zur Gewohnheit, mittags zur Essenszeit einzuschlafen, sodass Sie Ihren Tagesplan anpassen müssen, damit es noch etwas isst, ehe es einschläft, und nicht aus Hunger verfrüht aufwacht.

Ein einziger Nachmittagsschlaf ist ideal für Sie beide. Ist Ihr Baby müde, legen Sie es hin und wecken es erst, wenn es länger als bis 16 Uhr schläft; denn sonst kann es sein, dass es nachts nicht durchschläft.

Kommt Ihr Baby mit einem Schlaf am Tag gut aus, sorgen Sie dafür, dass es zuvor körperlich aktiv war, damit es leichter einschläft. In diesem Alter kann es auch gut sein, dass es Fluchtversuche unternimmt, weil es nicht schlafen möchte. Achten Sie auch darauf, dass die Matratze im Kinderbett nun auf der untersten Stufe liegt. (Weitere Sicherheitsmaßnahmen s.S. 299.)

Kuhmilch

Ihr Baby ist nun alt genug, um Kuhmilch zu trinken. Bis es zwei Jahre alt ist, sollte es Vollmilch sein, danach reicht halbfette Milch.

Bisher waren Muttermilch und Milchnahrung am besten geeignet, um den Nährstoffbedarf Ihres Babys zu decken. Der Natrium-, Kalium- und Chloridgehalt von Kuhmilch war für die kleinen Nieren des Babys noch zu hoch. Außerdem enthalten Mutter- und Folgemilch im Gegensatz zur Kuhmilch Vitamine und Mineralien, die für das schnelle Wachstum und die Entwicklung im ersten Lebensjahr wichtig sind.

Mit einem Jahr ist Ihr Baby jedoch alt genug, um Kuhmilch zu trinken. Sie versorgt es mit gesunden Fetten, Protein, Kalzium, Vitamin A und essenziellen Fettsäuren sowie anderen Mineralien.

Wird das Baby vegetarisch ernährt oder ist es ein besonders mäkeliger Esser, können Sie ihm auch eine spezielle Folgemilch für Kleinkinder geben, die mit Eisen und Vitaminen (speziell Vitamin B12) angereichert ist. Versuchen Sie trotzdem, seinen Speisezettel so zu erweitern, dass sein Nährstoffbedarf schließlich durch reguläres Essen und vollfette Kuhmilch gedeckt wird.

Alle Milchprodukte enthalten die Nährstoffe, die auch in Kuhmilch vorkommen; deshalb ist es nicht schlimm, wenn das Baby sie nicht so gern trinkt. Erhöhen Sie einfach die Menge an Milchprodukten und kalziumhaltiger Nahrung, wie Mandeln, grünes Blattgemüse, Hülsenfrüchte, Tofu und Soja.

Bis zum Alter von zwei Jahren sollte die Hälfte der täglich aufgenommenen Kalorien aus Fett bestehen. Das Baby braucht Vollmilch, um die für sein Wachstum nötige Energie zu erhalten. Bei abwechslungsreicher Ernährung können Sie danach auch auf fettarme Milch umstellen.

Ihr Baby will noch die Brust

Egal, was Sie davon halten, Ihr Baby will weiterhin gestillt werden und macht keine Anstalten, damit aufzuhören.

Ganz natürlich Für Ihr Brustkind ist Trinken an der Brust selbstverständlich und tröstlich.

Den richtigen Zeitpunkt, um mit dem Stillen aufzuhören, gibt es nicht. Viele Babys entwöhnen sich nun jedoch selbst, weil die Umgebung sie ablenkt und alles so interessant ist. Andere halten jedoch eisern an der Brust fest, was ebenfalls völlig normal ist, solange Sie selbst damit einverstanden sind.

Wenn Sie Ihr Baby jetzt jedoch lieber von der Brust entwöhnen wollen, sollten Sie sich dabei Zeit lassen. Das Stillen ist für Ihr Baby zur lieb gewonnenen Gewohnheit geworden. Ersetzen Sie die Muttermilch durch Milchnahrung oder, wenn Ihr Baby bereits ein Jahr alt ist, gleich durch Kuhmilch. Das Baby braucht noch etwa 500–600 ml Milch pro Tag, auch wenn es schon feste Nahrung zu sich nimmt. Zwei Milchmahlzeiten täglich plus etwas Milch zu den festen Mahlzeiten reichen aus. Am besten für Sie beide wird sein, weiterhin morgens oder abends zu stillen (s. S. 361).

Für ältere Babys kann Muttermilch aber weiterhin eine wertvolle Nährstoffquelle sein. Eine Studie in den USA ergab, dass 450 ml Muttermilch im zweiten Lebensjahr 29 Prozent des täglichen Energiebedarfs, 43 Prozent des Proteinbedarfs, 36 Prozent des Kalziumbedarfs, 75 Prozent des Vitamin-A-Bedarfs, 94 Prozent des Vitamin-B12-Bedarfs sowie 60 Prozent des Vitamin-C-Bedarfs des Babys decken.

Zum ersten Mal

In den nächsten Monaten wird Ihr Baby viele neue Erfahrungen machen. Etwas Vorbereitung hilft ihm, besser damit umzugehen.

Haare ab Der erste Haarschnitt fällt leichter, wenn Ihr Baby den Salon schon kennt.

Irgendwann im kommenden Jahr wird Ihr Baby zum ersten Mal zum Zahnarzt oder zum Friseur gehen. Oder es übernachtet zum ersten Mal bei Oma, wenn es bisher nur zu Hause vom Babysitter betreut wurde. Manche Babys finden neue Erfahrungen toll, andere müssen sich erst etwas warmlaufen, ehe sie damit klarkommen. In jedem Fall wird es Ihrem Baby leichterfallen, eine neue Situation zu akzeptieren, wenn es weiß, was es erwartet.

Wenn Sie selbst (oder eines der größeren Geschwister) zum Arzt, Zahnarzt oder Friseur gehen müssen, nehmen Sie Ihr Baby einfach mit, damit es sich an die Umgebung und die Vorgänge gewöhnen kann. Allerdings sollte der Aufenthalt dort nicht zu lange dauern, sonst wird das Baby unruhig, weil es sich langweilt.

Halten Sie das Baby auf Ihrem Schoß, während der Friseur Ihre Haare schneidet, und erklären Sie ihm in fröhlichem Tonfall, was gerade geschieht. So lernt Ihr Baby, dass das alles ganz normal ist. Lassen Sie es zusehen, wenn der Zahnarzt Ihre Zähne begutachtet oder der Arzt Ihren Blutdruck misst. Bleiben Sie dabei ruhig und entspannt, um ihm zu zeigen, dass es keinerlei Grund zur Angst gibt.

Wenn Sie denken, Ihr Baby könnte eine neue Situation stark einschüchtern, leihen Sie sich in der Bibliothek ein Kinderbuch zu diesem Thema aus. Sieht das Baby im Buch seine Lieblingsfigur beim Zahnarzt, fällt es ihm leichter, diese Erfahrung selbst zu machen.

Soll Ihr Baby bei Oma übernachten, besuchen Sie sie vorher ein- oder zweimal gemeinsam, damit sich das Baby an die neue Umgebung gewöhnt (s. S. 355).

Am Tag des Termins Ist der Tag gekommen, an dem Ihr Baby z. B. zum Friseur soll, achten Sie darauf, dass es nicht hungrig oder müde ist. Lenken Sie es mit seinem Trostobjekt, einem Spielzeug oder einem Buch ab, wenn es ängstlich wirkt. Erkären Sie ihm, wohin Sie gehen und was dort geschehen wird. Erinnern Sie es an das Buch zum Thema, das Sie zusammen gelesen haben, oder daran, wie Sie sich das letzte Mal die Haare schneiden ließen. Sagen Sie ihm, dass Sie danach etwas Lustiges unternehmen werden, etwa in den Park oder auf den Spielplatz gehen. So schaffen sie positive Assoziationen. Und zeigen Sie nie Ihre eigene Angst (etwa vor dem Zahnarzt), denn Ihr Baby wird sie sofort übernehmen.

Wann muss mein Baby das erste Mal zum Zahnarzt? Idealerweise sollten Sie das erste Mal zum Zahnarzt gehen, wenn die ersten Zähne durchbrechen. So gewöhnt sich Ihr Baby an regelmäßige Zahnarztbesuche. Eine richtige Untersuchung ist erst mit etwa einem Jahr angebracht. Der Zahnarzt berät Sie über die richtige Zahnpflege und sucht nach ersten Anzeichen für Karies.

Behandeln Sie den ersten Termin wie einen geselligen Anlass, bei dem sich Ihr Baby an die Umgebung und die neuen Gerüche gewöhnen kann. Bei der Untersuchung kann das Baby auf Ihrem Schoß sitzen. Wahrscheinlich wird es die Aufmerksamkeit genießen. Ist dies nicht der Fall und es wehrt sich sogar gegen die Untersuchung, können Sie den Termin auf einen späteren Zeitpunkt verschieben.

Mein Baby war nach der ersten Impfung völlig verstört. Bedeutet das, dass es auch bei allen zukünftigen Impfungen Angst haben wird? Ihr Baby erinnert sich nicht mehr an seine erste Impfung, deshalb brauchen Sie keine Sorge zu haben, dass es Angst vor der ärztlichen Untersuchung entwickelt hat. Es liegt jedoch in seiner Natur, lautstark zu reagieren. Manche Babys brüllen wie am Spieß und regen sich lange Zeit schrecklich auf, andere dagegen lassen sich relativ leicht und schnell wieder beruhigen.

Worte mit Bedeutung

Mit 12 Monaten haben viele Babys ein kleines Repertoire an Wörtern, die sie bewusst anwenden, sowie ein schnell wachsendes Vokabular.

Die ersten Wörter sind meistens die mit der wichtigsten Bedeutung für das Baby, wie »Mama« oder »Papa«. Es kann viele dieser Wörter noch nicht akkurat aussprechen, aber Sie wissen inzwischen genau, was sie bedeuten sollen. Es kann gut sein, dass Ihr Baby seine Wörter für bestimmte Personen oder Dinge ändert. In der einen Woche nennt es seine Flasche vielleicht »Lala«, in der nächsten »Lele« und in der übernächsten sogar »Mich« (Milch).

Das Baby lernt sprechen, indem es zuhört. Derzeit versteht es viel mehr Wörter, als es in der Lage ist, selbst auszusprechen. Nennen Sie ihm weiterhin die korrekte Bezeichnung für Dinge, denn durch Wiederholung prägen sich ihm die Wörter ein. Kann es Wörter nachsprechen, heißt das jedoch noch nicht, dass es sie auch bewusst benutzt. Hören Sie ihm zu und beobachten Sie es beim Sprechen. Anhand von Tonfall und Gesten erraten Sie vielleicht, was es meint.

Manche Babys wenden Wörter erst im zweiten Lebensjahr bewusst an. Mit zwanzig Monaten sollte es jedoch ein Repertoire von dreißig bis vierzig Wörtern besitzen (meistens Nomen und einfache Sätze), die es in sein Geplapper einflicht. Ab zwanzig Monaten beginnt Ihr Baby Wörter mit erstaunlicher Geschwindigkeit zu lernen – manchmal ein oder zwei pro Tag – und es besteht kein Zweifel mehr daran, was sie bedeuten sollen – und was das Baby will.

Mütter

Haben Sie das erste Jahr genossen – oder eher überstanden? Jede Mutter ist anders und manche sind »verrückter« nach Babys als andere …

Sonnenschein Natürlich ist Ihr Baby entzückend, aber es kann auch anstrengend sein!

Nachdem Sie nun fast zwölf Monate Erfahrung gewinnen konnten, wie würden Sie sich selbst als Mutter beschreiben? Sind Sie ein echtes »Muttertier«, das jeden Aspekt der Babypflege und des Stillens genießt, das über alles Bescheid weiß, was mit Babys zu tun hat, und täglich in einschlägigen Internetforen unterwegs ist? Oder erschien Ihnen die ewig gleiche Routine, das Windelwechseln und Füttern schnell irgendwie nervig und eher langweilig?

Wahrscheinlich stehen Sie irgendwo zwischen diesen beiden Extremen. Sie brauchen aber kein schlechtes Gewissen zu haben, wenn Sie das vergangene Jahr nicht so genossen haben, wie Sie erhofft hatten. Es heißt nicht, dass Sie Ihr Baby nicht lieben. Jeder hat seine Vorlieben:

Für manche Mütter wird Babypflege erst interessanter und lohnenswerter, sobald Ihr Kind älter wird und besser kommunizieren kann. Wenn sich die Persönlichkeit des Babys entwickelt, werden Sie vielleicht feststellen, dass Sie sich viel mehr engagieren und von Ihren mütterlichen Pflichten nicht mehr so erdrückt fühlen. Es klingt wie ein Klischee, aber Kinder wachsen wirklich extrem schnell. Heute ist es noch ein Baby, morgen melden Sie es in der Schule an – also nutzen Sie jeden Moment! Anstrengende Phasen wird es immer geben und keine Mutter ist perfekt, aber das Band zwischen Ihnen und Ihrem Kind ist einzigartig und kostbar – wo auch immer Sie sich selbst in der »Bemutterungsskala« einordnen.

Ihr Baby hat Geburtstag!

Herzlichen Glückwunsch, Ihr Baby ist jetzt ein Kleinkind. Freuen Sie sich auf viele aufregende Veränderungen im kommenden Jahr.

Der erste Geburtstag Ihres Babys weckt wahrscheinlich gemischte Gefühle bei Ihnen. Ihr Kleines wird nun immer selbstständiger und ist, was Nahrung und Mobilität angeht, nicht mehr so stark von Ihnen abhängig. Es hat womöglich schon ganz deutliche Vorstellungen davon, was es kann und will, sodass es vielleicht schon zum ersten Kräftemessen zwischen Ihnen und dieser kleinen Person kommt. Machen Sie sich darauf gefasst, dass Ihr Kind mit zwei Jahren noch widerwilliger sein wird, sodass es sich teilweise nicht einmal mehr beim Essen oder Anziehen helfen lassen will!

Paradoxerweise dauert gleichzeitig die Trennungsangst bis ins zweite, sogar dritte Lebensjahr an. Ihr Baby braucht immer wieder Ihre tröstliche Anwesenheit und die Sicherheit bekannter Routinen. Schenken Sie ihm regelmäßig auch körperliche Zuwendung und unternehmen Sie viel gemeinsam – lesen, singen und spielen –, um ihm Ihre feste Bindung zu verdeutlichen.

Das Sprechvermögen Ihres Babys wird sich im kommenden Jahr dramatisch verbessern. Lesen und singen Sie ihm vor und unterhalten Sie sich mit ihm über Ihren Tag, um seinen Spracherwerb zu unterstützen. Im Lauf des nächsten Jahres wird es lernen, kurze Sätze zu bilden, und seinen Willen mit Gesten und Worten verdeutlichen.

Die Sicherheit Ihres Kleinkinds sollte nach wie vor an erster Stelle stehen. Überprüfen Sie immer wieder seine Umgebung und seine Aktvitäten, damit es sich nicht selbst in Gefahr bringt, während es seine Welt erkundet. Sorgen Sie dafür, dass es die Regeln zur sicheren Benutzung der Treppe kennenlernt, und behalten Sie es draußen wie drinnen ständig im Auge.

Alles Gute! Der Geburtstag des Babys ist das Ende eines wunderbaren Jahres der Entwicklung, das Sie sicher mit ihm und der engsten Familie feiern möchten.

Unterstützen Sie die Entwicklung seiner Fähigkeiten mit Spielen, die es stimulieren und unterhalten. Wahrscheinlich möchte Ihr Baby jetzt auch einmal längere Zeit alleine spielen. Lassen Sie das ruhig zu, doch es braucht noch immer reichlich Zuwendung von Ihnen, denn Ihre Anregungen leisten einen wichtigen Beitrag zu seiner Entwicklung.

Gemeinsame Mahlzeiten mit der ganzen Familie fördern seine Tischmanieren und sozialen Fähigkeiten. Bieten Sie ihm eine reiche Auswahl an Gerichten an, ohne Ihre eigenen Abneigungen gegen manche Nahrungsmittel an das Baby weiterzugeben. Nehmen Sie sich Zeit, zusammen mit dem Baby die kleinen und großen Dinge des Lebens zu entdecken und zu genießen. Halten Sie seine Aktivitäten auf Filmen fest, sammeln Sie seine ersten künstlerischen Kreationen und nehmen Sie seine Sprache auf Band auf: Die Jahre werden viel schneller, als Sie denken, vorübergehen.

Sie haben diese einzigartige kleine Person erschaffen und nun liegt eine ganze Welt vor ihr. Seien Sie stolz auf seine Erfolge – und auch auf Ihre. All die Mühen, die Sie als Eltern bis jetzt auf sich genommen haben, haben zu diesem tollen Ergebnis geführt!

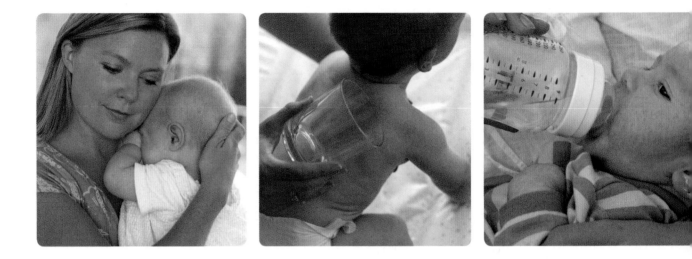

Gesundheit und Wohlbefinden Ihres Babys sind von primärer Bedeutung. Je besser Sie über das Erkennen und Behandeln von Krankheiten informiert sind, desto leichter können Sie damit umgehen. Die meisten Babys werden im ersten Jahr mindestens einmal krank. In diesem Kapitel werden alle häufigen Krankheiten und deren Behandlung genau erklärt. Folgen Sie unbedingt Ihrem Mutterinstinkt und rufen Sie den Arzt, wenn Sie sich Sorgen um die Gesundheit Ihres Babys machen.

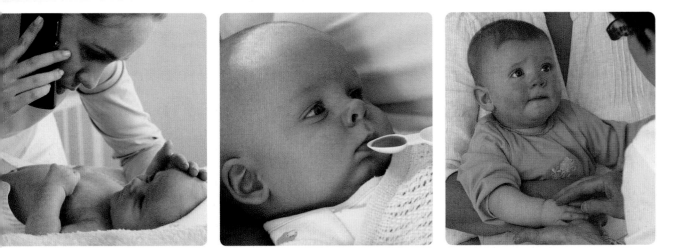

Unser Baby ist krank

Das kranke Baby

JE BESSER SIE INFORMIERT SIND, DESTO BESSER KÖNNEN SIE SICH UM IHR KRANKES BABY KÜMMERN.

Das Immunsystem Ihres Babys entwickelt sich noch, deshalb ist es anfällig für einige Krankheiten. Sie sind meistens harmlos, können aber manchmal ernst werden. Um rechtzeitig handeln zu können, sollten Sie genau wissen, auf welche Symptome Sie achten müssen.

Was fehlt dem Baby?

Frisch gebackene Eltern merken oft nicht gleich, dass Ihrem Baby etwas fehlt. Dies ändert sich jedoch, sobald Sie es besser kennen.

Auch gesunde Babys schreien oft – aber ein nicht enden wollendes Weinen kann ein Zeichen dafür sein, dass es Ihrem Baby nicht gut geht; vor allem, wenn es sich durch nichts beruhigen lässt. Achten Sie darauf, ob sein Schreien heiser oder höher als üblich klingt. Es kann auch sein, dass ein krankes Baby weniger schreit als sonst. Das sollten Sie bedenken, wenn sich Ihr Baby plötzlich ungewöhnlich ruhig verhält und vielleicht sogar noch andere Symptome aufweist (Checkliste s. S. 396).

Geht es dem Baby nicht gut, verliert es oft den Appetit. Auch Erbrechen ist ein häufig auftretendes Symptom, das nicht zwangsläufig auf ein Verdauungsproblem hinweist.

Schaut Ihr Baby verdrießlich drein oder lächelt Sie nicht wie sonst an, wenn Sie mit ihm reden, kann es sein, dass etwas nicht stimmt. Ältere Babys verlieren oft die Lust zu spielen, wenn Sie sich nicht wohlfühlen. Stattdessen klammern Sie sich an die Mutter und wollen nicht, dass sie den Raum verlässt. Atmet Ihr Baby lauter oder schneller oder schläft es mehr als gewöhnlich, kann es sein, dass es krank ist. Sollte es nicht mehr auf Ihre Weckversuche reagieren, rufen Sie umgehend die Sanitäter oder bringen es selbst in die Klinik, wenn das schneller geht.

Dehydrierung

Viele allgemeine Krankheiten führen zu Flüssigkeitsverlust, ein Problem, das durch Fieber noch verstärkt wird. Da Babys schnell austrocknen und dies eine ernste Gefahr für sie bedeuten kann, sollten Sie auf folgende Signale achten:

■ Verschlimmert sich die Dehydrierung, sind die Windeln nicht mehr so nass wie sonst. Die Haut fühlt sich trocken und locker an. Das Baby wirkt leicht lethargisch. Die Fontanelle (also die weiche Stelle oben am Kopf) sieht eingesunken aus. Rufen Sie sofort den Arzt an.

■ Bei schwerer Dehydrierung wirken die Augen des Babys stark eingesunken und es hat seit 12 Stunden keinen Urin abgesetzt. Rufen Sie umgehend die Sanitäter oder bringen Sie Ihr Baby schnellstmöglich selbst in die Klinik, denn es besteht die Gefahr, dass es einen Schock erleidet oder ins Koma fällt.

Um Dehydrierung zu vermeiden, sollten Sie Ihrem kranken Baby reichlich Muttermilch oder Milchnahrung anbieten. Es braucht jetzt zusätzliche Flüssigkeit, vor allem, wenn es an Durchfall oder Erbrechen leidet. Geben Sie ihm kleinere Mengen, dafür aber häufiger. Wird das Baby mit Milchnahrung gefüttert, können Sie ihm auch Wasser geben, das abgekocht und abgekühlt sein sollte, wenn das Baby noch keine sechs Monate alt ist. Fragen Sie den Kinderarzt nach einer oralen Elektrolytlösung, die das Baby bei Erbrechen leichter bei sich behält. Sie ersetzt nicht nur Flüssigkeit, sondern auch verloren gegangene Salze und Zucker.

Fieber messen

Fieber ist eine normale Reaktion des Körpers auf Infektionen. Eine erhöhte Temperatur zeigt daher an, dass das Baby krank ist. Die normale Körpertemperatur liegt zwischen 36,5 und 37,5 °C; unter dem Arm gemessen liegt sie etwa 0,5 °C niedriger. Das Messen im Po ist am genauesten. Dafür gibt es spezielle Thermometer mit einer flexiblen Spitze. Sie können das Thermometer vor dem Einführen anfeuchten oder dünn mit Vaseline bestreichen. Orale Messungen kommen bei Babys nicht infrage, sie könnten das Thermometer zerbeißen.

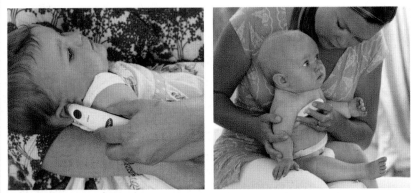

Im Ohr Halten Sie Ihr Baby fest und schieben Sie das Thermometer in sein Ohr. Halten Sie sich an die Anleitung, um die richtige Position zu finden (links). **Unter dem Arm** Setzen Sie das Baby auf Ihren Schoß und halten Sie es still, um akkurate Werte zu erhalten (rechts).

Ärztliche Hilfe suchen

Ist Ihr Baby krank, müssen Sie es vielleicht zum Arzt oder – bei ernsthafter Sorge um seine Gesundheit – in die Klinik bringen.

CHECKLISTE

Wann soll ich den Kinderarzt rufen?

Manche Symptome sind nicht zu übersehen, doch Sie sollten sicherheitshalber auch dann ärztlichen Rat einholen, wenn Sie das Gefühl haben, dem Baby geht es nicht gut; selbst wenn sich keine Symptome zeigen. Je jünger das Baby, desto früher sollte der Arzt eingeschaltet werden. Bei diesen Anzeichen sollten Sie den Kinderarzt rufen:

■ Fieber ab 39 °C oder höher, bei Babys unter 3 Monaten schon ab 38 °C.

■ Verweigerung von Essen.

■ Anhaltendes Erbrechen.

■ Schmerzvolles Schreien.

■ Lustlosigkeit und Lethargie.

■ Dehydrierung (s. S. 395).

■ Öfter als zweimal wässrigen Stuhlgang in 12 Stunden.

■ Blut oder Schleim im Stuhlgang.

■ Blutungen jeglicher Art.

■ Ausfluss aus Augen, Ohren oder Genitalien in den letzten 24 Stunden.

■ Beschleunigte Atmung.

■ Ausschlag.

■ Verbrennungen oder Verbrühungen.

■ Krämpfe.

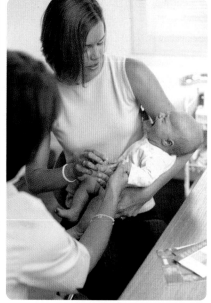

Arztbesuch Sprechen Sie mit dem Arzt, wenn das Baby Symptome einer Krankheit zeigt, oder Sie sich unsicher sind, was ihm fehlt.

Beim Arzt

Im Durchschnitt gehen Eltern mit Ihrem Baby im ersten Lebensjahr neunmal zum Arzt. Es ist daher gut zu wissen, wie Sie diese Termine am besten nutzen können.

Verlangen Sie keinen Hausbesuch, wenn es nicht wirklich unbedingt nötig ist. Ein Baby kann auch mit Fieber in die Arztpraxis gebracht werden, wo es sicher bevorzugt behandelt werden wird. Geben Sie das Alter Ihres Babys an, wenn Sie in der Praxis anrufen. Die meisten Praxen versuchen, kranke Babys so einzuschieben, dass die Wartezeit möglichst kurz ist. Erwähnen Sie auch, wenn Ihr Baby einen Ausschlag hat, weil dieser potenziell ansteckend sein könnte und Sie dann nicht im Wartezimmer sitzen sollten. Nehmen

Sie eine Reservewindel mit, die Sie dem Baby anziehen können, nachdem der Arzt es untersucht hat. Hat Ihr Baby Durchfall, sollten Sie eventuell eine schmutzige Windel mitbringen, damit der Arzt eine Probe entnehmen und ins Labor schicken kann.

Im Sprechzimmer Beschreiben Sie dem Arzt die Symptome Ihres Babys ganz genau. Geben Sie auch seine Temperatur an – und ob Sie ihm bereits irgendwelche Medikamente gegeben haben. Sagen Sie dem Arzt, was Sie bedrückt, ob es nun die Sorge um einen Husten ist oder Ihre Angst, das Baby könnte Meningitis haben. Sie merken dadurch schnell, ob Sie auf der gleichen Wellenlänge liegen.

Achten Sie darauf, dass Sie alle Anweisungen des Arztes zur Behandlung des Babys oder wie Sie ihm seine Medizin geben sollen, verstanden haben. Der Arzt wird Ihnen auch sagen, was Sie tun sollen, wenn sich der Zustand des Babys nicht bessert oder wann Sie zur Kontrolle wiederkommen sollen. Haben Sie keine Angst davor, ihm auf die Nerven zu gehen. Ein falscher Alarm ist bei frisch gebackenen Eltern keine Seltenheit. Viele Ärzte haben selbst Kinder und können sich gut in Ihre Lage hineinversetzen. Sie wissen, dass Sie sich Sorgen um Ihren kleinen Schatz machen und dass ein oder zwei unnötige Arztbesuche besser sind als ein versäumter im Krankheitsfall.

Wenn Sie das Gefühl haben, die Kommunikation zwischen Ihnen und dem Arzt stimmt nicht, ist er vielleicht nicht der richtige für Sie und Ihr Kind. Nach ein paar Konsultationen werden Sie wissen, ob Sie besser wechseln sollten.

Bei Beratungbedarf

Im Internet finden Sie Telefonnummern von Ärztehotlines oder Beratungshotlines, wie sie z.B. von den Kankenversicherungen betrieben werden. Sie sollten allerdings bedenken, dass vor allem unerfahrene Eltern manche Krankheitssymptome leicht falsch deuten können. Eine rein telefonische Beratung und Diagnose ist daher bei Babys nicht zu empfehlen. Geht es jedoch nur um kleine Probleme, wie Windeldermatitis oder eine Kolik, können Sie sich auch in der Apotheke Ihres Vertrauens beraten und mit rezeptfreien Medikamenten versorgen lassen.

In der Notaufnahme

Mit dem Kind in die Klinik fahren zu müssen, ist ein schrecklicher Gedanke, aber früher oder später machen die meisten Eltern diese Erfahrung; bereiten Sie sich deshalb schon einmal darauf vor. In der Mehrheit der Fälle ist es aber nichts Ernstes und die Eltern können Ihr Baby nach der Untersuchung wieder mit nach Hause nehmen. Manchmal wird dort jedoch entschieden, dass es besser ist, das Baby stationär aufzunehmen (s. Kasten unten).

Bleiben Sie ruhig, auch wenn Sie sich noch so große Sorgen machen. Wenden Sie sich nach der Ankunft in der Klinik als Erstes an die Rezeption. Dort werden Sie nach dem Grund des Kommens und den Beschwerden des Babys gefragt. Die Formalitäten werden erledigt. Erklären Sie deutlich, was passiert ist oder welche Symptome das Baby hat. Man wird Sie und Ihr Baby entweder sofort zu einem Arzt bringen oder Sie bitten, im Warteraum Platz zu nehmen.

Kümmert sich der Arzt nicht sofort um Ihr Baby, ist es schwer vorherzusagen, wie lange Sie warten müssen. In der Klinik haben dringende Fälle stets Vorrang. Stellen Sie sich also darauf ein, dass es etwas dauern kann, ehe Sie aufgerufen werden, und packen Sie, wenn Zeit dazu ist, das Lieblingskuscheltier, einen Schnuller, etwas zu trinken oder zu essen sowie ein paar Reservewindeln ein.

DER AUFENTHALT IN DER KLINIK

Glücklicherweise sind Kinderkliniken heute viel heller, freundlicher und weniger formell als früher. Das Personal ist gut ausgebildet und interessiert sich wirklich für die kleinen Patienten. Kinderärzte tragen heute meist keine weißen Kittel mehr und sind meistens die nettesten Fachärzte in der Klinik.

Beim Baby bleiben Muss Ihr Baby im Krankenhaus bleiben, haben Sie fast immer die Möglichkeit, mit ihm zusammen ein Eltern-Kind-Zimmer zu beziehen. Aus der Sicht des Babys ist es am allerwichtigsten, dass Sie während der Untersuchungen bei ihm sind. Vor der Blutentnahme wird manchmal ein Lokalanästhetikum in Form einer Creme aufgetragen, um die Prozedur schmerzlos zu gestalten. Muss Ihr Baby unter örtlicher Betäubung orperiert werden, ist Ihre Anwesenheit in der Regel willkommen. Bei Eingriffen unter Vollnarkose müssen Sie allerdings draußen warten, doch Sie können Ihr Baby halten, bis es eingeschlafen ist. Bringen Sie Lieblingsspielzeug, Trostobjekte oder Decken mit, um es dem Baby heimelig zu machen.

Auf den Klinikaufenthalt vorbereiten

Muss Ihr älteres Baby in die Klinik, können Sie es darauf vorbereiten. Erzählen Sie ihm ein wenig darüber, damit es weiß, was passieren wird. Babys spüren die Stimmung ihrer Eltern, also seien Sie möglichst positiv, egal was passiert. Wenn Sie selbst Kliniken oder Spritzen hassen, behalten Sie das am besten für sich. Reden Sie mit leiser Stimme beruhigend auf Ihr Baby ein. Sie können ihm auch sein Lieblingslied vorsingen.

Sich informieren Sie können Ihre eigenen Ängste am besten bekämpfen, indem Sie sich so genau wie möglich über die Behandlung Ihres Babys informieren. Wenn Sie nicht wissen, was vor sich geht, fragen Sie nach und lassen Sie sich von nichts und niemandem einschüchtern. Fast immer stehen Ärzte oder Personal bereit, die Ihnen gern Auskunft geben. Schreiben Sie Ihre Fragen auf, wenn Sie Angst haben, sie in der Aufregung zu vergessen.

Bei der Entlassung Ihres Babys aus der Klinik sollten Sie sich nach Telefonnummern erkundigen, die Sie im Bedarfsfall anrufen können.

Das kranke Baby pflegen

Ihr krankes Baby braucht Ihre ganze Aufmerksamkeit. Sie unterstützen seine Genesung, wenn Sie genau wissen, was zu tun ist.

Ein krankes Baby ist sehr fordernd und möchte Sie stets um sich haben. Legen Sie neue Prioritäten fest, damit Sie so viel Zeit wie möglich bei Ihrem Baby verbringen können. Ein guter Babysitter oder ein vertrautes Familienmitglied könnte diese Aufgabe natürlich auch übernehmen, aber Ihr Baby wird Sie an seinem Krankenlager bevorzugen.

Ein krankes Baby möchte vielleicht einfache Spiele spielen. Oder vielleicht will es, dass Sie ihm seine Lieblingsgeschichte vorlesen. Gern auch mehrmals hintereinander, denn vertraute Dinge geben ihm jetzt mehr denn je das Gefühl von Trost und Geborgenheit. Eventuell hört es sich auch gern CDs mit Erzählungen oder Liedern an, obwohl Ihre Stimme für das Baby natürlich von besonderer Bedeutung ist.

Behalten Sie die Temperatur Ihres Babys im Auge und prüfen Sie sie, wenn nötig (s. S. 401). Fieber muss nicht immer gleich behandelt werden, doch Sie sollten es senken, wenn es sehr hoch ist, sich das Baby sehr unwohl fühlt oder wenn der Arzt Ihnen dazu geraten hat. Je nach Alter des Babys kommen dazu Paracetamol oder Ibuprofen in Frage, die Sie jedoch nur einzeln und nie zusammen verwenden sollten.

Ein krankes Baby braucht zusätzliche Flüssigkeit, dies gilt vor allem, wenn es

---

Die Hausapotheke

Mit einem Vorrat an rezeptfreien Medikamenten lassen sich kleine Leiden effektiv behandeln. Bewahren Sie Medikamente immer außer Reichweite des Babys auf, idealerweise an einem dunklen kühlen Ort, und prüfen Sie hin und wieder das Verfallsdatum. Die Medikamente müssen für Kinder geeignet sein.

- Paracetamolsaft.

- Ibuprofen für Babys.

- Zinksalbe für Ausschläge und Stiche.

- Elektrolytlösung.

- Desinfizierende Salbe für Schnitt- und Schürfwunden.

- Schmerzstillendes Gel für Schmerzen beim Zahnen.

- Spritze und/oder Löffel.

- Thermometer.

- Pflaster, Verbände.

Tropfen verabreichen

Waschen Sie sich vorher die Hände; achten Sie darauf, dass die Pipette nicht in direkten Kontakt mit Ihrem Baby kommt, und sterilisieren Sie sie nach Gebrauch.

Nasentropfen Legen Sie das Baby auf dem Rücken auf Ihren Schoß. Bei einem älteren Baby können Sie den Kopf sanft zurückbiegen. Halten Sie den Kopf fest und geben Sie die Tropfen in jedes Nasenloch.

Augentropfen Legen Sie das Baby auf Ihren Schoß und halten Sie es mit einem Arm fest. Ziehen Sie das untere Augenlid sanft herab und geben Sie die Tropfen in den unteren Bindehautsack. Holen Sie sich Hilfe, wenn Sie Ihr Baby nicht allein bändigen können.

Ohrentropfen Wärmen Sie die Ohrentropfen vor, indem Sie sie ein paar Minuten in der Hand halten. Legen Sie das Baby auf Ihrem Schoß auf die Seite. Es sollte bequem liegen, denn es muss einige Minuten in dieser Position

aushalten, damit die Tropfen nicht wieder aus dem Ohr herauslaufen. Halten Sie seinen Kopf fest und lassen Sie die Tropfen in sein Ohr fallen. Halten Sie ein Taschentuch bereit, um überschüssige Tropfen nach dem Aufsetzen abzuwischen.

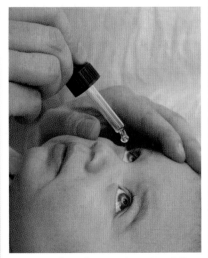

Augentropfen geben Drücken Sie auf die Pipette und lassen Sie einen Tropfen in den unteren Bindehautsack fallen.

Dem Baby Medizin geben

Es gibt mehrere Methoden, einem Baby Medizin zu verabreichen, egal ob verschreibungspflichtige oder rezeptfreie aus der Apotheke. Waschen Sie sich davor Ihre Hände und achten Sie unbedingt darauf, das Medikament richtig zu dosieren. Eine Überdosis kann vor allem für Babys sehr gefährlich sein. Halten Sie Ihr Baby leicht aufrecht. Auf dem Rücken liegend könnte es sich verschlucken oder die Medizin in die Lunge bekommen.

Mit einer Spritze Diese Methode eignet sich am besten für kleine Babys, die noch nichts vom Löffel nehmen können, oder wenn nur kleine, präzise Dosen eines Medikaments benötigt werden. Wenn Ihr Baby noch keine sechs Monate alt ist, sollten Sie die Spritze sterilisieren. Ziehen Sie die Medizin auf und nehmen Sie das Baby in den Arm. Schieben Sie die Spitze der Spritze sanft zwischen die Lippen des Babys und drücken Sie vorsichtig auf den Kolben, sodass die Medizin in den Mund Ihres Babys gelangt.

Mit der Pipette Sterilisieren Sie die Pipette, wenn Ihr Baby noch keine sechs Monate alt ist. Nehmen Sie die entsprechende Menge Medizin mit der Pipette auf. Halten Sie Ihr Baby leicht aufrecht und platzieren Sie die Pipettenspitze in seinem Mundwinkel oder zwischen den Lippen. Entleeren Sie den Inhalt der Pipette dann komplett in den Mund des Babys.

Mit dem Löffel Dies ist die übliche Methode für Babys über 12 Wochen, vor allem bei Dosen über 2,5 ml. Messen Sie die Dosis ab, bevor Sie das Baby hochheben. Halten Sie es aufrecht und berühren Sie mit der Unterseite des Löffels seine Unterlippe. Kippen Sie dann den Löffel vorsichtig nach oben, sodass die Medizin in den Mund des Babys fließt.

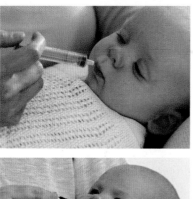

Spritze Für sehr kleine Babys eignet sich die Spritze am besten (oben). **Pipette** Achten Sie darauf, dass der gesamte Pipetteninhalt im Mund des Babys landet (Mitte). **Löffel** Babys über 12 Wochen können Medizin normalerweise mit dem Löffel einnehmen (unten).

Fieber hat. Fieber ist zwar eine normale Körperreaktion, aber es fördert auch die Dehydrierung und diese wiederum kann das Fieber ansteigen lassen. Wenn Sie stillen, sollten Sie dies beibehalten. Fragen Sie den Arzt, ob Ihr Baby noch zusätzlich Wasser benötigt. Ältere Babys können dazu ermuntert werden, mehr zu trinken. Halten Sie daher immer ein Getränk in seiner Reichweite.

Nimmt Ihr Baby schon feste Nahrung zu sich, sorgen Sie sich nicht, wenn es während seiner Krankheit nicht viel isst. Flüssigkeit ist jetzt wichtiger als Essen.

Das kranke Baby muss nicht unbedingt im Bett liegen. Allerdings ist es oft praktischer, ihm den Pyjama anzuziehen, weil er sich leichter an- und auszieher lässt. Nachts können Sie sein Bett vorübergehend in Ihrem eigenen Schlafzimmer aufstellen. So können Sie sich besser um das Baby kümmern und schlafen selbst beruhigter, weil Sie es in Ihrer Nähe wissen.

Für die Zeit der Krankheit können Sie das Vollbad durch eine Katzenwäsche ersetzen, je nachdem, wie krank das Baby ist und wie sehr es das Baden liebt. Ziehen Sie ihm regelmäßig frische Kleidung an, dadurch fühlt es sich gleich besser.

Die Pflege eines kranken Babys kann sehr anstrengend sein, deshalb sollten Sie sich selbst auch ausruhen, wenn das Baby schläft. Verschwenden Sie nicht kostbare Zeit mit Hausarbeit. Bitten Sie notfalls Familie und Freunde um Hilfe. Doch egal, wie müde Sie sind, schlafen Sie nie mit dem kranken Baby auf dem Sofa ein.

Medikamente geben Hat der Arzt Ihrem Baby Medikamente verschrieben, z.B. Antibiotika, sollten Sie dringend darauf achten, sie richtig zu dosieren und nach Anweisung zu verabreichen. Gerade Antibiotika dürfen nicht eigenmächtig zu früh abgesetzt werden, wenn es dem Baby scheinbar schon bessergeht. Dies gilt auch für Salben und andere äußerliche Anwendungen. Medikamente für Babys werden stets in flüssiger Form verabreicht, die Methoden zur Gabe s. Kasten oben.

Krankheiten und Verletzungen

EIN KRANKES ODER VERLETZTES BABY BRAUCHT VIEL ZUWENDUNG UND DIE RICHTIGE PFLEGE.

Nur wenn Sie gut informiert sind, können Sie wissen, ob Sie Ihr krankes oder verletztes Baby selbst behandeln oder zum Arzt bringen sollten.

Häufige Krankheiten

Ist Ihr Baby nicht ganz auf der Höhe, können viele Krankheiten dahinterstecken. Es ist selten in der Lage zu sagen, was ihm fehlt.

Fieber

Fieber ist keine Krankheit, sondern ein Symptom. Der Körper wehrt sich damit gegen Infektionen oder Entzündungen; daher sollten Sie Fieber nie ignorieren, vor allem nicht bei Babys unter sechs Monaten.

Zu den Ursachen für Fieber zählen Erkältung, Atemwegserkrankungen, Magen-Darm-Grippe, Harnwegsinfektionen sowie Infektionskrankheiten wie das Dreitagefieber (s. S. 406). Auch nach einer Routine-Impfung kann Fieber auftreten.

Ihr Baby kann Fieber haben, wenn sich sein Körper, insbesondere Rücken und Nacken, heiß und feucht anfühlt. Gewissheit erhalten Sie aber nur, indem Sie seine Temperatur messen (s. S. 395).

Fieber behandeln Fieber kann zu Unwohlsein führen und eine dehydrierende Wirkung haben. Deshalb sollten Sie einem fiebrigen Kind immer ausreichend zu trinken geben und auf Anzeichen von Dehydrierung achten (s. S. 395).

Ziehen Sie Ihr Baby nicht zu warm an, denn das erschwert dem Körper, seine Temperatur wieder auf Normalwerte zu senken. Im Zimmer sind je nach Raumtemperatur eine Windel und ein Body oft ausreichend. Allerdings können Babys ihre Körpertemperatur noch nicht so gut kontrollieren, deshalb kann es ihnen auch schnell zu kalt werden.

Es wird nicht empfohlen, das Baby mit lauwarmem Wasser abzuwaschen, um die Temperatur zu senken, oder es zu baden, denn dadurch fühlt es sich nur noch schlechter. Babys über drei Monaten kann Paracetamol oder Ibuprofen für Babys verabreicht werden. Halten Sie sich strikt an die Dosieranweisung und geben Sie nicht beides gleichzeitig. Sollte jedoch eines keine Wirkung zeigen, können Sie das andere ausprobieren.

Wann zum Arzt? Bei sehr kleinen Babys ist Fieber eher selten und daher sehr bedeutsam. Als Regel gilt, je jünger das Baby, desto schneller sollten Sie zum Arzt gehen. Bei älteren Babys sagen die aktuelle Temperatur oder die Dauer des Fiebers häufig nichts darüber aus, wie krank sie sind. Gehen Sie zum Arzt, wenn

■ das Baby krank wirkt, obwohl es kein hohes Fieber hat,
■ andere Symptome wie Erbrechen oder Durchfall auftreten,
■ es teilnahmslos wirkt.

Nehmen Sie am besten eine Urinprobe mit zum Arzt, denn Harnwegsinfekte sind bei Babys nicht selten und oft tritt keines der typischen Symptome wie bei Erwachsenen auf (S. S. 409).

Rufen Sie sofort den Arzt an, wenn:
■ sich ein Ausschlag zeigt, der auf Druck nicht verblasst (S. S. 409f.),
■ Ihr Baby einen Krampfanfall hat,
■ sich sein Zustand verschlechtert.

Reflux

Bei Refluxösophagitis fließt der Mageninhalt in die Speiseröhre (Ösophagus) zurück und sorgt dort für Beschwerden. Man geht davon aus, dass rund die Hälfte aller Babys unter drei Monaten (egal ob sie Mutter- oder Flaschenmilch erhalten) darunter leiden, doch nur die wenigsten zeigen schwere Symptome.

Zum Reflux kommt es, weil bei Babys oft der Schließmuskel am Ende der Speiseröhre noch nicht richtig funktioniert. Ein Problem, das sich mit der Zeit jedoch von selbst behebt. Zu den häufigsten Symptomen zählen:

■ Aufstoßen großer Mengen Nahrung,
■ Erbrechen,
■ Husten,
■ Reizbarkeit,
■ wenig Nahrungsaufnahme,
■ selten Blut im Stuhl und Erbrechen (kontaktieren Sie sofort den Arzt).

Wenn Ihr Baby beim Füttern schreit, als hätte es Schmerzen, und viel Milch wieder hochkommt, besteht der Verdacht auf Reflux. Viele Babys spucken jedoch Milch, ohne an Reflux zu leiden. Gelegentlich hat Reflux ernst zu nehmende Auswirkungen, wie Atem- oder Wachstumsprobleme.

Gegen Reflux kann helfen, dem Baby kleinere Mengen in kürzeren Abständen zu füttern, oder es mindestens 20 Minuten nach jeder Mahlzeit aufrecht zu halten und aufstoßen zu lassen.

Fragen Sie den Kinderarzt, ob für Ihr Baby ein Medikament zur Behandlung von Reflux infrage kommt.

Ankyloglossie

Zwischen der Unterseite der Zunge und dem Mundboden befindet sich ein kleiner Gewebestreifen, das sogenannte Zungenbändchen (Frenulum). Ist es kürzer und oft auch dicker als gewöhnlich, kann dies die Beweglichkeit der Zunge und auch die Saugfähigkeit beim Stillen stark einschränken. In diesem Fall spricht man von einer Ankyloglossie oder schlicht einem verkürzten Zungenbändchen.

Es ist nicht erwiesen, dass eine Ankyloglossie auch die Sprachentwicklung des Kindes verzögert. Oft hat sie sich bis zum Sprachbeginn von selbst gebessert.

Ankyloglossie lässt sich außerdem in einem kleinen Eingriff unter örtlicher Betäubung beheben.

Konjunktivitis

Hierbei handelt es sich um eine Entzündung der Augenbindehaut, die von Bakterien, Viren oder durch eine Allergie ausgelöst werden kann.

Am häufigsten ist bei Babys unter sechs Monaten die bakterielle Bindehautentzündung. Dies liegt daran, dass ihre Tränenkanäle noch nicht richtig funktionieren und sich daher leicht Bakterien ansiedeln, die diese Entzündung auslösen.

Bei Konjunktivitis sind die Augen des Babys verkrustet, nachdem es aus dem Schlaf erwacht, oder es sammeln sich eitrige Absonderungen in den Augenwinkeln an. In schlimmeren Fällen sind die Augen blutunterlaufen und die Augenlider geschwollen.

Bei leichten Symptomen und wenn das Weiße im Auge nicht rot ist, wischen Sie die Augen mit Watte und abgekochtem Wasser oder Muttermilch aus. Waschen Sie vorher Ihre Hände und wischen Sie von der Nase zum äußeren Augenwinkel hin. Nehmen Sie für jedes Auge ein eigenes, sauberes Stück Watte und achten Sie darauf, nicht den Augapfel zu berühren.

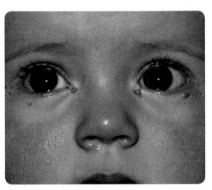

Konjunktivitis Eitrige Absonderungen in den Augenwinkeln sind oft ein Zeichen für eine bakterielle Bindehautentzündung.

Erbrechen

Alle Babys spucken hin und wieder etwas Milch, aber beim Erbrechen zieht sich der Magen zusammen und befördert eine weitaus größere Menge an Nahrung nach draußen. Erbrechen hat meist ernährungsbedingte Ursachen oder tritt bei Erkrankungen von Magen oder Darm auf, wie

■ Überfütterung,
■ Magen-Darm-Grippe (s. rechts),
■ Nahrungsallergie (s. S. 404),
■ Reflux (s. S. 401),
■ Pylorusstenose (s. unten),
■ Darmverschluss (s. rechts).

Erbrechen bedeutet jedoch nicht zwangsläufig, dass der Magen daran beteiligt sein muss. Babys erbrechen auch bei Infektionen, vor allem bei schwerwiegenden, wie Harnwegsenzündung (s. S. 409), Meningitis (s. S. 409f.), Mittelohrentzündung (s. S. 410) oder einer Atemwegsinfektion (s. S. 409). Auch Keuchhusten kann zu Erbrechen führen, meist am Ende eines Hustenanfalls.

Fühlt sich Ihr Baby im Übrigen wohl und erbricht nur einmal, brauchen Sie keinen Arzt. Allerdings dehydrieren Babys leicht und werden schnell krank. Erbricht Ihr Baby öfter als ein- oder zweimal, sollten Sie ärztlichen Rat einholen. Die Behandlung von Erbrechen hängt von der jeweiligen Ursache ab.

Pylorusstenose Dabei handelt es sich um eine Verengung des Muskels am Magenausgang. Dadurch kann der Mageninhalt nicht in den Darm passieren und wird wieder erbrochen. Etwa eines von vierhundert Babys leidet an dieser Störung. Sie tritt gehäuft bei Jungen zwischen vier und sechs Wochen auf.

Das Erbrechen erfolgt unmittelbar nach der Mahlzeit und kann so heftig sein, dass das Erbrochene schwallartig herausschießt. Das Baby hat Appetit und erscheint gesund, aber im weiteren Verlauf der Krankheit kommt es zur Dehydrierung. Eine zuverlässige

Diagnose wird meist per Ultraschall gestellt. Die Pylorusstenose kann durch einen kleinen Eingriff behoben werden, der manchmal sogar minimal-invasiv durchgeführt wird.

Darmverschluss Er tritt selten auf, ist aber sehr ernst. Normales Erbrochenes sieht wie Milch oder Nahrung aus. Bei Darmverschluss ist es jedoch mit Galle vermischt und daher grün. Kontaktieren Sie sofort Ihren Arzt!

Magen-Darm-Grippe

Hierbei handelt es sich um eine Entzündung oder Infektion von Magen und Darm, die durch Bakterien oder Viren verursacht wird. Die Gastroenteritis löst meistens Erbrechen und Durchfall aus.

Am häufigsten tritt bei Babys eine Infektion mit dem Rotavirus auf. Bakterielle Verursacher sind E. coli, Salmonellen, Shigella und Campylobacter. Flaschenbabys sind insgesamt öfter betroffen als gestillte Babys. Mögliche Symptome sind:
■ Erbrechen und/oder Durchfall,
■ Bauchschmerzen, meist kurz vor dem Stuhlgang,
■ Fieber.

Nach dem Rotavirus ist das Norovirus die zweithäufigste Ursache für akute Magen-Darm-Entzündungen. Allerdings verlaufen Infektionen mit Noroviren meist schwächer und die Symptome halten weniger lang an. Konsultieren Sie immer den Arzt, wenn Sie glauben, Ihr Kind hat eine Magen-Darm-Grippe, weil die Dehydrierung schnell einsetzt. Gehen Sie sofort zum Arzt, wenn Sie Blut im Stuhl finden, denn dies könnte auch eine Darmeinstülpung als Ursache haben. Bei einer Magen-Darm-Grippe ist es nicht wichtig herauszufinden, welche Art von Erregern sie ausgelöst haben, doch es kann sein, dass der Arzt trotzdem eine Stuhlprobe ins Labor schickt.

Die Behandlung zielt in erster Linie darauf ab, den Flüssigkeitsverlust zu

> ### DARMEINSTÜLPUNG
>
> Teile des Darms stülpen sich so ineinander, dass eine Blockade entsteht. Zu den Symptomen gehören:
> ■ Schmerzensschreie (oft intervallartig),
> ■ Fieber,
> ■ Erbrechen,
> ■ Dehydrierung oder Schock,
> ■ Blut und Schleim im Stuhl (ähnlich wie Johannisbeergelee).
>
> Die Erkrankung ist selten und betrifft Babys von 3–12 Monaten; manchmal solche, die sich gerade von einer Magen-Darm-Grippe erholen. Sie kann jedoch sehr ernst werden, wenn sie nicht behandelt wird. Der Arzt wird versuchen, den Darm wieder zu entfalten, doch in manchen Fällen muss das Baby sogar operiert werden.

ersetzen. Vermutlich wird Ihnen der Arzt zu einer Elektrolytlösung raten, die auch Salze und Zucker in der richtigen Menge enthält. Verabreichen Sie sie am besten schluckweise, damit das Baby sie bei sich behält. Wenn Sie stillen, können Sie das auch weiterhin tun. Erhält Ihr Baby Milchnahrung, ersetzen Sie diese durch Elektrolytlösung.

Es ist ratsam, viele Papiertücher zur Hand zu haben oder bei älteren Babys eine Schüssel, denn das Erbrechen erfolgt meist ganz plötzlich. Achten Sie auf Hygiene und halten Sie Ihr Baby von anderen Personen fern, denn Magen-Darm-Grippe ist meistens sehr ansteckend. Verbessert sich der Zustand Ihres Babys nicht, sollten Sie die Klinik aufsuchen.

Durchfall

Jedes Baby hat ab und an etwas weichen Stuhlgang. Vor allem bei gestillten Babys ist das völlig normal. Durchfall bedeutet jedoch das häufige Absetzen von Stuhl,

der viel flüssiger ist, als er sein sollte. In manchen Fällen hat er sogar die Konsistenz von Wasser und läuft aus der Windel heraus. Die Ursachen dafür sind unter anderem:
■ Magen-Darm-Grippe (s. links),
■ Allergie oder Milchintoleranz (s. S. 404),
■ Mukoviszidose.

Der häufigste Grund für Durchfall ist eine Magen-Darm-Grippe, doch bei Babys kann auch jede andere fiebrige Krankheit, sogar z. B. eine Ohrenentzündung, Durchfall auslösen. Manche Antibiotika verursachen ebenfalls Durchfall, weil sie auch die nützlichen Bakterien im Darm töten. Wie beim Erbrechen kann das Baby schnell austrocknen, deshalb sollten Sie den Arzt anrufen, wenn es mehr als 4–6 Mal während 24 Stunden Durchfall hatte. Achten Sie auf Zeichen von Dehydrierung (s. S. 395) und bedenken Sie dabei, dass man bei Durchfall in der Windel nicht erkennen kann, ob auch Urin abgesetzt wurde. Der Arzt wird Ihnen vermutlich Folgendes raten:
■ Elektrolytlösung geben,
■ allgemein viel trinken lassen,
■ das Baby gut beobachten,
■ auf strenge Hygiene achten und das Baby von anderen Personen fernhalten.

Verstopfung

Dabei wird zu harter Stuhl zu selten abgesetzt. Gestillte Babys haben oft keinen häufigen Stuhlgang; aber wenn er normal aussieht, ist es keine Verstopfung. Die häufigsten Gründe dafür sind:
■ Umstellung auf feste Nahrung,
■ zu wenig Ballaststoffe,
■ Flüssigkeitsmangel (etwa während einer Krankheit),
■ zu dick angerührte Milchnahrung.
Bei sehr jungen Babys kann Verstopfung auch durch eine seltene Erbkrankheit namens Morbus Hirschsprung verursacht werden, einer Fehlbildung von Darmabschnitten.

Bei Verstopfung setzt ein Baby nur zwei- bis dreimal die Woche Stuhl ab. Dieser kann hart und pelletähnlich oder größer sein. Manchmal bereitet das Ausscheiden Schmerzen und es treten blutende Risse am After auf. Häufig versucht das Baby dann, das Absetzen von Stuhl zu verhindern, was zu Bauchschmerzen führen kann.

Fragen Sie den Arzt um Rat, wenn Ihr Baby Verstopfung hat. Geben Sie ihm keine Abführmittel der älteren Geschwister, Mittel für Erwachsene und wenden Sie keine Hausmittel an.

Verdacht auf Morbus Hirschsprung besteht, wenn das Baby in den ersten Lebenstagen kein Mekonium (den schwarzen, klebrigen Stuhl) abgesetzt hat. Meistens ist Verstopfung jedoch nur die Folge von Dehydrierung oder einer obst- und gemüsearmen Ernährung. Ihr Arzt verschreibt dem Baby am Anfang vielleicht ein mildes Abführmittel, aber auf lange Sicht hilft nur, den Speiseplan umzustellen.

Gelbsucht

Gelbsucht bedeutet eine Gelbfärbung von Haut, Schleimhäuten und der Bindehaut, weil sich zu viel Bilirubin im Blut ansammelt. Bilirubin ist ein Abbauprodukt der roten Blutkörperchen und der Grund, warum sich blaue Flecke irgendwann gelb verfärben.

Normalerweise sorgt die Leber dafür, dass nicht zu viel Bilirubin im Blut zirkuliert. Bei Neugeborenen ist sie jedoch noch nicht ganz ausgereift und zudem haben Babys noch besonders viele rote Blutkörperchen. Deshalb bekommen über die Hälfte der Neugeborenen in der ersten Lebenswoche Gelbsucht. In den meisten Fällen ist eine Behandlung nicht notwendig, denn sie vergeht innerhalb weniger Wochen von selbst. Besonders anfällig für Gelbsucht sind Frühgeborene, deren Leber besonders unreif ist, was manchmal zu Problemen führen kann. Aus diesem Grund

erhalten sie häufig eine Phototherapie, bei der sie blauem Licht ausgesetzt werden, was den Abbau des Bilirubins beschleunigt. Gestillte Babys leiden häufiger unter Gelbsucht. Sie tritt familiär gehäuft auf und ist auf Stoffe in der Muttermilch zurückzuführen, die Enzyme in der Leber blockieren. Eine Behandlung ist jedoch nicht nötig.

Gelbsucht kann bedrohlich werden, wenn

■ sie innerhalb von 24 Stunden nach der Geburt auftritt, etwa aufgrund von Blutungen, Infektionen oder einer Blutgruppenunverträglichkeit. Dies macht eine sofortige Behandlung auf der Neugeborenenstation erforderlich;
■ sie länger anhält als zwei Wochen.

Lassen Sie vom Arzt prüfen, ob vielleicht ein ernstes Leberleiden dahintersteckt. Achten Sie auf hellen Stuhl und dunkelgelben Urin, die ebenfalls deutliche Anzeichen für Gelbsucht sind.

Allergie

Allergien sind weit verbreitet, treten aber nicht so häufig auf, wie manche Eltern vermuten. Gibt es in Ihrer Familie bereits Allergien, steigt allerdings die Wahrscheinlichkeit, dass Ihr Baby auch eine bekommt. Allerdings ist Vererbung nicht die einzige Ursache, denn sogar eineiige Zwillinge entwickeln nicht notwendigerweise dieselben Allergien.

Neurodermitis (s. S. 407) ist bei Babys die häufigste allergische Reaktion. Sie beginnt mit 3–12 Monaten. Bei einem von zehn Kindern liegt eine Nahrungsallergie zugrunde, die auch noch nicht zutage getreten sein kann.

Die häufigste Nahrungsallergie bei Babys ist die gegen Kuhmilch (speziell das darin enthaltene Milcheiweiß), die von 2–7 Prozent der Babys unter einem Jahr nicht vertragen wird. Eine Reaktion kann sofort nach dem Trinken von Kuhmilch erfolgen oder auch erst nach einigen Tagen, was eine korrekte Diagnose erschwert.

Es können verschiedene Symptome auftreten, wie
■ Gesichtsrötung,
■ Ausschlag oder Verschlimmerung der Neurodermitis,
■ Übelkeit und Erbrechen,
■ Bauchschmerzen,
■ Durchfall,
■ selten ein anaphylaktischer Schock.

Gehen Sie zum Arzt, wenn Sie denken, Ihr Baby könnte eine Kuhmilchallergie haben. Tests können bei der Diagnose hilfreich sein. Vielleicht rät man Ihnen, die Milchnahrung zu wechseln, oder wenn Sie stillen, selbst auf Milchprodukte zu verzichten. Meistens verschwindet die Kuhmilchallergie bis zum dritten Lebensjahr von selbst.

Eine Milchintoleranz ist keine echte Allergie, sondern eine Intoleranz für Laktose (Milchzucker) aufgrund eines Enzymmangels. Sie kann nach einer Magen-Darm-Grippe auftreten. Oft reicht es, eine Zeit lang auf laktosefreie Produkte umzusteigen.

Andere echte Nahrungsallergien sind die gegen Eier, Nüsse, Weizen, Soja und Fisch.

ANAPHYLAKTISCHER SCHOCK

Dies ist eine sehr schwere allergische Reaktion, die zum Glück bei Babys nur selten auftritt. Mögliche Auslöser sind Milch, Eier, Nüsse, Insektenschutzmittel und Medikamente. Erste Anzeichen können Erbrechen und Nesselausschlag sein, danach folgen:
■ lautes Atmen oder Keuchen,
■ Anschwellen der Zunge,
■ heiseres Schreien,
■ Kollaps,
■ Ausbreiten des Ausschlags.

Sehr junge Babys werden bei einer Anaphylaxie oft nur extrem schlaff. Rufen Sie sofort den Notarzt oder fahren Sie in die Klinik. Wurde vom Arzt eine Adrenalininjektion verschrieben, geben Sie sie sofort.

■ Die Symptome können schwer sein, wie etwa Atemprobleme oder ein anaphylaktischer Schock (s. links);
■ Andere Anzeichen sind unter anderem Reflux, Kolik, Neurodermitis, Durchfall und fehlende Gewichtszunahme.

Bei einer Hühnereiallergie ist zu beachten, dass einige wenige Impfstoffe Hühnereiweiß enthalten; daher muss vor der Impfung der Arzt darüber informiert werden. Grundsätzlich gibt es keinen Weg, Allergien zu vermeiden. Es ist jedoch hilfreich, das Baby mindestens vier Monate zu stillen und Weizenprodukte, Eier oder Nüsse frühestens mit sechs Monaten zu füttern.

Windeldermatitis

Selbst bei den modernsten und saugfähigsten Windeln ist Windeldermatitis noch immer weit verbreitet. Der betroffene Hautbereich ist wund und gerötet und manchmal von kleinen Pickeln überzogen.

Die Hauptursache sind nasse oder schmutzige Windeln und am besten hilft dagegen frische Luft. Je öfter Ihr Baby also ohne Windeln sein darf, desto besser. Lassen Sie es doch beim nächsten Windelwechsel eine Zeitlang »unten ohne« spielen. Wenn Ihr Baby schon mobil ist, legen Sie vorsichtshalber alte Handtücher aus. Ideal wäre, dem Baby mehrmals täglich etwa 20 Minuten lang eine windelfreie Zeit zuzugestehen. Tragen Sie vor dem Anziehen der neuen Windel immer etwas Creme auf, die wie eine Barriere gegen Nässe und Schmutz wirkt. Wechseln Sie die Windeln auch möglichst oft.

Bei schwerem Ausschlag sollten Sie besser den Arzt aufsuchen.

Windpocken

Windpocken kommen häufiger bei Kleinkindern vor, aber auch Babys unter einem Jahr können sie bekommen.

Das Varizella-Zoster-Virus, das sie verursacht, ist sehr ansteckend. Die Inkubationszeit beträgt 14–21 Tage. Nach überstandener Krankheit ist man normalerweise lebenslang dagegen immun. (Allerdings kann das Virus unter bestimmten Voraussetzungen wieder aktiviert werden, sodass es zu einer neuen Infektionserkrankung, der Gürtelrose, Herpes Zoster, kommt.)

Zunächst zeigen sich kleine rote Punkte am Rumpf, die schnell zu kleinen Bläschen werden. In den folgenden Tagen kann sich der Ausschlag über den ganzen Körper ausbreiten. Die Bläschen verkrusten und beginnen dann abzufallen. Der Ausschlag juckt sehr stark und Ihr Baby kann gereizt und quengelig sein, vor allem, wenn sich auch Bläschen in seinem Mund gebildet haben. Diese sind eher kleine Geschwüre und können das Essen zur Qual machen. Das Baby ist ansteckend, bis alle Bläschen verkrustet sind und keine neuen mehr erscheinen.

Windpocken sind durch Blickdiagnose zu erkennen, aber Sie sollten trotzdem den Arzt kontaktieren, vor allem, wenn es Probleme mit dem Füttern gibt oder der Juckreiz sehr stark ist. Diese Maßnahmen können Sie selbst ergreifen:
■ den Juckreiz mit Zinksalbe bekämpfen;
■ die Haut kühlen, um das Entstehen neuer Bläschen zu verringern;
■ das Baby in lauwarmen Wasser mit einem Esslöffel Speisenatron baden;
■ die Fingernägel des Babys kurz halten, um Verletzungen durch Kratzen zu vermeiden;
■ bei Bläschen im Mund möglichst kühle und flüssige Speisen geben;
■ Fieber, wenn nötig, mit Paracetamol oder Ibuprofen senken;
■ ist das Baby jünger als vier Wochen, gehen Sie mit ihm zum Arzt, damit sich keine schweren Symptome entwickeln.

Halten Sie Ihr Baby fern von Personen, die diese Krankheit noch nicht hatten. Bei Erwachsenen, die noch nicht immun dagegen sind, können Windpocken einen schweren Verlauf nehmen.

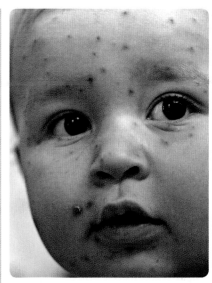

Windpocken Zunächst zeigen sich kleine rote Punkte. Diese werden zu flüssigkeitsgefüllten Bläschen, die verkrusten und abfallen.

Soor (Candidose)

Diese Erkrankung wird von einem Hefepilz namens Candida albicans verursacht, der unter anderem im Darm zu finden ist. Normalerweise verursacht er keine Beschwerden. Vermehrt er sich jedoch zu stark, ensteht Soor.

Bei Babys sind vor allem der Windelbereich (Windelsoor) sowie der Mund (Mundsoor) befallen, weil das feuchtwarme Klima die Vermehrung des Pilzes begünstigt. Auslöser kann eine vorangegangene Antibiotikabehandlung sein, wenn dadurch auch nützliche Bakterien abgetötet wurden, die den Hefepilz normalerweise in Schach halten. Er kann übrigens auch Ihre Brustwarzen befallen, wenn Sie stillen; das ist zwar schmerzhaft, aber kein Grund dafür, das Stillen aufzugeben. So sieht Soor im Windelbereich aus:
■ Ein feuerroter Ausschlag, oft leicht glänzend;
■ einzelne verstreute Flecken außerhalb des hauptsächlich befallenen Bereichs.

Symptome von Mundsoor sind:
■ Verringerte Nahrungsaufnahme oder schmerzhaftes Schreien während des Fütterns;

Die Ständige Impfkommission (STIKO) des Robert Koch-Instituts in Deutschland empfiehlt die MMR-Impfung zum Schutz vor Masern, Mumps und Röteln in der Regel ab dem vollendeten 11. Lebensmonat und eine Wiederholungsimpfung im zweiten Lebensjahr.

Masern sind eine hoch ansteckende Vireninfektion, die schwere Komplikationen verursachen kann, wie Lungen- und Hirnentzündung. Vor Entdeckung des Impfstoffes sind viele Kinder an Masern gestorben.

Mumps ist im Kindesalter eine leichte Virusinfektion und bei Babys unter zwei Jahren eher selten. Bei schwerem Verlauf kann sie jedoch zur Taubheit führen. Bei Erwachsenen kann es zu Komplikationen, wie Hoden- oder Eierstockentzündung kommen.

Röteln sind normalerweise eine harmlose Kinderkrankheit. Riskant sind Röteln in der Schwangerschaft, sie können schwerwiegende Auswirkungen auf das Ungeborene haben und Missbildungen verursachen.

■ Rötung im Mund;
■ weiße oder gebliche Flecken auf Schleimhäuten oder Zahnfleisch.

Soor lässt sich gut mit pilztötenden Tropfen oder Gel bekämpfen, die Sie vom Arzt verschrieben bekommen. Manchmal muss erst ein Test durchgeführt werden, um herauszufinden, ob es sich wirklich um Soor handelt.

Masern

Masern ist eine der schwersten Kinderkrankheiten. Sie wird von einem Virus aus der Familie der Paramyxoviridae hervorgerufen, ist sehr ansteckend und verbreitet sich durch Tröpfcheninfektion. Durch die MMR-Impfung (s. Kas-

ten) wird Ihr Baby kurz nach seinem ersten Geburtstag dauerhaft vor Masern geschützt. Bis dahin besitzt es normalerweise noch Immunität durch Ihre Antikörper. Bei einigen Babys bricht die Krankheit aber dennoch aus. Die Inkubationszeit beträgt 10–14 Tage. Zu den ersten Symptomen gehören:
■ hohes Fieber,
■ eine laufende Nase,
■ kleine Flecken im Mund.

Etwa fünf Tage danach folgt:
■ der typische Masernausschlag mit roten Flecken auf Gesicht und Hals, die sich über den ganzen Körper ausbreiten;
■ ein starkes Krankheitsgefühl. Die Augen des Babys können rot entzündet sein und es hat vielleicht auch Husten.

Gehen Sie immer zum Arzt, wenn Sie denken, Ihr Baby hat Masern. Es gibt keine spezielle Behandlung dagegen, außer genügend Flüssigkeit zuzuführen, das Fieber zu kontrollieren und es dem Baby so bequem wie möglich zu machen. Halten Sie Ihr Baby fern von anderen Kindern und achten Sie darauf, ob sich sein Zustand verschlechtert. Die Komplikationen bei Masern sind z. B. Ohrenentzündung, Atemwegserkrankungen und sogar Enzephalitis (Gehirnentzündung). Rufen Sie Ihren Arzt an, wenn das Baby:
■ teilnahmslos und apathisch wirkt,
■ Atembeschwerden hat,
■ nicht essen will,
■ dehydriert wirkt.

Dreitagefieber

Von dieser viralen Infektion, verursacht durch das Herpesvirus 6, sind normalerweise nur Babys über sechs Monaten betroffen. Weitere Namen dafür sind Roseola infantum, Exanthema subitum oder die Sechste Krankheit. Sie ist zwar weit verbreitet, aber nur wenige Eltern kennen sie. Sie ist sehr ansteckend und hat eine Inkubationszeit von 5–15 Tagen.
■ Das erste Symptom ist hohes Fieber, oft über 40 °C. Es kann zu Fieberkräm-

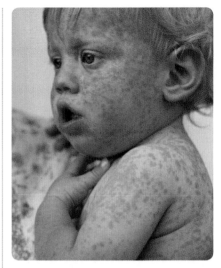

Masern Der flache, fleckige Masernausschlag tritt zuerst im Gesicht auf und breitet sich über den Körper aus, ehe er verblasst.

fen (s. S. 401) kommen, aber dennoch fühlt sich das Baby meist gut.
■ Nach drei Tage anhaltendem Fieber erscheint ein Ausschlag aus hellroten Flecken am Körper, der sich auf Arme und Beine und manchmal auch im Gesicht ausbreitet. Die Flecken können hell umrandet sein. Weil der Ausschlag nur zwölf Stunden anhält, ist er leicht zu übersehen.
■ Ihr Baby kann müde und gereizt sein und leichten Durchfall oder wenig Appetit haben.

Für das Dreitagefieber gibt es keine Behandlung. Sorgen Sie für ausreichende Flüssigkeitszufuhr und kontrollieren Sie das Fieber. Die meisten Babys erholen sich schnell davon. Bei Bedenken kontaktieren Sie den Arzt.

Röteln

Diese Vireninfektion ist eine kurze, leicht verlaufende Kinderkrankheit, die Ihrem Baby nicht gefährlich wird. In der Schwangerschaft kann sie jedoch schwere Schäden am Ungeborenen verursachen. Aus diesem Grund sollte Ihr Baby ab dem vollendeten 11. Lebensmonat die MMR-Impfung erhalten (s. links), die gegen Masern, Mumps und Röteln schützt. Röteln haben eine Inkubationszeit von 14–21 Tagen.

- Das erste Symptom sind meist kleine rosa Flecken an Nacken, Gesicht, Körper und Gliedmaßen.
- Es kann zu Fieber und allgemeinem Unwohlsein kommen.
- Die Lymphdrüsen im Nacken und hinter den Ohren können anschwellen.

Rufen Sie den Arzt an, wenn Sie denken, Ihr Baby hat Röteln, und halten Sie es fern von Schwangeren. Warnen Sie alle Erwachsenen, mit denen Ihr Baby in den letzten drei Wochen Kontakt hatte. Gegen Röteln gibt es keine spezielle Behandlung, außer es dem Baby so tröstlich wie möglich zu machen.

Hand-Fuß-Mund-Krankheit

Diese Infektion wird von Coxsackieviren verursacht. Sie hat nichts mit der Maul- und Klauenseuche bei Tieren zu tun. Die Krankheit ist sehr ansteckend, aber normalerweise harmlos. Die Inkubationszeit beträgt rund zehn Tage. Weil sie von verschiedenen Coxsackieviren ausgelöst wird, kann sie öfter auftreten.

- Auf Handinnenflächen, Fußsohlen und am Po erscheinen kleine rote Flecken, die flach oder erhaben sein können. Manchmal werden sie zu Bläschen.

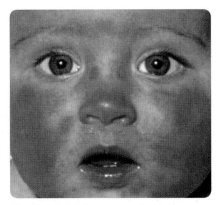

Ringelröteln Ein feuerroter, scharf umgrenzter Ausschlag auf den Wangen ist typisch für diese virale Krankheit..

- Mundgeschwüre können das Essen erschweren. Es kann zwei Tage dauern, bis sie sich entwickeln.
- Das Baby kann sich krank fühlen und Fieber haben.

Die Krankheit ist leicht am Ausschlag zu erkennen. Es gibt keine besondere Behandlung dafür, aber Sie sollten trotzdem den Arzt kontaktieren, vor allem in den ersten Lebensmonaten Ihres Babys.

Ringelröteln

Ringelröteln, auch fünfte Krankheit oder Erythema infectiosum genannt, sind eine harmlose Infektionskrankheit, die vom Parvovirus B19 verursacht wird und sehr ansteckend ist. Sie tritt gehäuft bei Schulkindern auf, kann aber Personen jeden Alters befallen. Die Inkubationszeit beträgt 4–21 Tage. Sobald der Ausschlag erscheint, ist die Ansteckungsgefahr vorbei.

- Typisch für den Ausschlag sind große rote Flecken auf den Wangen, die zusammenfließen. Oft ist die Mundpartie ausgespart.
- Es kann auch ein heller, girlandenartiger Ausschlag an Armen und Beinen auftreten.
- Manchmal tritt leichtes Fieber auf.

Normalerweise ist das Wohlbefinden nicht beeinträchtigt. Es kann lediglich vorübergehend zu Gliederschmerzen kommen. Personen mit Sichelzellenkrankheit können jedoch durch den Parvovirus schwer erkranken. Bei einer Infektion während der Schwangerschaft kann das Risiko einer Fehlgeburt in der Frühphase leicht erhöht sein.

Neurodermitis

Dies ist eine bei Babys häufig auftretende Erkrankung der Haut, die auch atopisches Ekzem genannt wird. Atopisch deshalb, weil das Immunsystem dabei zu Überreaktionen neigt. Babys mit Neurodermitis haben meist

Verwandte, die ebenfalls daran oder an einer anderen atopischen Krankheit wie Heuschnupfen leiden.In manchen Fällen kann Neurodermitis chronisch werden.

Die Ekzeme treten vor allem an Knöcheln, Ellbogen, Handrücken, Gesicht, Nacken und Kniekehlen auf. Die Haut kann trocken, rissig, rau und empfindlich sein.

Neurodermitis geht mit starkem Juckreiz einher und das Baby wird vor allem nachts versuchen, sich zu kratzen. Halten Sie seine Nägel kurz oder ziehen Sie ihm zum Schlafen spezielle Fäustlinge an. Fast immer sind juckreizstillende Emulsionen nötig, die Sie direkt auf die Haut auftragen oder im Badewasser auflösen können (Achtung, die Wanne wird dadurch sehr rutschig!). Verwenden Sie keine normale Seife oder Badezusätze, sondern synthetische Waschlotionen. Vielleicht verschreibt der Arzt Ihrem Baby eine milde Kortisonsalbe. Weil durch die kleinen Risse leicht Bakterien eindringen, entzünden sich diese Ekzeme sehr schnell. Verschlimmert sich das Ekzem Ihres Babys, sollten Sie daher den Arzt aufsuchen.

SONNENBRAND

Sonnenlicht ist gut für Babys und Kinder, weil es die Bildung von Vitamin D unterstützt. Ein Sonnenbrand sollte aber unbedingt vermieden werden. Haben Sie den Eindruck, Ihr Baby hat zu viel Sonne abbekommen, bringen Sie es sofort in den Schatten und geben ihm etwas zu trinken. Kühlen Sie die Haut mit lauwarmem Wasser. Lassen Sie das Baby erst wieder in die Sonne, wenn die Rötung völlig abgeklungen ist. Gehen Sie zum Arzt bei

- schwerem Sonnenbrand,
- Schwellung des Gesichts,
- Zeichen einer Infektion,
- Fieber,
- Erbrechen, Teilnahmslosigkeit oder Benommenheit.

Miliaria

Auch bekannt als Hitzepickel tritt diese Hauterkrankung vor allem bei warmem Wetter auf. Sie wird von starkem Schwitzen verursacht und ist ein Zeichen dafür, dass Ihrem Baby zu heiß ist. Die typischen kleinen roten Pickel können überall auftreten, meistens jedoch im Nacken, an Armen, Gesicht, Körper oder rund um den Windelbereich. Sie können jucken und einfach lästig sein.

Kühlen Sie Ihr Baby ab, indem Sie es ausziehen oder dünnere Kleidung aus Baumwolle anziehen. Sie können auch Zinksalbe auftragen. Der Ausschlag verschwindet nach ein oder zwei Tagen von selbst. Suchen Sie den Arzt auf, wenn sich der Ausschlag nicht bessert.

Erkältung

Babys leiden häufig unter Erkältungen, weil sie wenig Abwehrkräfte gegen die rund 200 Viren haben, die Schnupfen verursachen. Abwehrkräfte werden erst dadurch aufgebaut, dass sich der Körper den Viren nach und nach aussetzt. Erkältungen haben eine kurze Inkubationszeit von etwa zwei Tagen. Sie treten meistens im Winter auf, wenn die Menschen mehr Zeit in geschlossenen Räumen – und mit ihren Viren – verbringen.

Die Symptome bei einem Baby sind dieselben wie bei älteren Kindern. Es niest und seine Nase läuft oder ist verstopft, was das Essen erschweren kann. Verlieren Sie nicht die Geduld beim Füttern, sondern lassen Sie Ihrem Baby mehr Zeit. Vielleicht hat das Baby auch einen leichten Husten. Er ist harmlos, kann sich aber zu einer Atemwegsinfektion oder einer Bronchiolitis entwickeln.

Wischen Sie Ihrem Baby sanft die Nase ab. Watte ist weicher als ein Taschentuch. Erhöhen Sie nachts leicht das Kopfteil seines Bettes, denn so bleibt die Nase besser frei.

Antibiotika helfen nicht gegen Erkältungen, weil es sich dabei um eine Viruserkrankung handelt. Einige rezeptfreie Medikamente lindern jedoch die Beschwerden. Meerwassernasenspray kann gegen eine verstopfte Nase helfen, wird aber nicht von allen Ärzten empfohlen. Sorgen Sie für genügend Luftfeuchtigkeit im Zimmer, indem Sie nasse Handtücher auf einem Stuhl in der Nähe der Heizkörper aufhängen. Gehen Sie zum Arzt, wenn Ihr Baby
■ teilnahmslos wirkt,
■ nicht essen will,
■ viel hustet,
■ schwer atmet oder keucht,
■ Fieber bekommt (vor allem hohes).

Dies sind Anzeichen dafür, dass sich eine schwerere Infektion entwickelt hat.

Bronchiolitis

Dies ist eine Entzündung der kleinen Verzweigungen der Atemwege, den sogenannten Bronchiolen. Sie tritt fast nur bei Babys auf und kann, vor allem bei sehr jungen Babys, einen schweren Verlauf nehmen. Sie wird von Viren verursacht, ist sehr ansteckend und breitet sich gern in Kindertagesstätten aus.
■ Bronchiolitis beginnt wie eine Erkältung, geht dann aber über zu Husten, Keuchen und schneller Atmung.
■ Man hört feinblasige Rasselgeräusche oder sehr leises Atemgeräusch.
■ Meistens kommt leichtes Fieber dazu.

Vielen Babys geht es bei Bronchiolitis verhältnismäßig gut, aber einige können davon sehr krank werden. Achten Sie darauf, ob der Brustkorb zwischen den Rippen oder darunter beim Einatmen stark einsinkt. Dies weist darauf hin, dass das Baby um Atem ringt. In schweren Fällen kann es aus Sauerstoffmangel blau anlaufen.

Konsultieren Sie den Arzt, wenn Sie denken, Ihr Baby hat Bronchiolitis. Rufen Sie sofort den Notarzt, wenn Ihr Baby blau anläuft oder um Atem ringt. Manchmal muss eine Bronchiolitis in der Klinik behandelt werden, vor allem, wenn das Baby
■ sehr erschöpft ist,
■ keine Flüssigkeit aufnimmt,
■ starke Atembeschwerden hat,
■ sehr schnell atmet,
■ blau anläuft.

Atemgeräusche

Babys können während oder nach einer Virusinfektion keuchen und husten. Manchmal beginnt es mit einem einfachen Schnupfen, entwickelt sich dann aber zu Keuchen, Husten oder lauter, rasselnder Atmung, die eine Woche oder länger anhält. Diese Symptome weisen auf eine Entzündung und Verengung der Atemwege hin, die bei Babys ohnehin noch sehr klein sind. Oft ist es schwer,

---

MEDIZIN GEGEN HUSTEN UND SCHNUPFEN

Medikamente gegen Husten und Schnupfen werden für Babys oder Kinder unter sechs Jahren nicht empfohlen. Verschiedene Studien ergaben, dass die Einnahme dieser Medikamente bei Babys und Kindern keinen erwiesenen Nutzen hat. Geben Sie Ihrem Baby daher nur Medikamente, die Ihr Arzt empfiehlt. Abhängig von den weiteren Beschwerden wird er möglicherweise auch fiebersenkende Mittel, Nasentropfen und ein Präparat zum Einreiben verordnen.

Babys und Kleinkinder tun sich mit dem Abhusten noch schwer. Lassen Sie sich in der Praxis zeigen, wie Sie Ihr Baby dabei am besten unterstützen können, etwa durch die richtige Lagerung oder eine leichte Klopfmassage. Kinder mit Husten sollten viel trinken. Die Flüssigkeit hilft den zähen Schleim in den Bronchien zu verflüssigen, er lässt sich dann leichter abhusten. Bieten Sie Ihrem Baby ungesüßten Fenchel- oder Anistee oder ganz einfach Wasser zum Trinken an.

Atemprobleme Dem Baby werden atemwegserweiternde Medikamente über einen
Inhalator verabreicht.

sie von einer Bronchiolitis (s. links)
zu unterscheiden. Ringt Ihr Baby um
Atem oder läuft blau an, suchen Sie
sofort ärztliche Hilfe. Gegen keuchende
Atmung können atemwegserweiternde
Medikamenten über einen Inhalator
gegeben werden. In diesem Alter ist
noch nicht absehbar, ob sich das Keuchen zu Asthma entwickelt; Asthma ist
eine chronische Erkrankung, die nicht
vor Vollendung des ersten Lebensjahrs
diagnostiziert werden kann.

Atemwegsinfekte

Dieser Oberbegriff umfasst alle Infektionen der Luftwege in die Lunge sowie
in der Lunge selbst. Dazu gehören auch
Bronchitis und Lungenentzündung.
Sie werden durch Viren oder Bakterien
ausgelöst. Zu den Symptomen einer
Atemwegsinfektion gehören:
■ allgemeines Krankheitsgefühl,
■ hohes Fieber,
■ schnelle Atmung,
■ Kurzatmigkeit,
■ Husten (bei kleinen Kindern eher
selten),
■ normaler Appetit oder Verweigerung
von Essen und Trinken, was zur Dehydrierung führen kann.
 Gehen Sie zum Arzt, wenn Sie denken, Ihr Baby hat eine Atemwegsinfek-

tion, denn eine bakterielle Bronchitis
muss mit Antibiotika behandelt werden.

Pseudokrupp

Diese Entzündung der oberen Atemwege
im Bereich des Kehlkopfs befällt vor
allem Babys über sechs Monaten. Sie
tritt gehäuft im Winter auf und wird
von Parainfluenzaviren verursacht. Wie
Bronchiolitis (s. links) beginnt Pseudokrupp mit Erkältungssymptomen, die
sich zu Keuchen und dem typischen,
bellenden Husten entwickeln. Weitere
Symptome sind Heiserkeit sowie ein
Stridor (krankhafte Atemgeräusche)
beim Einatmen, der auf eine Verengung
der Atemwege hinweist.
 Suchen Sie ärztlichen Rat, wenn Sie
vermuten, Ihr Baby hat Pesudokrupp.
Eine leichte Erkrankung kann zu Hause
behandelt werden, wobei Sie auf ausreichende Flüssigkeitszufuhr und eine
hohe Luftfeuchtigkeit achten sollten.
Der Arzt verschreibt vielleicht einen
Inhalator und Kortison (Gluccocorti-
coide). Rufen Sie sofort den Arzt an, wenn
sich die Symptome verschlimmern.

Harnwegsinfekte

Harnwegsinfekte (HWI) sind bei Babys
keine Seltenheit. Meistens werden sie
von Bakterien verursacht, die über
die Harnröhrenöffnung eindringen.
Die Symptome einer HWI äußern sich
bei Babys jedoch ganz anders als bei
Erwachsenen. Dazu gehören:
■ Fieber,
■ Reizbarkeit,
■ Erbrechen,
■ Nahrungsverweigerung.
Bei sehr jungen Babys kann auch eine
langwierige Gelbsucht sowie eine aus-
bleibende Gewichtszunahme auftreten.
 Gehen Sie zum Arzt, wenn Ihr Baby
derartige Symptome zeigt. Nur eine
Urinprobe kann klären, ob es sich um
eine Harnwegsinfektion handelt.

Der Arzt wird Sie daher bitten, etwas
Urin des Babys in einer sterilen Flasche
mitzubringen, was sich bei ganz kleinen
Babys als äußerst schwierig erweisen
kann. Für solche Fälle sind beim Arzt
oder in der Apotheke Urinbeutel erhältlich, die an den Po des Babys geklebt
werden und den Urin auffangen. Bringen Sie die Probe danach so schnell wie
möglich zum Arzt.
 HWIs müssen mit Antibiotika behandelt werden, um Nierenschäden und
anderen Komplikationen vorzubeugen.
Eine Ultraschalluntersuchung kann
klären, ob Abnormitäten der Harnwege
für den Infekt verantwortlich sind.

Meningitis

Hierbei handelt es sich um eine Entzündung der Meningen, der Gewebe-
schichten, die das Gehirn umgeben. Sie
wird von Viren oder Bakterien ausgelöst, wobei die bakterielle Meningitis
gefährlicher ist als die virale Form. Viele
der Keime, die Meningitis auslösen
können, besiedeln normalerweise den
Rachenraum, ohne Schaden anzurich-
ten. Warum sie bei manchen Babys und
Kindern zu dieser Erkrankung führen,
ist nicht genau bekannt. Als einer
der auslösenden Faktoren gilt jedoch
Passivrauchen bzw. ein geschwächtes
Immunsystem.
 Durch die HIB-Impfung treten viele
der schlimmsten Meningitisformen in
den Industrieländern nicht mehr auf.
Dennoch ist Meningitis eine ernste
Erkrankung, die oft mit Sepsis (Blut-
vergiftung) einhergeht. Hat ein Baby
erst einmal dieses Stadium erreicht,
darf keine Minute mehr verschwendet
werden, um sein Leben zu retten. Alle
Eltern sollten daher die Symptome einer
Meningitis kennen:
■ Schrilles Schreien oder Jammern,
■ Nahrungsverweigerung,
■ Reizbarkeit,
■ Benommenheit,
■ schlaffe Gliedmaßen,

Ausschläge treten bei Babys häufiger auf und es kann schwer zu erkennen sein, ob es sich dabei um ein Anzeichen für Meningitis und Sepsis (s. S. 409) handelt. Der Meningitisausschlag verblasst jedoch nicht, wenn man daraufdrückt, deshalb sollten Sie in Verdachtsfällen stets den Glastest durchführen. Dabei pressen Sie die Seitenwand eines Glases auf die Haut Ihres Babys. Können Sie den Ausschlag durch das Glas noch erkennen, besteht Verdacht auf Meninigitis und Ihr Baby muss sofort in die Klinik. Bei dunkler Haut sollten Sie die hellen Stellen untersuchen.

Der Glastest Pressen Sie ein Glas gegen die Haut des Babys. Verblasst der Ausschlag nicht, wählen Sie den Notruf.

■ Fieber, wobei Hände und Füße kalt bleiben,
■ angespannte oder geschwollene Fontanelle (die weiche Stelle am Oberkopf),
■ blasse, fleckige oder klamme Haut,
■ ein Ausschlag aus kleinen roten oder bräunlichen Flecken, die wie Nadelstiche aussehen. Später können daraus große blaue Flecke werden. Führen Sie den Glastest (s. links) durch, denn der Ausschlag kann ein Zeichen für eine Blutvergiftung (Sepsis) sein.

Zögern Sie nicht, den Notruf zu wählen, wenn es Ihrem Baby schlecht geht, ohne dass sich eines der oben aufgeführten Symptome zeigt. Warten Sie nicht, bis sich alle entwickelt haben. Wenn der Ausschlag auftritt, hat die Erkrankung bereit sein kritisches Stadium erreicht. Eine Behandlung ist aussichtsreicher, wenn sie im Frühstadium erfolgt. Informieren Sie den Notarzt oder die Klinik, dass bei Ihrem Kind Verdacht auf Meningitis besteht.

Außenohrentzündung

Zur Entzündung des äußeren Gehörganges (Otitis externa) kann es kommen, wenn Nahrung ins Ohr gelangt, wenn das Ohr nach dem Baden nicht richtig abgetrocknet wird oder wenn das Baby mit schmutzigen Fingern im Ohr bohrt. Der Infekt macht sich meist dadurch bemerkbar, dass sich das Baby häufig am Ohr kratzt und eine Rötung oder ein leichter Ausfluss erkennbar sind. Der Arzt verschreibt Ohrentropfen gegen die Entzündung. Gegen Schmerzen helfen Paracetamol oder Ibuprofen.

Mittelohrentzündung

Die Infektion des Mittelohrs hinter dem Trommelfell, auch Otitis Media genannt, wird meist durch Viren oder Bakterien verursacht. Sie tritt oft nach einer Erkältung auf, wenn sich der Infekt über die Eustachischen Röhren, die vom Nasenrachen zum Mittelohr reichen, ausbreitet. Bei Babys und Kindern sind die Eustachischen Röhren kurz und horizontal angelegt, deshalb sind sie auch anfälliger für Mittelohrentzündungen als Erwachsene.

Manchmal ist nur ein Ohr betroffen, meistens jedoch beide. Babys haben oft keine Beschwerden, die darauf hindeuten, dass das Problem im Ohr steckt. Sie leiden vielmehr unter folgenden Symptomen:
■ Starkes Krankheitsgefühl,
■ Erbrechen,
■ Reizbarkeit oder Weinerlichkeit,
■ hohes Fieber,
■ Nahrungsverweigerung.
Manche Babys zupfen am betroffenen Ohr herum, aber viele Babys machen das auch, wenn sie müde sind.

Gehen Sie bei Verdacht auf Mittelohrentzündung sofort zum Arzt, damit sie frühzeitig behandelt wird. Bei einer bakteriell verursachten Mittelohrentzündung verschreibt der Arzt Antibiotika. Eine virale Mittelohrentzündung klingt nicht selten mit der Entzündungsphase ab. Bei der bakteriellen Mittelohrentzündung kann es zu einem spontanen Trommelfelldurchbruch mit Austritt von Eiter kommen.

Normalerweise befindet sich im Mittelohr Luft. Bei einem Paukenerguss sammelt sich dort jedoch Flüssigkeit, deren Konsistenz von dünnflüssig bis hin zu leimartig reichen kann. Der Paukenerguss kann nach wiederholtem Mittelohrkatarrh, aber auch nach starken Erkältungen auftreten. Manche Babys scheinen anfälliger dafür zu sein als andere, zudem tritt eine familiäre Häufung auf.

Das auffälligste Symptom ist die Hörminderung. Ihr Baby kann Sie nicht mehr deutlich hören, daher sieht es Sie nicht mehr an, wenn Sie mit ihm sprechen, oder wirkt überrascht, wenn Sie plötzlich vor ihm stehen. Das Hörvermögen ist jedoch wichtig für eine altersgerechte Entwicklung, deshalb kann der Paukenerguss unbehandelt zu Sprach- und Verhaltensproblemen führen. Sie sollten daher unbedingt den Arzt aufsuchen, wenn Sie befürchten, Ihr Baby hat einen Paukenerguss oder andere Probleme mit dem Gehör.

Die Behandlung richtet sich nach der Ursache des Paukenergusses. Bei schweren Fällen kann das Einsetzen von Paukenröhrchen erforderlich sein, die das Mittelohr belüften und später von selbst herausfallen.

SYMPTOM	MÖGLICHE URSACHE	MASSNAHMEN
Fieber	■ Fieber ist kein spezifisches Symptom, Babys können aus allen möglichen Gründen Fieber bekommen. Meist ist es Anzeichen eines bakteriellen oder viralen Infekts (s. S. 401).	Viel zu trinken geben (Muttermilch, wenn Sie stillen); den Raum kühl halten. Zum Arzt gehen, wenn das Fieber über 39 °C (bei Babys unter drei Monaten über 38 °C) steigt.
Laufende Nase	■ Läuft aus der Nase zunächst klarer Schleim, der sich später verdickt und gelbgrün verfärbt, sind meistens ein Schnupfen (s. S. 408) und manchmal Grippe die Ursache. ■ Weitere Gründe können eine Allergie (s. S. 404), Bronchiolitis (s. S. 408) oder Pseudokrupp (s. S. 409) sein.	Ausreichend Ruhe und Flüssigkeit (Muttermilch, wenn Sie stillen). Erleichtern Sie dem Baby das Atmen, indem Sie das Kopfende des Bettes erhöhen. Fragen Sie den Arzt nach Meersalztropfen.
Husten	■ Ein häufig auftretendes Erkältungssymptom (s. S. 408). ■ Husten kann auch Anzeichen eines Atemwegsinfekts (s. S 409); Masern (s. S. 406); Allergie (s. S. 404); Bronchiolitis (s. S. 408) oder Asthma (s. S. 408f.) sein. Ein tiefer, bellender Husten kann auf Pseudokrupp (s. S. 409) hinweisen, stakkatoartige Hustenattacken, die mit einem hörbaren Einatmen enden, auf Keuchhusten.	Viel Flüssigkeit (Muttermilch, wenn Sie stillen) geben. Zum Arzt gehen, wenn der Husten länger als eine Woche dauert oder von hohem Fieber, Keuchen, Atemnot, knackenden Atemgeräuschen, Nahrungsverweigerung oder Teilnahmslosigkeit begleitet wird.
Ausschlag	■ Nimmt Ihr Baby feste Nahrung zu sich, kann ein Ausschlag rund um den Mund vom Essen kommen. Bei geschwollenen Lippen oder anderen Symptomen kann es sich um eine Allergie handeln (s. S. 404). ■ Ausschläge treten bei viralen Infekten wie Windpocken (s. S. 405) und Masern (s. S. 406) auf, aber auch bei Meningitis und Sepsis (s. S. 409). Im Windelbereich ist meist eine Windeldermatitis (s. S. 405) die Ursache. Kleine Pickelchen können auf Hitzepickel (s. S. 408) hinweisen. Bei Neurodermitis (s. S. 407f.) bilden sich trockene Hautstellen.	Die Behandlung hängt von der Ursache des Ausschlags ab. Machen Sie den Glastest (s. links), wenn der Ausschlag plötzlich auftritt oder es Ihrem Baby schlecht geht. Je kränklicher es wirkt, desto ernster ist meistens der Ausschlag. Deshalb sollten Sie zum Arzt gehen, wenn Sie sich unsicher fühlen.
Erbrechen	■ Viele Babys erbrechen sich irgendwann und meistens ist der Grund ein relativ harmloses Problem im Verdauungstrakt. Es kann aber auch auf eine ernste Infektion an einer anderen Stelle des Körpers hinweisen (s. S. 402f.).	Viel Flüssigkeit (Muttermilch, wenn Sie stillen) geben. Hält das Erbrechen länger als 12–24 Stunden an, gehen Sie zum Arzt, der wahrscheinlich eine Elektrolytlösung verschreibt.
Durchfall	■ Durchfall tritt am häufigsten bei Infekten des Verdauungstraktes auf (s. S. 403).	Dieselbe Behandlung wie bei Erbrechen (s. oben). Cremen Sie den Windelbereich gut ein, denn flüssiger Stuhl kann die Haut des Babys reizen.
Appetit-verlust	■ Babys mögen manchmal nichts essen, wenn sie gerade zahnen. Andere Ursachen können eine Magen-Darm-Grippe (s. S. 403) oder fast jeder andere akute Infekt sein, wie Mittelohrentzündung (s. links) und Masern (s. S. 406).	Viel Flüssigkeit (Muttermilch) und Nahrung anbieten. Auf die Anzahl der nassen Windeln achten, um ein Dehydrieren zu vermeiden. Zum Arzt gehen, wenn mehrere Mahlzeiten hintereinander verweigert werden.

Entwicklungsprobleme

Werten Sie Entwicklungssstufen lediglich als Richtlinien und nicht als Vorschrift, aber suchen Sie sich bei berechtigten Sorgen Hilfe.

Alle Babys sind verschieden und sogar eineiige Zwillinge entwickeln sich auf ihre einzigartige Weise. Allerdings gibt es ein bestimmtes Entwicklungsmuster, das heißt, alle Babys erlangen neue Fähigkeiten nach einer bestimmten Reihenfolge (siehe Entwicklungstabelle unten). Sie als Eltern verbringen die meiste Zeit mit Ihrem Baby und merken es als erste, wenn sich Ihr Kind nicht so entwickelt wie erwartet. Eine leichte Verzögerung in einem Entwicklungsbereich ist meistens bedeutungslos, aber in zwei oder mehr Bereichen ist es von Bedeutung. Wurde Ihr Baby zu früh geboren, müssen Sie das natürlich berücksichtigen. Kam es etwa sechs

Wochen zu früh zur Welt, erreicht es erst etwa zwölf Wochen nach der Geburt den Stand eines sechs Wochen alten Babys.

Wenn Ihr Baby älter wird, vernetzen sich die verschiedenen Entwicklungsbereiche zunehmend untereinander. So winkt ein Baby erst dann zum Abschied, wenn es auch sieht, hört und versteht, dass jemand geht.

Die Versuchung ist groß, das eigene Baby mit anderen zu vergleichen. Doch Sie sollten die Fortschritte anderer Kinder allenfalls als Richtlinie nehmen und keinesfalls erwarten, dass Ihr Baby exakt zur selben Zeit dieselben Dinge tun wird. Auch die Entwicklung

älterer Geschwister ist kein Maßstab. Manche besonderen Merkmale, wie etwa das Rutschen auf dem Po, treten allerdings familär gehäuft auf. Der Arzt kontrolliert den Entwicklungsstand des Babys regelmäßig bei den U-Untersuchungen bzw. (in der Schweiz) bei den Vorsorge-Untersuchungen.

Auffällige Anzeichen

Sprechen Sie mit einem Arzt, wenn Ihr Baby in irgendeinem Entwicklungsbereich zurückbleibt oder eines der genannten Anzeichen zeigt. Der Arzt wird es dann vermutlich mehrmals untersuchen, denn das Verhalten von Babys kann sich je nachdem, ob es

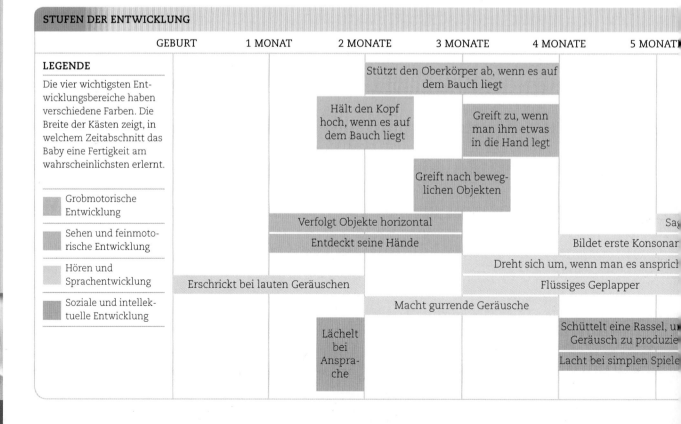

STUFEN DER ENTWICKLUNG

	GEBURT	1 MONAT	2 MONATE	3 MONATE	4 MONATE	5 MONAT

LEGENDE

Die vier wichtigsten Entwicklungsbereiche haben verschiedene Farben. Die Breite der Kästen zeigt, in welchem Zeitabschnitt das Baby eine Fertigkeit am wahrscheinlichsten erlernt.

- Grobmotorische Entwicklung
- Sehen und feinmotorische Entwicklung
- Hören und Sprachentwicklung
- Soziale und intellektuelle Entwicklung

Stützt den Oberkörper ab, wenn es auf dem Bauch liegt

Hält den Kopf hoch, wenn es auf dem Bauch liegt

Greift zu, wenn man ihm etwas in die Hand legt

Greift nach beweglichen Objekten

Verfolgt Objekte horizontal

Entdeckt seine Hände

Bildet erste Konsonar

Dreht sich um, wenn man es ansprich

Erschrickt bei lauten Geräuschen

Flüssiges Geplapper

Macht gurrende Geräusche

Schüttelt eine Rassel, u Geräusch zu produzie

Lächelt bei Ansprache

Lacht bei simplen Spiele

Sa

hungrig oder müde, gut oder schlecht gelaunt ist, schnell ändern. Auffällig ist:
- Schielen auch nach der 6. Woche,
- kein Lächeln mit 9–10 Wochen,
- neigt den Kopf ständig auf eine Seite,
- gibt mit etwa 3 Monaten noch keine gurrenden Laute von sich,
- kein Augenkontakt mit 3 Monaten,
- dreht mit 3 Monaten den Kopf nicht nach Geräuschquellen,
- kann den Kopf mit 3 Monaten noch nicht halten (im wachen Zustand),
- schielt mit 3 Monaten noch immer,
- streckt mit 6 Monaten nicht die Arme nach Objekten aus,
- dreht sich mit 6 Monaten nicht um, wenn Sie es ansprechen,
- plappert mit 10 Monaten nicht oder hört auf zu plappern,
- sitzt nicht mit 10 Monaten,
- Beine tragen Gewicht nicht (10 Monate)
- versucht nicht, selbstständig zu essen (12 Monate),
- asymmetrische Glieder oder Bewegungen (in jedem Alter).

DIE AUGEN IHRES BABYS

Eltern sind häufig unsicher, ob Ihr Baby richtig sehen kann oder ob es eine Brille braucht. Krankheiten wie Glaukoma, Astigmatismus und Kurzsichtigkeit treten zwar familiär gehäuft auf, aber darüber brauchen Sie sich jetzt noch keine Gedanken zu machen. In Zweifelsfällen sprechen Sie mit dem Kinderarzt.

Ein Neugeborenes sieht nur sehr eingeschränkt, aber es sollte in der Lage sein, Ihr Gesicht in einem Abstand von 20–25 cm zu fokussieren. Seine Pupillen sollten dunkel (oder auf einem Blitzlichtfoto rot) sein. Gehen Sie zum Arzt, wenn Sie etwas Weißes in seiner Pupille entdecken.

Achten Sie auch auf abnormale Augenbewegungen wie Schielen, zuckende oder wandernde Pupillen. Konsultieren Sie deswegen eventuell vorsorglich einen Arzt.

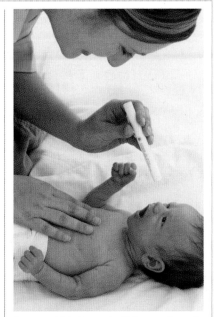

Augentest Die Augen des Babys werden mit 6–8 Wochen getestet, aber bei Problemen können Sie auch früher zum Arzt gehen.

MONATE	7 MONATE	8 MONATE	9 MONATE	10 MONATE	11 MONATE	12 MONATE
Sitzt ohne Hilfe				Läuft ohne Hilfe		
Krabbelt oder rutscht auf dem Po						
Rollt vom Bauch auf den Rücken und umgekehrt		Zieht sich zum Stehen hoch				
			Wandert an Möbeln entlang			
				Lässt Dinge absichtlich fallen		
		Schlägt Bausteine aneinander				
Wechselt Dinge von einer Hand in die andere				Zeigt mit dem Finger		
		Hält ein Objekt zwischen Daumen und Zeigefinger				
			Legt Dinge in eine Schachtel und holt sie wieder heraus			
Laute beginnen echten Wörtern zu ähneln						
					Winkt zum Abschied	
			Reagiert auf seinen Namen			
Wird Fremden gegenüber schüchtern						

Erste Hilfe im Alltag

Sie sollten genau wissen, was zu tun ist, wenn sich Ihr Baby verletzt. Mit einem Erste-Hilfe-Kurs sind Sie auf alle Notfälle vorbereitet.

Schnitt- und Schürfwunden

Kleine Verletzungen werden vorsichtig mit Wasser gesäubert. Verwenden Sie dazu ein weiches, nicht fusselndes Tuch, am besten Mull. Schmutzige Wunden spülen Sie unter laufendem Wasser ab, tupfen sie trocken und kleben ein Pflaster auf, das größer ist als der Wundbereich. Bei einem Lippenschnitt legen Sie einen Eiswürfel in einem sauberen Mulltuch etwa fünf Minuten auf die betroffene Stelle.

Bei stark blutenden Wunden pressen Sie ein sauberes, nicht fusselndes Stück Stoff fest so lange auf die Wunde, bis die Blutung aufhört. Danach legen Sie einen Verband an, der den Wundbereich abdeckt. Um die Blutung zu verringern, sollte die betroffene Stelle möglichst höher als das Herz gelagert werden.

Bringen Sie Ihr Baby in die Klinik, wenn:

■ die Blutung nicht nach 10 Minuten aufhört,
■ die Wunde auseinanderklafft,
■ ein Fremdkörper in der Wunde ist.

Insektenbisse und -stiche

Bisse und Stiche sind meist harmlos, aber in seltenen Fällen können Sie eine ernste allergische Reaktion, den anaphylaktischen Schock (s. S. 404), hervorrufen. Ein Stich im Mund kann sehr gefährlich sein, deshalb sollten Sie sofort mit dem Baby in die Klinik fahren.

Steckt der Stachel noch in der Haut, schieben Sie ihn mit dem Fingernagel seitlich heraus. Nehmen Sie keine Pinzette, sonst entleert sich noch mehr Gift unter die Haut. Schwellung und Jucken behandeln Sie am besten mit kalten Umschlägen oder Eiswürfeln.

Stürze, Beulen, blaue Flecken

Babys fallen oft hin und tun sich dabei weh. Meist reicht es, das Baby zu trösten und einen kalten Umschlag auf den betroffenen Bereich zu legen. Damit lindern Sie Schwellung und Schmerz.

Bringen Sie Ihr Baby in die Klinik, wenn:

■ es sich am Kopf verletzt hat,
■ es ein Körperteil nicht bewegen kann,
■ es blutet und die Blutung nicht innerhalb von 10 Minuten durch Druck auf die Wunde aufhört oder wenn die Wundränder auseinanderklaffen (s. Schnitt- und Schürfwunden links),
■ es bewusstlos war oder ist,
■ Sie nicht wissen, ob es ernst ist.

Verbrennungen und Verätzungen

Feuer, heißes Wasser, Dampf, Sonne, elektrischer Strom und Chemikalien können Verbrennungen bzw. Verätzungen verursachen. Der Schaden hängt von Ort, Größe, Tiefe und Art der Verbrennung ab. Die tiefsten Verbrennungen sind oft relativ schmerzlos.

Kühlen Sie kleine Brandwunden (z.B. Finger) mit Wasser. Decken Sie die Wunde anschließend mit einem keimfreien Verband ab. Großflächige Verbrennungen werden nicht gekühlt, um einen Wärmeverlust des Körpers zu vermeiden. Bedecken Sie die Brandwunde mit einem keimfreien Verband, damit eine Infektion verhindert wird. Entfernen Sie die Kleidung rund um die betroffene Stelle, jedoch nicht die Kleidung, die an der verbrannten Haut haftet. Das ist Aufgabe des Arztes. Rufen Sie den Notdienst. Bei kleineren Verbrennungen reicht es, zum Arzt zu gehen.

Bringen Sie Ihr Baby in die Klinik, wenn:

■ die Verbrennung größer ist als die Hand des Babys,
■ Gesicht, Mund, Hände oder Genitalien verbrannt wurden,
■ eine Verbrennung durch Strom oder eine Verätzung durch Chemikalien verursacht wurde (nehmen Sie den Chemikalienbehälter mit),
■ Ihr Baby sich unwohl fühlt,
■ Sie nicht wissen, was Sie tun sollen.

Fremdkörper

Schmutz, Staub oder andere Fremdkörper können leicht in die Augen gelangen. Manchmal stecken sich Babys auch kleine Dinge, wie Erbsen oder Knöpfe, in Ohren oder Nase.

Im Auge Ein Objekt im Auge lässt Ihr Baby weinen. Kleine, sichtbare Fremdkörper lassen sich in der Regel aber leicht auswaschen.

Legen Sie Ihr Baby auf die Seite des verletzen Auges und gießen Sie warmes Wasser in den inneren Augenwinkel. Das Auge muss dabei offen sein, deshalb sollte eine zweite Person assistieren.

Bringen Sie Ihr Baby in die Klinik, wenn:

■ der Fremdkörper im Auge steckt (versuchen Sie nicht, ihn selbst zu entfernen),
■ Sie erfolglos versucht haben, den Fremdkörper auszuwaschen,
■ das Auge nach dem Entfernen rot und entzündet bleibt.

In Ohren oder Nase Versuchen Sie nicht, den Fremdkörper selbst zu entfernen, auch wenn Sie ihn sehen;

denn Sie könnten ihn nur noch tiefer hineinschieben. In der Klinik kann er mit winzigen Pinzetten oder einem Sauggerät entfernt werden. Manchmal machen sich solche Fremdkörper durch schlechteres Hören oder einseitiges Laufen der Nase bemerkbar. Gehen Sie bei einem Verdacht auf Fremdkörper in Ohr und Nase sofort zum Arzt.

Verschlucken

Oft stecken sich Babys kleine Dinge, wie Bohnen oder Münzen, in den Mund.

Doch sie können sich auch an Nahrung, Milch oder Schleim verschlucken.

Husten ist der natürliche Weg, Verschlucktes nach draußen zu befördern. Hustet Ihr Baby aber länger als 2–3 Minuten, rufen Sie den Arzt an.

Kann Ihr Baby nicht mehr richtig atmen, husten oder schreien, macht es seltsame Geräusche oder läuft sogar blau an, müssen Sie sofort handeln (s. Kasten): Die Rückenklopfmethode befördert mit Hilfe der Schwerkraft den Fremdkörper wieder in Richtung Mund.

Vergiftungen

Hat Ihr Baby etwas Giftiges verschluckt, wählen Sie sofort den Notruf oder fahren selbst zur Klinik. Wenn Sie wissen, was Ihr Baby genommen hat, bringen Sie am besten eine Probe davon mit.

Bringen Sie Ihr Baby nicht zum Erbrechen, denn dadurch kann noch größerer Schaden entstehen. Waschen Sie lediglich ätzende Substanzen in oder um seinen Mund ab. Hat es giftige Pflanzen oder Beeren gegessen, sehen Sie nach, ob es noch etwas davon im Mund hat.

SO GEHT'S

Bei Erstickungsgefahr

Ist die Atmung Ihres Babys blockiert, ergreifen Sie folgende Maßnahmen:

■ Legen Sie das Baby auf dem Bauch über Ihren Unterarm. Der Kopf sollte tiefer liegen als der Körper. Stützen Sie den Kopf mit der einen Hand und klopfen Sie mit dem Ballen der anderen fünfmal kräftig zwischen die Schulterblätter.

■ Sehen Sie nach, ob sich der Fremdkörper gelöst hat und entfernen Sie

ihn vorsichtig. Tasten Sie nicht mit den Fingern im Rachen herum, sonst besteht Gefahr, das Objekt noch tiefer hineinzuschieben.

■ Ist der Fremdkörper noch da, drehen Sie Ihr Baby auf den Rücken und drücken fünfmal mit zwei Fingern auf sein Brustbein in der Mitte der Brust.

■ Prüfen Sie nach jedem Drücken, ob sich der Fremdkörper gelöst hat. Ist dies nach jeweils fünfmal Klopfen auf den

Rücken und fünf Brustkompressionen nicht gelungen, wählen Sie den Notruf.

■ Prüfen Sie die Atmung. Führen Sie die Herz-Lungen-Wiederbelebung durch, wenn das Baby nicht atmet.

Auch wenn Sie den Fremdkörper selbst entfernen konnten, sollte danach ein Arzt prüfen, ob das Baby durch die Anwendung der beiden Griffe Schaden genommen hat.

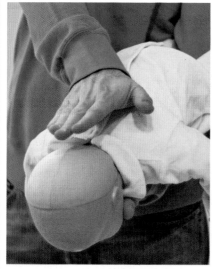

Festes Klopfen Stützen Sie den Kopf Ihres Babys gut. Er sollte tiefer liegen als der Körper. Achten Sie darauf, dass Sie genau zwischen die Schulterblätter schlagen.

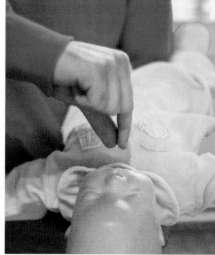

Im Mund nachsehen Schauen Sie in den Mund Ihres Babys. Ist das Objekt sichtbar, holen Sie es heraus. Achten Sie darauf, es dabei nicht wieder in den Hals zu schieben.

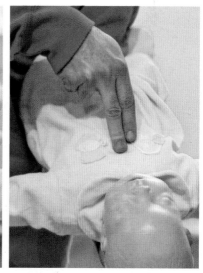

Brustkompression Drücken Sie mit den Fingern nur auf das Brustbein, nie auf die Rippen. Drücken Sie kräftig, aber nicht brutal, gleichzeitig nach innen und nach oben.

Adressen

Stillen & Ernährung

www.bfr.bund.de
Bundesinstitut für Risikobewertung
Informationen über Säuglingsnahrung und Stillen sowie Stillempfeh-
lungen in vielen Sprachen (nationale
Stillkommission)
(+49) 01888 4123491

www.hebammenverband.de
Deutscher Hebammenverband e.V.
(+49) 0721 98189-0
www.hebammen.ch
Schweizerischer Hebammenverband
(+41) 031 332 6340
www.hebammen.at
Österreichisches Hebammen-Gremium
(+43) 0650 6334751

www.lalecheliga.de
La Leche Liga
Stillberatung und Adressen von Stillgruppen nach Postleitzahlen sortiert
(+49) 0571 48946
www.lalecheliga.at
(+43) 0650 8712196
www.lalecheliga.ch
(+41) 044 9401012

www.afs-stillen.de
Arbeitsgemeinschaft Freier Stillgruppen
Informations- und Erfahrungsaustausch
stillender Mütter
(+49) 0228 3503871
(+49) 0180 57845536 (Stillberatung)

www.fke-do.de
Forschungsinstitut für Kinderernährung
Dortmund
Aktuelle Forschungen zum Thema Kinderernährung sowie Tipps, Menüpläne
und Rezepte zur gesunden Ernährung
von Säuglingen und Kindern
(+49) 0231 7922100
(+49) 0180 4798183 (Telefonberatung
freitags 10-12 Uhr)

www.babynahrung.org.
Aktionsgruppe Babynahrung e.V.
Wissenswertes über Stillen und
Babynahrung

www.schnullerfamilie.de
Elternforum zu vielen Baby- und Kin-
derthemen, u. a. auch Ernährung

Eltern

www.eltern.de
Internetauftritt der Zeitschrift ELTERN
mit umfassenden Informationen zu
allen Fragen rund um Schwangerschaft,
Geburt und Baby
(+49) 089 4152-00

www.muettergenesungswerk.de
Müttergenesungswerk
Mutter-Kind-Kuren, Informationen und
Beratung
(+49) 030 33002929

www.vbm-online.de
Verband berufstätiger Mütter
(+49) 01803 221826

www.vamv.de
Verband alleinerziehender Mütter und
Väter (VAMV)
(+49) 030 6959786

www.alleinerziehende.org
Österreichische Plattform für
Alleinerziehende

www.alleinerziehend.ch
Internetportal für in der Schweiz
lebende Alleinerziehende

www.bke.de
Virtuelle Beratungsstelle der Bundes-
konferenz für Erziehungsberatung
(+49) 0911 97714-0

www.vaterglueck.de
Informative Webseite für werdende und
junge Väter

www.profamilia.de
pro familia, Deutsche Gesellschaft für
Familienplanung, Sexualpädagogik und
Sexualberatung e.V.
(+49) 069 639002

www.profamilia.ch
Pro Familia Schweiz
Dachverband für Familienorganisa-
tionen und Kompetenzzentrum für
Familienpolitik
(+41) 031 3819030

www.familienberatung.gv.at
Bundesministerium für Wirtschaft,
Familie und Jugend
Familienberatung Österreich mit
Online-Suche nach Beratungsstellen

www.ilse.lsvd.de
Initiative lesbischer und schwuler Eltern
(+49) 0221 925961-0

Kinderpflege

www.babysitter.de
Suche nach Babysittern, Tagesmüttern,
Leihomas, Nannys, Au-pairs und All-
tagshelfern in Deutschland

www.babysitter.at
Suche nach Babysittern, Tagesmüttern,
Leihomas, Nannys, Au-pairs und All-
tagshelfern in Österreich

www.betreut24.ch
Schweizer Suchportal für Tagesmütter,
Babysitter, Nannies, Kitas etc.

Gesundheit

www.kinderpflegenetzwerk.de
Selbsthilfeorganisation für Familien mit
chronisch kranken, behinderten und/
oder pflegebedürftigen Kindern und
Jugendlichen
(+49) 030 76766452

www.kinderaerzte-im-netz.de
Berufsverband der Kinder- und Jugend-
ärzte e.V.
Gesundheitsplattform für die ganze
Familie
(+49) 0221 68909-0

www.kindersicherheit.de
Bundesarbeitsgemeinschaft Mehr
Sicherheit für Kinder e.V.
Information zu Unfallrisiken, Sicher-
heitshinweise und Tipps
(+49) 0228 68834-0

www.kindergesundheit-info.de
Informationen, Rat und Hilfe von der
Bundeszentrale für gesundheitliche
Aufklärung
(+49) 0221 89920

www.docs4you.at
Österreichische Gesellschaft für Kinder-
und Jugendheilkunde (ÖGKJ)
Informationen zu allen Themen der
Gesundheit
(+43) 03842 4012438

www.gfg-bv.de
Gesellschaft für Geburtsvorbereitung,
Familienbildung und Frauengesundheit
Bundesverband e.V.
Adressen zu zertifizierten GFG-Geburts-
helfern und GFG-Familienbegleitern
(49) 030 45026920

www.sids.de
Bundesverband gemeinsame Elterniniti-
ative plötzlicher Säuglingstod e.V. (GEPS)
Informationen zur Vermeidung des
plötzlichen Kindstods
(+49) 0511 8386202

www.down-syndrom.org
Arbeitskreis Down-Syndrom
(+49) 0521 442998

www.adhs-anderswelt.de
Selbsthilfe-Community mit Infomatio-
nen rund um ADHS und Hyperaktivität

www.dbl-ev.de
Deutscher Logopädenverband
(+49) 0845 2254071

www.drk. de
Erste Hilfe online auf der Website des
Deutschen Roten Kreuzes

www.aerzte-ueber-impfen.de
Viele wissenswerte Informationen zum
Thema Impfen

www.dgbm.de
Deutsche Gesellschaft für Baby- und
Kindermassage e.V.
(+49) 0781 970 2822

www.allergien.com
Alles über Ursachen und Behandlungs-
möglichkeiten von Allergien

www.erste-hilfe-fuer-kinder.de
Videos zur Ersten Hilfe bei Kindern

Recht & Leistungen

www.bmfsfj.de
Bundesministerium für Familie, Senioren, Frauen und Jugend Deutschlands
Übersicht über die Fördermöglichkeiten
wie auch die Elterngeldstellen
(+49) 0180 1907050

www.gesetze-im-internet.de/muschg/
Gesetz zum Schutz der erwerbstätigen
Mutter

www.familien-wegweiser.de
Informationen über alle finanziellen
Leistungen, Dienstleistungen, Bildungs-
und Beratungsleistungen für Familien
und Alleinerziehende
(+49) 030 18 5550

www.muetterhilfe.ch
Mütterhilfe Schweiz
(+41) 044 2416343.

www.help.gv.at
Gesetzliche Leistungen Österreich
(+43) 01 531150

Sonstiges

www.netmoms.de
Informationen und Community rund
um Baby, Kind und Schwangerschaft

www.kinder.de
Großes Familienportal für Eltern und
Kinder

www.nakos.de
Nakos
Nationale Kontakt- und Informations-
stelle zur Anregung und Unterstützung
von Selbsthilfegruppen
(+49) 030 31018960

www.fruehgeborene.de
Dachverband der Elterninitiativen und
Fördervereine für Frühgeborene und
kranke Neugeborene
(+49) 01805 875877

www.twins.de
Literaturempfehlungen, Kleinanzeigen,
Links und Online-Shop für Eltern von
Zwillingen
(+49) 0800 0686368

www.adoption.de
www.adoption.at
www.adoption.ch
Informationen für adoptionswillige
Paare in Deutschland, Österreich und
der Schweiz

www.pflegeeltern.de
www.pflegefamilie.at
www.pazh.ch
Informationen zum Thema Pflegekinder

www.kleinkind-online.de
Finger-, Aktions- und Singspiele, Kinderlieder und Spielzeugtipps

www.elternimnetz.de
Website des ZBFS (Zentrum Bayern
Familie und Soziales) in Kooperation mit
den bayrischen Jugendämtern
Alles zu den Themen Kinder und
Familie

www.tabakfrei.de
Raucherentwöhnung
Tipps, Foren und Online-Suche für The-
rapeuten und Nichtraucherkurse

Register

Register

Register

Dank

Dank der Herausgeberin

Ich danke den Autoren sowie dem gesamten Team von Dorling Kindersley für deren Hilfe, Anleitung und Fachwissen. Mein besonderer Dank gilt Mandy Lebentz und Victoria Heyworth-Dunne für ihre begeisterte und geduldige Unterstützung dieses Projekts. Zuletzt möchte ich auch meinen Eltern und meinen Kindern dafür danken, dass sie mich gelehrt haben, wie man ein Elternteil wird.

Dank der Fachberater

Dr. Carol Cooper dankt dem gesamten Team an Fachberatern für die gute Zusammenarbeit.
Dr. Claire Halsey dankt Vicki McIvor von Take3 Management für die Unterstützung sowie ihrer Familie Michael, Rupert, Toby und Dominic für die Liebe und ständige Ermunterung.
Dr. Mary Steen dankt dem Dorling-Kindersley-Team sowie den anderen Fachberatern für die harmonische Zusammenarbeit.

Dank des Verlags

Redaktionsassistenz Andrea Bagg, Claire Cross, Elizabeth Yeates, Salima Hirani
Designassistenz Saskia Janssen, Charlotte Johnson
Herstellung Siu Chan
Location-Agentur für die Fotoaufnahmen 1st Option
Fotografieassistenz Ellie Hoffman, Tom Forge
Requisitenbeschaffung für die Fotoaufnahmen Alison Gardner
Bildverwaltung Romaine Werblow
Assistenz bei Agenturbildern Susie Peachey
DK India Kokila Manchanda (Redakteur), Neetika Vilash (Gestaltung), Tina Jindal (Lektor)

Ein Dank an die Modelle: Sarah und Kaiden Asamoa; Nina und Jamie Bradburn; Unity Brennan, Amelie Grace und Benjamin Wolski; Selina Chand und Faith Lucy O'Brien; Narae Cho und Alex Park; Nicola und Freya Church; Anna und Eliana Clarke; Archie Clements; Philippa und Noah Dovar; Joe und Dagan Drahota; Jenny und Harry Duggin; Laura und Zoe Forrest; Rachael und Samuel Grady; Kate Heavenor und Nicolas Diaz; Olga und Mia Gelev; Beatriz de Lemos und Isabel Walker; Jordan McRobie, Jenny Parr und Reuben McRobie; Eden Martin-Osakwe; Poppy Mitchell und Oaklee Wealands; Amelie Victoria Morris; Victoria und Arthur Morton; Oreke Mosheshe und Carter Mbamali; Gabriela und Alba Nardi; Miriam Nelken und Mala Shahi; Laura und Charlie Nickoll; Amie und Rosie Niland; Lauren Overs und Grayson undrews; Yoan Petkov Petkov; Suzy Richards und Max Snead; Heidi Robinson und Elias Crosby; Jenny Sharp und Joshua Tyler; Matthew, Angela und Jacob Smith; Eve Spaughton und Genevieve Long; Rose und Brooke Thunberg; Anggayasti Trikanti und Carissa Afila; Rachel Weaver und Jacob Marcus; Karen und Milly Westropp; Georgie und Harriet Willock.

Bildnachweis

Der Verlag dankt folgenden Institutionen und Personen für die freundliche Genehmigung zum Abdruck ihrer Bilder: (Abkürzungen: o-oben; u-unten; m-Mitte; l-links; r-rechts; go-ganz oben)

2 Getty Images: Frank Herholdt (mlo). **18 Corbis:** Tetra Images / Tetra Images (ur). **28 Mother & Baby Picture Library:** Paul Mitchell (um). **38 Getty Images:** Photodisc (mlo). **40 Getty Images:** Frank Herholdt (m). **41 Corbis:** Cameron (mlo). **Dorling Kindersley:** Brand X Pictures / PunchStock (ur). **42 Corbis:** Larry Williams (mlo). **47 Getty Images:** Anthony Bradshaw (m). **55 Alamy Images:** Peter Usbeck (ur). **Getty Images:** Louie Psihoyos (gol). **59 Photolibrary:** Philippe Dannic (gom). **60 Getty Images:** Ian Hooton / Spl (ur). **Mother & Baby Picture Library:** Ian Hooton (gol). **Photolibrary:** Gyssels (um). **61 Science Photo Library:** Dr. P. Marazzi (mru). **63 Mother & Baby Picture Library:** Ruth Jenkinson (ur). **85 Dorling Kindersley:** Antonia Deutsch (um, ur, gur). **99 Mother & Baby Picture Library:** Ian Hooton (mlo). **103 Mother & Baby Picture Library:** Ian Hooton (mlo). **105 Getty Images:** PM Images (ur). **107 Mother & Baby Picture Library:** Ian Hooton (mro). **109 Getty Images:** Anthony-Masterson (ur). **115 Corbis:** Sean Justice (mro). **Getty Images:** Jupiterimages (ur). **123 Getty Images:** Plattform (gol). **135 Getty Images:** Ghislain & Marie David de Lossy (ur). **136 Mother & Baby Picture Library:** Angela Spain (gol). **147 Corbis:** Fabrik Studios / Index Stock (mro). **150 Corbis:** Tetra Images (mlo). **154 Getty Images:** Joshua Hodge Photography (ur). **182 Getty Images:** Fabrice LEROUGE (mlo). **183 Corbis:** Norbert Schaefer (mlo). **197 Corbis:** eyetrigger Pty Ltd.. (gol); Ocean (ur). **203 Alamy Images:** Peter Griffin (mo). **207 Corbis:** Tim Pannell (gol). **215 Corbis:** Lisa B. (ul). **217 Alamy Images:** thislife pictures (mlo). **Mother & Baby Picture Library:** Ian Hooton (ur). **241 Getty Images:** Tara Moore (ul). **245 Getty Images:** Jamie Grill (um). **262 Corbis:** Radius Images (ul). **268 Mother & Baby Picture Library:** Ian Hooton (ul). **276 Corbis:** moodboard (ul). **289 Alamy Images:** Paul Hakimata (mro). **301 Corbis:** Image Source (ul). **316 Getty Images:** Lilly Dong (gol). **322 Alamy Images:** PhotoAlto sas (ur). **325 Alamy Images:** MARKA (mlo). **331 Getty Images:** Fabrice LEROUGE (mro). **340 Getty Images:** Paul Viant (ul). **344 Getty Images:** Ghislain & Marie David de Lossy (ul). **345 Getty Images:** BJI / Blue Jean Images (ur). **349 Corbis:** Jose Luis Pelaez, Inc. / Blend Images (mlo). **355 Alamy Images:** moodboard (ur). **361 Corbis:** Brigitte Sporrer (mlo). **365 Dorling Kindersley:** Ruth Jenkinson Photography (mlo). **373 Getty Images:** Betsie Van der Meer (mlo). **377 Corbis:** RCWW, Inc. (mlo). **381 Getty Images:** David M. Zuber (ur). **384 Getty Images:** Betsie Van der Meer (mlo). **389 Alamy Images:** Ian nolan (mlo). **392 Mother & Baby Picture Library:** Ian Hooton (mo). **393 Alamy Images:** Agencja FREE (mlo). **396 Mother & Baby Picture Library:** Ian Hooton (mo). **399 Dorling Kindersley:** dave king (mro). **400 Mother & Baby Picture Library:** Ian Hooton (m). **402 Science Photo Library:** Dr. P. Marazzi (um). **405 Science Photo Library:** Chris Knapton (gor). **406 Science Photo Library:** Lowell Georgia (gor). **407 Science Photo Library:** Dr. H. C. Robinson (ul). **409 Getty Images:** Ruth Jenkinson / Spl (gol). **410 Meningitis Trust** www.meningitis-trust.org: (ml). **413 Mother & Baby Picture Library:** Ruth Jenkinson (gor)

Coverfoto: Vorn und Buchrücken: Getty Images: Comstock Images

Alle anderen Abbildungen © Dorling Kindersley
Weitere Informationen unter www.dkimages.com